SUSHI

Marian Keyes

❋❋❋

Melancia

FÉRIAS!

SUSHI

Casório?!

É Agora... ou Nunca

LOS ANGELES

Um Bestseller pra chamar de meu

Tem Alguém Aí?

Cheio de Charme

A Estrela Mais Brilhante do Céu

CHÁ DE SUMIÇO

Mamãe Walsh

SUSHI

MARIAN KEYES

18ª EDIÇÃO

Tradução
HELOISA MARIA LEAL

BERTRAND BRASIL

Título original: *Sushi for Beginners*

Capa: Carolina Vaz

Editoração: DFL

Texto revisado segundo o novo
Acordo Ortográfico da Língua Portuguesa

2015
Impresso no Brasil
Printed in Brazil

CIP-Brasil. Catalogação na fonte
Sindicato Nacional dos Editores de Livros, RJ

K55s
18ª ed.

Keyes, Marian, 1963-
Sushi / Marian Keyes; tradução de Heloisa Maria Leal. — 18ª ed.
— Rio de Janeiro: Bertrand Brasil, 2015.
574p.

Tradução de: Sushi for beginners
ISBN 978-85-286-1077-2

1. Romance irlandês. I. Leal, Heloisa Maria. II. Título.

04-2130

CDD – 823
CDU – 821.111-3

EDITORA BERTRAND BRASIL LTDA.
Rua Argentina, 171 — 2º andar — São Cristóvão
20921-380 — Rio de Janeiro — RJ
Tel.: (0xx21) 2585-2070 — Fax: (0xx21) 2585-2087

Atendimento e venda direta ao leitor:
mdireto@record.com.br ou (0xx21) 2585-2002

AGRADECIMENTOS

Agradeço a Louise Moore, minha fantástica editora, e a todos da Michael Joseph e da Penguin pelo trabalho árduo e pelo entusiasmo.

Agradeço a todos da Poolbeg.

Agradeço a Jonathan Lloyd e a todos da Curtis Brown.

Agradeço a Caitríona Keyes, Mamãe Keyes, Rita-Anne Keyes e Louise Voss, que iam lendo o livro à medida que era escrito e sempre pediam mais.

Agradeço a Eileen Prendergast, especialmente por me dar o nome do livro!

Agradeço a Siobhan Coogan pelas informações sobre os bastidores da maternidade.

Agradeço a todos da comunidade Simon pela generosidade com que me deram seu tempo e pelas informações sobre os sem-teto.

Agradeço a Morag Prunty e a todos da *Irish Tatler* por me revelarem o mundo das revistas.

Agradeço a todos os humoristas que conheço, nenhum dos quais se parece em nada com os deste livro!

Agradeço ao Hotel Clarence.

As seguintes pessoas também ajudaram imensamente com suas informações e incentivo. Se eu tiver esquecido alguém, por favor, me perdoe: Suzanne Benson, Jenny Boland, Susie Burgin, Ailish Connelly, Gai Griffin, Suzanne Power e Annemarie Scanlan.

Agradeço, como sempre, a meu amado Tony, por tudo.

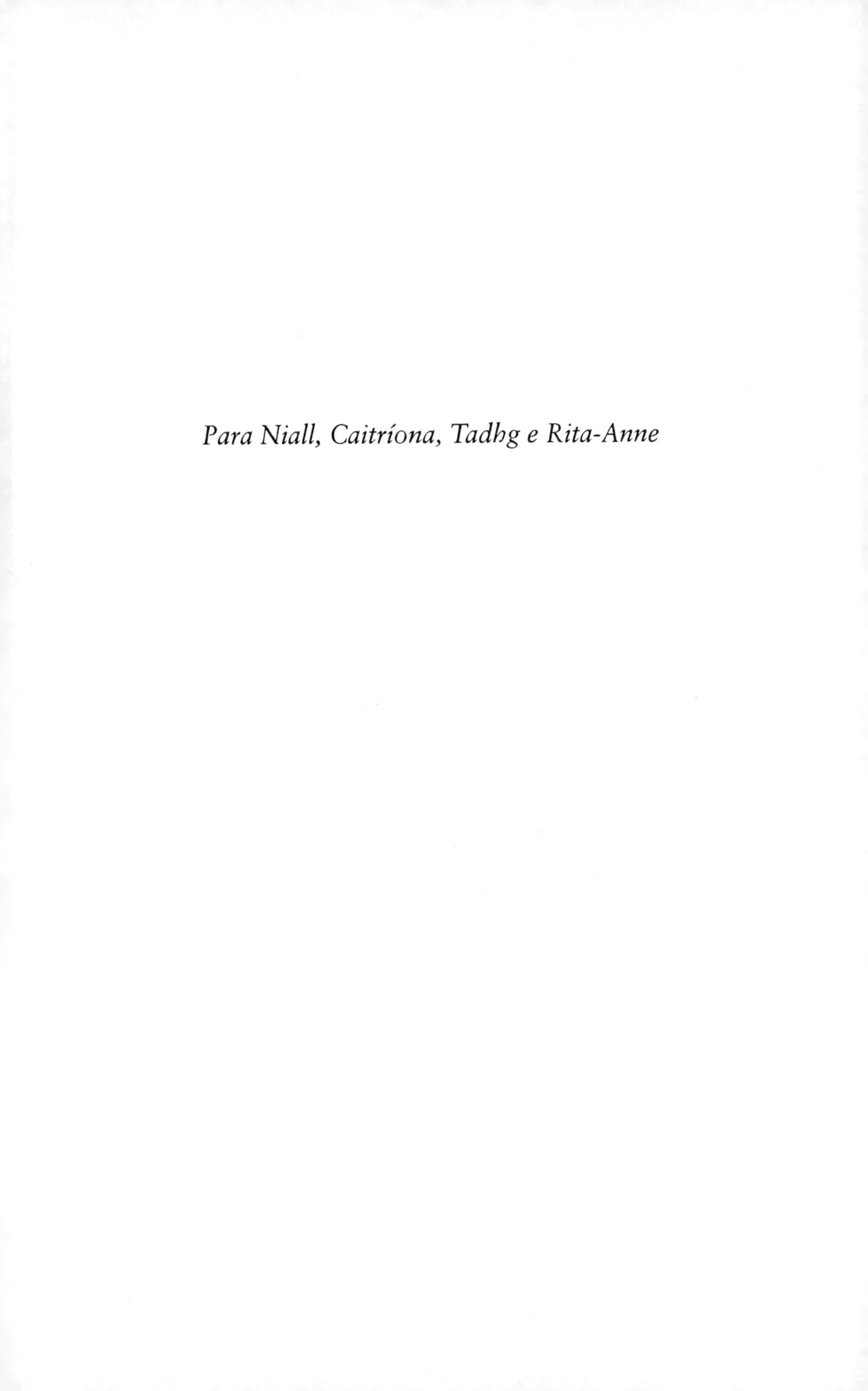

Para Niall, Caitríona, Tadhg e Rita-Anne

PRÓLOGO

— Droga — pensou ela, ao se dar conta. — Acho que estou tendo um colapso nervoso.

Correu o olhar pela cama onde estava jogada. Seu corpo há muito necessitado de um banho espalhava-se letargicamente sobre o lençol há muito necessitado de uma troca. Lenços de papel encharcados e amassados atulhavam o edredom. A poeira se acumulava sobre um arsenal intacto de chocolates em cima da cômoda. A televisão no canto bombardeava sua cama sem trégua com a programação da manhã. Opa, colapso nervoso, não tinha nem talvez.

Mas algo estava errado. O que seria?

— Sempre achei... — ela arriscou. — A verdade é que sempre esperei...

Do nada, ela soube.

— Sempre achei que seria melhor *do que isso...*

CAPÍTULO 1

Algo estava no ar havia semanas na redação da revista *Femme*, uma sensação de que um terremoto estava prestes a acontecer. As especulações chegaram ao auge quando se confirmou que Calvin Carter, o diretor-superintendente da Randolph Media nos Estados Unidos, fora visto perambulando pelo último andar, à procura do banheiro dos homens. Pelo visto, acabara de chegar a Londres, do escritório central em Nova York.

Está acontecendo. Lisa fechou os punhos de empolgação. *Está finalmente acontecendo, acontecendo de verdade!*

Mais tarde, naquele mesmo dia, veio o telefonema. Será que Lisa não daria um pulo lá em cima para conhecer Calvin Carter e Barry Hollingsworth, o diretor-superintendente da Randolph Media na Inglaterra?

— É pra já! — berrou ela, batendo com o telefone.

Seus colegas não se deram sequer ao trabalho de levantar os olhos. Pessoas batendo com o telefone e berrando em seguida eram figurinhas fáceis no jogo da revista. De mais a mais, estavam presos no Inferno da Data do Fechamento da Edição — se não conseguissem fechar a edição daquele mês até o fim da tarde, perderiam o espaço na gráfica e seriam desbancados novamente por sua arquirival *Marie Claire*. Mas Lisa estava pouco se importando, pensou, mancando em direção ao elevador, pois não teria mais um emprego ali depois daquele dia. Teria um muito melhor, em outro lugar.

Fizeram Lisa esperar vinte e cinco minutos do lado de fora da sala da diretoria. Afinal, Barry e Calvin eram homens muito importantes.

— Será que já não podemos deixá-la entrar? — perguntou Barry a Calvin, quando achou que já tinham feito hora o bastante.

— Só se passaram vinte e cinco minutos desde que a chamamos — observou Calvin, mal-humorado. Era óbvio que Barry Hollingsworth não se dava conta de o quanto *ele*, Calvin, era importante.

— Desculpe, achei que já tinha se passado mais tempo. Não gostaria de me mostrar outra vez como melhorar minha tacada?

— Claro. Agora, abaixa a cabeça e fica imóvel. Imóvel! Pés firmes, braço direito reto, e manda brasa!

Quando Barry e Calvin finalmente deram permissão a Lisa para entrar, estavam sentados por trás de uma mesa de nogueira medindo aproximadamente um quilômetro de comprimento. Sua figura era de uma imponência assustadora.

— Sente-se, Lisa. — Calvin Carter meneou gentilmente a cabeça, que parecia uma bala de prata.

Lisa sentou-se. Alisou para trás os cabelos cor de caramelo, com isso realçando seus reflexos cor de mel gratuitos. *Gratuitos* porque ela vivia incluindo o nome do salão na seção "Fique de Olho" da revista.

Acomodando-se na poltrona, trançou graciosamente os pés calçados com sapatos Patrick Cox. Os sapatos eram de um número pequeno demais para ela — não importava quantas vezes pedisse à assessoria de imprensa da Patrick Cox para mandar um par trinta e nove, eles sempre mandavam um trinta e oito. Mas sapatos Patrick Cox de salto agulha grátis são sapatos Patrick Cox de salto agulha grátis. Que importância tinha um detalhe ridículo como a dor excruciante?

— Obrigado por subir até aqui. — Calvin sorriu. Lisa achou melhor retribuir o sorriso. Os sorrisos eram uma mercadoria, como tudo o mais, uma coisa que só se dá em troca de algo útil, mas ela ponderou que nesse caso valeria a pena. Afinal, não era todo dia que uma mulher era nomeada redatora-chefe da revista *Manhattan* e transferida para Nova York. Por esse motivo, curvou os lábios e mostrou os dentes brancos como pérolas. (Assim mantidos graças ao estoque de um ano da pasta Rembrandt que fora doado para um concurso a ser promovido entre as leitoras, mas que Lisa achou que seria mais útil no seu banheiro.)

— Você já está na *Femme* há... — Calvin olhou para as folhas grampeadas à sua frente. — ...quatro anos?

— Vai fazer quatro anos mês que vem — murmurou Lisa, com um misto de deferência e autoconfiança estrategicamente dosadas.

— E é editora há quase dois anos?

— Dois anos maravilhosos — confirmou Lisa, resistindo ao impulso de enfiar os dedos na garganta e vomitar.

— E você só tem vinte e nove anos — admirou-se Calvin. — Bem, como você sabe, aqui na Randolph Media nós recompensamos os esforços de nossos funcionários.

Lisa recebeu essa mentira deslavada com um piscar de olhos simpático. Como muitas empresas do mundo ocidental, a Randolph Media recompensava os esforços de seus funcionários com salários baixos, cargas de trabalho cada vez maiores, rebaixamentos e demissões sumárias.

Mas Lisa era diferente. Estava quite com a *Femme*, tendo feito sacrifícios que nem ela mesma pretendera fazer: pegar no batente às sete da manhã quase todos os dias, fazer jornadas de trabalho de doze, treze, quatorze horas seguidas, e ainda comparecer a reuniões de imprensa à noite, quando finalmente desligava seu computador. Muitas vezes ia trabalhar aos sábados e domingos, e até mesmo em feriados que caíam na segunda. Os porteiros tinham ódio dela, pois sempre que queria vir ao escritório, um deles era obrigado a ir trabalhar para abrir a porta e, portanto, perder sua pelada de sábado à tarde ou sua excursão familiar a Brent Cross no feriado.

— Temos uma vaga na Randolph Media — disse Calvin, com ar importante. — Seria um desafio maravilhoso, Lisa.

Já sei, pensou ela, irritada. *Vai direto ao ponto.*

— Obrigaria o funcionário a se mudar para outro país, o que poderia ser um problema para o cônjuge.

— Sou solteira. — Lisa foi brusca.

Barry franziu a testa, surpreso, e pensou nos dez paus em que fora obrigado a morrer alguns anos atrás para a vaquinha de presente de casamento de alguém. Podia jurar que fora para Lisa, mas talvez não, talvez sua memória já não fosse mais o que era antigamente...

— Estamos procurando uma diretora para uma nova revista — prosseguiu Calvin.

Uma *nova* revista? Lisa perdeu completamente o rebolado. *Mas a* Manhattan *é editada há setenta anos!* Enquanto quebrava a cabeça tentando decifrar as implicações da notícia, Calvin desfechou o golpe final:

— Você seria obrigada a se mudar para Dublin.

O choque produziu um zumbido abafado em sua cabeça, como se seus ouvidos estivessem tapados. Uma sensação de alienação, mescla de dormência e confusão mental. A única realidade era a súbita dor em seus dedos do pé massacrados.

— Dublin? — Ela ouviu sua própria voz abafada perguntar. Talvez... talvez... talvez se referissem a Dublin, em Nova York.

— Dublin, na Irlanda — disse Calvin Carter, como se sua voz saísse de um túnel longo e ecoante, enterrando de uma vez por todas a última esperança de Lisa.

Não acredito que isso esteja acontecendo comigo.

— Irlanda?

— Um lugarzinho chuvoso do outro lado do mar da Irlanda — informou Barry, solícito.

— Onde bebem à beça — disse Lisa, num fio de voz.

— E falam pelos cotovelos. É esse o lugar. Uma economia em pleno crescimento e uma grande população de jovens. A pesquisa de mercado indica que o lugar está em ponto de bala para uma nova revista voltada para a mulher independente. E queremos que você crie essa revista para nós, Lisa.

Olhavam para ela, cheios de expectativa. Ela sabia que a praxe seria gaguejar murmúrios chorosos e surpresos sobre a gratidão que sentia pela imensa confiança que depositavam nela e a grande esperança que nutria de justificar a fé que tinham em sua pessoa.

— Hum, que bom... Obrigada.

— Nosso portfólio irlandês é impressionante — gabou-se Calvin. — Editamos a *Noiva Hibérnica*, a *Saúde Celta*, a *Interiores Gaélicos*, a *Jardinagem Irlandesa*, a *Juízo Católico*...

— Não, a *Juízo Católico* está para fechar — interrompeu-o Barry. — As vendas estão despencando.

— A *Tricô Gaélico* — prosseguiu Calvin, que não se interessava por más notícias —, a *Carro Celta*, a *Batata*, que é a nossa revista irlandesa de culinária, a *Bricolagem à Moda da Casa* e a *Super Hiber*.

— *Super Hiper?* — Lisa se forçou a perguntar. Era recomendável não parar de falar.

— *Super* Hiber — corrigiu-a Barry. — Abreviatura de *Super Hibérnico*. Uma revista para o homem jovem. Uma mescla da *Loaded* com a *Arena*.

— Qual vai ser o nome?

— Pensamos em *Garota*. Jovem, batalhadora, descolada, sexy, é assim que a imaginamos. Principalmente sexy, Lisa. Mas não intelectual demais. Pode ir tratando de esquecer as matérias deprimentes do tipo circuncisão feminina ou a falta de liberdade das mulheres no Afeganistão. Essa não é a nossa leitora-alvo.

— Você quer uma revista burra?

— Agora você disse tudo! — Calvin ficou radiante.

— Mas eu nunca estive na Irlanda, não sei nada sobre o lugar...

— Exatamente! — concordou Calvin. — É justamente o que queremos: nenhum preconceito, só uma abordagem original e honesta. O mesmo salário, um pacote de remanejamento generoso, você começa daqui a duas semanas, na segunda.

— *Duas semanas?* Mas isso quase não me deixa tempo...

— Ouvi dizer que você tem uma capacidade de organização fantástica. — Os olhos de Calvin brilharam, cruéis. — Me impressione. Alguma pergunta?

Ela não conseguiu se conter. Normalmente sorriria enquanto a faca era revirada, porque a dor era um preço pequeno a ser pago, comparada com o que estava em jogo. Mas agora estava em estado de choque.

— E o cargo de redatora-chefe na *Manhattan*?

Barry e Calvin se entreolharam.

— Tia Silvano, da *New Yorker*, foi a candidata escolhida — admitiu Calvin, mal-humorado.

Lisa assentiu. Sentia-se como se seu mundo tivesse acabado. Como uma autômata, levantou-se para sair.

— Quando tenho que dar uma resposta? — perguntou.

Barry e Calvin tornaram a se entreolhar.

Por fim, Calvin se incumbiu de responder:

— Já contratamos alguém para seu cargo atual.

O mundo entrou em câmera lenta quando Lisa compreendeu que se tratava de um fato consumado. Não tinha absolutamente nenhum poder de decisão sobre o assunto. Presa no grito que não conseguia soltar, demorou vários segundos para compreender que não lhe restava mais nada a fazer, a não ser sair mancando do aposento.

— Está a fim de uma partida de golfe? — perguntou Barry a Calvin, quando ela saiu.

— Adoraria, mas não posso. Tenho que ir a Dublin entrevistar os candidatos para os outros cargos.

— Quem é o diretor-superintendente irlandês atual? — perguntou Barry.

Calvin franziu o cenho. Barry deveria saber.

— Um cara chamado Jack Devine.

— Ah, aquele. Meio rebelde.

— Não acho. — Calvin era inimigo ferrenho dos rebeldes. — Pelo menos, acho bom não ser.

Lisa tentou dourar a pílula. Jamais admitiria que estava decepcionada. Ainda mais depois de todos os sacrifícios que fizera.

Mas não se pode tapar o sol com a peneira. Dublin não era Nova York, não importa de que ângulo se olhasse para a questão. E o "generoso" pacote de remanejamento justificaria um processo por propaganda enganosa. Pior ainda, ela teria que renunciar ao seu celular. Seu *celular*! Era como se um membro de seu corpo fosse ser amputado.

Nenhuma das colegas de Lisa ficou exatamente inconsolável com sua partida. Ela jamais deixara nenhuma delas usar seus sapatos Patrick Cox uma vezinha sequer, nem mesmo as que calçavam trinta e oito. E a prodigalidade de seus comentários venenosos e maledicentes havia lhe granjeado o apelido de Boa Peçonha. Não obstante, no último dia de Lisa, a equipe foi obrigada a se reunir na sala de reuniões para o bota-fora de praxe — copos descartáveis, um vinho branco morno que poderia ser usado como removedor de tinta, uma bandeja com um leque medíocre de biscoitos salgados e o boato — jamais concretizado — de que os aperitivos de salsicha já estavam a caminho.

Quando todos já estavam no terceiro copo de vinho e, por esse motivo, podia-se confiar que demonstrariam um pouco de entusiasmo, alguém pediu silêncio e Barry Hollingsworth fez seu clássico discurso, agradecendo a Lisa por tudo e desejando-lhe muitas felicidades. Todos concordaram que ele se saiu maravilhosamente bem. Principalmente porque conseguiu acertar o nome dela. Da última vez que alguém fora embora, ele fizera um discurso lacrimogêneo de vinte minutos louvando os talentos sem igual e a contribuição dada por uma certa Heather, enquanto Fiona, a homenageada, assistia, morta de vergonha.

Então chegou a hora de dar a Lisa o vale de vinte libras em compras na Marks & Spencer e um grande cartão com o desenho de um hipopótamo e as palavras "Que pena que você vai embora!". Ally Benn, a redatora-chefe da *Femme*, escolhera o presente de despedida com todo o cuidado. Quebrara a cabeça imaginando o que Lisa mais odiaria e, por fim, concluíra que nada lhe daria maior desgosto do que o vale da Marks & Spencer. (Ally Benn calçava trinta e oito certinho.)

— Um brinde a Lisa! — concluiu Barry. A essa altura todo mundo já estava bêbado e agitado, de modo que ergueram seus copos de plástico, entornando vinho e lascas de cortiça nas roupas e, às risadinhas e cotoveladas, berraram: "A Lisa!"

Lisa só se demorou estritamente o necessário. Há muito andava ansiosa por esse bota-fora, mas sempre pensara que sairia por cima, já com o pé em Nova York. E não escorraçada para uma revista que era a versão jornalística da Sibéria. Era um pesadelo completo.

— Preciso ir — disse ela às aproximadamente doze mulheres com quem trabalhara durante os últimos dois anos. — Tenho que terminar de fazer as malas.

— Claro, claro — concordaram, numa algaravia bêbada de votos de felicidades: — Bom, boa sorte, divirta-se, aproveite a Irlanda, se cuide, não vá trabalhar demais...

Assim que Lisa chegou à porta, Ally gritou:

— Vamos sentir sua falta...

Lisa assentiu, séria, e fechou a porta.

— ...no dia de São Nunca! — Ally não perdia uma. — Sobrou vinho?

Ficaram até a última gota de vinho ser bebida e a última migalha de biscoito limpa da bandeja com um dedo lambido, e então voltaram-se umas para as outras e perguntaram, num tom perigosamente animado: "E agora?"

Despencaram-se em peso para o SoHo, invadindo os bares e bebendo tequila, a típica farra das executivas nas noites de sexta. A pequena Sharif Muntaz (editora assistente de variedades) perdeu-se do grupo e voltou para casa graças à ajuda de um bom homem, com quem se casou nove meses depois. Jeanie Geoffrey (editora assistente de moda) ganhou uma garrafa de champanhe de um homem que declarou que ela era "uma deusa". A bolsa de Gabbi Henderson (saúde e beleza) foi roubada. E Ally Benn (recém-nomeada diretora) subiu numa mesa num dos bares mais animados de Wardour Street e dançou feito uma louca até despencar e sofrer fraturas múltiplas no pé direito.

Em suma, uma grande noite.

CAPÍTULO 2

— Ted, você não podia ter chegado em melhor hora! — Ashling escancarou a porta e, pela primeira vez, não pronunciou a frase mais abusada de seu repertório, que, por acaso, vinha a ser: "Ah, que merda, é Ted."

— É mesmo? — Ted entrou no apartamento, ressabiado. Não estava habituado a ser recebido de maneira tão efusiva.

— Preciso que voce me diga qual blazer cai melhor em mim.

— Vou me esforçar ao máximo. — O rosto magro e sombrio de Ted adquiriu uma expressão ainda mais intensa. — Mas eu sou homem.

Não totalmente, lamentou Ashling com seus botões. Era uma grande pena que a pessoa que se mudara para o apartamento de cima seis meses atrás e houvesse decidido na hora que Ashling era sua melhor amiga, não fosse um cara simpático, alto, desses de acelerar o pulso, e sim Ted Mullins, funcionário público, com uma mão na frente e outra atrás, aspirante a humorista e proprietário baixinho e magrela de uma bicicleta.

— Primeiro, este preto. — Ashling ajeitou com os ombros o blazer por cima da blusa "de entrevista", de seda branca, e das calças mágicas Perca-três-quilos-num-instante.

— Qual é o grande acontecimento? — Ted sentou-se numa cadeira e se enroscou. Era todo ângulos e cotovelos, ombros pontudos e joelhos ossudos, como se fosse um esboço de si mesmo.

— Entrevista de emprego. Agora de manhã, às nove e meia.

— Outra! Para quê, dessa vez?

Ashling andara se candidatando a todo tipo de cargos nas últimas duas semanas, desde trabalhar num rancho de faroeste em Mullingar até atender o telefone numa firma de relações públicas.

— Redatora-chefe de uma nova revista chamada *Garota*.

— Quê? Um emprego no duro? — O rosto taciturno de Ted se iluminou. — Não entendo por que você se candidatou a todos aqueles outros, estavam muito aquém das suas qualificações.

— Tenho baixa autoestima — Ashling relembrou a ele, com um largo sorriso.

— A minha é ainda mais baixa — devolveu Ted, decidido a não ficar atrás. — Mas uma revista feminina... — refletiu. — Se você conseguir, pode mandar aquele pessoal da *Cantinho da Mulher* tomar no rabo. A vingança é um prato que se serve frio! — Atirou a cabeça para trás e soltou uma sequência de falsas gargalhadas sardônicas do tipo Vincent Price: — Iuarrarrarrarrarrarrarrarrarrá!

— Na verdade, a vingança não é nenhum prato — interrompeu-o Ashling. — É uma emoção. Ou qualquer outra coisa. Com a qual não vale a pena a gente perder tempo.

— Mas depois da maneira como te trataram — disse Ted, admirado. — Você não teve culpa pelo fato de o sofá da mulher ter ficado estragado.

Durante mais anos do que gostava de se lembrar, Ashling trabalhara na *Cantinho da Mulher*, uma revista semanal chinfrim. Ashling fora editora de ficção, editora de moda, editora de saúde e beleza, editora de trabalhos manuais, editora de culinária, psicóloga, copidesque e orientadora espiritual, os oito em um. O que não era tão trabalhoso quanto possa parecer, na realidade, porque a *Cantinho da Mulher* era produzida segundo uma fórmula muito rigorosa, de eficácia comprovada.

Toda edição tinha um molde de crochê — quase sempre uma capa para o rolo de papel higiênico em feitio de dama antiga do Sul dos Estados Unidos. Em seguida vinha uma seção de culinária ensinando a comprar cortes de carne baratos e disfarçá-los de alguma outra coisa. Toda edição tinha um conto cujos protagonistas eram um jovem e sua avó, inimigos jurados no começo e grandes amigos no fim. Havia a Seção Problema, é claro — invariavelmente com uma carta se queixando de uma nora atrevida. As páginas dois e três exibiam um sortimento de casos "engraçados" estrelados pelos netos das leitoras, e as gracinhas que haviam dito ou feito. A terceira capa trazia uma carta cheia de lugares-comuns, supostamente escrita por

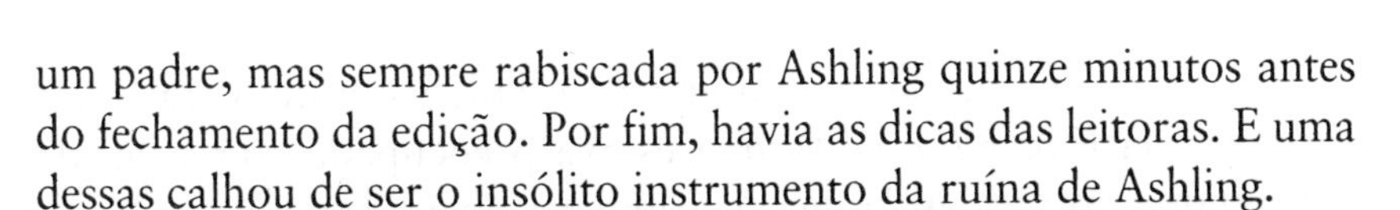

um padre, mas sempre rabiscada por Ashling quinze minutos antes do fechamento da edição. Por fim, havia as dicas das leitoras. E uma dessas calhou de ser o insólito instrumento da ruína de Ashling.

As dicas das leitoras eram conselhos enviados pelas marias-ninguém em benefício das outras marias-ninguém. Eram sempre sobre como fazer o dinheiro render mais e conseguir alguma coisa sem gastar nem um centavo. A premissa geral era a de que você não precisa comprar *nada*, porque pode fazê-lo você mesma com ingredientes básicos que já tem em casa. O suco de limão era o arroz de festa da seção.

Por exemplo: para que comprar um xampu caro, quando você pode fabricar o seu com um pouco de suco de limão e detergente? Gostaria de fazer reflexos no cabelo? É só espremer dois limões na cabeça e sentar ao sol. Durante um ano, mais ou menos. E para tirar aquela mancha de suco de mirtilo do sofá bege? Uma mistura de suco de limão com vinagre dá conta do recado.

Só que não dava. Pelo menos, não no sofá da Sra. Anna O'Sullivan, do condado de Waterford. Saiu tudo errado, mais errado impossível — a mancha de suco de mirtilo tornou-se mais tinhosa do que nunca, e nem o Diabo das Manchas conseguiu expulsá-la dali. E, apesar do emprego magnânimo de Glade, todo o aposento fedia a vinagre. Como era uma boa católica, a Sra. O'Sullivan acreditava em castigos violentos. E ameaçou entrar na justiça.

Quando Sally Healy, editora da *Cantinho da Mulher*, abriu uma sindicância, Ashling admitiu que inventara ela mesma a tal dica. Tinham recebido muito poucas contribuições das leitoras naquela semana em particular.

— Eu não achava mesmo que alguém acreditasse nelas — sussurrou Ashling em sua defesa.

— Estou surpresa com você, Ashling — disse Sally. — Você sempre me disse que não tinha imaginação. E a carta do padre Bennett não conta, sei que você a copia da *Juízo Católico*, que, por sinal — guarde isso para si, por enquanto —, está quase indo para o brejo.

— Me desculpe, Sally, isso nunca mais vai se repetir.

— Sou eu que peço desculpas, Ashling. Vou ter que despedir você.

— Por causa de um simples erro? Não acredito!

Tinha razão em não acreditar. O verdadeiro motivo era que a diretoria da *Cantinho da Mulher* estava preocupada com a queda vertiginosa das vendas da revista, e andava à cata de um bode expiatório. O bafafá de Ashling não poderia ter vindo em melhor hora. Agora poderiam simplesmente despedi-la, sem ter que desembolsar uma indenização.

Sally Healy ficou desolada. Ashling era a funcionária mais confiável e esforçada que alguém poderia ter. Mantinha o lugar inteiro funcionando, enquanto Sally chegava tarde, saía cedo e desaparecia nas tardes de terça e quinta para apanhar a filha na aula de balé e o filho no treino de futebol. Mas a diretoria tinha deixado claro que era Ashling ou ela.

Em consideração a seus longos anos de dedicação, permitiram que Ashling se mantivesse no emprego até arranjar outro. Coisa que, se Deus quisesse, aconteceria logo.

— E aí? — Ashling alisou a frente do blazer e se voltou para Ted.

— Ótimo. — Os ossos dos ombros de Ted se ergueram e descaíram.

— Ou este aqui é melhor? — Ashling vestiu um blazer que, aos olhos de Ted, pareceu idêntico ao primeiro.

— Ótimo — ele repetiu.

— Qual dos dois?

— Os dois.

— Qual dos dois dá mais impressão de que tenho cintura?

Ted se contorceu.

— De novo, não. Você é obcecada pela sua cintura.

— Não tenho cintura para me obcecar.

— Por que você não implica com o tamanho da sua bunda, como todas as mulheres normais?

Ashling tinha muito pouca cintura, mas, como sempre acontece com as más notícias que nos dizem respeito, fora a última a saber. Foi só aos quinze anos, quando sua amiga Clodagh soltou um suspiro e disse: "Que sorte a sua, não ter cintura. A minha é minúscula e isso só serve para fazer minha bunda parecer maior", que ela fez a chocante descoberta.

Enquanto todas as outras garotas da rua passaram a adolescência diante do espelho, numa dúvida mortal se um dos peitos era maior que o outro, a atenção de Ashling se concentrava mais embaixo Até que finalmente comprou um bambolê e começou a praticar com raça no jardim dos fundos. Durante dois meses ralou e rebolou, dia e noite, a língua sinceramente pendurada para fora da boca. Todas as mães de família da vizinhança espiavam por cima dos muros de seus jardins, os braços cruzados, trocando meneios de cabeça coniventes: "O bambolê ainda vai acabar levando aquela ali para o túmulo antes da hora."

Não que o obsessivo e ininterrupto bamboleio tivesse surtido o menor efeito. Ainda hoje, dezesseis anos depois, havia uma inegável retidão longitudinal na silhueta de Ashling.

— Não ter cintura não é a pior coisa que pode acontecer com alguém — animou-a Ted, porque não era nos seus olhos que a pimenta ardia.

— Não é mesmo — concordou Ashling, com uma jovialidade desconcertante. — A pessoa também pode ter pernas horríveis... E quis a sorte que eu tivesse.

— Não tem, não.

— Tenho, sim. Herdei da minha mãe... Mas, como é a única coisa que herdei dela — acrescentou, bem-humorada —, acho que não estou tão mal assim.

— Na cama, sou do tipo de homem que apronta todas — começou Ted, que estava ansioso para mudar de assunto. — Ontem, por exemplo, disse para minha namorada que foi meu sobrinho quem colou os adesivos do Ursinho Puff na cabeceira.

— Que namorada? E que história é essa de Ursinho Puff?

— Não, tá tudo errado — resmungou Ted para si mesmo. — Na cama, sou do tipo de homem que *inventa* todas. Ontem, por exemplo, *inventei* para minha namorada que foi meu sobrinho quem colou os adesivos do Ursinho Puff na cabeceira... Tchan-tchan!

— Ha, ha, muito boa — disse Ashling, sem entusiasmo. O pior de ser a pessoa favorita de Ted era ser obrigada a servir de cobaia para suas novas piadas. — Mas posso fazer uma sugestão? "Na cama, sou do tipo de homem que inventa todas. Ontem, por exemplo, inventei para minha namorada que sempre vou amá-la e jamais vou deixá-la..." Tchan-tchan! — acrescentou, irônica.

— Estou atrasado — disse Ted. — Quer uma carona?

Muitas vezes ele lhe dava uma carona para o trabalho na garupa da bicicleta, a caminho de seu emprego no Ministério da Agricultura.

— Não, obrigada, vou para outras bandas.

— Boa sorte com a entrevista. Dou uma passada aqui hoje à noite para te ver.

— Não duvido nada — concordou Ashling, entre os dentes.

— Ah, sim! Como é que está a sua otite?

— Quase curada. Já estou conseguindo até lavar a cabeça sozinha.

CAPÍTULO 3

Ashling acabou se decidindo pelo blazer número um. Podia jurar que detectara uma ligeira reentrância no meio do percurso entre os peitos e os quadris, e isso já era o bastante para ela.

Depois de ficar em dúvida quanto à maquiagem, optou pela discrição, para não dar a impressão de ser frívola. Mas, para não ficar insípida *demais*, resolveu usar sua amada bolsa preta e branca em pele de pônei. Em seguida, esfregou o Buda da sorte, enfiou o seixo da sorte no bolso e lançou um olhar cheio de tristeza para o chapéu vermelho da sorte. Mas, enfim, que sorte pode dar um chapéu com um pompom vermelho numa entrevista de emprego? E, de mais a mais, não precisava dele — seu horóscopo dissera que aquele seria um bom dia. E o oráculo dos anjos também.

Ao sair do prédio, teve que contornar pé ante pé um homem que dormia a sono solto diante da portaria. Em seguida, voltou-se na direção do escritório da Randolph Media em Dublin e, enquanto passava apressada pelo engarrafamento no centro da cidade, repetia mentalmente, uma vez atrás da outra, como aconselha Louise L. Hay: *Vou conseguir esse emprego, vou conseguir esse emprego, vou conseguir esse emprego...*

Mas e se não conseguir?, Ashling não pôde deixar de se perguntar.

Bom, nesse caso, não vou me importar, bom, nesse caso, não vou me importar, bom, nesse caso, não vou me importar...

Embora tivesse bancado a durona na ocasião, Ashling ficara arrasada com a reviravolta causada pelo sofá da Sra. O'Sullivan. Tão arrasada que o fato provocara uma das otites que sempre davam as caras quando ela ficava estressada.

Perder o emprego era de uma infantilidade constrangedora, o tipo de coisa que não acontece com uma mulher de trinta e um anos de idade, que já fez até uma hipoteca. Sem dúvida, ela já devia ter superado isso tudo, não é mesmo?

Para impedir que sua vida desmoronasse, lançara-se desesperadamente à procura de um emprego, candidatando-se a qualquer função que tivesse uma remota hipótese de desempenhar. Não, não sabia laçar um garanhão fujão, admitira durante a entrevista no rancho de faroeste em Mullingar — para ser franca, pensara que o cargo para o qual estavam entrevistando os candidatos fosse administrativo —, mas estava *disposta a aprender.*

Em cada entrevista a que comparecia, repetia sem cessar que estava *disposta a aprender.* Mas, de todos os empregos a que se candidatara, o da *Garota* era o único que realmente queria, que *desesperadamente* queria. Adorava trabalhar numa revista, e os empregos em revistas eram raros na Irlanda. Além disso, Ashling não era propriamente uma jornalista, apenas alguém com boa capacidade de organização e olho para detalhes.

As revistas da Randolph Media ocupavam o terceiro andar de um prédio de escritórios no cais do porto. Ashling ficara sabendo que a Randolph Media também era dona de uma emissora de televisão, pequena mas próspera, o Canal 9, e uma estação de rádio altamente comercial, mas, pelo visto, ambas funcionavam em algum outro local.

Ashling saiu do elevador e disparou pelo corredor em direção à recepção. O lugar parecia fervilhar de atividade, com gente correndo de um lado para o outro, carregando papeletas. Ashling vibrou com um entusiasmo que raiava a náusea. Bem em frente à mesa de recepção, havia um homem alto e desgrenhado, absorto numa conversa com uma garota asiática minúscula. Falavam um com o outro em voz baixa, e algo na natureza do diálogo fez com que Ashling compreendesse que gostariam de estar gritando. Seguiu em frente, apressada; não gostava de brigas. Nem mesmo das alheias.

Deu-se conta do quão profundamente se equivocara em relação ao quesito maquiagem no momento em que pôs os olhos na recepcionista. Trix — era assim que seu distintivo dizia que se chamava — tinha a aparência cintilante e untuosa das adeptas da escola de maquiagem Mais é Mais.

Suas sobrancelhas tinham sido tão afinadas que se encontravam à beira da extinção, seu delineador labial era tão grosso e escuro que ela parecia ter um bigode, e toda a sua cabeça loura estava emaranhada entre dúzias de prendedorezinhos cintilantes em feitio de borboleta, simetricamente distribuídos. Devia ter sido obrigada a acordar três horas mais cedo para fazer aquilo, pensou Ashling, extremamente impressionada.

— Oi — grunhiu ela, com uma voz de quem fuma quarenta cigarros por dia — o que, por coincidência, vinha a ser o caso.

— Tenho uma entrevista às nove e me... — Ashling se interrompeu ao ouvir um ganido alto atrás de si. Olhou por sobre o ombro e viu o homem desgrenhado cuidando do dedo indicador.

— Você me mordeu! — exclamou ele. — Mai, tirou sangue!

— Espero que sua antitetânica esteja na validade — a garota asiática riu, cheia de desprezo.

Trix soltou um muxoxo, lançando os olhos para o alto, e resmungou:

— Aqueles dois babacas nunca se cansam. Senta aí — disse a Ashling. — Vou dizer para o Calvin que você chegou.

Desapareceu por entre as portas duplas e Ashling saiu mancando até um sofá, ao lado de uma mesinha onde se espalhavam todos os títulos da atualidade. A vista deles fez com que seu nervosismo atingisse um súbito paroxismo — queria esse emprego tão desesperadamente! Seu coração palpitava, seu estômago soltava descargas de bílis. Distraída, rolou o seixo da sorte entre o polegar e o indicador. Por trás do véu de ansiedade que a fazia tremer, teve uma vaga consciência do homem mordido batendo a porta do banheiro masculino e da garota asiática minúscula pisando duro em direção ao elevador, sua longa cortina de cabelos negros balançando sedosa de um lado para o outro.

— O Sr. Carter mandou você entrar. — Era Trix que estava de volta, tentando, em vão, disfarçar sua surpresa. Durante os dois últimos dias fora infernizada por candidatas nervosas que Calvin Carter deixara mofando ao lado de sua mesa por até meia hora. Durante essa espera, Trix fora obrigada a adiar seus telefonemas para as amigas e namorados e enfrentar as perguntas suplicantes das candidatas sobre suas chances de conseguir o emprego. E, como se já não fosse dose para leão, sabia *muitíssimo bem* que Calvin Carter e Jack Devine não estavam fazendo outra coisa na sala de entrevistas senão jogar buraco.

Mas hoje Calvin Carter fora abandonado por Jack Devine, e estava se sentindo sozinho e entediado. Tanto podia estar entrevistando alguém quanto coçando o saco.

— Entre! — ordenou, quando Ashling bateu timidamente à porta.

Bastou-lhe uma única olhada na mulher de cabelos escuros vestindo um terninho preto para decidir não contratá-la. Pelo simples fato de que não era glamourosa o bastante para a *Garota*. Ele não entendia muito de cabelo de mulher, mas algo lhe dizia que em geral era mais complicado do que o daquela. O normal não era ter um certo jeitão de *coisa mexida*? Certamente não era para ficar lá, castanho e pendurado até os ombros, não é mesmo? E uma cara lavada vai muito bem numa empregadinha de fazenda encarregada de ordenhar as vacas, mas não numa aspirante ao cargo de redatora-chefe de uma revista feminina sexy...

— Sente-se. — Ele achou melhor cumprir com as formalidades durante cinco minutos.

Sem fôlego devido ao afã de se sair bem, Ashling sentou-se na única poltrona disponível, no meio do aposento, e encarou o homem sentado por trás da mesa comprida.

— Jack Devine, o diretor-superintendente irlandês, vai estar aqui dentro de alguns minutos — explicou Calvin. — Não sei o que o está prendendo. Mas, antes de mais nada — voltou sua atenção para o currículo dela —, é melhor me dizer como se pronuncia esse seu nome.

— Ash-ling. *Ash* rimando com *cash*, *ling* rimando com *king*.

— Ash-ling. Ashling. Certo, posso pronunciar isso. Muito bem, *Ashling*, durante os últimos oito anos você trabalhou em revistas...

— *Revista*, para ser franca. — Ashling ouviu alguém soltar uma risadinha nervosa e se deu conta, tarde demais, de que fora ela mesma. — Só essa que está no currículo.

— E por que você está saindo da *Cantinho da Mulher*?

— Estou à procura de um novo desafio — arriscou, nervosa. Fora Sally Healy quem lhe dissera para falar aquilo.

Nesse momento, a porta se abriu e o homem mordido entrou.

— Ah, Jack. — Calvin Carter franziu o cenho. — Essa é *Ashling* Kennedy. *Ash* rimando com *cash*, *ling* rimando com *king*.

— Como vai? — Jack tinha outras coisas na cabeça. Estava de péssimo humor. Passara metade da noite acordado negociando com os técnicos da emissora de tevê, enquanto negociava quase simultaneamente com uma rede de tevê norte-americana, para convencê-la a não vender sua série premiada para a RTE, e sim para o Canal 9. E, como se sua carga de trabalho já não tivesse atingido um volume crítico, fora encarregado de criar essa nova revista burra. A última coisa de que o mundo precisava era de mais uma revista feminina! Se bem que, para ser honesto, a verdadeira razão de suas mágoas fosse Mai. Ela o deixava louco. Ele tinha *ódio* dela. *Muito* ódio dela. Como chegara a pensar que era louco por ela...! Pois não havia força no universo que o fizesse atender seus telefonemas de novo. Nunca mais, aquela fora a última vez, a última mesmo, a última das últimas!

Girou o corpo por trás da mesa, esforçando-se por se concentrar na entrevista — o velho Calvin sempre ficava uma pilha de nervos quando entrevistava alguém. Sabia que era sua obrigação fazer alguma pergunta relevante em um ou dois segundos, mas a única coisa que conseguia pensar era que talvez sangrasse até a morte. Ou morresse de hidrofobia. Em quanto tempo sua boca começaria a espumar?, perguntava-se.

Inclinou-se com a poltrona para trás, apoiando-a sobre as duas pernas traseiras, e manteve o dedo ferido à sua frente, a encará-lo. Não podia acreditar que ela o tivesse mordido. Da última vez, prometera que... Apertou com mais força o rolinho de papel higiênico em volta do dedo e o sangue aflorou, vermelho vivo.

— Me fale sobre seus pontos fracos e pontos fortes — pediu Calvin a Ashling.

— Tenho que ser honesta e confessar que a área em que sou mais fraca é a redatorial. Sei fazer legendas, títulos e matérias curtas, mas não tenho muita experiência em escrever artigos longos.

Nenhuma, na verdade, se fosse ser absolutamente franca.

— Meus pontos fortes: sou meticulosa, organizada e trabalhadora. Sou boa como braço direito de alguém — disse, com toda a honestidade, repetindo textualmente as palavras de Sally Healy.

Então interrompeu-se e perguntou: — Perdão, o senhor aceita um Band-Aid para o dedo?

Jack Devine levantou o rosto, sobressaltado.

— Quem, eu?

— Não vejo mais ninguém sangrando nesta sala. — Ashling arriscou um sorriso.

Jack Devine sacudiu violentamente a cabeça.

— Não, não... obrigado — acrescentou, mal-humorado.

— Por que não? — interveio Calvin Carter.

— Estou bem. — Jack gesticulou com a mão sadia.

— Aceite o Band-Aid — disse Calvin. — Parece uma boa ideia.

Ashling levantou a bolsa do chão, pousou-a no colo e, vasculhando seu interior o mínimo necessário, retirou uma caixa de Band-Aids. Levantando a tampa, remexeu rapidamente a fieira de adesivos, puxou um e entregou-o a Jack.

— Vê se desse tamanho está bom.

A expressão de Jack era a de quem não tem a menor ideia do que fazer. Calvin Carter não lhe ficava muito atrás.

Ashling conteve um suspiro, levantou-se da poltrona, tomou o Band-Aid da mão de Jack e descolou a tirinha de papel encerado.

— Estende o dedo.

— Sim, senhora — disse ele, sarcástico.

Com rapidez e eficiência, ela envolveu o dígito ensanguentado no adesivo. Para sua surpresa, a pretexto de se certificar de que o Band-Aid estava bem seguro, deu um apertãozinho no dedo dele e sentiu uma vergonhosa satisfação ao ver um estremecimento de dor percorrer seu rosto.

— O que mais você carrega aí? — perguntou Calvin Carter, curioso. — Aspirinas?

Ashling assentiu, desconfiada:

— O senhor quer uma?

— Não, obrigado. Uma caneta e um bloquinho?

Ela tornou a assentir.

— E o que me diz — é uma chance em mil, reconheço — de um estojo de costura portátil?

Ashling hesitou, constrangida. Por fim, toda a sua figura se desanuviou, e ela deixou escapar um risinho de assentimento.

— Para ser franca, tenho, sim. — Seu sorriso era largo.

— Você é muito organizada — interrompeu-a Jack Devine, dando um tom ofensivo à constatação.

— Alguém tem que ser. — Calvin Carter havia reformulado sua opinião sobre ela. Era encantadora e, embora estivesse com batom nos dentes, pelo menos *estava* usando batom. — Obrigado, Ashling, ficaremos em contato.

Ashling apertou a mão dos dois homens, mais uma vez aproveitando a oportunidade para dar um bom apertão na mão de Jack Devine.

— Taí, gostei dela. — Calvin Carter riu.

— Eu não — disse Jack Devine, emburrado.

— Já disse que gostei dela — repetiu Calvin Carter. Não estava habituado a que discordassem dele. — Ela é confiável e tem expediente. Dê o emprego para ela.

CAPÍTULO 4

Clodagh acordou cedo. Até aí, nada de novo. Clodagh sempre acordava cedo. Era nisso que dava ter filhos. Quando não estavam urrando de fome, estavam se espremendo na cama entre você e seu marido e, quando não, estavam na cozinha às seis e meia de uma manhã de sábado, fazendo um alarmante baticum de panelas.

Naquela manhã estavam de serviço, fazendo o alarmante baticum de panelas. Mais tarde ela iria descobrir que Craig, de cinco anos de idade, estava mostrando a Molly, de dois anos e meio, como fazer ovos mexidos. Com farinha de trigo, azeite, ketchup, caldo de carne, vinagre, chocolate em pó, velinhas de aniversário e, é claro, ovos. Nove, incluindo as cascas. Clodagh sabia, pelo tom da algazarra, que coisas terríveis estavam acontecendo no aposento embaixo de seu quarto, mas sentia-se cansada demais, ou alguma outra coisa demais, para se levantar e intervir.

Com os olhos fixos no nada, ficou lá, deitada, escutando as cadeiras sendo arrastadas pelo chão recém-coberto de pedra calcária, as portas dos armários comprados há poucos meses sendo abertas e batidas e as panelas esmaltadas caríssimas sendo surradas até ficarem entre a vida e a morte.

A seu lado, ainda no oitavo sono, Dylan se remexeu e jogou o braço por cima de seu corpo. Ela se aconchegou a ele por um momento, em busca de alívio. Então se deteve, tomada pela relutância de sempre, e tornou a se afastar cansadamente ao sentir o desejo dele se expandir na vertical, comprimindo-se contra seu estômago.

Sexo, não. Ela não suportava isso — toda vez que encostava o corpo no dele, em busca de conforto e carinho, ele ficava excitado. Principalmente de manhã. Ela sempre se sentia culpada quando se afastava dele. Mas não culpada o bastante para ceder.

As chances de Dylan eram maiores à noite, principalmente depois que ela já tinha tomado umas e outras. Nunca o privava por mais de um mês, pois morria de medo das consequências. Assim, quando a data de entrega se aproximava, sempre arranjava um pretexto para se embebedar e entregava a mercadoria, seu entusiasmo e criatividade diretamente proporcionais à quantidade de gim consumida.

Quando Dylan tornou a estender a mão para Clodagh, ela deslizou pelos lençóis até ficar fora de seu alcance, com uma agilidade adquirida em muitos meses de prática.

Um novo capítulo na novela do baticum, particularmente histérico, foi ao ar no aposento abaixo.

— Aqueles pentelhinhos — resmungou Dylan, sonolento. — Vão derrubar a casa em cima da gente.

— Vou lá dar uns berros com eles. — Era mais seguro se levantar.

Quando Ashling chegou, horas mais tarde, o descalabro dos ovos mexidos já era uma saudosa lembrança, tendo sido desbancado pelas atrocidades do café da manhã.

Clodagh atendeu a campainha enfronhada em algum tipo de negociação complexa com a louríssima Molly, de carinha de anjo, no que dizia respeito ao uso de um casaco. Molly estava teimando em vestir um cor de laranja.

— Oi, Ashling — soltou Clodagh, distraída, para logo em seguida chegar a cara a um centímetro da de Molly e insistir, exasperada: — Mas você já está grande demais para ele, Molly. Já não usa esse casaco desde bebê. Por que não veste esse rosinha aqui, que é lindo?

— Nããããããão! — Molly se contorceu toda, tentando se desvencilhar.

— Mas você vai sentir frio. — Clodagh segurava-a com força pelo braço.

— Nããããããão!

— Vem para a cozinha, Ashling. — Clodagh arrastou Molly pelo vestíbulo. — CRAIG! DESCE DO CARROSSEL!

Craig, com os mesmos cabelos louríssimos e a mesma carinha de anjo, se encarapitara na cantoneira da cozinha e se balançava para a frente e para trás na prateleira de aramado, confortavelmente aboletado sobre os pacotes de arroz e macarrão.

Ashling dirigiu-se até a chaleira e a ligou. Tinha crescido a duas portas de Clodagh, e era sua melhor amiga desde o tempo em que era mais seguro ficar na casa de Clodagh do que na sua.

Fora Clodagh quem dera a Ashling a notícia sobre sua descinturada silhueta. Também fora Clodagh quem esclarecera Ashling sobre outros aspectos de sua pessoa, ao dizer: "Você tem tanta sorte por ter personalidade! Eu só tenho beleza."

Não que Ashling tivesse ficado ofendida. Clodagh não era maldosa, apenas franca, e teria sido total perda de tempo negar a excepcionalidade de sua beleza. Mignon e bem-feita de corpo, com olhos claros como uma escandinava e grossas melenas compridas e brilhantes de cabelos louros, ela era de parar o trânsito. Embora isso não quisesse dizer grande coisa em Dublin, onde o trânsito raramente andava.

Ashling tinha uma notícia da mais suma importância:

— Arranjei um emprego!

— Quando?

— Me avisaram há mais de uma semana — confessou Ashling. — Mas tenho trabalhado todo dia até a meia-noite, dando um jeitinho nas coisas para a nova funcionária da *Cantinho da Mulher*.

— Bem que estranhei você não ter me ligado. Mas e aí, me conta tudo sobre o emprego!

Porém, toda vez que Ashling tentava, Craig insistia em ler para ela um livro de cabeça para baixo. Quando as atenções se desviavam dele por um segundo que fosse, tratava de atraí-las outra vez.

— Vai brincar no balanço, vai — bajulou-o Clodagh.

— Mas tá chovendo.

— Você é irlandês, vai se habituando. Fora!

Mal Craig saiu, Molly passou a ser o centro das atenções.

— Quero! — declarou, apontando para a xícara de Ashling.

— Não, é da Ashling — disse Clodagh. — Não pode mexer.

— Se ela quiser, pode, sim... — Ashling achou melhor dizer.

— QUERO! — insistiu Molly.

— Você se importa? — perguntou Clodagh. — Eu pego outra para você.

Ashling deslizou a caneca pela mesa, mas Clodagh a interceptou antes que chegasse a Molly, que abriu um grande berreiro.

— Só estou soprando o café — explicou Clodagh. — Assim você não queima a boca.

— QUERO! QUERO! QUERO!

— Mas está quente demais! Você vai se queimar!

— QUERO! QUERO AGORA!!!

— Ah, tá bom, desisto. Mas devagar, não vai entornar o café.

Molly encostou a boca na borda da caneca, recuou e se pôs a gritar:

— Quente! Doeu! UAAAAAH!

— Puta que pariu — murmurou Clodagh.

— ...que pariu — pronunciou Molly com a maior clareza.

— É isso aí — disse Clodagh, com uma agressividade que chocou Ashling. — Puta que pariu.

Dylan entrou correndo na cozinha, em resposta aos urros de Molly.

— Ashling! — Sorriu, afastando os cabelos cor de milho do rosto com uma das mãos. — Você está com uma cara ótima. Alguma notícia no plano profissional?

— Arranjei um emprego!

— Como laçadora de garanhões fujões em Mullingar?

— Numa revista. Para mulheres jovens.

— Que legal! Mais dinheiro?

Ashling assentiu, orgulhosa. Nenhum aumento enorme, mas melhor do que a porca miséria indexada que ganhara durante os últimos oito anos na *Cantinho da Mulher*.

— E acabaram-se as cartas do padre Bennett. Antes assim, porque viu que a *Juízo Católico* fechou? Saiu uma notícia no jornal.

— Então, no final das contas, foi mesmo melhor assim — disse Ashling, radiante. — Provavelmente, a Sra. O'Sullivan de Waterford foi a melhor coisa que já aconteceu na minha vida!

A expressão de Dylan passou de divertida a alarmada, quando um grande tumulto irrompeu no jardim. Craig tinha caído do balanço e, a julgar pela gritaria, seu sofrimento físico era considerável. A essa altura, Ashling já remexia a bolsa atrás daquele que chamava de seu "elixir de emergência".

Para si mesma.

— Se importa de ir você? — Coldagh voltou o olhar cansado para Dylan. — Eu aguento os dois a semana inteira. E só me conta dos machucados dele o que for imprescindível que eu saiba.

Dylan se retirou.

— Quer que eu vá dar uma olhada no Craig? — ofereceu-se Ashling, ansiosa. — Tenho Band-Aids.

— Eu também. — Clodagh lançou-lhe um olhar de exaspero. — Me conta do seu emprego. *Por favor.*

Quando Ashling chegou à parte de Jack Devine discutindo furiosamente com a garota asiática, para logo em seguida levar uma mordida, Clodagh finalmente se animou.

— Continua! — pediu, ansiosa, os olhos brilhando. — Me conta! Nada, mas nada mesmo me faz ficar de melhor humor do que ouvir um quebra-pau dos bons. Um dia, semana passada, eu estava saindo da academia e tinha um homem e uma mulher *urrando* um com o outro num carro estacionado. É isso aí, urrando! Até com as janelas fechadas dava para ouvir os dois. Isso me fez sentir ótima durante o resto do dia.

— Já, eu, detesto — admitiu Ashling. — É tão deprimente.

— Mas por quê? Ah, acho que com o seu, hum, histórico... Mas para a maioria das pessoas é bom. Sentem que não são as únicas que estão atravessando uma fase difícil.

— Quem é que está atravessando uma fase difícil? — A ansiedade marcou o rosto de Ashling.

Clodagh pareceu constrangida.

— Ninguém. Mas que eu te invejo, invejo! — subitamente explodiu. — Solteira, começando num novo emprego, toda essa empolgação.

Ashling não soube o que dizer. Para ela, a vida de Clodagh era o Santo Graal. O marido bonito e dedicado, dono de uma próspera empresa; a elegante casa eduardiana de tijolos vermelhos, no bairro chique de Donnybrook; e nada para fazer o dia inteiro, a não ser colocar o macarrão no micro-ondas, planejar a reforma de aposentos já perfeitos e ficar esperando Dylan voltar para casa.

— E aposto que você andou agitando em um monte de clubes ontem à noite — disse Clodagh, quase em tom de acusação.

— Sim, mas... Foi só o Sugarclub, e eu já estava em casa por volta das duas. *Sozinha* — frisou, com a máxima ênfase. — Clodagh, você tem tudo. Dois filhos lindos, um marido lindo...

Ele é lindo? Surpresa, Clodagh se deu conta de que era algo que não lhe ocorria há muito tempo. Com certa reserva, admitiu que, para um homem de mais de trinta, o corpo de Dylan era razoável — sua barriga não se derretera naquela dobra cônica de banha que tantos de seus contemporâneos cervejeiros ostentavam. Ele ainda se interessava por roupas — hoje em dia, até mais do que ela, se fosse ser honesta. E frequentava um bom cabeleireiro, não o velho barbeiro da região, que mandava todo mundo para casa parecendo o próprio pai.

Ashling continuou a protestar:

— ...e você está numa forma física fantástica! Tem dois filhos e uma silhueta melhor do que a minha... e olha que eu não tive filhos, e nem é provável que venha a ter, se a minha sorte com os homens não mudar logo, ha, ha, ha.

Ashling estava ansiosa para que Clodagh risse, mas ela se limitou a dizer:

— Tudo parece desgastado. Principalmente com Dylan.

Em desespero de causa, Ashling tratou de providenciar um conselho:

— Você só precisa reacender a velha chama. Tenta se lembrar de como era quando vocês se conheceram.

De onde será que ela tinha tirado aquela baboseira? Ah, sim, fora ela mesma quem a escrevera na *Cantinho da Mulher*, para uma leitora que estava ficando maluca com o marido que se aposentara e não largava do seu pé.

— Não me lembro nem de onde conheci Dylan — confessou Clodagh. — Ah, não, claro que me lembro! Você veio com ele à festa de vinte e um anos de Lochlan Hegarty, lembra? Meu Deus, parece que foi há um século.

— Você tem que se esforçar para manter a chama acesa — citou Ashling. — Sair para jantares românticos, talvez até viajar um fim de semana desses. Eu fico com as crianças a hora que você quiser. — Mas sentiu uma súbita inquietação ao fazer a impulsiva promessa.

— Eu *queria* me casar. — Clodagh parecia falar sozinha. — Dylan e eu parecíamos feitos um para o outro.

— "Feitos"? A palavra certa é *perfeitos*! — Ashling relembrou o frisson que percorrera os convidados da festa quando Clodagh e Dylan puseram os olhos um no outro pela primeira vez. Dylan era o rapaz mais bonito da sua turma, Clodagh era inegavelmente a moça mais bonita do seu grupo, e as pessoas sempre gravitam em direção aos seus afins. Quando Dylan e Clodagh trocaram aquele olhar fatal, Ashling estava acompanhando Dylan — naquele que seria seu primeiro e, como pôde constatar depois, último encontro. Bastou aquele único olhar para torná-la carta fora do baralho. Não que guardasse rancor contra qualquer um dos dois. Estavam predestinados, só lhe restava levar a derrota na esportiva.

Clodagh soltou um riso cansado.

— Está tudo ótimo, falando sério. Ou, pelo menos, vai ficar, quando eu trocar o papel de parede da sala.

— Outra reforma! — Parecia que fora ontem que Clodagh instalara a nova cozinha. Na verdade, a sala também não parecia ter sido reformada há muito mais tempo do que isso.

À tarde, voltando da casa de Clodagh, Ashling deu um pulo no supermercado. Atirou vários pacotes de pipoca de micro-ondas na cesta e foi para o caixa.

A mulher à sua frente na fila tinha uma figura tão sofisticada e estilosa que, quando Ashling se deu conta, já estava se inclinando para trás, a fim de admirá-la melhor. Como Ashling, usava calças de ginástica, tênis e um casaco curto, mas, ao contrário de Ashling, tudo nela parecia reluzente e novo — do jeito que as roupas são antes de serem lavadas e perderem aquele brilho perfeito de coisa nova.

Seus tênis eram um par de Nikes cor-de-rosa que Ashling já vira numa revista, mas que ainda não estavam à venda na Irlanda. Sua mochila em seda de paraquedas cor-de-rosa combinava com a borracha cor-de-rosa dos calcanhares do tênis. E seu cabelo era maravilhoso — cheio de balanço e brilho, volume e vida —, de um jeito que a comum das mortais jamais conseguiria ter.

Fascinada, Ashling deu uma conferida nos itens da cesta da mulher: sete latas de Slimfast de morango, sete batatas, sete maçãs e quatro... cinco... seis... *sete* quadradinhos de chocolate em embalagens individuais, pegos no estande de doces. Ela nem os pusera dentro de um saquinho, parecendo encará-los como se fossem sete mercadorias isoladas.

Algum instinto imperioso disse a Ashling que essa mísera cesta constituía a compra semanal da mulher. Ou isso, ou ela estava abastecendo a despensa para hospedar Zangado, Atchim, Soneca, Feliz e que nomes tivessem os outros três.

CAPÍTULO 5

Chovia torrencialmente quando o avião de Lisa aterrissou no aeroporto de Dublin, no começo da tarde de sábado. Partira de Londres na suposição idiota de que era humanamente impossível se sentir pior do que já se sentia, mas bastou uma olhada na vista encharcada de chuva de Dublin para perceber que se enganara redondamente.

Dermot, o chofer de táxi que a levou até o hotel no centro da cidade, só fez aumentar sua angústia. Era falante e simpático, e Lisa não queria saber de gente falante e simpática. Cheia de melancolia, pensou nos psicóticos com metralhadoras que poderiam estar dirigindo aquele táxi, se ela tivesse a sorte de se encontrar em Nova York.

— Tem família aqui? — perguntou Dermot.

— Não.

— Namorado, então?

— Não.

Quando ela se recusava a falar de si mesma, falava ele.

— Adoro dirigir — confidenciou.

— U-la-lá — disse Lisa, antipática.

— Sabe o que eu faço no meu dia de folga?

Lisa o ignorou.

— Saio para dar um passeio de carro! É isso que eu faço. E também não vou só até Wicklow, não, dou um passeio comprido. Até Belfast, até Galway, até Limerick... Um dia cheguei até Letterkenny, que fica em Donegal, sabe? *Adoro* o meu trabalho.

E por aí ele foi, enquanto avançavam centímetro por centímetro pelas ruas molhadas e sujas de graxa. Quando chegaram ao hotel em Harcourt Street, ele a ajudou a carregar suas várias malas e lhe desejou uma feliz estada na Irlanda.

O Apart-Hotel Malone representava uma nova e estranha modalidade de hotelaria: não tinha bar, restaurante, serviço de quarto ou *qualquer outra coisa*, a não ser trinta quartos, cada um com uma pequena cozinha anexa. Lisa havia feito reserva para quinze dias, mas tinha a esperança de antes disso já ter encontrado algum lugar para morar.

Embotada, pendurou uma roupa ou outra, olhou pela janela a vista cinzenta do trânsito congestionado e então se lançou nas ruas úmidas, para inspecionar a cidade que agora constituía seu lar.

Agora que estava de fato ali, o choque a atingiu com força inédita. Como sua vida fora dar tão errado? Deveria estar passeando pela Quinta Avenida nesse exato momento, e não por essa *aldeola* ensopada.

O guia afirmava que só se levava metade de um dia para dar a volta a Dublin e ver todos os pontos turísticos importantes — como se isso fosse bom! Dito e feito: duas horas e meia bastaram para Lisa conferir todos os points da cidade — leia-se da moda —, tanto ao norte quanto ao sul do rio Liffey. Era pior do que ela esperara: nenhuma loja dispunha em seu estoque de produtos da La Prairie, sapatos de Stephane Kelian, uma peça sequer de Vivienne Westwood ou Ozwald Boeteng.

— É uó! — pensou, ligeiramente histérica. — Um cafundó-do-judas, e o pior é que Judas está usando o Hilfiger da estação passada!

Queria ir para casa. Ansiava desesperadamente por Londres. De repente, em meio à névoa, viu algo que lhe deu uma injeção de ânimo — uma Marks & Spencer!

Em geral, nunca se dignava sequer chegar perto de suas filiais: as roupas eram caídas demais, a comida tentadora demais, mas hoje ela se lançou pela porta adentro como um dissidente perseguido buscando abrigo numa embaixada estrangeira. Resistiu ao impulso de se encostar na porta, ofegante, mas só porque a porta era automática. Em seguida embarafustou-se pelo setor de alimentação, porque não tinha janelas e, portanto, não interferiria em suas fantasias.

Estou na filial da High Street Kensington, fingiu. *Daqui a um segundo vou sair e dar de cara com a Urban Outfitters.*

Ficou flanando diante das frutas frescas. *Não, mudei de ideia,* decidiu. *Estou na filial de Marble Arch. Assim que acabar aqui, vou para South Molton Street.*

Saber que as saladas de melão à sua frente faziam parte da diáspora de saladas de melão de todas as filiais de Londres proporcionou-lhe um estranho conforto. Apertou de leve o celofane esticado de uma embalagem e experimentou a sensação de estar em casa — tênue, mas real.

Quando recobrou a calma, foi a um supermercado comum e fez as compras da semana. Uma rotina se encarregaria de manter sua sanidade — bem, certamente já ajudara, no passado. Despencou-se de volta para o hotel, o capuz do casaco levantado para proteger os cabelos da chuva que voltara a cair. As sete latas de Slimfast foram tiradas da sacola e dispostas ordenadamente sobre o guarda-louça, as batatas e maçãs foram para a geladeira e os sete pedaços de chocolate para uma gaveta. E agora? Noite de sábado. Totalmente sozinha numa cidade desconhecida. Nada para fazer, a não ser ficar no hotel e assistir... Foi então que notou que não havia televisão no quarto.

O golpe foi tamanho que ela chorou uma súbita torrente de lágrimas quentes e grossas. O que faria *agora*? Já lera todas as revistas daquele mês, *Elle, Red, New Woman, Company, Cosmo, Marie Claire, Vogue* e *Tatler*, além das revistas irlandesas com as quais iria competir. Poderia ler um livro, pensou. Se tivesse um. Ou um jornal — só que os jornais eram tão tediosos e deprimentes... Pelo menos, tinha roupas para pendurar. Assim, enquanto as ruas lá embaixo se enchiam de gente jovem a caminho de uma noite etílica, Lisa fumou, desamarrotou vestidos, saias e blazers e os pendurou em cabides, alisou casacos e suéteres e os guardou em gavetas, ordenou botas e sapatos em perfeitas fileiras de parada militar, pendurou bolsas... O telefone tocou, e o sobressalto quebrou o ritmo que estava conseguindo acalmá-la.

— Alô? — Lisa se arrependeu de ter atendido. — Oliver! — *Ah, que merda.* — Onde você... Como você conseguiu meu número?

— Com a sua mãe.

Bruxa velha intrometida.

— Quando você ia me contar, Lisa?

Para ser franca, nunca.

— Assim que arranjasse um lugar para morar.

— O que você fez do nosso apartamento?

— Aluguei. Não se preocupe, você vai receber sua parte do aluguel.

— E por que Dublin? Pensei que você quisesse ir para Nova York.

— Me pareceu uma decisão mais inteligente do ponto de vista profissional.

— Meu Deus, você é dura na queda. Bom, espero que esteja feliz — disse ele, com um tom de voz que sugeria exatamente o contrário. — Espero que tenha valido a pena.

E desligou.

Ela olhou para a rua de Dublin e começou a tremer. Teria valido a pena? Bem, era melhor dar o couro para fazer com que tivesse valido. Faria da *Garota* o maior sucesso do mundo das revistas.

Tirou uma tragada funda do cigarro, logo tratando de acendê-lo de novo, pois achou que tinha apagado. Não tinha, mas não estava atenuando sua angústia. Precisava de *alguma coisa*. O chocolate chamava seu nome de dentro da gaveta, mas ela resistiu. Só porque se sentia no inferno, isso não servia de desculpa para traçar mil e quinhentas calorias num só dia.

Por fim, terminou cedendo. Enroscou-se numa poltrona, retirou lentamente o papel e passou os dentes pela borda do chocolate, desbastando-o em finas raspas encaracoladas, uma após outra, até acabar.

Levou uma hora.

CAPÍTULO 6

O barulho de garrafas se entrechocando na porta de Ashling anunciou a chegada de Joy.

— Ted já está descendo, deixa a porta no trinco. — Joy pousou com estrépito uma garrafa de vinho branco na minúscula bancada da cozinha de Ashling.

Ashling se preparou. Não deu outra.

— Phil Collins — começou Joy, com um brilho cruel nos olhos —, Michael Bolton e Michael Jackson, e você *tem* que dormir com um deles.

Ashling estremeceu.

— Bom, Phil Collins, nem morta, Michael Jackson, nem morta e Michael Bolton, *nem morta*.

— Tem que escolher um. — Joy se ocupava com o saca-rolhas.

— Meu Deus. — O rosto de Ashling estava contraído de nojo. — Acho que Phil Collins, já faz algum tempo que não escolho ele. Certo, sua vez. Benny Hill, Tom Jones ou... deixa eu ver, quem é um asqueroso para ninguém botar defeito? Paul Daniels.

— Sexo, no duro, ou só...

— Sexo no duro — disse Ashling, categórica.

— Tom Jones, então. — Joy suspirou, entregando a Ashling um copo de vinho. — Agora me mostra o que vai usar.

Era sábado à noite, e Ted ia fazer uma aparição "experimental" num show humorístico. Era a primeira vez que apresentava esse número para alguém além de amigos e parentes, e Ashling e Joy iam acompanhá-lo para lhe dar apoio moral e entrar de penetras na festa que haveria depois.

Joy — cujo inesquecível sobrenome era Ryder* — morava no apartamento embaixo do de Ashling. Era baixinha, gorducha, tinha cabelos cacheados e era perigosa — devido a seu prodigioso apetite por bebidas, drogas e homens, aliado à missão de fazer de Ashling sua parceira no crime.

— Vem para o meu quarto — convidou-a Ashling, e ambas se espremeram pela porta adentro. — Vou usar essa calça cargo creme e esse top. — Ashling deu as costas para o armário depressa demais e pisou no pé de Joy, que deu um pulo e acertou uma cotovelada na tevê portátil.

— Aaaaiiii! Você não fica doida com a falta de espaço dessas latas de sardinha? — Joy suspirou, esfregando o cotovelo.

Ashling fez que não com a cabeça:

— Adoro viver na cidade. E não se pode ter tudo.

Ashling vestiu rapidamente as roupas com que iria sair.

— Eu ficaria parecendo um boneco inflável nessas roupas. — Joy a admirou, melancólica. — É horrível ter corpo de pêra!

— Mas pelo menos você tem cintura. Olha só, andei pensando em fazer alguma coisa com o cabelo...

Ashling comprara vários prendedorezinhos de borboleta coloridos, depois que vira o grande efeito que Trix tirara dos seus. Mas, quando os colocou na frente do cabelo, prendendo duas mechas, uma para cada lado, o efeito não foi exatamente o mesmo.

— Fiquei ridícula!

— Ficou mesmo — concordou Joy, amável. — E aí, você acha que Metade-homem-metade-texugo vai estar na festa depois do show?

— Pode ser. Foi numa festa com Ted que vocês se conheceram, não foi? E ele é amigo de alguns dos humoristas, não?

— Hummmm — assentiu Joy, com ar sonhador. — Mas isso já tem semanas, e não vejo ele desde então. Onde será que ele se enfiou, aquele metade-homem-metade-texugo misterioso e internacional? Pega o tarô, vamos dar uma olhadinha no que vai acontecer.

**Joyrider*: Gíria empregada em relação a jovens que roubam um carro apenas para dar uma volta e depois o abandonam. (Todas as notas são da tradutora.)

Rumaram resolutas para a sala de estar pequena e aconchegante. Joy puxou uma carta do baralho e a virou para Ashling.

— Dez gládios. Essa é foda, né?

– É foda — concordou Ashling.

Joy apanhou o baralho e foi passando as cartas em alta velocidade, até encontrar sua favorita:

— A Senhora de Bastões, essa sim! Agora escolhe uma você.

— Três taças. — Ashling a levantou. — Começos.

— Isso quer dizer que você também vai conhecer um cara.

Ashling riu.

— Faz séculos que Phelim foi para a Austrália, né? — interrogou-a Joy. — Já está na hora de você tirar ele da cabeça.

— Já *tirei* ele da cabeça. Fui eu quem terminou tudo, lembra?

— Mas só porque ele não queria fazer o que era certo. Embora seja a melhor coisa para a mulher, mesmo quando eles não querem fazer o que é certo em relação a mim, não tenho coragem de dar cartão vermelho para eles. Você é muito forte.

— Não se trata de força. Foi porque não consegui aguentar a tensão de ficar esperando uma decisão dele. Achei que ia ter um troço.

Phelim fora namorado-sim-namorado-não de Ashling durante cinco anos. Haviam tido bons momentos e momentos não tão bons assim, porque Phelim sempre amarelava na última hora, quando chegava o momento de assumir um compromisso verdadeiro e maduro.

Para fazer com que o namoro desse certo, Ashling vivia evitando pisar em rachaduras nas calçadas, cumprimentando pegas sozinhas, apanhando *pence* caídos na rua* e lendo tanto seu horóscopo quanto o de Phelim. Seus bolsos sempre exibiam um bojo pesado de seixos da sorte, quartzos cor-de-rosa e medalhas milagrosas, e ela já desbotara quase toda a tinta dourada do Buda da sorte, de tanto esfregá-lo.

Cada vez que os dois reatavam, o poço da esperança secava mais um pouco e, por fim, a indecisão de Phelim terminou por esgotar

---

*Segundo uma superstição irlandesa, avistar uma única pega é sinal de tristeza, e cumprimentar o pássaro, uma tentativa de esconjuro. Também se acredita que desprezar uma moeda encontrada na rua é mau para as finanças.

todo o amor de Ashling. Como todos os outros rompimentos, o último fora pacífico. Ashling dissera, com toda a calma:

— Você vive falando da raiva que sente por estar preso em Dublin e da vontade que tem de viajar pelo mundo. Pois então? Vai em frente. Viaja.

Mas ainda hoje vibrava um tênue vínculo entre os dois, mesmo estando separados por quase vinte mil quilômetros. Ele voltara à Irlanda em fevereiro para o casamento do irmão, e a primeira pessoa que visitara fora Ashling. Caminharam para os braços um do outro e lá ficaram durante intermináveis minutos, com lágrimas nos olhos, experimentando aquela sensação de quem perdeu na loteria por um ponto.

— Canalha — disse Joy, veemente.

— Não era, não — teimou Ashling. — Não podia me dar o que eu queria, mas isso não é motivo para eu ter ódio dele.

— Pois eu tenho ódio de todos os meus ex-namorados — gabou-se Joy. — Mal posso esperar para Metade-homem-metade-texugo se tornar um deles, para perder esse poder hipnótico que tem sobre mim. Ih! E se ele estiver lá hoje à noite? Preciso passar para ele que não estou disponível. Se pelo menos... não, um anel de noivado seria ir longe demais. Talvez uma marca de chupão resolvesse o problema.

— E onde é que você vai arranjar uma?

— Com você! Vem cá. — Joy afastou uma massa de cachos do pescoço. — Você se importaria?

— Muito.

— Por favor!

Como era do tipo que não sabe dizer não, Ashling deixou a relutância de lado, cravou os dentes sem muita vontade no pescoço de Joy e lhe deu um chupão.

No meio do dito-cujo, alguém disse "Ih!". As duas levantaram o rosto, petrificadas numa pose inexplicavelmente carregada de culpa. Ted postava-se diante delas, a encará-las. Parecia transtornado.

— A porta estava aberta... Não me dei conta... — Tratou de se recompor. — Espero que vocês sejam muito felizes.

Ashling e Joy se entreolharam e caíram na gargalhada, até Ashling ficar com pena dele e lhe explicar tudo.

Ted viu o tarô em cima da mesa e avançou para ele.

— Oito bastões, Ashling, o que quer dizer?

— Sucesso nos negócios. Seu número vai bombar hoje à noite.

— Sim, mas será que vou fazer sucesso com as garotas?

Ted se tornara humorista por um único motivo: arranjar uma namorada. Tinha visto a maneira como as mulheres se atiravam em cima dos humoristas que faziam o circuito de Dublin, e achara que suas chances de se dar bem seriam maiores do que numa agência de encontros. Não que tivesse chegado a procurar uma agência de encontros. A única a que recorrera era a Agência de Encontros Ashling Kennedy — Ashling estava sempre tentando casar seus amigos solteiros entre si. Mas a única amiga de Ashling de quem Ted gostara era Clodagh e, infelizmente, essa era comprometida. E muito.

— Tira outra carta — propôs Ashling.

Ele tirou o Enforcado.

— Não dá outra, você vai se dar bem hoje à noite.

— Mas é o Enforcado!

— Não importa.

Ashling sabia que quando se coloca um homem num palco, não importa o bagulho que a mãe dele pôs no mundo: seja arranhando um violão, borboleteando para lá e para cá com um bolerinho e um leotard roxo ou comentando que às vezes os ônibus demoram séculos para passar e de repente passam três de uma vez, você pode pôr a mão no fogo como as mulheres vão achá-lo atraente. Ainda que se encontre num tabladinho empoeirado de dois palmos de altura, numa sala de setenta metros quadrados, ele se revestirá de um glamour estranho, sedutor.

— Resolvi mudar meu número, fazer uma coisa meio surrealista. Falar de corujas.

— Corujas?

— As corujas já deram certo com um monte de gente — defendeu-se ele. — Olha só o caso de Harry Hill e Kevin McAleer.

Ah, meu Deus. Ashling sentiu um desânimo mortal.

— Anda, gente, vamos indo.

Formou-se um pequeno engarrafamento no vestíbulo à saída dos três, pois todos queriam esfregar o Buda da sorte.

* * *

O show humorístico iria acontecer num clube lotado e barulhento. Ted não subiria ao palco antes da metade do show e, embora os humoristas profissionais fossem talentosos e competentes, Ashling não conseguiu deslanchar e se divertir. Estava preocupada demais em saber como o público receberia as corujas de Ted.

A tiros de escopeta, a julgar pelo desempenho do outro calouro. Era um rapazinho esquisito e cabeludo, cujo número consistiu quase que exclusivamente numa imitação de Beavis e Butthead. A plateia foi inclemente. Enquanto vaiavam e gritavam "Cai fora, você é uma merda", Ashling sentiu um aperto no coração por Ted.

Em seguida, foi a vez de Ted. Ashling e Joy bateram palmas como pais orgulhosos, embora compreensivelmente ansiosos. Em questão de segundos, suas mãos já estavam tão escorregadias de suor, que tiveram de parar.

Sob a luz do único refletor, Ted parecia frágil e vulnerável. Coçou o estômago, distraído, levantando a camiseta e dando uma breve panorâmica do cós da cueca e da barriga estreita, coberta de pelos negros. Ashling aprovou. Isso talvez atraísse o interesse das mulheres.

— A coruja entra num bar — começou. Os rostos levantados na plateia estavam acesos de expectativa. — Pede uma garrafa de leite, um saco de batatas fritas e dez cigarros. Aí o empregado do bar se vira para o amigo e diz: "Olha só, uma coruja que fala!"

Houve um ou dois risos abafados de perplexidade, mas afora isso, reinava um silêncio de expectativa. Ainda estavam esperando o desfecho.

Ansioso, Ted tratou de contar outra piada.

— Minha coruja vai trabalhar todo dia, mas nunca encontra condução.

Mais silêncio. Ashling estava quase recebendo estigmas nas mãos, tamanha era sua ansiedade.

— Minha coruja vai trabalhar todo dia, mas nunca encontra condução — repetiu Ted, já começando a se desesperar.

Finalmente, Ashling compreendeu.

— Como é que ela vai? — gritou, com a voz trêmula.

— Bem, obrigado! — desfechou ele.

A atmosfera estava pesada de perplexidade. As pessoas se viravam para seus vizinhos, os rostos contraídos numa expressão de "Mas que diabo...?!".

Ted seguiu em frente.

— Encontrei um amigo que me perguntou: "Quem era aquela senhora que estava caminhando ao seu lado em Grafton Street?" E eu: "Não era uma senhora, era a minha coruja!"

De repente, eles pareceram compreender. As risadas começaram a espoucar, tímidas, para logo em seguida se avolumarem num crescendo, até que, por fim, a plateia inteira se esgoelava de rir. Bem, verdade seja dita, era noite de sábado e estavam *mamados*.

Ashling ouviu alguém cochichando às suas costas: "Esse cara é *hilário*. Completamente doido."

— O que é amarelo e tem olhos grandes?

A plateia estava na palma de sua mão, o fôlego preso, esperando o desfecho. Ted correu um sorriso pelo auditório:

— Doce de coco infestado de corujas!

A plateia veio abaixo.

— O que é cinzento e tem uma tromba?

Uma pausa aturdida.

— Uma coruja de cara amarrada. Uma coruja cinzenta, obviamente.

A plateia veio abaixo outra vez.

— Você está entrevistando candidatas para um emprego. — Ted estava numa maré de sorte, e a plateia se esbaldando ao máximo. — Você entrevista três corujas e pergunta a cada uma delas qual é a capital de Roma. A primeira diz que não sabe, a segunda diz que é a Itália e a terceira diz que Roma *é* uma capital. Para qual das corujas você dá o emprego?

— Para a coruja que tiver peitos maiores! — berrou alguém no fundo do auditório, e novamente as gargalhadas e os aplausos se elevaram com o fragor de uma revoada de pássaros. Os humoristas de maior prestígio, que haviam deixado Ted participar como um favor, para que ele parasse de infernizá-los, entreolharam-se, ansiosos.

— Tira esse merdinha daí — sussurrou Billy Bicicleta.

— Tenho que ir embora — Ted participou à plateia, triste, quando Mark Dignam fez um gesto urgente de quem corta a garganta.

— AAAAAAAHHHH...! — lamentaram-se todos, profundamente decepcionados.

— A gente criou um monstro, porra! — cochichou Billy Bicicleta para Archie Archer (nome verdadeiro, Brian O'Toole).

— Sou Ted Mullins, o humorista que vivia encorujado porque nunca era encorajado. Mas vocês me saíram uns espectadores mais corujas do que a minha própria mãe!

Entre vivas histéricos, assobios, sapatadas e aplausos estrondosos, ele se retirou.

Mais tarde, quando todos saíam do clube aos trancos e empurrões, Ashling ouviu uma após outra as pessoas falando de Ted.

— "O que é amarelo e tem olhos grandes?" Cheguei a achar que ia passar mal de tanto rir.

— Aquele Ted é fantástico. E sexy, também.

— Gostei do jeito como ele levantou...

— ...a camiseta. É, eu também.

— Será que ele tem namorada?

— Se não tem, vai arranjar.

A festa era num quarteirão moderno do cais do porto. Como o apartamento era de Mark Dignam e vários dos convidados também eram humoristas, Ashling esperara se esbaldar a noite inteira. Mas, embora a sala estivesse lotada e barulhenta, reinava uma estranha atmosfera de melancolia.

— Eles ficam de boca fechada porque alguém pode roubar suas piadas ou ideias — explicou Joy, veterana desses arrasta-pés. — Sem um público pagante, esses caras não fariam graça nem que fosse para salvar a própria vida. Mas, e aí, onde será que ele *está*?

Joy encetou um safári à caça do Metade-homem-metade-texugo, e Ashling se serviu de um copo de vinho na cozinha comprida e estreita, onde Billy Bicicleta enrolava um baseado. Como era baixo e parecia um gnomo, ela conseguiu sorrir para ele e dizer:

— Você estava muito engraçado hoje à noite. Deve gostar muito do que faz.

— Ah, não mesmo — disse ele, irritado. — Estou escrevendo um romance, sabe? É isso que realmente quero fazer na vida.

— Que maravilha — encorajou-o Ashling.

Ah, não é, não — Billy fez questão de frisar. — É muito realista, muito deprimente. *Muito* sombrio. Ué, cadê meu isqueiro?

— Posso? Ashling riscou um fósforo e acendeu o baseado para ele. Tinha a impressão de que estava mesmo precisado.

Em meio à multidão na sala de estar, viu Ted entronizado numa poltrona, com uma fila indiana de interessadas arrastando-se até ele para vender seu peixe. Olhando pela janela para as águas negras como petróleo do rio Liffey, postava-se uma figura taciturna, uma grossa lista soturna por trás dos cabelos compridos e negros. *Ah-ha!*, pensou Ashling. O misterioso metade-homem-metade-texugo internacional. Joy estava por perto, ignorando-o com todas as suas forças.

Sob circunstâncias metade-humano-metade-texuguescas, Ashling preferiu deixá-la na dela. Flanando pela sala, entre um gole e outro de vinho, localizou Mark Dignam. Como tinha quase dois metros e quinze de altura e os olhos mais saltados que ela já vira em alguém que não tivesse sido estrangulado recentemente, também conseguiu bater um papo com ele.

Mas ele desprezou os elogios que Ashling fez ao seu número com um gesto mal-humorado:

— É só até meu romance ser publicado.

— Ah, você também está escrevendo um romance. E aí, hum... é sobre o quê?

— É sobre um homem que enxerga o mundo em toda a sua *podridão*. — Os olhos de Mark saltaram ainda mais das órbitas. Iriam cair no carpete se ele não se cuidasse, pensou Ashling, nervosa. — É muito deprimente — vangloriou-se ele. — Quer dizer, *incrivelmente* deprimente. Ele odeia a vida mais do que a própria vida.

Mark se deu conta de que dissera algo vagamente espirituoso, e lançou um olhar ansioso ao seu redor, para se certificar de que ninguém o ouvira.

— Hum, bom, boa sorte. — *Cachorro miserável.* Foi Ashling dar as costas e se ver encurralada por um sujeito entusiasmado, com os olhos brilhantes, que insistia que Ted era um anarquista humorístico, um desconstrucionista pós-moderno e irônico do gênero.

— Ele subverteu completamente a piada básica, desafiando nossa expectativa do que é engraçado. E aí, quer dançar?

— Quê? Aqui? — Ashling ficou totalmente desconcertada. Fazia muito tempo que um estranho não a tirava para dançar. Ainda mais na sala de outra pessoa. Se bem que, agora que dava uma olhada, as pessoas — todas do sexo feminino, é claro — começavam a arriscar alguns passos pela sala afora ao som de Fat Boy Slim. — Ah, não, obrigada — escusou-se. — É cedo demais, ainda estou muito inibida.

— Tudo bem, daqui a uma hora eu te tiro de novo.

— Ótimo! — exclamou ela, irônica, observando com atenção seu rosto ansioso. Nem em uma hora estaria bêbada o suficiente. Nem *em uma vida inteira*.

Passado algum tempo, para seu encanto, viu Joy dando um beijo pornocinematográfico em Metade-homem-metade-texugo.

Resolveu ficar por ali mais algum tempo. Embora a festa estivesse para lá de caída, ficou surpresa ao constatar que sentia prazer em se encontrar no meio de uma multidão e gravitar na sua periferia. Tal contentamento era raro: tudo que Ashling sabia era que quase nunca se sentia completa. Mesmo nos seus momentos de maior realização, algo permanecia eternamente ausente, lá no mais íntimo de seu ser. Como aquele pontinho semelhante a um orifício que fica no negro da tela quando a televisão é desligada à noite.

Mas, essa noite, sentia-se calma e em paz, sozinha mas não solitária. Embora os únicos homens que tivessem dado em cima dela não fizessem seu tipo, não se sentiu um fracasso quando decidiu ir para casa.

Já na porta, tornou a encontrar o Entusiasmado.

— Já vai? Espera um minuto. — Ele rabiscou alguma coisa num pedaço de papel e o entregou a ela.

Ela esperou até já estar do lado de fora para abrir o papel. Que continha um nome — Marcus Valentine —, um número de telefone e uma instrução: "Bellez-moi!"

Foi a melhor gargalhada que ela soltou a noite inteira.

A caminhada de volta para casa levou dez minutos — pelo menos, tinha parado de chover. Quando chegou ao seu edifício, viu um homem dormindo diante da portaria.

O mesmo homem que estava lá no outro dia. Só que parecia ser mais jovem do que ela se dera conta. Pálido e franzino, agarrando com força seu grosso cobertor laranja de tão encardido, parecia pouco mais do que uma criança.

Vasculhando a mochila, ela encontrou uma libra e a colocou ao lado de sua cabeça. Mas talvez alguém a roubasse, pensou, preocupada, tratando de empurrá-la para baixo do cobertor. Em seguida, contornando-o pé ante pé, entrou no edifício.

Assim que a porta se fechou com um clique às suas costas, ouviu um "obrigado" tão débil e sussurrado que ficou em dúvida se não teria sido sua imaginação.

Enquanto Ted fazia mais uma plateia vir abaixo no Funny Farm, Jack Devine abria a porta de sua casa situada numa zona deserta de Ringsend, de frente para o mar.

— Por que não me ligou? — perguntou Mai. — Você nunca tem tempo para mim. — Passou por ele dando-lhe um tranco e seguiu direto pela escada acima, já desabotoando as calças jeans.

Jack contemplava o mar por trás da vidraça, o quase negror da água noturna tão impenetrável quanto seus próprios olhos. Em seguida, fechou a porta e lentamente se pôs a segui-la pela escada.

Ao mesmo tempo, numa elegante casa eduardiana de tijolos vermelhos em Donnybrook, Clodagh virava a quarta dose de gim. Fazia vinte e nove dias.

CAPÍTULO 7

Ashling acordou ao meio-dia de domingo sentindo-se descansada. Estava de ressaca, mas uma ressaca bem leve. Ficou deitada no sofá, fumando, até o seriado *The Dukes of Hazzard* acabar. Em seguida foi à rua e comprou pão, suco de laranja, cigarros e jornais — um tabloide da imprensa marrom e um jornal respeitável, para compensar o tabloide.

Depois de se empanturrar com casos bombásticos de infidelidade até se sentir um pouco enojada, resolveu arrumar o apartamento. Essa atividade consistia principalmente no transporte, do quarto para a pia da cozinha, de cerca de vinte pratos cheios de migalhas e copos d'água pela metade, do resgate de uma caixa vazia de Haägen-Dasz do canto onde tinha ido parar debaixo do sofá e da abertura das janelas. Polir os móveis já seria um pouco de exagero, mas ela vaporizou a sala com Mr. Sheen e no ato o cheiro fez com que se sentisse virtuosa. Cautelosa, cheirou a roupa de cama. Maravilha, daria para mais uma semana.

Então, mesmo sabendo que ele não poderia ter ido a parte alguma, foi verificar se o terninho que mandara lavar a seco na tinturaria não fora roubado. Ainda estava pendurado no guarda-roupa, ao lado de uma camisa limpa. Amanhã seria o grande dia. O enorme dia. Não era toda segunda-feira que começava num novo emprego. Na verdade, fazia mais de oito anos, e estava com os nervos à flor da pele. Mas entusiasmada, também, insistiu, tentando não dar atenção ao sobe e desce no estômago.

E agora? Passar o aspirador de pó, decidiu, porque um aspirador de pó passado como manda o figurino é um ótimo exercício para a cintura. E o Dyson magenta e verde-limão saiu do armário. Ainda não conseguia acreditar que gastara tanto dinheiro num eletrodoméstico. Um dinheiro que, com a mesma facilidade, poderia ter gasto em bolsas ou garrafas de vinho. A única conclusão que podia tirar daí era a de que finalmente se tornara uma mulher adulta. O que era estranho, porque, na sua cabeça, ainda tinha dezesseis anos e estava tentando decidir o que fazer quando saísse da escola.

Empurrou a chavinha do interruptor e foi avançando pelo chão do vestíbulo, curvada, requebrando vigorosamente. Para grande alívio da vizinha do andar de baixo (Joy), que amargava uma ressaca de lascar, não demorou muito — seu apartamento era ridiculamente pequeno.

Mas como o *adorava*! Se a apavorava tanto a ideia de perder o emprego, era por medo de não conseguir fazer frente às prestações da hipoteca. Comprara o apartamento três anos atrás, quando finalmente compreendera que Phelim e ela não iriam se candidatar juntos à compra de um chalé com rosas emoldurando a porta. Seu gesto tivera um certo caráter suicida — naturalmente, ela esperara que Phelim entrasse ventando pela porta aos quarenta e três minutos do segundo tempo e, ainda sem fôlego, concordasse em assinar a escritura da tradicional casinha geminada de três quartos em algum bairro burguês afastado. Na época, a compra parecera uma admissão de seu fracasso. Mas não agora. Aquele apartamento era seu refúgio, seu ninho e seu primeiro lar de verdade. Vivera em tugúrios alugados desde os dezessete anos, dormindo em camas alheias e sentando em sofás encaroçados que os senhorios haviam comprado pelo preço baixo, não pelo conforto.

Não tinha um só móvel quando se mudara para lá. Com exceção do indispensável, como um ferro de passar e uma pilha de toalhas velhas, lençóis e fronhas descombinados, tudo tivera de ser comprado. O que levou Ashling a dar um faniquito inédito. Fumegava com o mais sentido rancor à ideia de desviar o equivalente a meses e meses de roupas para comprar todo tipo de coisas idiotas. Como cadeiras, por exemplo.

— Mas a gente não pode sentar no chão! — gritou Phelim.

— Eu *sei* — admitiu Ashling. — É que eu não tinha me dado conta de que ia ser assim.

— Mas você é organizada até dizer chega! — Ele estava perplexo. — Pensei que se sairia maravilhosamente bem nesse tipo de coisa, como é mesmo que chamam...? *Prendas domésticas.*

Ashling tinha um ar tão perdido e infeliz que Phelim disse, com doçura:

— Ah, neném, me deixa ajudar. Eu compro uns móveis para você.

— Uma cama, aposto — disse ela, em tom de desprezo.

— Bom, já que você tocou no assunto... — Phelim gostava de transar com Ashling. Comprar uma cama para ela não seria nenhum sacrifício. — Posso comprar...?

Ashling refletiu. Agora que reorganizara as finanças de Phelim, ele estava numa situação muito melhor.

— Acho que sim — disse, emburrada. — Mas só se pagar no cartão.

Cheia de amargura e irritação, fez um empréstimo no banco e comprou um sofá, uma mesa, um guarda-roupa e duas cadeiras.

E isso, decidiu, era o ponto final. Durante mais de um ano recusou-se a comprar persianas. "Basta eu não lavar as vidraças", dizia. "Desse jeito, ninguém pode ver do lado de dentro." E só comprou uma cortina para o boxe quando as poças diárias em seu banheiro começaram a pingar no banheiro de Joy. Mas, em algum ponto do processo, suas prioridades haviam começado a mudar. Embora não tivesse nada da decoradora ninja que Clodagh era, certamente *se importava com a casa.* A ponto de ter não apenas um, mas o total de dois jogos de cama (um bastante original, imitando jeans, e um conjunto da Zen, branco, nunca usado, com uma colcha xadrez). E, não fazia muito tempo, desembolsara quarenta libras por um espelho de que nem mesmo precisava, só porque o achara bonito. Verdade seja dita, ela estava com TPM e os parafusos um pouco frouxos, mas e daí? E a mudança radical ficou completa no dia em que gastou mais de duzentas libras num aspirador de pó.

Alguém bateu à porta. Joy entrou, insegura, branca como um fantasma.

— Desculpe, eu me deixei empolgar com a arrumação — disse Ashling, caindo em si. — Te acordei?

— Não tem problema. Tenho que ir a Houth visitar minha mãe. — Joy fez uma expressão angustiada. — Não posso cancelar de novo, há quatro domingos que faço isso. A essa altura ela já preparou algum assado para o almoço que vai me enfiar pela goela abaixo e passar a tarde inteira me interrogando, para descobrir se estou feliz. Você sabe como são as mães.

Bem, sim e não, pensou Ashling. Estava familiarizada com a pergunta "Você está feliz?". Só que era Ashling quem costumava monitorar a felicidade da mãe, não o contrário.

— Se pelo menos ela servisse o almoço de domingo num dia mais civilizado — reclamou Joy.

— Terça à noite, por exemplo. — Ashling sorriu. — Mas e aí? Você ainda não viu Ted hoje, viu?

— Ainda não. Acho que ele se deu bem ontem à noite e agora está se recusando a sair do quarto da coitada da garota.

— Ele arrasou mesmo ontem à noite. E aí, vai me contar o que aconteceu com Metade-homem-metade-texugo ou vou ter que te arrancar uma confissão à força?

Joy imediatamente se iluminou:

— Ele passou a noite comigo. A gente não chegou propriamente às vias de fato, mas dei uma chupada nele e ele disse que vai me ligar. Será...?

— Uma chupada não faz verão — advertiu Ashling, com conhecimento de causa.

— E é a mim que você vem dizer? Me dá elas aqui... — Joy se inclinou em direção às cartas do tarô. — ...para eu ver o que dizem. A Imperatriz? O que quer dizer?

— Fertilidade. Acho bom continuar tomando a pílula.

— Putz. E *você*, como foi ontem à noite? Conheceu alguém legal?

— Não.

— Vai ter que batalhar mais. Você já está com trinta e um anos, daqui a pouco todos os caras bons vão ter acabado.

Não *preciso* de mãe, compreendeu Ashling. Não com Joy por perto.

— E *você* tem vinte e oito — rebateu Ashling.

— É, mas durmo com *uma porrada* de caras. — Mais branda, Joy indagou: — Você não se sente sozinha?

— Acabei de sair de um namoro de cinco anos. Demora um tempo para a gente superar uma coisa dessas.

Phelim não era um homem cruel, mas sua incapacidade de se comprometer surtira um efeito devastador sobre a atitude de Ashling em relação ao amor. Desde que ele fora embora, a solidão soprava por dentro dela como um vento frio e triste, mas ela não estava nem um pouco preparada para se envolver com outro homem.

Não que tivesse propriamente recebido uma chuva de propostas.

— Já faz quase um ano, a essa altura você já tirou Phelim completamente da cabeça. Li em algum lugar que cento e cinquenta por cento das pessoas conhecem os parceiros no trabalho. Viu algum cara atraente quando foi fazer a entrevista?

Ashling imediatamente pensou em Jack Devine. Um osso duro de roer. Um exímio ralador de nervos.

— Não.

— Tira outra carta — sugeriu Joy.

Ashling cortou o baralho e ergueu uma carta.

— Oito gládios, o que quer dizer? — perguntou Joy.

— Mudança — admitiu Ashling, a contragosto. — Desordem.

— Que bom, já não era sem tempo! Bom, é melhor eu ir andando. Vou só dar uma esfregadinha no Buda da sorte para ter certeza de que não vou vomitar no ônibus... Aliás, foda-se o Buda. Me empresta um dinheiro para o táxi?

Ashling deu a Joy uma nota de dez libras e dois enormes sacos plásticos de lixo, que faziam uma barulheira de garrafas constrangedora.

— Bota na lixeira para mim? Obrigada!

A menos de meio quilômetro dali, no Apart-Hotel Malone, o domingo custava a passar para Lisa. Já havia lido os jornais irlandeses — bem, as colunas sociais, pelo menos. E eram uó! Pareciam não consistir em nada além de retratos de políticos gordos e cheios de microvarizes, irradiando uma aura de cordialidade e corrupção. Bem, na revista *dela* é que não haveriam de entrar.

Acendeu outro cigarro e, irritada, pôs-se a andar pelo quarto, raspando os sapatos no chão. O que as pessoas *faziam* quando não estavam trabalhando? Se encontravam com os namorados, iam ao bar, à academia, às compras, decoravam a casa, saíam com os amigos. Disso ela ainda se lembrava.

Ansiava por um ombro amigo e pensou em telefonar para Fifi — de todas as suas conhecidas, a que mais se aproximava de uma amiga. Haviam estagiado juntas na *Brotinho* muitos anos atrás. Assim que Lisa passou a ocupar o cargo de editora de variedades na *Menina*, mexeu os pauzinhos para conseguir o cargo de editora assistente de beleza para Fifi. Quando Fifi conseguiu o cargo de editora sênior de variedades na *Chic*, contou para Lisa que estavam à procura de uma redatora-chefe. Quando Lisa saiu para se tornar redatora-chefe da *Femme*, Fifi assumiu o cargo de redatora-chefe da *Chic*. Dez meses depois de Lisa se tornar diretora da *Femme*, Fifi se tornou diretora da *Chic*. Com Fifi, Lisa sempre conseguira desabafar suas mágoas e queixas — ela compreendia os riscos e ossos daquele ofício tido na conta de glamouroso, quando todas as outras pessoas se ralavam de inveja.

Mas algo estava impedindo Lisa de tirar o fone do gancho. Deu-se conta de que se sentia constrangida. E um tanto ressentida. Embora suas carreiras houvessem se desenrolado quase paralelamente, Lisa sempre estivera um passo à frente de Fifi. Mas, enquanto a carreira de Fifi fora batalhada passo a passo, a ascensão de Lisa não deixara pegadas. Fora nomeada diretora quase um ano antes de Fifi e, embora a *Chic* competisse quase diretamente com a *Femme*, a circulação da *Femme* superava a da *Chic* em bem mais de cem mil exemplares. Lisa dera por certo que a promoção para a *Manhattan* a impulsionaria tão longe que se tornaria impossível alcançá-la. Mas, em vez disso, fora relegada a Dublin e, de repente, por falta de competidores à sua altura, Fifi tomara a dianteira.

Oliver, Lisa abafou uma exclamação, a alegria subitamente dando um estalo como duas peças que se encaixam. *Vou ligar para ele.* Mas a doce agradável sensação de bem-estar imediatamente se azedou. Ela chegara a se esquecer por um momento. *Não sinto saudades dele,* disse a si mesma, em tom professoral. *Só estou entediada e de saco cheio.*

Por fim, telefonou para sua mãe — provavelmente porque era domingo e, portanto, uma tradição —, mas sentiu-se uma merda depois. Principalmente porque Pauline Edwards estava louca para saber por que Oliver lhe telefonara querendo saber o telefone de Lisa em Dublin.

— Nós acabamos. — A emoção fez com que Lisa sentisse o estômago se contrair até ficar do tamanho de uma noz. Não queria falar sobre o assunto. De mais a mais, por que sua mãe não lhe telefonara, se estava tão preocupada assim? Por que era Lisa quem sempre tinha que telefonar para ela?

— Mas acabaram por quê, querida?

Lisa ainda não estava bem certa.

— Coisas da vida — tornou, petulante, desesperada para pôr um ponto final no assunto.

— Vocês experimentaram ir àquelas sessões, como é mesmo que se chamam, de aconselhamento? — perguntou Pauline, sondando o terreno, morta de medo de que a ira de Lisa se abatesse sobre sua cabeça.

— Claro que sim — disse Lisa, a impaciência tornando-a lacônica. Bem, haviam ido a uma sessão, mas Lisa estava ocupada demais para ir a outras.

— Vocês vão se divorciar?

— Acho que sim. — Na verdade, Lisa não sabia. Além dos gritos trocados no calor da raiva — "Vou me divorciar de você!", "Não, não pode, porque *eu* é que vou me divorciar de você!" —, nada de específico fora discutido. Na verdade, ela e Oliver mal se haviam falado desde a separação, mas, inexplicavelmente, queria magoar a mãe dizendo que sim.

Pauline suspirou, infeliz. O irmão mais velho de Lisa, Nigel, divorciara-se cinco anos antes. Ela própria tivera seus filhos tarde, e não compreendia o mundo deles.

— Dizem que dois em três casamentos acabam em divórcio — disse Pauline, e, de repente, Lisa teve vontade de gritar que não iria se divorciar, que sua mãe era uma bruxa cruel só de chegar a insinuar tal coisa.

A preocupação de Pauline lutava com o medo que a filha lhe inspirava.

— Foi porque vocês formavam um casal... diferente?

— Diferente, mãe? — cobrou Lisa, ríspida.

— Bem, por ele ser... de cor?

— *De cor?!*

— Não é esse o termo certo. — Pauline se corrigiu às pressas: — Preto?

Lisa fez "tsc", soltando um suspiro profundo.

— Afro-americano?

— Pelo amor de Deus, mãe, ele é inglês! — Lisa sabia que estava sendo cruel, mas era difícil mudar um hábito de uma vida inteira.

— Inglês afro-americano, então? — tentou Pauline, em desespero de causa. — Bom, seja lá o que for, ele é um rapaz muito bonito.

Pauline sempre dizia isso para provar que não era preconceituosa. Embora seu coração quase tivesse parado de bater da primeira vez que vira Oliver. Se pelo menos tivesse sido *avisada* de que o namorado da filha era um negro forte e retinto de um metro e oitenta e dois de altura...! Um homem de cor, um afro-americano, qualquer que fosse o termo correto. Não tinha nada contra os negros, fora apenas o inesperado da coisa.

E, depois que se habituou a ele, conseguiu esquecer sua cor e ver que *realmente* era um rapaz bonito. Aliás, bonito era apelido.

Um gigantesco príncipe de ébano, com a pele lisa e lustrosa esticada sobre os malares diagonais, olhos amendoados e trancinhas finas que balançavam ao redor do queixo. Caminhava como quem dança e cheirava a sol. Pauline também desconfiava — embora jamais tivesse sido capaz de formular a desconfiança conscientemente que ele era bem-dotado como um jumento.

— Ele conheceu outra pessoa?

— Não.

— Mas poderia ter conhecido, Lisa, querida. Um rapaz bonito como ele.

— Por mim, tudo bem. — Se ficasse repetindo isso, terminaria por acreditar.

— Você não vai se sentir sozinha, querida?

— Não vou ter tempo para me sentir sozinha — tornou ela, brusca. — Tenho uma carreira para pensar.

— Não sei para que você precisa de uma carreira. Eu não tive carreira e isso não me fez mal algum.

— Ah, é mesmo? — disse Lisa, feroz. — Pois uma carreira teria lhe caído muito bem, depois que papai lesou a coluna e nós tivemos que ficar vivendo da aposentadoria por invalidez dele.

— Mas dinheiro não é tudo. Sempre fomos tão felizes.

— Eu, não.

Pauline ficou em silêncio. Lisa podia ouvi-la respirando no telefone.

— É melhor eu desligar — disse Pauline, por fim. — Essa conversa deve estar sendo difícil para você.

— Desculpe, mãe. — Lisa suspirou. — Não quis dizer o que disse. Você recebeu a encomenda que te mandei?

— Ah, recebi — assentiu Pauline, nervosa. — Os cremes faciais e os batons. Muito bons, obrigada.

— Você usou?

— Éééééé...

— Não usou — acusou-a Lisa.

Lisa enchia Pauline de perfumes e cosméticos caros que conseguia no emprego, louca para que a vida da mãe tivesse um pouco de luxo. Mas Pauline se recusava a abrir mão de seus produtos da Pond's e da Rimmel. Uma vez chegara mesmo a dizer: "Ah, suas coisas são boas demais para mim, querida."

— Não são boas demais para você, não senhora — explodira Lisa.

Pauline não conseguia entender a fúria de Lisa. A única coisa que sabia era que tinha pavor dos dias em que o carteiro batia à sua porta e dizia, alegre: "Outra encomenda da sua menina em Londres." Porque, mais cedo ou mais tarde, chegava o dia da prestação de contas.

A menos que a encomenda consistisse em livros. Lisa sempre mandava para a mãe os exemplares de Catherine Cookson e Josephine Cox que as editoras enviavam para a redação da revista, na equivocada crença de que ela adoraria aquelas baboseiras cinderelescas e românticas. Até o dia em que Pauline disse: "Sabe, querida, achei maravilhoso aquele livro que você me mandou sobre o vilão do East End que pregava as vítimas numa mesa de bilhar." Lisa descobriu que sua assistente embalara o livro errado por engano, e isso assinalou uma revolução nos hábitos de leitura de Pauline Edwards. Agora, ela bebia biografias de gângsteres e thrillers americanos brutais, quanto mais cenas de tortura, melhor, e a mãe de alguma outra pessoa passou a receber os livros de Catherine Cookson.

— Gostaria tanto que você viesse nos ver, querida. Faz tanto tempo.

— Hum, tá — disse Lisa, distraída. — Qualquer hora dessas apa reço por aí.

Pode esperar sentada! A cada visita, a casa em que crescera parecia menor, e sua sordidez mais chocante. Nos cubículos atulhados de mobília ordinária e barata, ela se sentia uma reluzente estrangeira, com suas unhas postiças e sapatos de couro lustrosos, com a incômoda consciência de que sua bolsa provavelmente custara mais do que o sofá em que estava sentada. Mas, embora seus pais cobrissem de exclamações reverentes sua aparência impecável, ficavam nervosíssimos em sua presença.

Ela deveria se vestir com mais modéstia para seus anfitriões, tentando diminuir a distância entre eles. Mas precisava do maior número de adereços possível, à guisa de armadura, para não ser tragada de volta pelas águas do passado.

Sentiu ódio de tudo isso, e em seguida de si mesma.

— Por que vocês não vêm me ver? — perguntou Lisa. Mas, se não faziam nem a viagem de meia hora de trem de Hemel Hempstead a Londres, era extremamente improvável que tomassem um avião para Dublin.

— Mas com seu pai doente e...

Clodagh acordou na manhã de domingo com uma leve ressaca, mas sentindo-se ótima. Livre por algum tempo para se aconchegar a Dylan e ignorar sua ereção com a consciência tranquila.

Quando Molly e Craig apareceram, Dylan os exortou, sonolento:

— Vão lá para baixo quebrar umas coisas e deixem a mamãe e eu tirarmos uma sonequinha.

Por incrível que pareça, eles foram.

Clodagh e Dylan alternavam períodos de sono e de vigília.

— Você tem um cheiro delicioso — murmurou Dylan, a boca nos cabelos de Clodagh. — Cheirinho de biscoito. Doce e... doce...

Passado algum tempo, ela sussurrou para ele:

— Te dou mil libras se você me trouxer o café da manhã.

— O que você quer?

— Um café e uma fruta.

Dylan saiu do quarto e Clodagh se espalhou pela cama como uma estrela-do-mar satisfeita, até ele reaparecer com uma caneca na mão e uma banana na outra. Colocou a banana deitada entre as pernas e, quando Clodagh olhou, fingiu abafar um grito e meneou a banana para cima, simulando uma ereção.

— Ora, Sra. Kelly — exclamou —, a senhora é linda!

Clodagh riu, mas logo sentiu a velha culpa iniciar sua escalada inexorável.

Mais tarde foram almoçar fora, num daqueles restaurantes que não fazem o cliente se sentir um proscrito por levar duas crianças. Dylan foi providenciar uma almofada para Molly e, enquanto Clodagh arrancava à força uma faca da mão de Molly, vislumbrou Dylan conversando em tom persuasivo com uma garçonete, uma adolescente com umas perninhas finas de Bambi, nervosíssima com a proximidade física daquele homem tão bonito.

Aquele homem bonito era seu marido, Clodagh se deu conta e, súbita e inexplicavelmente, não o reconheceu. Assaltada por aquele estranho paradoxo emocional de se conhecer uma pessoa tão bem que, de repente, não se a conhece em absoluto. Em geral o hábito amortecia o impacto do louro encaracolado de seus cabelos, do sorriso que franzia sua pele em camadas de parênteses ao redor da boca, dos olhos cor de avelã, quase sempre tão cheios de alegria. Ficou surpresa e agitada com a beleza de Dylan.

O que fora mesmo que Ashling dissera na véspera? *Reacenda a velha chama.*

Uma imagem aflorou em sua mente: ela ofegava, as entranhas inchadas de desejo, sendo amada na areia... *Areia?* Não, espera aí, esse não era Dylan, era Jean-Pierre, o sedutor francês de deixar os joelhos bambos com quem perdera a virgindade. Meu Deus, suspirou, aquilo fora genial. Dezoito anos, hospedada num albergue da juventude na Riviera Francesa, ele era o homem mais atraente em quem ela já pusera os olhos na vida. E olha que seu nível de exigência era altíssimo, ela nunca sequer beijara nenhum dos garotos de sua turma na Irlanda. Mas, no momento em que vira o olhar intenso e sério de Jean-Pierre, sua linda boca de poucos amigos e sua relaxada linguagem corporal gaulesa, decidira que seria ele o feliz ganhador do valiosíssimo prêmio de sua virgindade.

De volta a Dylan, à velha chama. Ah, sim. Ela se lembrava de estar quase às lágrimas quando lhe implorou que fizesse amor com ela. "Não dá mais para segurar, ah, por favor, vem logo!" Deslizando até deitar-se no assento traseiro de seu automóvel, deixando os joelhos descaírem... Não, *espera aí*, esse também não fora Dylan. Fora Greg, o jogador de futebol americano que ganhara uma bolsa de estudos de um ano para a Universidade de Trinity. Que pena que o conhecera apenas três meses antes de ele voltar. Era um cara bonito, musculoso, seguro de si e, por algum motivo, ela o achara totalmente irresistível.

É claro que também se sentira assim em relação a Dylan. Vasculhou o passado em busca de lembranças específicas e soprou a poeira de sua favorita: a primeira vez que o vira. Seus olhos haviam literalmente se encontrado através de uma sala apinhada de gente e, antes mesmo de saber qualquer coisa a seu respeito, já sabia tudo de que precisava saber.

Cinco anos mais velho do que Clodagh, ele fazia todos os outros rapazes parecerem garotos inexperientes e cheios de espinhas. Havia uma desenvoltura e uma autoconfiança urbana em sua postura que o tornavam extremamente carismático. Ele sorria, ele encantava, sua simples presença era alentadora — e tranquilizante: embora sua empresa estivesse apenas começando, ela tinha a inabalável convicção de que Dylan sempre resolveria todos os problemas. E era tão gostoso!

Ela tinha vinte anos de idade, estava deslumbrada com a beleza loura de Dylan e zonza com sua boa sorte. Ele era tão perfeito para ela, que não restava dúvida de que era com ele que iria se casar. Mesmo quando seus pais insistiram que ela era jovem demais para saber o que queria, ela desprezou seus conselhos. Dylan era o homem da sua vida, ela era a mulher da vida de Dylan.

— Aqui está, Molly! — Era ele de volta com a almofada, depois de as adolescentes disputarem entre si o privilégio de entregá-la. Foi só então que Clodagh percebeu que Molly havia despejado metade do saleiro no açucareiro.

Depois do almoço, deram uma volta de carro até a praia. Era um dia luminoso, com o tempo fechado e a temperatura na justa conta para tirarem os sapatos e chapinharem entre as ondas. Dylan pediu a um homem que passeava com o cachorro para tirar um retrato dos quatro agrupados contra a areia limpa e deserta, sorrindo ao que o vento fazia seus cabelos louros fustigarem-lhes os rostos, Clodagh puxando a saia para o lado, tentando impedir que se colasse às pernas molhadas.

CAPÍTULO 8

Lisa apareceu no trabalho às oito da manhã de segunda-feira. *Comece como pretende continuar.* Mas, para sua indignação, o edifício estava fechado. Ficou por ali mesmo, no ar úmido, durante algum tempo e, por fim, resolveu ir comprar uma xícara de café. Até isso lhe deu um certo trabalho. Não era como em Londres, onde as cafeterias abrem suas portas ao raiar do dia.

Às nove da manhã, quando saiu da cafeteria, havia começado a chover. Com o braço cobrindo os cabelos, tratou de correr, seus saltos dez escorregando na calçada resvaladiça. Deteve-se subitamente e, quando viu, estava gritando para um jovem transeunte de anoraque:

— Será que *sempre* chove neste paisinho chinfrim?

— Não sei — respondeu ele, nervoso. — Só tenho vinte e seis anos.

Na portaria, Lisa foi recebida por uma garota chamada Trix. Era um festival de espinhas num vestidinho transparente de alcinhas, e pulava de um pé para o outro, tentando se aquecer, seus saltos altos batendo no chão. Quando viu Lisa, seu rosto se iluminou de admiração e ela se apressou em apagar o cigarro.

— Como vai? — grunhiu, soltando a última baforada de fumaça. — Sapatos maneiros! Sou Trix, sua assistente pessoal. Antes que me pergunte, meu nome é Patricia, mas não adianta me chamar assim porque não vou responder. Eu era Trixie até o pessoal duas casas depois da minha comprar uma poodle com esse nome, de modo que agora sou Trix. Eu era a recepcionista e burra de carga do pedaço, mas aí fui promovida, graças a você. Atenção: eles não me substituíram... Por aqui, o elevador é desse lado.

"Sou a primeira a admitir que digitar não é o meu forte — confidenciou Trix. — Mas sei mentir que é uma maravilha, sessenta palavras por minuto, tranquilo. Posso dizer que você está em reu nião para qualquer pessoa com quem você não queira falar, que a pessoa nunca vai desconfiar. A menos que você *queira* que desconfie. Também sou boa em intimidação, sabe?

Lisa acreditou nela.

Embora tivesse vinte e um anos e fizesse o gênero bonita e gostosa, havia uma dureza nela que Lisa reconheceu. De sua *própria* juventude.

O primeiro choque do dia foi a descoberta de que a Randolph Media da Irlanda ocupava um único andar — enquanto os escritórios de Londres ocupavam um edifício de doze andares inteiro.

— Tenho que levar você para conhecer Jack Devine — disse Trix.

— Ele é o diretor-superintendente da Irlanda, não é? — perguntou Lisa.

— É, é? — Trix pareceu surpresa. — Acho que sim. Enfim, ele é o patrão, ou pensa que é. Não aguento os chiliques dele. Precisava ter visto o cara semana passada. — Abaixou a voz bruscamente: — Parecia um urso com hemorroidas. Mas hoje está de bom humor, o que significa que reatou com a namorada. O caso daqueles dois...! Fazem Pamela e Tommy Lee parecerem os Waltons.

Havia outros choques à espera de Lisa. Trix a levou até um escritório sem paredes ou divisórias, com aproximadamente quinze mesas. Quinze! Como um império jornalístico podia ser comandado de quinze mesas, um quadro de avisos e uma cozinha minúscula?

Uma ideia horrível lhe ocorreu.

— Mas... onde fica o departamento de moda?

— Ali. — Trix meneou a cabeça em direção a uma arara enfiada num canto, da qual pendiam um medonho suéter pêssego, que obviamente tinha algo a ver com a *Tricô Gaélico*, um vestido de dama de honra, um vestido de noiva com um bilhão de babados e algumas roupas de homem.

Meu Deus do Céu! O departamento de moda da *Femme* ocupava uma sala inteira. Atulhada de peças de todas as grandes grifes, o que permitira a Lisa ficar anos a fio sem precisar comprar roupas novas. Alguma providência tinha que ser tomada! Sua cabeça já fervilhava de planos para contactar seus conhecidos no mundo da moda, quando Trix a apresentou a dois membros da equipe que já haviam chegado:

— Esses são Dervla e Kelvin, que trabalham nas outras revistas, e por isso não fazem parte da sua equipe, *como eu* — frisou, orgulhosa.

— Muito prazer, sou Dervla O'Donnell. — Uma mulher gorda de seus quarenta e tantos anos usando uma túnica elegante apertou a mão de Lisa, sorrindo. — Sou da *Noiva Hibérnica*, da *Saúde Celta* e da *Interiores Gaélicos*. — Bastou um olhar para Lisa perceber que se tratava de uma ex-hippie.

— E eu sou Kelvin Creedon. — Um sujeito louro oxigenado com um ar pateticamente modernoso e óculos enormes de armação preta apertou a mão de Lisa. Na hora ela soube que os óculos não tinham grau, eram só uma fachada. Vinte e poucos anos, calculou. Ele irradiava uma aura descolada e jovem. — Sou da *Hiper Hiber*, da *Carro Celta*, da *Bricolagem à Moda da Casa* e da *Som*, nossa revista de música. — Seus vários anéis de prata machucaram a mão de Lisa.

— Como assim? — perguntou ela, confusa. — Vocês dirigem todas essas revistas?

— E também fazemos a pesquisa e a redação.

— Tudo isso *sozinhos*? — Lisa não pôde se conter, seus olhos pulando de Kelvin para Dervla.

— Com a ajuda de um ou outro frila — disse Dervla. — A única coisa que temos que fazer é ficar mandando os mesmos releases uma vez atrás da outra. Não tem sido tão difícil assim, desde que a *Juízo Católico* fechou. — Dervla interpretou a expressão chocada de Lisa como sendo de comiseração. — Com isso, tenho as tardes de quinta para trabalhar em outras coisas.

— São publicações semanais ou mensais?

Dervla e Kelvin se entreolharam, boquiabertos, como se sincronizassem um frouxo de riso. Nunca tinham ouvido nada tão engraçado na vida.

— Mensais! — Dervla se sacudia, incrédula.

— Semanais! — Kelvin se sacudia ainda mais do que ela.

Por fim, Dervla percebeu o cenho franzido de Lisa e apressou-se em se recompor.

— Não. Semestrais, a maioria. A *Juízo Católico* era semanal, mas todas as outras saem na primavera e no outono. A menos que haja algum tipo de acidente. Lembra do outono de 99? — Voltou-se para Kelvin. Obviamente ele se lembrava, pois o quiriquiqui recomeçou.

— Vírus de computador — explicou Kelvin. — Apagou tudo.

— Não teve a menor graça na época...

Mas agora, pelo visto, tinha.

— Olha só. — Dervla conduziu Lisa até um estande onde havia várias revistas expostas, e entregou-lhe um volume fino que se autoproclamava *Noiva Hibérnica, Primavera 2000*.

Isso não é uma revista, pensou Lisa. *Isso é um panfleto. Ou melhor, um folheto. Um memorando e olhe lá. Que diabo, não chega nem aos pés de um bilhete!*

— E essa é a *Batata*, nossa revista de culinária — informou Dervla, entregando outro panfleto a Lisa. — A diretora é Shauna Griffin, que também dirige a *Tricô Gaélico* e a *Jardinagem à Irlandesa*.

Outro membro da equipe havia acabado de chegar. Tedioso demais para ser classificado até mesmo como cobertor molhado, pensou Lisa, enojada — estatura mediana, uma careca em andamento e uma aliança no dedo. Papel de parede humano. A mera hipótese de cumprimentá-lo encheu-a de preguiça.

— Esse é Gerry Godson, nosso diretor de arte. Ele não é de falar muito — disse Trix. E, erguendo a voz: — Não é mesmo, Gerry? Pisca o olho uma vez se a resposta for sim, duas se for vai à merda e me deixa em paz.

Gerry piscou duas vezes, o rosto impassível como se fosse de pedra. Em seguida abriu um largo sorriso e apertou a mão de Lisa.

— Bem-vinda à *Garota*. Eu trabalhava nas outras revistas daqui, mas agora vou trabalhar exclusivamente para você.

— E para mim — relembrou Trix. — Sou a assistente pessoal dela, esqueceu? Sou eu que vou dar as ordens.

— Valha-me Deus — disse Gerry, bem-humorado.

Lisa fez um grande esforço para sorrir.

Trix bateu de leve à porta de Jack e a abriu. Jack levantou o rosto. Em repouso, sua expressão parecia um tanto tristonha e abatida, e seus olhos negros como o azeviche ocultavam segredos. Nesse momento, ele viu Lisa e sorriu em reconhecimento, embora nunca houvessem se visto. O astral levantou na mesma hora.

— Lisa? O som de seu nome pronunciado por ele fez com que algo vibrasse prazerosamente dentro dela. — Entra, senta aí. — Ele deu a volta à mesa para apertar sua mão.

O sinistro pressentimento de Lisa lhe deu uma trégua. Gostara da aparência daquele tal de Jack. Alto? Sim! Moreno? Sim! Bem pago? Sim! E era diretor-superintendente, ainda que fosse apenas de uma companhia irlandesa.

E havia um quê de heterodoxo nele que a excitou. Embora estivesse de terno, algo lhe dizia que era sob coação, e seus cabelos eram mais compridos do que se consideraria aceitável em Londres.

E daí que tinha uma namorada? Desde quando isso era um empecilho?

— Estamos todos muito entusiasmados com a *Garota* — afirmou Jack. Mas Lisa pressentiu uma ponta de cansaço na afirmação. Seu sorriso desaparecera e ele voltara a exibir uma expressão séria e taciturna.

Em seguida, pôs-se a discorrer sobre a "equipe" para Lisa.

— É composta por sua AP, Trix, e sua redatora-chefe, uma moça chamada Ashling. Parece ser muito competente.

— Foi o que ouvi dizer — comentou ela, irônica. As palavras de Calvin Carter tinham sido: "Você entra com a visão, ela puxa a carroça."

— E tem também Mercedes, que, basicamente, vai ser a editora de moda e beleza, mas também vai colaborar nas outras matérias. Ela veio do *Ireland on Sunday*...

— O que é isso?

— Um jornal dominical. E também tem Gerry, seu diretor de arte, que trabalhava nas outras publicações. Como Bernard, que vai cuidar da parte admininistrativa, contábil etc. da *Garota*.

Jack se calou. Lisa esperou que ele discorresse sobre mais uns oito funcionários da equipe. Mas isso não aconteceu.

— É só? Uma equipe de cinco membros? Cinco? — Estava zonza de incredulidade. Pois se na *Femme* até sua secretária tinha uma secretária!

— Você também vai dispor de um orçamento generoso para contratar colaboradores — prometeu Jack. — Vai poder encomendar matérias e recorrer a consultores, tanto regulares como esporádicos.

A histeria assaltou Lisa. Como viera acabar aqui, nessa situação horrível? *Como?* Tinha um plano para a sua vida. Sempre soubera para onde ia e sempre chegara lá. Até agora, quando sofrera aquele inesperado desvio que a fizera vir parar nesse fim de mundo.

— De quem... de quem são as outras mesas, então?

— De Dervla, Kelvin e Shauna, que dirigem todas as nossas outras revistas. E de minha AP, a Sra. Morley, de Margie, da publicidade — ela é ótima, um verdadeiro Rottweiler! —, de Lorna e Emily, das vendas, e dos dois Eugenes da contabilidade.

Lisa estava tendo grande dificuldade para recobrar o fôlego, mas teve que resistir ao impulso de correr para o banheiro e soltar um grito nas mãos, porque alguém já abria a porta para Ashling, a redatora-chefe.

— Oi de novo. — Ashling sorriu para Jack Devine, ressabiada.

— Oi. — Ele a cumprimentou com um aceno de cabeça, sem uma gota da efusão com que cumprimentara Lisa. — Acho que vocês ainda não se conhecem. Lisa Edwards, Ashling Kennedy.

Ashling pareceu sobressaltada por um momento, mas logo abriu um largo sorriso para Lisa, admirando ostensivamente sua pele perfeita, seu tailleur acinturado, suas pernas cobertas por finíssimas meias de seda cintilantes.

— É um prazer enorme conhecê-la — declarou, com animação nervosa. — Estou muito entusiasmada com a revista.

Lisa, ao contrário, não ficou nem um pouco impressionada com Ashling. Sua banalidade era exponencial. Qualquer mulher pode deixar o cabelo lá, pendurado, nem encaracolado nem liso, se quiser, pensou Lisa, com desprezo. Nenhuma de nós nasceu com um cabelo espetacular, é algo que exige empenho. Trix, por exemplo, embora sua maquiagem deixasse um pouco a desejar em termos de sutileza, pelo menos demonstrava boa vontade.

Nesse momento Mercedes chegou, e Lisa também não conseguiu formar uma opinião a seu respeito. Era silenciosa e sofisticada, sombria e sinuosa como alcaçuz.

O único que Lisa ainda não conhecia era Bernard, que se revelou o pior do grupo: era óbvio que a camiseta sem mangas vermelha que usava por cima da camisa e da gravata eram do tempo em que essa combinação estava na crista da onda e, francamente, isso era tudo que Lisa precisava saber dele.

Às dez da manhã, a equipe da *Garota*, Jack e sua AP, a Sra. Morley, se reuniram na sala da diretoria para se conhecerem melhor. Lisa ficou surpresa com o fato de a Sra. Morley não ser um tipo perfumado e eficiente como a Srta. Moneypenny,* e sim um dragão com cara de pug na casa dos sessenta anos. Tempos depois, Lisa ficaria sabendo que Jack a herdara ao substituir o artigo diretor superintendente. Podia ter contratado uma nova assistente, mas, por algum motivo, resolvera não fazê-lo e, em consequência, a Sra. Morley lhe era extremamente devotada. Devotada *demais*, segundo a opinião popular.

Enquanto a Sra. Morley fazia a ata da reunião, Jack reiterava a pauta: a *Garota* devia ser uma revista sexy e ousada para irlandesas dos dezoito aos trinta anos. Devia ser uma revista sem preconceitos, sexualmente aberta e divertida. Todos deviam dar uma boa pensada nas matérias.

— Que tal uma seção fixa sobre como conhecer homens na Irlanda? — soltou Ashling, nervosa. — Quem sabe um mês mostrar uma garota indo a uma agência de encontros, no mês seguinte, navegando na Internet, no outro, praticando equitação...

— Não é má ideia — admitiu Jack, a contragosto.

Ashling deu um sorriso trêmulo. Não sabia quanto tempo conseguiria manter o pique de sua imaginação — as ideias estavam longe de ser o seu forte. A seção fora uma sugestão de Joy, e só porque Joy tinha a esperança de vir a ser a cobaia. "Estou sempre tentando conhecer homens, mesmo", dissera. "Bem que podia arranjar um patrocinador para essa atividade."

— Mais alguma ideia? — cobrou Jack.

— Que tal um depoimento de uma celebridade? — propôs Lisa. — Arranjar alguma celebridade irlandesa, tipo... — Logo se embatucou, pois não conhecia nenhuma celebridade irlandesa. — Tipo... tipo...

— Bono — sugeriu Ashling, amável. — Ou uma das Corrs.

*Das histórias de 007.

— Exatamente. Umas mil palavras sobre voos de primeira classe e festas em companhia de Kate Moss e Anna Friel. Uma coisa picante e glamourosa.

— Muito bom. — Jack ficou satisfeito. Mas Lisa estava novamente horrorizada. A consciência das dimensões do empreendimento que tinha à sua frente voltava a atingi-la. Criar uma revista da estaca zero, num país estranho!

— E que tal o depoimento de uma *não* celebridade? — sugeriu Trix, com sua voz rouca. — Sabem como: sou uma garota comum, tomei um porre federal ontem à noite, estou chifrando meu namorado, detesto meu emprego, queria ter mais dinheiro, afanei um vidrinho de esmalte de unha na Boot's...

Todos apoiaram sua sugestão, balançando as cabeças com entusiasmo, até ela chegar à parte do vidrinho de esmalte, quando então as cabeças foram uma a uma parando de balançar. Todo mundo já fizera isso, mas ninguém iria admitir.

Trix imediatamente caiu em si e se recompôs:

— ...minha mãe odeia meu namorado — os dois —, fui descolorir o cabelo e queimei o couro cabeludo, esse tipo de coisa.

— Boa ideia — aprovou Jack. — Alguma ideia, Mercedes?

Mercedes rabiscava num papel, seus olhos escuros distantes e baços.

— Vou exibir o maior número possível de estilistas irlandeses. Comparecer aos shows de formatura das faculdades de moda...

— Pode ser mais *provinciano* do que isso? — interrompeu-a Lisa, cáustica. — Temos que mostrar os estilistas internacionais, se quisermos ser levados a sério.

Nem morta ela iria usar as criaçõezinhas caseiras e amadorísticas que as amigas de Mercedes alinhavavam em cima da perna, na privacidade de seus quartos. Uma revista que se prezasse, como a *Femme*, fotografava roupas impecáveis, enviadas pela assessoria de imprensa das grifes internacionais. As roupas eram cedidas por empréstimo e, mais de uma vez, "desapareciam" depois de uma sessão. Naturalmente, as modelos levavam a culpa — sejamos realistas: elas não são viciadas em heroína, o que está longe de sair barato? E se os modelitos desaparecidos iam se materializar no guarda-roupa de Lisa, ninguém tinha visto nada. Bem, para dizer a verdade, tinham visto tudo, mas não havia nada que pudessem fazer. E essa era uma vantagem da qual Lisa não estava disposta a abrir mão.

Mercedes lançou-lhe um olhar cheio de clarividência e desprezo, e Lisa ficou surpresa ao constatar que isso a deixara nervosa.

— Só isso? — perguntou Jack.

— E que tal... — começou Ashling, falando devagar, sem saber se conseguiria chegar ao fim da frase. Desconfiava que estivesse tendo uma ideia original, mas não podia ter certeza. — ...que tal uma seção fixa escrita por um homem? Sei que é uma revista feminina, mas será que não poderíamos ter uma espécie de "De A a Z" sobre como funciona a cabeça de um homem? O que ele *realmente* quer dizer quando diz "Eu te ligo". Aliás — ergueu a voz, entusiasmada —, que tal mostrar o lado da mulher também? Uma coluna do tipo "Ele & Ela"?

Jack levantou uma sobrancelha para Lisa, com ar de interrogação.

— Pão dormido — desfechou Lisa, curta e rasteira.

— É? — tornou Ashling, humilde. — Está certo.

— Hoje são doze de maio — disse Jack, concluindo a reunião. — A diretoria quer a primeira edição nas bancas no fim de agosto. Pode parecer muito tempo para aqueles de vocês que acabam de sair de publicações semanais, mas não é. Vai ser um trabalho de louco. Mas divertido, também — acrescentou, por mero senso de dever. Quem quer que tivesse a esperança de convencer com essa lorota, certamente não era a si mesmo. — Qualquer problema, minhas portas estão sempre abertas.

— O que não vai adiantar grande coisa, se o senhor não estiver na redação — disse Trix, com a maior cara de pau. — Quer dizer — apressou-se em acrescentar, ao ver a seriedade da expressão de Jack —, o senhor está sempre no estúdio de tevê, encarregado de manter a paz.

— Infelizmente — disse Jack, dirigindo-se a Lisa —, nossa emissora de tevê e nossa estação de rádio funcionam em estúdios diferentes, a quase um quilômetro um do outro. Por uma questão de espaço, meu escritório fica aqui, mas, mesmo assim, tenho que passar um bom tempo lá. Mas, na pior das hipóteses, se você precisar de mim e eu não estiver, pode me telefonar.

— Tudo bem — assentiu Lisa. — E qual é a vendagem que pretendemos para a *Garota*?

— Trinta mil exemplares. Talvez não a atinjamos inicialmente, mas, depois de seis meses, é o que pretendemos atingir.

Trinta mil. Lisa ficou horrorizada. Quando as vendas da *Femme* ficavam abaixo dos trezentos e cinquenta mil exemplares, cabeças rolavam.

Em seguida Jack mostrou a Lisa seu orçamento para colaboradores, mas havia algo de errado com a cifra — parecia estar faltando um zero. No mínimo um.

Foi a gota d'água. Sem pensar, escusou-se educadamente e, como num sonho, dirigiu-se para o banheiro, onde se trancou num dos reservados. Para sua surpresa, estava soluçando convulsivamente. Chorando pela decepção, pela humilhação, pela solidão, por tudo que perdera. Não durou muito, pois não era dada a chorar, mas, quando finalmente saiu do reservado, sentiu um tranco no coração ao ver uma pessoa parada diante da pia. Era a banal e simplória Ashling, com as mãos nas costas. Filha da puta enxerida!

— Que mão você quer? — perguntou ela.

Lisa não compreendeu.

— Escolhe uma mão — disse Ashling.

Lisa teve vontade de lhe dar uma bolacha. Todo mundo era louco naquele lugar.

— Direita ou esquerda? — insistiu Ashling.

— Esquerda.

Ashling revelou a Lisa o conteúdo da mão esquerda: um pacote de lenços de papel. Ato contínuo, mostrou a mão direita — o vidro de seu elixir de emergência.

— Estende a língua. — Ashling pingou duas gotas na língua perplexa de Lisa. — É para choques e traumas. Quer um cigarro?

Lisa fez que não com a cabeça, furiosa. Por fim, cedeu, permitindo passivamente que Ashling enfiasse um cigarro em sua boca e o acendesse para ela.

— Se quiser retocar a maquiagem, tenho hidratante e rímel — ofereceu Ashling. — Provavelmente não são tão bons quanto os que você usa, mas dão para o gasto. — No momento seguinte, já estava revirando a bolsa.

— Alguém mandou você aqui? — Lisa estava pensando em Jack Devine.

Ashling sacudiu a cabeça:

— Ninguém percebeu, só eu.

Lisa não sabia se devia ou não ficar decepcionada. Não queria que Jack pensasse que ela era uma idiota, mas, por outro lado, seria bom saber que ele se preocupava com ela...

— Em geral, não sou assim. — A expressão de Lisa era dura. — Não quero ouvir mais uma palavra sobre isso.

— Já está esquecido.

CAPÍTULO 9

No fim do primeiro dia, Ashling estava à beira de uma estafa. Zonza de alívio por não ter que fazer o esforço de subir num ônibus, cambaleou direto para casa. Era uma mulher de sorte. Pelo menos, tinha uma casa para onde voltar, compenetrou-se; Lisa ainda teria que sair e procurar uma.

Cheia de gratidão, varou a porta de seu apartamento, jogou os sapatos longe e foi colher os recados na secretária-eletrônica. A luz vermelha piscava lascivamente, e Ashling apertou a tecla "play", animada. Estava desesperada por companhia e diálogo, para ajudá-la a assimilar aquele dia estranho, cheio de desafios. Mas, para sua decepção, só havia um recado esquisito de um sujeito chamado Cormac, que entregaria uma tonelada de adubo orgânico na sexta-feira. Droga de engano.

Jogando-se de bruços no sofá, tirou o fone do gancho e ligou para Clodagh. Mas, assim que disse "alô", Clodagh despejou:

— Estou tendo um dia dos diabos!

Com uma cacofonia de gritos ao fundo, levantou a voz e se queixou:

— Craig está com dor de estômago, e só comeu meia torrada com manteiga de amendoim no café da manhã. No almoço não quis comer nada, e eu fiquei em dúvida se devia tentar ele com um biscoito de chocolate, embora ele fique subindo pelas paredes quando come açúcar, então terminei dando um biscoito de nata, porque achei que seria um pouco melhor que o de chocolate...

— Hum-hum — assentiu Ashling, compreensiva, enquanto os uivos por pouco não abafavam totalmente a voz de Clodagh.

— ...e ele comeu, então experimentei dar outro para ele, mas ele só lambeu o glacê e, embora não esteja com febre, está pálido e

CALA A BOCA! ME DEIXA FALAR CINCO SEGUNDOS NO TELEFONE, POR FAVOR. Ah, que inferno, não aguento mais isso!

A súplica de Clodagh foi interrompida e os gritos simplesmente se intensificaram.

— Esse é o Craig? — perguntou Ashling. Devia ser uma dor de estômago e tanto. Quem ouvisse seus gritos, pensaria que estava sendo estripado.

— Não, é a Molly.

— Que é que há com *ela*?

Ashling conseguiu decifrar algumas palavras em meio ao berreiro de Molly. Pelo que pôde depreender, mamãe era má. Na verdade, parecia que mamãe era horrível. E Molly não gostava de mamãe. Um grito particularmente histérico informou a Ashling que Molly ODIAVA mamãe.

— Pus o trapinho de estimação dela para lavar — disse Clodagh, defensiva. — Está na máquina.

— Ah, meu bom Deus.

Molly entrava em parafuso toda vez que tinha de se separar do seu trapinho de estimação. No passado fora um pano de copa, mas o vício de roê-lo sem parar reduzira-o a um frangalho marrom nas beiradas, fedorento e disforme.

— Estava imundo — disse Clodagh, desesperada. E, afastando o fone do rosto, em tom suplicante: — Molly, estava sujo. Ugh, feio, eca! — Ashling escutou pacientemente Clodagh fazer sons enojados de quem cospe. — Era uma ameaça para a sua saúde, teria feito você ficar doente.

O berreiro subiu dois tons e Clodagh voltou ao telefone.

— Aquela velha filha da puta do grupo de atividades disse que Molly não poderia mais levar o trapinho, se não fosse lavado regularmente. O que eu podia fazer? Mas, enfim, não acho que seja apendicite...

Ashling demorou um segundo para compreender que o assunto voltara a ser Craig.

— ...porque ele não vomitou, e a enciclopédia médica da família diz que é um sintoma infalível. Mas a gente pensa em tudo, não é mesmo?

— Acho que sim — concordou Ashling, inconvicta.

— Sarampo, catapora, meningite, pólio, *scherichia coli*... — Clodagh enumerou de um só fôlego, infeliz. — Espera um minuto, Molly quer sentar no meu joelho. Você pode sentar no joelho da mamãe se prometer ficar quietinha. Vai ficar quietinha? Vai?

Mas Molly não queria saber de fazer promessas, e uma série de pancadas e movimentos bruscos indicou que recebera permissão para sentar no joelho de Clodagh mesmo assim. Felizmente, sua gritaria havia amainado às proporções de soluços e fungos ostensivos.

— E, como se eu já não estivesse até aqui de problemas, o puto do Dylan me liga para dizer que não só vai chegar em casa tarde *de novo*, como vai ter que passar uma noite fora semana que vem em mais uma conferência.

— ...o puto do Dylan — Ashling ouviu Molly cantarolar, com perfeita dicção. — O puto do Dylan, o puto do Dylan.

— *...e, ainda por cima,* vai viajar essa sexta agora para ir a um jantar em Belfast!

Ao fundo, o chororô recomeçara. O timbre era masculino. Seria o puto do Dylan que chegara em casa mais cedo e ficara desgostoso por se ver xingado pela mulher e a filha?, perguntou-se Ashling, irônica. Não, pelas queixas chorosas e lamurientas sobre dor de estômago, só podia ser Craig.

— Dou um pulo aí sexta à noite — ofereceu-se Ashling.

— Ótimo, é... LARGA! QUER LARGAR, PORRA? Ashling, tenho que desligar — disse Clodagh, e a ligação caiu. Em geral era assim que terminavam suas conversas telefônicas com Clodagh. Deprimida, Ashling continuou sentada, olhando para o telefone. Precisava conversar com *alguém*. Felizmente, Ted devia estar estourando por ali a qualquer minuto — em geral ela podia acertar o relógio pela sua chegada: sete para as sete.

Mas, às dez para as sete, como já estivesse no meio de um saco de batatinhas dietéticas e Ted não aparecesse, Ashling começou a se preocupar. Esperava que ele não tivesse sofrido algum acidente. Era um demônio na bicicleta e se recusava a usar capacete. Às sete e meia, ela telefonou para ele. E, para sua surpresa, ele estava em casa!

— Por que você não desceu?

— Você quer que eu desça?

— Ora... quero, por que não? Hoje foi meu primeiro dia no novo emprego.

— Ah, merda, tinha me esquecido. Já estou indo.

Segundos depois, Ted apareceu — e parecia diferente. O quanto, era impossível dizer, mas era inegável. Ashling não o via desde sábado à noite — o que era por si só notável, mas andara nervosa demais com o novo emprego para se dar conta até agora. De alguma maneira ele parecia menos frágil, mais robusto, mais cheio de energia. Em geral invadia o espaço dos outros como uma força da natureza, mas agora havia em sua postura uma desenvoltura e um aprumo totalmente novos.

— Parabéns por sábado à noite — disse Ashling.

— Acho que arranjei uma namorada — confessou ele, encabulado, com um sorriso de orelha a orelha. — Quer dizer, pelo menos uma. — Diante do rosto morto de curiosidade de Ashling, prosseguiu: — Ontem passei o dia com Emma, mas vou me encontrar com Kelly amanhã à noite.

Joy chegou nesse exato momento.

— Quem espera, desespera. Metade-homem-metade-texugo nunca vai ligar se eu ficar esperando ao lado do telefone. Muito bem! Bill Gates, Rupert Murdoch ou Donald Trump? Pensei em escolher capitães de indústria em homenagem ao seu novo emprego.

— Mas essa é fácil. — Ashling não podia acreditar que se safaria com uma pena tão leve. — Donald Trump, é claro.

— É mesmo? — Joy emburrou. — Achei que ele tinha um jeitão meio laquê e secador de cabelo. Acho difícil respeitar um homem que passa mais tempo cuidando do cabelo do que eu. Bom, gosto não se discute.

Enfiou a mão na bolsa e balançou diante de todos uma garrafa de Asti Spumante.

— Para você. Parabéns pelo novo emprego.

— *Vomitasti* Spumante — exclamou Ashling.

— *Vomitasti?* — Ted adorou.

— *Vomitasti* — confirmou Ashling. — Disparado o melhor.

Quando já haviam gasto todas as milhas do quiriquiqui provocado pelo “Vomitasti”, Joy soltou uma exclamação, arregalando os olhos e antegozando as boas notícias:

— E aí? Que tal seu primeiro dia como redatora-chefe de uma revista glamourosa?

— Tenho uma boa mesa, um bom Apple Mac...

— Um bom chefe? — perguntou Joy, em tom significativo.

Ashling tentou formular seus pensamentos. Ficara fascinada com o poder de atração de Lisa, irradiando uma aura de carisma e sucesso, e curiosa com o ar de infelicidade que transmitia. Reconhecera-a como sendo a mulher do supermercado, e isso também chamara sua atenção. Mas fora um erro segui-la até o banheiro. Sua intenção fora ajudar, mas acabara sendo apenas prepotente e insensível.

— Minha chefe é linda. — Ashling não queria se estender sobre seu arrependimento. — Esguia, inteligente e podre de chique.

Ted, o recém-formado mulherengo, se animou, mas Joy disse, em tom desdenhoso:

— *Essa* chefe, não. O cara bonito que levou uma mordida da namorada.

Ashling não se sentiu melhor pensando em Jack Devine. Mal começara no novo emprego, e nenhum de seus superiores parecia ter gostado muito dela.

— Como é que você sabe que ele é bonito?

— Por dedução. Ninguém morde o dedo de um bagulho.

— É verdade — intrometeu-se Ted. — Comigo, pelo menos, nunca aconteceu.

Mas isso podia estar prestes a mudar, suspeitava Ashling.

Joy a cutucou:

— Seu chefe?

— Ele é... hum... muito sério — Ashling optou por dizer, para logo em seguida confessar, num rompante: — Pelo jeito, ele não gosta de mim. — Sentiu-se a um tempo melhor e pior por dizer isso.

— Por que não? — indagou Joy.

— É, por que não? — quis saber Ted. Como alguém podia não gostar de Ashling?

— Acho que é porque dei aquele Band-Aid para ele outro dia.

— E que mal há nisso? Você só estava tentando ajudar.

— Antes não tivesse tentado — compreendeu Ashling. — Vamos pedir o jantar.

Ligaram para o restaurante *tairlandês* do bairro e, como de costume, encomendaram comida demais. Mesmo depois de comerem a ponto de ficarem com os estômagos doloridos de tão estufados, ainda sobraram montões de comida.

— Por que a gente tem sempre que pedir essa quantidade estúpida de comida *tairlandesa*? — lamentou-se Ashling. — Tá, em que geladeira essas sobras vão ficar durante dois dias antes de serem jogadas fora?

Joy e Ted se entreolharam, dando de ombros, e tornaram a olhar para Ashling:

— Por que não na sua?

— Estou preocupada — anunciou Joy. — Meu biscoito da fortuna disse que vou sofrer uma decepção. Vamos ler nossos horóscopos.

Em seguida consultaram o I Ching durante algum tempo, jogando as moedas várias vezes até encontrarem a solução que buscavam. Depois de procurarem inutilmente algo a que todos quisessem assistir na tevê, Joy olhou pela janela em direção ao Snow, o clube do outro lado da rua. Os leões de chácara deixavam-nos entrar de graça, por se tratar de vizinhos.

— Alguém está a fim de atravessar a rua para dançar um pouquinho? — sugeriu ela, em tom casual. *Casual* demais.

— NÃO! — disse Ashling, o medo tornando-a enfática. — Tenho que estar cem por cento amanhã de manhã para ir trabalhar.

— Eu também tenho um emprego — disse Joy. — A processadora de solicitações de reembolso de seguros mais rápida do oeste. Vamos lá, só um drinquezinho!

— Você não tem a menor compreensão desse conceito. Muito me espanta que consiga enunciá-lo. Se eu sair com você para tomar "só um drinquezinho", vou acabar ficando até as cinco da manhã, completamente fora do meu juízo normal, dançando ao som de Abba, vendo o sol nascer num apartamento estranho com um grupo de homens ainda mais estranhos que nunca vi na vida e nunca mais quero ver de novo.

— Você nunca tinha se queixado antes.

— Desculpe, Joy. Só estou um pouco nervosa por causa do emprego.

— Vou com você, Joy — ofereceu-se Ted. — Se você não tiver medo de que eu afugente os rapazes.

— Você? — riu Joy, desdenhosa: — Duvido.

Já passava das nove quando Dylan chegou em casa. Clodagh conseguira pôr tanto Molly quanto Craig para dormir, o que não era menos do que milagroso.

— Oi — disse Dylan, cansado, afrouxando a gravata e atirando a pasta na parede do vestíbulo. Clodagh engoliu a raiva ao ver as fivelas de metal arranhando a pintura nova e se preparou para o beijo. Teria preferido que ele não se desse ao trabalho. Aquele beijo parecia totalmente desprovido de sentimento, era apenas um hábito irritante.

Ela abriu a boca para discorrer sobre seu dia horrível, mas ele foi mais rápido:

— Meu Deus, que dia! Onde é que eles estão?

— Dormindo.

— *Os dois?*

— Os dois.

— Será que devemos ligar para o Vaticano para informar sobre um milagre? Vou lá dar uma olhada neles, desço em seguida.

Quando voltou, já tinha trocado o terno por uma camiseta e um par de calças de corrida.

— Alguma notícia? — perguntou ela, ansiosa pelas novidades e a excitação do mundo exterior.

— Não. Algum jantar?

Ah, jantar.

— Com a dor de estômago do Craig e os pitis da Molly... — Abriu a geladeira em busca de inspiração. Nada feito. O freezer também não a ajudou. — Sopa de letrinhas com torradas está bem para você?

— Sopa de letrinhas com torradas. Ainda bem que não me casei com você por seus dotes culinários. — Deu um breve sorriso para ela. Seria imaginação de Clodagh ou havia nele uma ponta de azedume?

— Ainda bem mesmo — concordou, indo buscar uma lata no armário. Não podia ter certeza se ele estava ou não zangado. Sempre agia como se estivesse de bom humor, mesmo quando estava furioso. Mas ela não se importava, pelo contrário: tornava a vida mais fácil.

— E então, como foi no trabalho? — Voltou à carga. — Por que se atrasou tanto?

Ele soltou um suspiro cansado.

— Sabe aquela grande venda para os Estados Unidos? A que vinha se arrastando há séculos?

— Sei — mentiu ela, enfiando as fatias de pão na torradeira.

— Não me lembro em que ponto as coisas estavam da última vez que falei sobre isso com você. Eles já tinham chegado a tomar alguma decisão?

— Acho que estavam prestes a tomar — arriscou Clodagh.

— Tá. Enfim, depois de pensarem e repensarem durante séculos, finalmente resolveram ficar só com três pacotes. Aí disseram que queriam testá-los. Coisa que, como você sabe, é uma puta perda de tempo, de modo que ofereci a eles os resultados dos testes realizados nos nossos próprios computadores. Primeiro disseram que sim, que aceitavam. De repente, mudaram de ideia e mandaram técnicos do escritório de Ohio para fazer os testes...

Clodagh saiu do ar enquanto remexia a panela. Estava decepcionada. Tudo isso era simplesmente um porre.

Com o tronco descaído sobre a mesa, Dylan soltava o verbo:

— ...e aí hoje à tarde recebo um telefonema. Pois bem, eles simplesmente compraram um pacote da Digiware e nem vão testar o nosso!

Nesse momento, Clodagh voltou a si.

— Mas isso é genial! Se nem vão testar o de vocês!

CAPÍTULO 10

Em sua cama fria e solitária no quarto deprimente de Harcourt Street, Lisa tentava dormir, mas se sentia como se já estivesse dormindo. E bem no meio de um pesadelo terrível.

Depois de um dia inteiro de choques sofridos naquela redação de amadores, alimentara a secreta convicção de que as coisas não poderiam ficar piores do que já estavam. Até tentar encontrar uma casa para alugar.

Achara que poderia recorrer a uma administradora de imovéis, mas a taxa cobrada era exorbitante. E sua diplomática oferta de fazer uma menção elogiosa à firma na sua revista se reduzissem o valor da taxa foi recebida com uma tangente.

— Não precisamos de publicidade — disse o jovem a ela, por telefone. — Não temos mãos a medir com os negócios, devido ao Tigre Celta.

— Devido ao *quê*?

— Ao Tigre Celta. — Percebendo que o sotaque de Lisa não era irlandês, o jovem tratou de esclarecer: — Lembra que quando a economia de países como o Japão e a Coreia passou por um período excepcional de crescimento, o fenômeno foi chamado de Tigre Asiático?

É claro que Lisa não lembrava. Palavras como "economia" batiam e escorriam nela.

— E agora que está acontecendo o mesmo com a economia irlandesa, nós chamamos o fenômeno de Tigre Celta. O que significa — acrescentou o jovem, com o máximo de tato que pôde, ou seja, quase nenhum — que não precisamos de publicidade gratuita.

— Está certo — disse Lisa, desanimada, desligando o telefone. — Obrigada pela palestra sobre economia.

A conselho de Ashling, comprou o jornal noturno, esquadrinhou a coluna de aluguéis à procura de apartamentos e casas na moderna Dublin 4 e marcou hora para ver alguns depois do expediente. Em seguida chamou um radiotáxi para levá-la, às expensas da Randolph Media.

— Desculpe, moça — disse o chofer. — Não sei seu nome.

— Não se preocupe — disse Lisa, melíflua. — Saberá.

Fazia anos que não usava um transporte público ou mesmo pagava uma corrida de táxi do seu próprio bolso. E nem pretendia começar agora.

O primeiro imóvel era uma pequena casa em Ballsbridge. Parecia maravilhosa no jornal — o preço certo, a zona certa, o tamanho certo. Com efeito, a região era agradável com seus inúmeros restaurantes e cafés, a rua tranquila, simpática e ladeada de árvores, todas as casinhas bem-tratadas e bonitinhas. Enquanto o táxi avançava lentamente à procura do número quarenta e oito, Lisa se animou pela primeira vez desde que pusera os olhos em Jack Devine. Já podia se imaginar morando ali.

Até ver a casa. A única na rua que parecia ter sido invadida por mendigos, com cortinas rasgadas na janela, a grama com vários centímetros de altura e um carro carcomido de ferrugem sobre blocos de concreto na entrada para automóveis. Ela foi contando os números das casas a partir daquela diante da qual se encontrava, perguntando-se qual seria a quarenta e oito. Quarenta e dois, quarenta e quatro, quarenta e seis, quarenta e oi... to. Não deu outra: a quarenta e oito era a que parecia ter uma ordem de demolição colada na porta.

— Ah, que merda — suspirou.

Já tinha se esquecido. Fazia tanto tempo que não procurava uma casa para alugar, que saíra completamente de sua cabeça o verdadeiro inferno que era — uma série de decepções, cada qual mais brutal do que a anterior.

— Vamos em frente — ordenou.

— Você é quem manda — disse o chofer. — Para onde, agora?

A segunda casa era um pouco melhor. Até um camundongo marrom passar correndo pelo chão da cozinha e desaparecer debaixo da geladeira, ondulando o rabinho gorduroso. Os cabelos de Lisa ficaram em pé de nojo.

E o terceiro imóvel se descrevia como "aconchegante", quando a expressão correta teria sido "microscópico". Era uma quitinete, sem cozinha e com um banheiro escondido dentro de um armário.

— Me diz só para que você haveria de querer uma cozinha. Vocês, mulheres de negócios, não têm tempo para cozinhar — bajulou-a o senhorio, gordo como uma foca. — Vivem ocupadas demais dirigindo o mundo.

Valeu a tentativa, bolão, resmungou Lisa.

Desalentada, arrastou-se de volta para o táxi e, durante o trajeto de volta para o apart-hotel em Harcourt Street, foi obrigada a conversar com o chofer, que, a essa altura, já tinha decidido que os dois eram grandes amigos.

— ...e meu irmão mais velho leva um jeito danado com as mãos. O melhor sujeito do mundo, coitado, faz tudo por todo mundo: troca lâmpadas, monta mesas, corta grama, tudo que é velha na nossa rua adora ele...

Aquele chofer a estava irritando até dizer chega, mas, quando ela saiu do carro, deu-se conta de que sentia sua falta. E agora jamais descobriria o que acontecera quando ele desafiara a gangue de garotas que andava intimidando sua filha de quatorze anos.

Quando se viu de volta ao quarto deprimente, sua alma soltou um vasto uivo de infelicidade. O cansaço e a fome tornavam tudo ainda mais infernal. Sentia-se massacrada pela sensação de *déjà vu*, da época em que tinha dezessete anos, trabalhava numa revista vagabunda e não tinha sorte tentando alugar uma casa decente. Sem compreender como, retrocedera várias casas no tabuleiro do jogo da vida e fora atirada novamente ao ponto de partida. Embora, na ocasião, tudo tivesse parecido muito mais divertido.

Estava desesperada para escapar dos confins mesquinhos e estreitos de sua casa. Desde os treze anos matava aula e se despencava para Londres, a fim de praticar furtos em lojas. E voltava para casa carregada de delineadores, brincos, echarpes e bolsas, sob o olhar tenso e desconfiado da mãe, que não se atrevia a desafiá-la.

Aos dezesseis, tão logo levou pau no *O-Level** para se livrar dele de uma vez por todas, saiu de casa e mudou-se de mala e cuia para Londres. Ela e sua amiga Sandra — que ganhou fama de descolada

*Provas de conclusão do Ensino Médio.

ao mudar o nome para Zandra — conheceram três rapazes gays, Charlie, Geraint e Kevin, e foram morar no apartamento abandonado em que eles viviam, num espigão em Hackney. A vida era cheirar speed, ir ao Astoria na noite de segunda, à Heaven nas de quarta, à The Clink nas de quinta. Adulterar os passes de ônibus vencidos, tomar o ônibus noturno para casa, ouvir os Cocteau Twins e o Art of Noise e conhecer gente do mundo inteiro.

As roupas desempenhavam um papel fundamental na vida dos cinco. Antes de mais nada, o que importava era andar bem-vestido. Assessorada pelos rapazes, que possuíam um conhecimento enciclopédico do que era fashion na ponta da língua, Lisa aprendeu depressa a matar a pau.

No mercado de Camden, Geraint a fez comprar um vestido em elastano, vermelho e colante, com um buraco na coxa, que ela usava com uma meia-calça listrada de vermelho e branco. Sua bolsa era um estojinho duro e branco com uma cruz vermelha em cima. Para completar a produção, Kevin fez questão de roubar para ela um par de Palladiums de Joseph — tênis de lona com solado de borracha de pneu de caminhão. Que tratou de passar para ela bem em tempo, já que seria despedido no dia seguinte. Na cabeça Lisa usava um chapéu de tricô ao estilo corsário, coberto de alfinetes de pressão — um pastiche caseiro de Galliano improvisado por Kevin, que queria ser estilista. E Charlie se encarregou do cabelo. O megahair fora lançado há mais ou menos dez segundos, de modo que ele descoloriu o cabelo de Lisa, deixando-o louro-branco, e aplicou-lhe no alto do cocuruto uma trança loura que chegava até sua cintura. Uma noite, na Taboo, a revista *I-D* fotografou Lisa. (A foto jamais chegou a ser publicada, mas isso *é o de menos.*)

Como o apartamento quase não tinha mobília, fizeram a festa no dia em que encontraram uma cadeira abandonada no lixo. Todos os cinco a carregaram alegremente para casa e, a partir daí, passaram a revezar-se para sentar nela. Da mesma maneira, as canecas de chá tinham que ser usadas num sistema de rodízio, porque eram só duas para servir aos cinco. Mas nunca ocorreu a nenhum deles comprar outras — um terrível desperdício de dinheiro. O pouco que tinham era destinado às roupas, ingressos em boates (quando era inevitável) e drinques.

Por fim, todos arranjaram empregos — Charlie como cabeleireiro, Zandra num restaurante, Geraint como porteiro de uma boate de vanguarda e Lisa numa butique de grife, onde roubava mais peças do estoque do que chegava a vender. Instituiu-se um maravilhoso sistema de trocas: Charlie fazia o cabelo de Lisa, ela roubava uma camisa para Geraint, Geraint a deixava entrar na Taboo de graça, Zandra não lhes cobrava os Sunrises de tequila no restaurante em que trabalhava. (Também vigorava um minissistema de trocas no caso de Zandra: o barman fazia vista grossa para os recibos inexistentes, em troca de favores sexuais para lá de mal prestados.) O único que não fazia parte do esquema era Kevin, porque a loja em que trabalhava era tão cara e, ao mesmo tempo, tão ínfima, que se roubasse um único item o estoque inteiro diminuiria em vinte e cinco por cento. Mas ele conferia prestígio ao grupo, naqueles dias de idolatria fanática da etiqueta que marcaram a segunda metade da década de oitenta.

Nenhum deles gastava dinheiro com comida — como as xícaras e os móveis, isso também era um desperdício. Quando sentiam fome, baixavam no restaurante onde Zandra trabalhava, exigindo uma refeição. Ou então saíam desembestados pelo supermercado do bairro, passando a mão em tudo que viam pela frente. O jogo era passear pelos corredores, comendo durante o percurso, e depois enfiar o celofane ou a casca de banana no fundo das prateleiras. Às vezes Lisa fazia questão de levar as mercadorias para casa — gostava da emoção que isso lhe dava.

A vida prosseguiu assim durante um ano e meio, até que a deliciosa intimidade dos cinco começou a se desfazer, dando lugar às brigas e aos desentendimentos. A novidade do rodízio das canecas começava a perder seu encanto. Pouco depois, o namorado de Lisa, um executivo que trabalhava numa revista, decidiu arriscar e lhe arranjou um emprego na *Brotinho*. Embora ela não tivesse qualificações e seu grau de escolaridade fosse pífio, era assustadoramente antenada. Sabia o que era *in*, o que estava prestes a se tornar *out* e quem valia a pena conhecer, além de sempre se produzir de maneira espetacular, assombrosa, de uma modernidade inultrapassável. Segundos depois de alguma roupa aparecer na *Vogue*, Lisa já estava envergando uma versão econômica da própria e, o mais importante, envergando-a *com convicção*. Muita gente usou saias-balão porque sabia que devia, mas a maioria jamais conseguiu se livrar do ar de confusão e vergonha que fazia par com a saia. Pois Lisa ostentava a sua de cabeça erguida.

Na época, como agora, a revista em que trabalhava era uma merreca de baixo orçamento, e foi-lhe difícil arranjar um apartamento cujo aluguel pudesse pagar. Mas a diferença era que na época ter um emprego de merda numa revista era considerado fantástico — o *simples fato* de ter um emprego numa revista era o que contava. E tentar encontrar um apartamento habitável para morar representava um progresso gigantesco, para alguém que tinha vivido num imóvel abandonado. Eram circunstâncias a serem degustadas. Um motivo de orgulho, não de constrangimento. Embora ela estivesse no fim da fila em termos sociais, ainda assim fazia parte da história bem-sucedida dos Cinco que Viveram num Apartamento Abandonado em Hackney.

E agora, olha só para eles. Charlie trabalhava num salão em Bond Street e tinha um monte de clientes particulares, todas podres de ricas. Zandra voltara a se chamar Sandra e a morar em Hemel Hampstead, casara-se e tivera três filhos em rápida sucessão. Kevin também estava casado — com Sandra. Na época só dissera ser gay porque achava que era fashion. Geraint estava morto — descobrira que era soropositivo em 1992 e morrera três anos depois. E Lisa, olha só para Lisa agora. Todos esses anos de trabalho duro, apenas para acabar assim, de volta à estaca zero. *Como isso fora acontecer?*

De volta ao presente, com seu clima de pesadelo, Lisa subiu em sua cama de hotel e fumou um cigarro atrás do outro, à espera de que o comprimido de Rohypnol lhe proporcionasse quatro horas de feliz esquecimento. Mas os mesmos pensamentos horríveis não paravam de lhe voltar à cabeça. Estava apavorada com a tarefa mastodôntica que tinha à sua frente na *Garota*, e com ódio de estar ali. Mas não havia saída. Não podia voltar para Londres. Ainda que houvesse algum cargo de diretora dando sopa — o que não era o caso, no momento —, não o conseguiria, depois do pontapé que levara. Teria que fazer da *Garota* um tremendo sucesso antes de qualquer um empregá-la. Estava encurralada.

Apanhou a cartela de Rohypnol e, de repente, o suicídio lhe pareceu uma hipótese extremamente tentadora. Será que dezesseis comprimidos bastariam para se matar? Provavelmente sim, decidiu. Poderia apenas fechar os olhos e torvelinhar para longe de tudo. Sair enquanto estava por cima, enquanto seu nome era sinônimo de revistas bem-sucedidas, de grande circulação. Preservar sua reputação por toda a eternidade.

Sempre fora uma sobrevivente, e até hoje jamais cogitara da hipótese de se suicidar — o que só estava fazendo porque, nesse momento, morrer parecia a melhor maneira de sobreviver. Porém, quanto mais pensava no assunto, mais compreendia que o suicídio não era uma opção: todos simplesmente pensariam que a pressão fora excessiva para ela, e se regozijariam feito loucos.

Estremeceu ao pensar em cada diretora de revista da Inglaterra aparecendo no seu enterro, levando sua trilha sonora de murmúrios: *Pois é, ela não aguentou. Coitada, não aguentou o rojão.* Voltando-se umas para as outras em seus tailleurs pretos chiquérrimos — nem precisariam trocar suas roupas de trabalho para irem ao enterro — e se felicitando por ainda estarem no jogo, pelo simples fato de estarem vivas. Esgotamento? Nem morta, queridinha!

Não conseguir aguentar o ritmo era o pior crime que se podia cometer no mundo das revistas. Pior do que dar um basta nos hambúrgueres, passar fome até caber num manequim quarenta ou anunciar para a humanidade que o cabelo curto estava na moda, quando todo mundo estava empatando seu dinheiro em apliques até os ombros. Trabalhando sob a premissa de que ninguém é de ferro, o pessoal das revistas acolhia alegremente a notícia de que uma colega estava "curtindo um longo e merecido descanso" ou "passando mais tempo com a família".

Um acidente fatal era a única saída, concluiu Lisa. Um acidente fatal *glamouroso*, salientou. Nada de ser atropelada por algum ônibus irlandês caindo aos pedaços, isso seria ainda mais constrangedor do que se matar. Teria que cair de uma lancha, no mínimo. Ou explodir numa bola de fogo laranja, quando seu helicóptero se chocasse contra uma montanha a caminho de alguma locação nos confins do mundo.

...Ela estava indo para Manoir aux Quatre Saisons, creio eu.

...Não, acho que era para o Castelo de Balmoral. Atendendo a um pedido pessoal de você-sabe-quem.

...Mas que maneira mais conveniente de partir. Fabulosa tanto na morte quanto na vida.

...Reduzida a um toco de carvão, foi o que me disseram, como um bife estorricado. O tom arquivenenoso de Lily Headly-Smythe, diretora da *Garbo*, interrompeu o sonolento devaneio de Lisa.

...Corre o boato de que Vivienne Westwood vai inspirar sua próxima coleção no acidente, com todas as modelos desfilando caracterizadas como cadáveres carbonizados.

Com a fantasia de volta ao bom caminho, Lisa terminou por adormecer, reconfortada pela notícia de sua morte nas colunas sociais.

CAPÍTULO 11

A semana passou. Lisa percorria o caminho sombrio de sua vida como uma sonâmbula. Embora uma sonâmbula bem-vestida e prepotente.

Na sexta, parou de chover e o sol saiu, o que deixou a equipe em polvorosa — pareciam crianças numa manhã de Natal. Quando chegaram para trabalhar, choveram comentários:

— Dia lindo.

— Não está fazendo um tempo maravilhoso?

— Que manhã espetacular!

Só porque a porcaria da chuva parou de cair, pensou Lisa, com desprezo.

— Lembra do último verão? — gritou Kelvin do outro lado da redação para Ashling, os olhos brilhando de alegria por trás dos óculos de armação preta.

— Lembro — respondeu ela. — Caiu numa quarta-feira, não foi?

Todos riram às gargalhadas. Todos, menos Lisa.

No meio da manhã, Mai entrou na redação com seus passinhos leves e graciosos, deu um sorriso entre meigo e irônico e perguntou:

— Jack está?

Lisa sentiu um breve frêmito de excitação. Obviamente, aquela era a namorada de Jack — e que surpresa! Esperara uma irlandesinha pálida e sardenta, não aquele exótico espécime cor de café.

Ashling, ao lado da copiadora, tirando vários milhões de releases para serem enviados a cada estilista e empresa de cosméticos do universo, também prestou atenção. Era a mordedora de dedos, vocação inadivinhável naquela boquinha inocente, rechonchuda como uma cereja.

— Marcou hora? — A Sra. Morley desdobrou seu metro e quarenta e oito por trás da mesa, projetando a vasta peitaria para intimidá-la.

— Diz a ele que é a Mai.

Depois de um olhar longo e feroz, a Sra. Morley afastou-se, caminhando pesadamente. Enquanto esperava, Mai enrolava distraída uma mecha do grosso cabelo em torno do dedo fino, a perfeita protagonista de um sonho erótico. A Sra. Morley voltou.

— Pode entrar — disse, sem conseguir esconder sua decepção.

Mai atravessou a redação, envolta numa aura de silêncio e perfume cítrico e, no momento em que a porta de Jack se fechou atrás dela, houve um suspiro coletivo de alívio, seguido por um clamor de vozes.

— Aquela é a namorada do Jack — informou Kelvin a Ashling, Lisa e Mercedes.

— Não vale o trabalho que dá, se querem saber minha opinião — disse a Sra. Morley, severa.

— Não tenho tanta certeza assim, Sra. Morley — disse Kelvin, em tom malicioso. A Sra. Morley deu as costas, soltando um "Humpf!" de indignação.

— Ela é meio irlandesa, meio vietnamita — intrometeu-se Gerry.

— Os dois brigam feito cão e gato — disse Trix, empolgada. — Ela é muito agressiva.

— Bom, isso não vem do lado vietnamita dela — afirmou Dervla O'Donnell, categórica, feliz por poder dar um tempo na *Noiva Hibérnica*. — O povo vietnamita é muito gentil e hospitaleiro. Quando viajei para lá...

— Ih, começou — gemeu Trix. — A ex-hippie tendo outro flashback do Vietnã. Ninguém merece!

Ashling ainda imprimia seus releases, quando a copiadora soltou um longo gemido, deu alguns estalos que não estavam no programa e, após um rangido, caiu num indesejado silêncio. O display piscava uma mensagem amarela.

— PQ03? — indagou Ashling. — O que isso quer dizer?

Os funcionários mais antigos se entreolharam.

— PQ03? Não faço a menor ideia!

— Essa é nova.

— Podia ter sido pior. Em geral ela pifa depois de duas cópias.

— O que vou fazer? — perguntou Ashling. — Esses releases têm que ser postados hoje à noite.

Olhou para Lisa, na esperança de que a dispensasse do encargo. Mas a expressão de Lisa continuou tranquila e impenetrável. Ao fim da primeira semana, já tinha ficado claro para Ashling que Lisa era uma escravocrata com grande talento para dirigir uma revista. Ótima sob vários aspectos, mas não para alguém sobre quem recaíra a responsabilidade de executar cada uma de suas ideias.

— Não adianta pedir a esses idiotas para consertar. — Trix meneou a cabeça com desprezo em direção a Gerry, Bernard e Kelvin. — Eles só piorariam as coisas. Jack até que é bem jeitoso com máquinas... Mas eu não incomodaria ele nesse exato momento — acrescentou, em tom significativo.

— Vou fazer outra coisa. — Ashling voltou para sua mesa e ficou paralisada por um momento ao ver o volume de trabalho acumulado em cima dela. Decidiu continuar a elaborar a lista dos cem irlandeses mais sexy, interessantes e talentosos. Todo mundo, de DJs a cabeleireiros, passando por atores e jornalistas. Assim que os nomes ocorriam a Ashling, Trix marcava com eles um café da manhã, almoço, chá ou jantar em companhia de Lisa, que estava fazendo um verdadeiro curso intensivo para se infiltrar entre os poderosos da sociedade irlandesa.

— Depois de toda essa comilança, você vai ficar uma baleia — comentou Trix, rindo.

Lisa lhe deu um sorriso de desdém. Só porque a pessoa pede a comida, isso não quer dizer que seja obrigada a comê-la.

Durante algum tempo a equipe continuou trabalhando, até que a porta do escritório de Jack se abriu e Mai saiu em alta velocidade. Na mesma hora todos levantaram a cabeça, e não se decepcionaram: Mai fez uma violenta tentativa de bater a porta da redação atrás de si, mas, como ficava permanentemente presa no trinco, teve que se contentar em lhe desferir um furioso pontapé.

Segundos depois foi a vez de Jack sair, também em alta velocidade. Seus olhos estavam turvos, sua expressão era de besta-fera e suas pernas compridas já quase alcançavam Mai. Porém, já no meio da redação, pareceu cair em si e afrouxou o passo. "Que merda", resmungou, dando um soco na copiadora. Ouviu-se um zumbido, seguido por um clique e, em seguida, as folhas começaram a cair da máquina uma após outra. A copiadora tinha voltado a funcionar!

— Temos a tecnologia! Jack Devine salva a pátria! — declarou Ashling, começando a bater palmas, no que foi logo imitada por todos. Jack correu um olhar furibundo ao seu redor, enquanto a redação inteira o aplaudia, e então, para surpresa geral, começou a rir. No ato pareceu outro homem — mais simpático, mais jovem.

— Que loucura — murmurou.

Ashling concordava em gênero, número e grau.

Jack ainda se demorou por um momento, hesitante. Devia seguir Mai ou... Foi quando viu o maço de Marlboro na mesa de Ashling, um cigarro projetando-se para fora. Em teoria era proibido fumar na redação, mas, por consenso geral, todos fumavam. Menos Bernard, o Xarope, que se cercava de plaquinhas com os dizeres "Obrigado por não fumar". Chegara mesmo a comprar um ventilador portátil.

Levantando as sobrancelhas, Jack sinalizou um "Posso?" silencioso e retirou o cigarro com os lábios. Riscando um fósforo, acendeu-o, apagou o fósforo com um gesto firme e tirou uma tragada funda.

Ashling acompanhou todos os seus gestos, indignada, mas sem conseguir desviar os olhos.

— Pelo visto, escolhi a namorada errada para parar de fumar — comentou Jack, arrastando-se desanimado para seu escritório.

— Preciso da ajuda de vocês, meninas — anunciou Dervla O'Donnell com seu vozeirão, distraindo todo mundo. Levantou-se da cadeira, abandonando a matéria de moda da edição de outono da *Noiva Hibérnica*. Seu terno em tricô de seda no gênero Sou-Gorda-Mas-Sou-Feliz frufrulhava a cada passo seu. — O que a convidada bem-vestida de um casamento vai usar no outono 2000? O que anda nas bocas, o que está acontecendo, o que é de ponta?

— Bom, pelo que posso ver, *as papadas* estão no auge, querida — disse Lisa, indicando com um meneio de cabeça a exuberante papada de Dervla.

Uma exclamação chocada na redação emendou imediatamente em risadaria, para exaltação de Lisa. Tinha muito orgulho de sua língua rápida e ferina, e do poder que lhe conferia.

Dervla ficou petrificada de espanto ao ver todos os colegas rindo ao seu redor, mas em seguida também arriscou um sorriso, para indicar que levara a piada na esportiva.

— É tudo de bom, não é? — Com falso entusiasmo, Jack levantou sua cerveja para Kelvin e Gerry. — Não ter nenhuma mulher aqui para chatear a gente.

Kelvin deu uma olhada no bar. A clientela de sexta-feira à noite incluía pouquíssimas mulheres.

— Mas nenhuma delas está aqui sentada *com a gente*, enchendo a nossa cabeça — prosseguiu Jack.

— Pois eu não me importaria se a Lisa estivesse aqui — disse Kelvin. — Putz, ela é linda.

— Maravilhosa — concordou Gerry, sentindo-se na obrigação de dizer alguma coisa.

— E já notaram que, embora os olhos dela fiquem parados, os mamilos seguem você por toda a redação? — comentou Kelvin.

Tanto Gerry quanto Jack pareceram um pouco desconcertados com esse comentário.

— A Mercedes também é supergostosa — disse Kelvin, entusiasmado.

— Mas não é de muitas palavras — observou Gerry, num caso inequívoco de roto rindo de esfarrapado.

Kelvin sorriu para Gerry:

— Não é a comunicatividade dela que me interessa.

Trocaram risadinhas e cotoveladas, numa conivência maliciosa.

— Passa o cinzeiro para a gente, Kelvin — interrompeu Jack. Quando Kelvin fez o que lhe era pedido, Jack soltou um riso amargurado. — Da última vez que eu disse isso para alguém, a pessoa se virou para mim e disse: "Você desgraçou minha vida, seu cachorro."

Gerry e Kelvin se remexeram, constrangidos. Jack estava estragando o alto-astral da noite de sexta.

— Esquece isso — aconselhou Kelvin, logo fazendo uma galharda tentativa de pôr a conversa nos eixos outra vez: — A Ashling não é um amor?

— Uma graça. Como uma boa irmãzinha caçula — concordou Gerry.

— E uma irmãzinha caçula bonita, também — acrescentou Kelvin, por generosidade. — Só não é um avião, como a Lisa e a Mercedes.

Jack sentiu uma ponta de desconforto, um não sei quê enroscando-se incomodamente dentro de si. Ashling o fazia se sentir estranho. Algo semelhante a vergonha, ou talvez irritação.

— Mas, como eu ia dizendo — Jack voltou a falar de coisas mais agradáveis —, não é legal não ter nenhuma mulher aqui? Assim, se eu comentar que está fazendo uma linda tarde de sol, ninguém vai se virar e dizer: "Sai pra lá, seu perdedor, maldita a hora em que te conheci."

Com um suspiro exagerado, Kelvin entregou os pontos:

— Quer dizer que está tudo acabado com a Mai outra vez?

Jack assentiu.

— Por que você não desiste dela de uma vez por todas?

— Vocês vivem brigando — Jerry meteu sua colher torta.

— Ela me deixa louco — exclamou Jack, frustrado. — Você não sabe como é!

— Claro que sei, sou um homem casado — disse Gerry.

— Não! Não foi isso que eu quis dizer...

— Ame-as e deixe-as — interrompeu Kelvin, com uma risadinha safada tipicamente masculina. — Esse é o meu lema. Ou melhor, *não* as ame e deixe-as.

E já chegava de emoções por hoje, decidiu.

E pensar no quanto ficaram felizes quando Jack começara a sair com Mai! Já fazia um ano que Dee, a namorada de longa data de Jack, abandonara-o sem mais nem menos, e era bom vê-lo de volta à ativa. Pelo menos, foi o que pensaram. Mas, depois de passada a lua de mel — que durou mais ou menos quatro dias —, Jack pareceu quase tão infeliz com Mai quanto ficara com a partida de Dee.

Para manter Jack longe do assunto mulheres, Kelvin perguntou:

— Em que pé ficou aquele último rolo com os sindicatos na emissora de televisão?

— Já foi resolvido — resmungou Jack. — Isto é, até o próximo.

— Caramba, antes você do que eu. — Kelvin sabia que Jack vivia na corda bamba entre as exigências administrativas, as exigências dos sindicatos e as exigências dos patrocinadores. Não admirava que vivesse estressado.

— E o índice de audiência está subindo — disse Gerry.

— Está? — Kelvin exclamou, sem grande interesse. — Meus parabéns, Jack. — E, voltando-se para Gerry: — Esta rodada é sua. Paga um drinque para o nosso glorioso líder.

Carros, decidiu Kelvin. Seria sobre *isso* que conversariam em seguida.

Lisa foi a última a sair da redação no fim da tarde de sexta. As ruas estavam cheias de gente, e o pôr do sol era deslumbrante. Caminhando com cuidado por entre os pândegos bem-humorados que saíam dos bares nas ruas de Temple Bar, ela se dirigia decidida para Christchurch. Mas as lembranças provocavam nela uma vaga sensação de nostalgia. De outros fins de tarde de sexta ensolarados. Sentada com Oliver à margem do rio em Hammersmith, bebericando cidra, sentindo-se livre e tranquila depois de uma semana exaustiva.

Será que aquela fora mesmo ela?

Deixou de lado as lembranças de Oliver e tentou pensar em outra coisa, quando, de repente, projetando-se por sob uma mesa de bar, viu um par de canelas brancas, rajadas de linhas vermelhas. Trix!

Na hora do almoço, em homenagem ao céu azul e ao fato de estar fazendo um grau acima de zero, Trix depilara as pernas no banheiro, e agora as exibia para o mundo, cruentas mas impávidas. Quase acabara com o estoque de Band-Aids de Ashling.

Lisa seguiu em frente, apressada, fingindo não ver os acenos de Ashling, que a chamava para se juntar a elas.

Obviamente, o bom tempo também entusiasmara Ashling a depilar as pernas, pois Lisa a ouvira marcando uma sessão por telefone. O curioso é que nem tentara descolar a sessão de graça. Pelo visto pretendia ir como civil, mesmo, e pagar o preço do mercado. Mas se Ashling não tinha o tino necessário para usar — o.k., *abusar* — de sua posição como redatora-chefe de uma revista feminina, não seria Lisa a abrir seus olhos.

Nunca chegara a haver grandes chances de Lisa tratar bem uma pessoa tão comum como Ashling. Mas, depois que Ashling a apanhara chorando e a tratara como se ela precisasse de carinho, Lisa passara a nutrir a mais profunda antipatia por ela.

Também antipatizava com Mercedes, mas por motivos totalmente diversos. Mercedes, silenciosa e segura de si, deixava-a nervosa.

Quando Ashling desligou o telefone, depois de marcar a sessão de depilação, Lisa levou a redação inteira a rir, ao comentar:

— Agora é sua vez, Mercedes. A menos, é claro, que estejam se usando pernas de gorila neste verão.

Mercedes lançou-lhe um olhar tão sinistro que Lisa resolveu suspender o próximo comentário, a saber, que com aqueles olhos e cabelos escuros, Mercedes era a candidata ideal para usar um par de costeletas e um bigode.

— Pelo amor de Deus, é uma piada! — Lisa sorriu para Mercedes, venenosa, completando o estrago ao fazê-la parecer má perdedora, além de peluda.

Para enfurecer Ashling e Mercedes de uma só cajadada, Lisa era excessivamente carinhosa com Trix. Era uma técnica que gerava poder e à qual ela já recorrera no passado — dividir para conquistar. Escolha um favorito, trate-o com a máxima intimidade e então o abandone sem mais nem menos em favor de outro. O rodízio da posição engendrava amor e medo. Excetuando-se Jack: com ele, seria simpática o tempo todo. Era a única coisa em sua vida que estava lhe dando esperanças. Andara estudando discretamente o modo como ele a tratava, e era diferente de como tratava as outras mulheres da equipe. Ele achava graça de Trix, era educado com Mercedes e parecia não gostar nada de Ashling. Com Lisa, no entanto, demonstrava um respeito e uma solicitude que beiravam a admiração. E não era para menos: ela acordara ainda mais cedo do que o habitual essa semana, dispensando cuidados extras à aparência já tão bem-tratada, aplicando habilmente à pele várias camadas de bronzeador artificial com uma textura finíssima, para lhe dar uma luminosidade dourada.

Lisa tinha uma grande autocrítica em relação à sua aparência. No seu estado natural — em que há muito não se encontrava —, era uma mulher bastante bonita. Mas, à custa de grandes esforços, sabia que se elevara da categoria de bonita para a de deslumbrante. Além da costumeira atenção dispensada aos cabelos, unhas, pele, maquiagem e roupas, tomava grandes quantidades de vitaminas, bebia dezesseis copos d'água por dia, só cheirava cocaína em ocasiões especiais e a cada seis meses aplicava uma injeção de Botox na testa — paralisava os músculos e lhe dava uma aparência maravilhosa, sem rugas. Durante os últimos dez anos, passara fome o tempo todo. Tanta fome, que quase já nem a sentia mais. Às vezes sonhava que fazia uma refeição de três pratos, mas as pessoas fazem as coisas mais estranhas nos sonhos!

Apesar da confiança que tinha em sua aparência, Lisa era obrigada a admitir que a namorada de Jack a surpreendera um pouco. Até então presumira, despreocupada, que sua rival seria uma irlandesa, e a vitória, favas contadas. Mas não ficou desencorajada demais. No momento, roubar Jack de sua namorada passional e exótica constituía um dos aspectos menos desafiadores de sua vida.

Encontrar um lugar para morar, sim, era um desafio muito maior. Todas as semanas, depois do expediente, saíra em campo para ver imóveis, e ainda não topara com nenhum que fosse remotamente adequado. Essa noite veria um apartamento em Christchurch, que não parecia ser tão mau assim. Embora o aluguel fosse alto, ficava num condomínio moderno a pouca distância da redação, o que lhe permitiria ir a pé para o trabalho. A desvantagem era que teria de dividi-lo com outra pessoa, e já fazia um bom tempo que Lisa dividira alguma coisa com alguém, ainda mais sendo esse alguém uma mulher.

A dona da casa se chamava Joanne.

— É ótimo viver aqui, porque você pode ir a pé para o trabalho — disse ela, entusiasmada. — O que significa uma economia de uma libra e dez da passagem do ônibus.

Lisa assentiu.

— O que dá duas libras e vinte *pence* por dia.

Lisa tornou a assentir.

— O que dá onze libras por semana.

Lisa assentiu, dessa vez com certa relutância.

— O que dá um total de quarenta e quatro libras por mês. Mais de quinhentas libras por ano. Agora, o aluguel. Preciso de um depósito de um mês, dois meses adiantados e um depósito de duzentas libras para o caso de você desaparecer de uma hora para outra deixando uma conta de telefone astronômica.

— Mas...

— E a praxe é você me dar trinta libras por semana para a comida. Leite, pão, manteiga, essas coisas.

— Não tomo leite...

— Mas para o seu chá!

— Nem tomo chá. Ou como pão. Manteiga, então, nem pensar. — Pôs a mão no quadril esguio e olhou para o de Joanne, muito mais largo. — De mais a mais, quantos litros de leite dá para comprar com trinta libras? Você deve achar que eu sou alguma idiota.

De volta à rua, Lisa se sentiu arrasada. E morta de saudades de Londres. Odiava estar em Dublin, tendo que passar por tudo isso. Tinha seu próprio apartamento, perfeito, em Ladbroke Grove. Daria tudo para estar lá.

Novamente foi assaltada pela exaustão e a sensação de deslocamento. Em Londres sua existência estava inextricavelmente entrelaçada à trama da vida fashion, mas aqui não conhecia ninguém. E nem queria. Achava todo mundo extremamente irritante. Ninguém aparecia na hora marcada para nada nesse paisinho chinfrim, e uma pessoa teve mesmo o desplante de lhe dizer: "Quando Deus fez o tempo, fez em boa quantidade." Na qualidade de diretora de uma revista, a prerrogativa de se atrasar era *dela*.

Desolada, arrastou-se de volta para seu hotelzinho horroroso, torcendo para que Trix houvesse conseguido marcar um jantar com alguém minimamente famoso aquela noite.

Odiava ter tempo livre, pois sua capacidade de aproveitá-lo se atrofiara. Embora nem sempre houvesse sido assim — sempre se matara de trabalhar e fora ambiciosa, mas, em algum lugar do passado, houvera algo *mais*. Antes que o vício de olhar por cima do ombro para as hordas de mulheres mais jovens, mais inteligentes, mais duras, mais ambiciosas que se aglomeravam atrás dela reduzisse sua vida a uma rotina bitolada e massacrante.

Tinha mais alguns apartamentos e casas para ver no fim de semana — o tempo passaria bem depressa. E no dia seguinte faria uma matéria com dois cabeleireiros, tingindo o cabelo com um e cortando-o com o outro. O truque era ter sempre alguns acorrentados a ela por uma acovardada dívida de gratidão, para que, no dia em que um não pudesse lhe fazer uma escova de emergência, o outro estivesse disponível.

Fizera um trato consigo mesma: tinha um ano para fazer dessa revista um sucesso estrondoso, e então as cabeças coroadas da Randolph Media reconheceriam sua contribuição e a recompensariam. Talvez...

Depois de quatro drinques apressados após o expediente, Ashling se levantou para ir embora, mas Trix lhe implorou para que se demorasse mais um pouco.

— Anda, vamos encher a cara e fortalecer nossos vínculos de amizade baixando o pau em todo mundo que trabalha com a gente!

— Não posso.

— *Pode*, sim — insistiu Trix, séria. — Basta tentar.

— Não foi isso que eu quis dizer. — Mas Trix não deixava de ter razão. Se por um lado Ashling de fato pensava coisas *virulentas*, por outro raramente se permitia dar vazão a elas, devido à nervosa suspeita de que tudo que vai, volta. Mas seria inútil explicar isso para Trix, ela morreria de rir. — É porque vou visitar minha amiga Clodagh.

— Diz a ela para vir até aqui, então.

— Ela não pode. Tem dois filhos pequenos e o marido está em Belfast.

Foi só então que conseguiu se desvencilhar de Trix.

Ashling abriu caminho às cotoveladas pela multidão de sexta-feira à noite e chamou um táxi. Quinze minutos depois, chegou à casa de Clodagh. O menu era composto de pizza, vinho e picadinho de Dylan.

— Odeio quando ele viaja para essas merdas de jantares e conferências! — exclamou Clodagh. — E ele viaja um pouco demais para o meu gosto.

A frase ficou no ar, até que Ashling perguntou, ansiosa:

— Você não acha que ele está... *aprontando*, acha?

— Não! — Clodagh soltou uma gargalhada. — Não foi isso que eu quis dizer. É só que invejo a... a... liberdade dele. Fico presa aqui com os dois enquanto ele se hospeda em algum hotel bacana, onde pode ter uma noite de sono inteirinha e um pouco de privacidade. O que eu não daria... — Calou-se, melancólica.

Mais tarde, na cama, depois de trancar nervosamente as portas e janelas, Clodagh se pegou pensando no que Ashling dissera sobre Dylan estar *aprontando*. Ele não faria isso, faria? Ter um caso? Ou a típica transa dos homens quando viajam — apressada, alucinante e anônima? Não, sabia que não. Quanto mais não fosse, porque ela o mataria.

No entanto, a ideia de Dylan fazendo sexo com outra mulher estranhamente a excitava. Refletiu sobre a ideia mais um pouco, percorrendo algumas fantasias familiares. Será que transariam como ela e Dylan? Ou seria uma coisa mais criativa? Mais tórrida? Mais rápida? Mais apaixonada? Enquanto visualizava os roteiros de filmes pornográficos, sua respiração se acelerou e, quando estava no ponto, masturbou-se até ter dois orgasmos rápidos e intensos. Em seguida, caiu num sono profundamente satisfeito, até ser acordada por Molly, que precisava fazer pipi.

CAPÍTULO 12

Ashling passou a tarde de sábado inteira batendo pernas por lojas, procurando um tailleur elegante e sexy para trabalhar. O que realmente queria, embora tivesse apenas uma vaga consciência disso, era ficar parecida com Lisa. Talvez assim se sentisse digna do novo emprego, e a ansiedade que a perseguia lhe desse uma trégua. Mas não importava o que experimentasse, o visual superpoderoso de Lisa sempre lhe escapava. Quando já estava quase na hora de as lojas fecharem, fez duas compras em desespero de causa e cambaleou de volta para casa, exausta e insatisfeita.

O rapaz não estava exatamente em frente à portaria, mas ao lado, de cócoras sobre o cobertor laranja. Era a primeira vez que Ashling o via acordado. Alguns transeuntes lançavam-lhe uma moeda, outros lançavam-lhe um olhar que mesclava nojo e medo, mas a maioria não se dava conta de sua existência. Haviam-na apagado da realidade a jato de tinta.

Sendo forçada a passar a centímetros dele para chegar à portaria, sentiu-se entre constrangida e insegura quanto à etiqueta correta a se adotar num caso desses, mas achou que devia dizer alguma coisa. Afinal, eram vizinhos.

— Hum, oi — resmungou, seus olhos cruzando apressados com os dele.

— Oi. — Ele levantou o rosto para ela e abriu um sorriso. Não tinha um dos dentes da frente.

Quando ela já se afastava dele como um bólido, ele meneou a cabeça em direção à lustrosa sacola de compras:

— Comprou alguma coisa legal?

Ela ficou petrificada, entre ele e a porta, desesperada para fugir.

— Ah, que nada. Só duas coisinhas para o trabalho, sabe como é...

Teve vontade de cortar a língua fora — como ele *sabia*?

— Como é mesmo que dizem por aí? — Ele franziu os olhos, pensativo. — Não se vista para o emprego que tem, e sim para o emprego que quer ter, não é isso mesmo?

Ashling estava constrangida demais para prestar atenção ao que ele dizia.

— Será que você...? — Fez deslizar pelo ombro a alça da mochila, a enorme e lustrosa sacola de compras a tiracolo atrapalhando seu acesso ao porta-níqueis. — Será que você gostaria...?

Deu-lhe uma libra, que ele aceitou com um meneio de cabeça gentil. Vermelha de vergonha pela disparidade entre o que lhe dera e o que acabara de gastar com uma camisa e uma bolsa de que nem mesmo precisava, subiu a escada pisando duro, furiosa. Dou muito duro para ganhar o meu dinheiro, fumegava. Um duro louco, frisou, pensando na semana que tivera. E não compro nada há séculos. E foi tudo no cartão. E não tenho culpa por ele ser alcoólatra ou viciado em heroína. Embora, verdade fosse dita, não tivesse sentido cheiro de bebida nele, e tampouco parecesse estar sob o efeito de drogas.

Na segurança de seu apartamento, após bater a porta protetoramente atrás de si, soltou um suspiro. Podia ser eu, pensou. Eu podia ter acabado na rua. Em seguida censurou-se por aquele melodrama. As coisas nunca haviam chegado a esse ponto.

Atirou as sacolas na mesa e os sapatos no chão, caindo pelas tabelas após o dia exaustivo. E ainda teria que vestir suas roupas de festa e sair com Joy. Adoraria não ir. A vida aos trinta e poucos anos era como uma adolescência às avessas. Seu corpo estava se modificando, e muitas vezes ela se via assaltada por desejos estranhos, até mesmo vergonhosos. Como o de ficar em casa numa noite de sábado, tendo por companhia apenas uma fita de vídeo e uma caixa de sorvete Ben and Jerry.

— Você nunca vai conhecer um homem se não sair — Joy sempre reclamava.

— Mas eu saio, sim. De mais a mais, tenho Ben e Jerry. São os únicos homens de que preciso.

Mas, aquela noite, *tinha* que sair. Para a primeira edição da *Garota*, ela e Joy iriam a um clube de salsa pesquisar as chances de se conhecer homens. Nunca fizera nada desse gênero para a *Cantinho da Mulher*, e havia ocasiões, como agora, em que morria de saudades do antigo emprego. Mas só porque na *Cantinho da Mulher* podia desempenhar suas tarefas até dormindo, enquanto que suas atribuições na *Garota* ainda não estavam bem definidas. Temia que pudessem mandá-la fazer *qualquer coisa*, e vivia com o estômago aos saltos, na expectativa de que a mandassem fazer algo que não soubesse. Ashling gostava de certezas, e a única coisa certa em seu trabalho na *Garota* era que não fazia a menor ideia do que viria a seguir.

Era de esfrangalhar os nervos!

Empolgante, corrigiu-se. *E* glamouroso. E extremamente divertido trabalhar com tanta gente nova — no antigo emprego, a equipe fixa era composta por apenas mais três pessoas. Se bem que, por outro lado, fossem todos uns amores. Nenhuma figurinha difícil como Lisa ou Jack Devine. Mas também ninguém tão engraçado quanto Trix ou Kelvin, relembrou-se, categórica. Não era hora para ficar nostálgica e patética.

Enfiou um saco de pipocas no micro-ondas e se atirou no sofá, assistiu a *Blind Date* e rezou para que Joy não desse as caras. Tinha ficado acordada até as seis da manhã brincando com Metade-homem-metade-texugo, e talvez estivesse se sentindo indisposta demais para pôr o pé na rua.

Uma ova.

Embora estivesse mais frágil do que de costume.

— Queria tomar uma xícara de chá — disse, quando chegou. — Com muito açúcar.

— Está tão mal assim?

— Estou tremendo. Mas valeu a pena. Estou louca por Metade-homem-metade-texugo, Ashling. Mas ele ficou de me ligar hoje e... ah, não, o leite está azedo. Merda! Aposto que estou grávida. Daqui a nove meses vou dar à luz um metade-bebê-metade-texugo.

— Não — disse Ashling, dando uma olhada dentro da xícara em cuja superfície boiavam pontinhos brancos. — Acho que é só o leite que azedou.

Joy abriu a geladeira e examinou as quatro caixas de leite em seu interior, todas com o prazo de validade vencido.

— Que é que você está fazendo? — indagou. — Brincando de roleta-russa com o leite? Dirigindo uma fábrica de iogurte? E você comeu?

Ashling apontou para a tigela de pipocas quase vazia.

— Você é engraçada — disse Joy. — Sob alguns aspectos é altamente organizada, sob outros...

— Ninguém pode ser bom em tudo. Sou equilibrada.

— Você devia se cuidar mais.

— Olha o roto rindo do esfarrapado!

— Mas você vai ter escorbuto!

— Eu tomo vitaminas. Estou ótima. Cadê Ted?

Ashling não vira Ted a semana inteira. Não só ele não lhe dava mais carona, pois estavam trabalhando em lados opostos da cidade, como desde a noite da consagração das corujas sua vida consistia em abrir alas pela multidão de mulheres que se mostravam interessadas por ele e, durante o percurso, ir dando uma bicadinha aqui, outra acolá. Embora torrasse a paciência de Ashling quando praticamente acampava em seu apartamento, queixando-se sobre o fato de não ter namorada, Ashling sentia sua falta e ressentia-se de sua recém-conquistada independência.

— Você vai ver Ted mais tarde. A gente foi convidada para uma festa. Estudantes de arquitetura. Um deles se apresenta como humo rista às vezes, de modo que alguns dos humoristas devem estar lá. E, onde há humoristas, em geral Metade-homem-metade-texugo se encontra presente!

— Não sei se vou a essa festa, não — disse Ashling, de pé atrás. — Ainda mais sendo uma coisa de estudantes.

— Vamos ver — disse Joy, tranquila. Tranquila *demais*. Ashling olhou para ela, nervosa. — Não consigo acreditar que estou me maquiando de novo. Parece que tirei a maquiagem há minutos — queixou-se Joy, contornando os lábios com o batom sem ajuda de um espelho, para logo em seguida comprimi-los e esfregá-los um no outro com uma classe que Ashling achava invejável. — Não esquece a câmera.

Quando puseram o pé na rua, Ashling procurou o rapaz sem-teto, mas ele e seu cobertor laranja não estavam à vista.

— Mulheres solteiras e homossexuais — Joy resumiu a multidão de cinquenta pessoas com um único olhar de lince. — Uma droga, mas, já que a gente está aqui, por que não enche a cara? Qual é o nosso orçamento?

— Orçamento?

Joy suspirou, sacudindo a cabeça.

Havia uma hora de aula antes de o clube começar a funcionar. O instrutor, que se apresentou como sendo "Alberto, de Cuba", era um homem um tanto banal. Até começar a dançar. Sinuoso e ágil, gracioso e seguro de si, subitamente se tornou lindo. Pavoneava-se de um lado para o outro, ilustrava as instruções com gestos, girava nos calcanhares, demonstrava os passos que os alunos deveriam tentar executar.

— Que cara mais seboso — queixou-se Joy, azeda.

— Ssshhh!

Ashling adorava dançar. Apesar de sua falta de cintura, tinha grande senso de ritmo, de modo que, quando os trompetes da música alegre e animada recomeçaram e Alberto ordenou "Comigo, todo mundo", ela não se fez de rogada.

Os passos eram bastante básicos. Era a elegância com que a pessoa os executava que fazia a diferença, compreendeu Ashling, hipnotizada com os quadris lubrificados de Alberto.

A maioria dos alunos era canhestra e desajeitada — com destaque especial para Joy, que estava tresnoitada e de ressaca —, e Alberto pareceu francamente aborrecido com aquele sem-jeito-mandou-lembranças generalizado. Ashling, no entanto, pegou os passos sem a menor dificuldade.

— Não foi uma ideia fantástica? — declarou para Joy, os olhos brilhando.

— Vai à merda.

— Dá um sorriso para a câmera! E finge que está dançando.

Joy fez dois passos entortando os joelhos para dentro, enquanto Ashling tirava as fotos, e logo em seguida tomou-lhe a câmera.

— Tenta fotografar alguns caras para o artigo — rosnou Ashling para ela.

Depois da aula, o clube começou de fato a funcionar. Dezenas de dançarinos experientes de salsa e merengue começavam a chegar, as mulheres de minissaia rodada e saltos plataforma, os rostos dos homens impassíveis enquanto rodopiavam e conduziam suas parceiras com desenvoltura e destreza, ao som da música alta e animada.

— Não acredito que estou na Irlanda — disse Ashling para Joy. — Homens irlandeses! Dançando! E não é o Devagar-quase-parando-das-doze-cervejas-na-pança!

— Homem que é homem não dança — disse Joy, louca para ir embora.

— Esses dançam.

A salsa é como um desses esportes que envolvem contato físico. Ashling prestou atenção num dos casais. Dançavam numa proximidade física absoluta, como se seus corpos tivessem sido colados a velcro. Da cintura para baixo o que se via era um caos de pernas, mas da cintura para cima mal se moviam. Barriga com barriga, peito com peito, a mão esquerda do homem mantendo a mão direita da parceira acima de suas cabeças, a pele macia dos antebraços colada de ponta a ponta. Os olhos do homem não se desviavam um segundo dos da mulher, enquanto os pés executavam à perfeição os passos complicados. E as cabeças permaneciam imóveis.

Ashling nunca tinha visto nada tão erótico na vida. Sentiu um doloroso botão de desejo abrir-se em seu íntimo. Movida por alguma carência indefinida, observava os dançarinos, sentindo na boca o gosto agridoce daquele anseio. Mas pelo que ansiaria? O calor agradável do corpo musculoso de um homem?

Talvez...

Um homem tirou Ashling para dançar, arrancando-a de seu momento de introspecção. Era baixinho e começava a ficar careca.

— Mas eu só tive uma aula — tentou ela, na esperança de se safar.

Mas ele lhe garantiu que não tentaria nada de muito complicado — e lá foram os dois! Era como dirigir um automóvel, concluiu Ashling. Num momento você está parado, no momento seguinte está avançando com facilidade, em função exclusivamente do que os pés fazem. Para a frente e para trás, davam passos e bamboleavam, ele a afastava de si com um rodopio, ela voltava com fluidez e sem perder um compasso recomeçavam a dança, para a frente e para trás, curvando-se e deslizando. Isso lhe proporcionou um breve vislumbre do que era sexo bem-feito.

— Foi muito bom — disse ele a Ashling, ao fim.

— Podemos ir? — perguntou Joy, curta e rasteira, quando Ashling voltou para sua cadeira. — Que perda de tempo. Nem um homem à vista! Todo esse trabalho para só descolar uma dança com um tampinha careca.

— Ah, vamos lá, por favor, só cinco minutos — implorou Joy. — Não sei em que pé estão as coisas entre mim e Metade-homem-metade-texugo, e ele na certa vai estar lá. Por favor.

— Tá, cinco minutos, falando sério, Joy, não vou ficar mais do que isso.

A festa — como a maioria das festas de estudantes em Dublin — aconteceria em Rathmines, numa casa georgiana de tijolos vermelhos, cujos quatro andares haviam sido transformados em treze apartamentinhos de formato esdrúxulo. Tinha o indefectível pé-direito alto, detalhes arquitetônicos originais, pintura descascando e um cheiro imperioso de mofo.

A primeira pessoa que Ashling viu quando entrou foi o sujeito entusiasmado que lhe dera o bilhete dizendo "Bellez-moi".

— Merda — disse, com um suspiro.

— Que foi? — sussurrou Joy, morta de medo de que Ashling tivesse visto Metade-homem-metade-texugo atracado com outra mulher.

— Nada.

— Olha ele ali! — viu Joy. Lá estava sua presa encostada numa parede — o que era um tanto temerário num cafofo daqueles. No ato Joy saiu em seu encalço. Subitamente sozinha, Ashling abriu um largo sorriso amarelo de desculpas para o Bellez-moi. Para sua grande inquietação, isso fez com que ele disparasse como uma flecha em sua direção.

— Você não me ligou — queixou-se ele.

— Hummm. — Ela tentou dar outro sorriso, enquanto se afastava lentamente.

— Por que não?

Ela abriu a boca para soltar uma longa lista de mentiras: perdi o papelzinho, sou surda-muda, passou um tufão por Stephen's Street e as linhas telefônicas caíram... De súbito, teve uma inspiração:

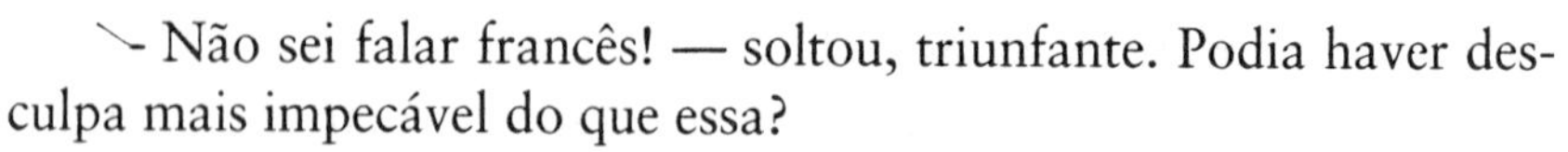

— Não sei falar francês! — soltou, triunfante. Podia haver desculpa mais impecável do que essa?

Ele deu o sorriso triste de alguém que sabe que não está agradando.

— Tenho certeza de que você é uma pessoa muito legal — ela se apressou em dizer, para não magoá-lo. — Mas eu não te conhecia e...

— Nem vai conhecer, se não me ligar — argumentou ele, simpático.

— Sim, mas... — De repente, lhe ocorreu uma coisa. — Não é mais tradicional o homem pedir o telefone à mulher, e ele ligar para ela?

— Eu estava tentando ser liberado, mas você não deixa de ter razão. Quer me dar seu telefone?

Ele tem sardas, pensou ela, perguntando-se o que poderia fazer para se livrar dele. Não queria dar seu número de telefone para um sujeito cheio de entusiasmo e de sardas. Mas ele já tirara a caneta do bolso, com um olhar interessado e carinhoso. Ela engoliu a raiva por ser posta naquela saia justa. Engoliu bem engolida, como quem bebe um copo d'água e solta um belo arroto.

— Meia, sete, sete, quatro, três, dois... — Hesitou em relação ao último dígito. Deveria dizer "dois", quando na verdade era três? O momento durou uma eternidade.

— Três — desfechou, por fim, com um suspiro.

— E o seu nome? — O sorriso dele brilhava na penumbra da sala.

— Ashling.

Como era mesmo o nome dele? Um nome idiota. Cupido, ou coisa que o valha.*

— ...Valentine — disse ele. — Marcus Valentine. Eu te ligo.

Esse seria um daqueles casos, pensou Ashling, irritada, em que "Eu te ligo" quer dizer exatamente o que diz. Por que os horrorosos sempre ligavam, e os bonitos nunca?

Em meio aos grupos de gente, avistou Joy conversando animadamente com Metade-homem-metade-texugo. Ótimo, agora poderia ir para casa.

— Tchau — despediu-se de Marcus.

---

* *Valentine's Day*: O Dia dos Namorados.

Já estava muito velha para esse tipo de xaropada estudantil. Na saída, esbarrou com Ted conversando com uma ruiva que parecia um menininho. Ashling não reconheceu o sorriso em seus lábios — não mais um ricto babão, do tipo por-favor-me-ame, e sim algo muito mais contido. Até sua linguagem corporal se modificara. Em vez de se inclinar para a frente, jogava o corpo um pouco para trás, obrigando a garota a se inclinar em sua direção.

— Oi. — Ashling o cumprimentou com um soco no braço.

— Ashling! — Eufórico, ele tentou derrubá-la com uma rasteira.

Saudações trocadas, ele se voltou para a ruivinha:

— Suzie, essa é minha amiga Ashling.

Suzie assentiu, desconfiada.

— Quer beber alguma coisa? — perguntou Ted a Ashling.

— Não, não vou ficar. Estou pregada.

Um lampejo de indecisão percorreu o rosto magro de Ted, antes de ele surpreender a todos dizendo:

— Espera aí, vou com você.

Já na rua, no ar fresco da noite, Ashling reclamou:

— Que foi que te deu? Ela estava a fim de você.

— Não se deve ir com muita sede ao pote.

Ashling sentiu uma pontada de tristeza. Ela e Ted costumavam se revezar no papel de vítima de guerra. Sua recém-conquistada autoconfiança mudara as coisas entre eles.

— De mais a mais, ela dorme com todos os humoristas — argumentou ele. — Vou esbarrar com ela de novo.

Era impossível conseguir um táxi num sábado à noite em Dublin. As pessoas que viviam nos bairros mais afastados tentavam driblar as filas de quatro horas saindo do centro, na esperança de fisgar um táxi que estivesse voltando para lá. Resultado: Ted e Ashling voltaram para sua rua no centro em meio a um fluxo ininterrupto de zumbis bêbados cambaleando às dúzias em sua direção, no estilo de *A Noite dos Mortos-Vivos*.

— E aí, como vai indo no trabalho? — perguntou Ted, desviando-se de outro pândego que costurava seu caminho em zigue-zague.

Ashling hesitou.

— Ótimo, sob vários aspectos. É glamouroso. Às vezes, pelo menos. Ou, por outra, quando não estou vesga de tanto tirar cópias de releases.

— Já descobriu por que a tal Mercedes tem nome de carro?

— A mãe dela é espanhola. Na verdade, ela até que é legal, depois que a gente conhece ela melhor. É só muito introvertida e grã-fina até dizer chega. Casada com um cara rico, se dá com um monte de gente que adora corridas de cavalos. Tenho a impressão de que aquele emprego é só um hobby. Mas ela é legal.

— E como vão indo as coisas com o chefe que não gosta de você?

— Ele continua não gostando de mim. Ontem me chamou de Senhorita Quebra-Galho só porque ofereci dois Anadin para a dor de cabeça dele.

— Que babaca. Vai ver que vocês foram inimigos em outra encarnação e é por isso que não se dão bem nesta.

— Você acha mesmo? — exclamou Ashling. Então deu uma olhada no rosto sorridente de Ted. — Ah, não, já vi tudo. Ó homem de pouca fé! Da próxima vez que quiser prever o futuro, não me procure.

— Desculpe, Ashling. — Ele passou o braço pelo pescoço dela, confiante. — Bom, isso vai te animar: vou fazer um show no River Club no próximo sábado à noite. Você vai?

— Não acabei de dizer que não prevejo mais o seu futuro? Você vai ter que esperar para ver.

CAPÍTULO 13

Era segunda-feira de manhã e Craig seguia a mãe pelo quarto afora, perguntando em tom choroso: “Por que você tá arrumando a casa?” Clodagh levantou do chão um bolo de meias-calças e o atirou no cesto de roupa suja, lançando-se em seguida sobre a montanha de roupas na poltrona do quarto, um caos de braços a atirar suéteres em gavetas, vestidos em pinos de cabide e — após um breve momento de hesitação, quando achou que já bastava — o resto embaixo da cama.

— Vovó Kelly vem aí? — infernizava-a Craig.

Tinha a mais absoluta certeza de que a resposta seria afirmativa — a esse tipo de frenesi sempre se seguia, pouco tempo depois, uma visita da mãe de Dylan.

— Não.

Craig correu atrás de Clodagh, ao que ela se precipitava no banheiro da suíte e pousava com estrépito uma escova ao lado do vaso.

— Então por quê? — perguntou ele.

— Porque — disse ela entre os dentes, irritada com a burrice da pergunta — a arrumadeira vem aí. Molly, anda logo! — berrou na direção do quarto de paredes decoradas com friso de elefantinhos. — Flor deve estar estourando por aí!

A simples ideia de ficar em casa enquanto Flor trabalhava era impensável. Não apenas porque o único assunto de Flor era o próprio útero, como porque sua presença fazia com que Clodagh se sentisse burguesa e exploradora em último grau. Afinal, era jovem e saudável, e permitir que uma mulher de cinquenta e oito anos arrumasse sua casa era simplesmente indefensável.

Experimentara ficar em casa durante algumas visitas de Flor, mas acabara se sentindo uma verdadeira intrusa dentro de sua própria casa. A impressão que tinha era a de que, em qualquer aposento para onde fosse, Flor dava as caras cinco minutos depois, carregada de aspiradores de pó e varizes. E Clodagh nunca sabia muito bem o que dizer.

— Ah... — Seguia-se um sorriso constrangido. — Vou, bem, sair, hum, do seu caminho.

— Não precisa — insistia Flor. — Pode ficar onde está.

Só uma única vez Clodagh acreditou nas palavras de Flor e ficou onde estava, folheando revistas de decoração, enquanto Flor bufava e resfolegava com o aspirador aos seus pés.

Flor cobrava cinco libras por hora. O sentimento de culpa compelia Clodagh a lhe pagar seis. Seu constrangimento era de tal ordem que não suportava sequer pôr os olhos em Flor, sempre se encarregando de sair muito antes de ela chegar.

— Molly! — urrou, desabalando pela escada abaixo. — Anda!

Na cozinha, sempre com um olho no relógio, pegou a pilha de amostras de papel de parede e rabiscou um bilhete no verso de um deles. Com poucos traços, desenhou um aspirador de pó — um retângulo de pé com um fio enrolado como uma cobrinha saindo da lateral. Em seguida desenhou alguns quadrados com chuva caindo em cima. Por fim, desenhou duas setas — uma apontando para a pilha de camisas sobre a mesa, outra para o espanador de pó e o lustra-móveis ao lado.

Agora Flor entenderia que Clodagh queria que ela passasse o aspirador na casa, lavasse o chão da cozinha, passasse as roupas, espanasse e polisse os móveis.

Será que faltava alguma coisa? Clodagh repassou rapidamente os itens na memória. Ah, sim, o gato do vizinho. Clodagh não queria que Flor o deixasse entrar, como fizera na semana anterior. Brady Pequetito ficara tão à vontade que, quando ela chegou em casa, só faltou encontrá-lo assistindo à tevê com o controle remoto na pata. E, no momento em que Molly e Craig o viram, tomaram-se de amores por ele e abriram um berreiro quando logo em seguida o gato foi acompanhado até a porta por sua anfitriã. Assim, desenhou às pressas um círculo representando a cabeça de Pequetito em cima de outro maior representando o corpo, e terminou o retrato fazendo suas orelhas e bigodes.

— Pega um lápis de cor vermelho para mim — ordenou a Molly.

Molly voltou, obediente, trazendo um lápis amarelo sem ponta e uma Banana de pijama.

— Ah, deixa que eu pego. Quando a gente quer que alguma coisa saia direito, tem que fazer a gente mesma.

Falando sozinha, irritada, vasculhou furiosamente o estojo de lápis de cor até encontrar o que buscava. Em seguida — não sem enorme satisfação —, riscou o gato com um grande X vermelho, vincando o papel com força. Flor haveria de entender, não é mesmo?

Tendo feito o último desenho, Clodagh soltou um profundo suspiro. Adoraria ter uma arrumadeira que soubesse ler. Demorara semanas para descobrir que Flor era analfabeta. No começo, deixava todo tipo de bilhetes complicados para ela, pedindo-lhe para fazer coisas como tirar as roupas da máquina de lavar quando terminasse o programa ou degelar o freezer.

Flor nunca fazia o que lhe era pedido e, embora Clodagh passasse a noite em claro fumegando de raiva, morria de vergonha de chamar sua atenção. Apesar dos pesares, não queria perdê-la. Era um osso arranjar uma arrumadeira. Até mesmo uma péssima arrumadeira.

Fora o fato de que Clodagh não levava muita fé na sua capacidade de impor respeito numa situação dessas. Tinha fantasias em que tentava passar um sabão em Flor — "Olha aqui, minha amiga, assim não dá!" —, mas, em todas elas, sua voz falhava por falta de convicção.

Por fim, obrigou Dylan a se atrasar para o trabalho uma manhã, para que ele pudesse espinafrar Flor. E, é claro, ela abriu o jogo com ele, que foi a compreensão em pessoa. Dylan tinha aquilo que chamam de Facilidade de Trato. Fora por sua própria sugestão que haviam chegado ao acordo vigente, que estipulava que Clodagh desenharia as instruções para Flor.

Entre a culpa e os desenhos, quase parecia mais fácil desempenhar ela mesma os afazeres domésticos. Quase, mas não completamente. Apesar de tudo, Clodagh curtia o único dia da semana em que a pressão saía de suas costas. Tomar conta de uma casa era como pintar uma ponte, só que pior. Nunca conseguia pôr as coisas em dia e, no instante em que terminava de fazer uma, eis que já precisava ser feita de novo. Mal acabava de lavar o chão da cozinha, por exemplo

— não, não! — *até enquanto lavava o chão da cozinha*, lá estavam eles a patinar de um lado para o outro com seus sapatos, deixando rastros de lama no chão recém-limpo. E sua cesta de roupa suja era como o vaso sem fundo da mitologia: mesmo depois de lavar três levas de roupas e pôr na máquina cada peça existente na casa (que fosse do seu conhecimento), seu exultante senso de dever cumprido desaparecia no instante em que entrava no quarto — porque a cesta de roupa suja, vazia até poucos minutos atrás, estaria, mais uma vez, misteriosamente cheia até a borda.

Pelo menos, não precisava se preocupar com o jardim. Mas não porque fosse bem-tratado. Pelo contrário, era a figura da injúria, lamacento, a grama batida e rala devido ao constante pisoteio das crianças, exibindo uma grande falha sob o balanço. Mas ela estava desobrigada de tomar qualquer providência até que Molly e Craig fossem adultos. Antes assim. Andara ouvindo histórias de terror apavorantes sobre jardineiros infernais.

Depois de várias falsas largadas — Molly resolveu pôr seu gorro, Craig teve que voltar para buscar o boneco Buzz Lightyear —, Clodagh enfiou os dois às pressas no Nissan Micra. Assim que pôs a chave na ignição, Molly gritou:

— Tô com vontade de fazer pipi!

— Mas você acabou de fazer! — A irritação de Clodagh foi ainda maior pelo medo de acabar dando de cara com Flor.

— Mas tenho que fazer de novo!

Molly aprendera a usar o vaso há pouco tempo, e a novidade de seu recém-descoberto talento ainda não perdera o encanto.

— Vamos lá, então. — Clodagh tirou Molly bruscamente da cadeirinha e a tocou apressada para casa, desligando o alarme que acabara de programar. Conforme o previsto, apesar das muitas contorções faciais e promessas de "Tá saindo", Molly não conseguiu fazer uma gota de pipi. Voltaram para o carro e finalmente partiram.

Depois de deixar Craig na escola, Clodagh não soube para onde ir. Em geral, nas segundas-feiras deixava Molly no grupo de atividades e ia para a academia, onde malhava durante duas horas... Mas não hoje. Molly fora suspensa durante uma semana por morder outra criança, e a academia não tinha creche. Clodagh resolveu ir até a cidade para dar uma olhada nas lojas, até que fosse seguro voltar para casa. O dia estava ensolarado, e mãe e filha caminhavam lentamente por Grafton Street, parando, por exigência de Molly, para fazer festinhas no cachorro de um menino de rua, admirar um quiosque de flores e dançar ao som dos acordes de um violinista. Os transeuntes sorriam com indulgência para a linda Molly, a um tempo graciosa e absurda com seu gorro de caçador peludo e cor-de-rosa, tentando imitar os dançarinos do show Riverdance.

Enquanto avançavam pela rua, Clodagh viveu um momento do mais extremo arrebatamento, seu coração transbordando de amor. Molly era tão engraçada com aquele passo arrogante de primeiro-sargento, marchando de peito estufado, querendo fazer amizade com cada criança que encontrava. Nem sempre era fácil ser mãe, pensou Clodagh, enternecida. Mas, em momentos como esse, não trocaria sua vida por nada no mundo.

O jornaleiro admirou sem o menor pudor a mulher mignon e bem-feita de corpo arrastando a menina pequena atrás de si.

— *Herald?* — ofereceu, esperançoso.

Clodagh olhou para o jornal, desanimada:

— De que adiantaria? Não tenho tempo de ler um jornal desde 1996.

— Então não vale mesmo a pena comprar — concordou o jornaleiro, apreciando a vista traseira de Clodagh, ao que ela se afastava.

Ela sabia que ele a estava observando, e ficou surpresa ao constatar que isso lhe dava grande prazer. O olhar atrevido e lascivo do jornaleiro trouxe à tona lembranças da época em que os homens a olhavam assim o tempo todo. Parecia ter sido há muito tempo — quase como se tivesse acontecido com outra pessoa.

Mas o que estava fazendo?! Ficando excitada porque um jornaleiro a despira com os olhos?

Você é uma mulher casada, censurou-se.

Casada não, corrigiu-se, irônica: *Enterrada viva.*

Demoraram uma agradável hora e meia para chegar ao centro de Stephen's Green. Pelas estatísticas, já estava na hora de Molly e Clodagh terem um arranca-rabo. Dito e feito: quando Clodagh se recusou a comprar para Molly um segundo sorvete, Molly deu o piti do século. Comportava-se como se estivesse tendo um ataque epiléptico, debatendo-se no chão, batendo com a cabeça nas lajes, enchendo Clodagh de gritos e más-criações. Clodagh tentou forçá-la a se levantar, mas ela se enroscou toda, como um polvo. "Eu te odeio!", gritou, e, embora Clodagh estivesse morta de vergonha, forçou-se a falar com Molly num tom de voz firme, garantindo que um segundo sorvete lhe daria dor de estômago e ameaçando mandá-la para a cama mais cedo todos os dias da semana seguinte, se não se levantasse e se comportasse *imediatamente*.

Dezenas de mães com a cara fechada passavam com a filharada a reboque, distribuindo cascudos e taponas num rodízio automático. "Jason", *Cachação!*, "deixa a Tamara em paz!" *Tabefe!* "Zoe", *Chega-pra-lá!*, "se eu te pegar perturbando Brooklyn de novo, te mato!" *Cocorote!* Com olhares de desprezo, debochavam dos princípios liberais de Clodagh. *Dá uma boa coça nessa pirralha,* sorriam, desdenhosas, com sua expressão de catedráticas da Escola da Vida. *Ir para a cama mais cedo, uma ova! Ensina a ela o que é juízo na base do catiripapo, é a única língua que eles entendem.*

Clodagh e Dylan haviam decidido jamais bater nos filhos. Mas, quando Molly começou a enchê-la de pontapés, gritando ao mesmo tempo, Clodagh se viu levantando-a de um tranco do chão e desferindo um forte tapa na sua perna. Foi como se a cidade de Dublin inteira abafasse um grito. De repente, todas as espancadoras de crianças, com seus rostos de pedra, haviam desaparecido, e Clodagh se viu bombardeada por dezenas de olhares de acusação. Era como se todas trabalhassem no Disque-Criança.

Uma onda de vergonha tingiu suas faces de escarlate. O que estava fazendo, agredindo uma menininha indefesa? O que estava havendo com ela?

— Vem. — Apressou-se a rebocar dali a uivante Molly, horrorizada com a marca que sua mão deixara na pele fina da perna da filha. Para minimizar o sentimento de culpa, comprou imediatamente o sorvete da discórdia, e esperou que a paz durasse o exato espaço de tempo que Molly levasse para tomá-lo.

Só que o sorvete começou a derreter, e Clodagh foi convidada a se retirar de uma loja de tecidos após Molly passar a casquinha com todo o capricho ao longo de uma peça de musseline para cortinas, estampando-a com uma grossa listra branca. A manhã havia azedado. Enquanto limpava o queixo de Molly, onde o sorvete se espalhara numa barba de Papai Noel, Clodagh não pôde evitar a sensação de que a vida parecia ter tido mais graça no passado, uma espécie de brilho dourado. Sempre avançara com otimismo em direção ao futuro, despreocupada e confiante de que lhe traria boas coisas. E nunca se decepcionara.

Jamais alimentara ambições desmedidas na vida, e sempre conseguira o que quisera. Em teoria, tudo era perfeito — tinha dois filhos saudáveis, um bom marido e nenhum problema financeiro. Ultimamente, porém, tudo parecia ter se revestido de um tédio implacável. Para dizer a verdade, isso já vinha acontecendo há algum tempo. Tentou se lembrar de quando começara, mas, como não conseguisse, começou a suar frio. A ideia de que esse estado de espírito pudesse se cristalizar, tornando-se permanente, era aterradora. Por natureza, era uma pessoa alegre e descomplicada — bastava se comparar com a coitada da Ashling, que dava um nó no joelho por qualquer motivo.

Mas algo mudara. Não fazia muito tempo, era uma mulher movida pela expectativa e o otimismo. O que mudara? O que dera errado?

CAPÍTULO 14

— Um refrigerante diet ou uma bebida energética? — ruminava Ashling. — Não sei...

— Bom, é melhor decidir logo — insistiu Trix, a caneta pairando sobre o bloquinho de espiral. — Daqui a pouco a loja fecha, se você não andar logo.

Embora a equipe da *Garota* houvesse se reunido há menos de duas semanas, já tinha uma rotina. Duas vezes por dia Trix buscava encomendas da rua, uma de manhã e outra à tarde. As encomendas que anotava agora, porém, não eram nem as do almoço nem as pós-ressaca.

— Opa — disse Trix. — Chegou Heathcliff.*

Jack Devine entrou na redação a passos largos, os cabelos desgrenhados, a expressão perturbada.

— Não consigo me decidir — lamentava-se Ashling, numa dúvida mortal entre as duas bebidas.

— Claro que não consegue — disse Jack, antipático, sem se deter. — Afinal, você é uma mulher!

Assim que bateu a porta do escritório atrás de si, todos sacudiram suas cabeças em sinal de solidariedade.

— Pelo visto, o almoço de reconciliação com Mai não deu certo — observou Kelvin, balançando negativamente o dedo adornado por um anel.

— Que homem mais atormentado — disse Shauna Griffin, com a voz embargada, levantando os olhos das provas da edição de verão da *Tricô Gaélico*. — Tão bonito e tão inacessível, tão infeliz.

---

*Protagonista do romance *O Morro dos Ventos Uivantes*, da romancista inglesa Emily Brontë (1818-1848), modelo de homem amargurado e feroz.

Shauna Griffin era uma mulher gorda e clara que apresentava uma extraordinária semelhança física com o Honey Monster.* E vivia excedendo a dosagem recomendável de romances água com açúcar.

— Infeliz? — tornou Ashling, com desprezo. — JD? Mal-humorado, isso sim.

— É a primeira coisa maldosa que escuto você dizer sobre alguém! — exclamou Trix com sua voz rouca. — Parabéns. Sabia que você era capaz! Está vendo o que a pessoa consegue quando tem força de vontade?

— Um refrigerante diet — Ashling finalmente respondeu, em tom de riso. — E um saquinho de pastilhas de chocolate.

— Chocolate branco ou escuro?

— Branco.

— Dinheiro.

Ashling lhe entregou uma moeda de uma libra, Trix anotou as encomendas na lista e passou para a próxima pessoa.

— Lisa? — perguntou, em tom de adoração. — Alguma coisa?

— Hummm? — Lisa se sobressaltou. Estava muito longe. Jack ficara sabendo que ela ainda não encontrara um lugar para morar e iria levá-la depois do expediente para ver uma casa que um amigo seu estava querendo alugar. Ela ficara preocupada que ele pudesse reatar com Mai durante o almoço, mas, pelo visto, o caminho estava livre...

— Cigarros? — perguntou Trix. — Chiclete sem açúcar?

— É. Cigarros.

A porta tornou a se abrir e Jack saiu, parecendo um pouco angustiado. Trix saltitou agilmente de volta para sua mesa e, com um gesto experiente, abriu a gaveta, atirou seu maço de cigarros dentro dela e a bateu. Jack vagou por entre as mesas, e todos evitaram seus olhos. Os que podiam, afastavam-se despistadamente e escondiam os cigarros atrás de alguma coisa. Lisa tinha uma carteira de Silk Cut aberta ao lado do mouse-pad, mas, embora Jack hesitasse,

*Boneco peludo com cabeça em formato de abóbora, enormes olhos claros e boca larga, mascote do cereal Sugar Puffs, da Kellogg's.

chegando a fazer menção de parar, tornou a apertar o passo e passou direto. Todos estremeceram. Então chegou à mesa de Ashling e se deteve. A redação em peso soltou um suspiro de alívio. Estavam seguros. Por algum tempo.

A contragosto, o rosto de Ashling foi atraído para Jack. Em silêncio, ele inclinou a cabeça em direção ao maço de Marlboro. Ela assentiu, ressabiada, com ódio de si mesma por ceder. Ele era tão antipático com ela, mas ela parecia ser a única pessoa de quem ele filava cigarros. Era óbvio que tinha a palavra "Trouxa" carimbada na testa.

Com os olhos a observá-la tranquilamente, ele prendeu o cigarro entre os lábios e, como sempre, puxou-o lentamente do maço. Apressada, ela passou para ele a caixa de fósforos, tendo o cuidado de evitar que suas mãos se roçassem. Sem tirar os olhos dela, ele riscou um fósforo, aproximou a chama da ponta do cigarro e o apagou. Inclinando o cigarro para cima, tirou uma tragada funda.

— Obrigado — murmurou.

— Quando é que o senhor vai voltar a comprar cigarros? — perguntou Trix, agora que os seus estavam temporariamente seguros. — Está na cara que não consegue parar de fumar. E não é justo, o senhor deve ganhar mil vezes mais do que a Ashling, mas fila um monte de cigarros dela.

— Filo? — Ele pareceu sobressaltado.

— Filo? — Voltou o olhar para Ashling, e ela pareceu estremecer em seu assento. — Desculpe, não tinha me dado conta.

— Tudo bem — murmurou ela.

Jack voltou a se enfurnar em seu escritório e Kelvin observou, irônico:

— Aposto que ele está lá dentro *batendo com a cabeça na parede* por explorar os trabalhadores, filando os cigarros deles. Jack Devine, o Herói da Classe Trabalhadora.

— Ele está mais para *Candidato* a Herói da Classe Trabalhadora — debochou Trix.

— Como assim? — Ashling não conseguiu esconder sua curiosidade.

— Ele adoraria ser um humilde artesão e ganhar o pão de cada dia com o suor do seu rosto. — O desprezo de Trix pela modéstia dessa aspiração não podia ser maior.

— O problema — explicou Kelvin — é que nasceu na classe média, afligido por todos os tipos de vantagens. Como um alto nível de escolaridade, por exemplo. Depois, fez um mestrado em Comunicação. Em seguida — abaixou a voz, em tom sinistro —, começou a demonstrar excelente capacidade administrativa.

— Isso quase acabou com ele — Trix suspirou. — Aposto que é atormentado pelo típico sentimento de culpa da classe média. É por isso que vive se oferecendo para consertar as coisas. E tem todos aqueles hobbies de machão.

— Que hobbies de machão?

— Ora, ele anda de barco, isso é coisa de machão — disse Trix.

— Mas não é lá muito classe média, concorda? — rebateu Kelvin. — Tomar cerveja, isso sim é coisa de machão. E transar com mulheres meio vietnamitas — acrescentou. — Isso também é coisa de machão.

Ashling foi se chegando até Lisa como quem não quer nada.

— Posso te perguntar uma coisa?

— Não, obrigada — entoou Lisa, sem se dignar erguer os olhos de sua mesa. — Não quero sair para tomar um drinque com você e Trix ou sua amiga Joy ou seja lá quem for hoje à noite. E nem em nenhuma outra noite.

Todos riram, para gratificação de Lisa.

— Não era isso que eu ia perguntar. — O constrangimento fez com que uma mancha escura se alastrasse pelo pescoço de Ashling. Só estava tentando ser simpática com uma estrangeira em Dublin, mas Lisa fizera parecer que Ashling *estava a fim dela*. — É uma pergunta de trabalho. Por que não fazemos uma seção do tipo "Fale com a Gente", mas com um diferencial?

— E qual é o diferencial, Einstein?

— Contratamos um parapsicólogo para dar as respostas, em vez de um psicólogo.

Lisa refletiu. Não era má ideia. Muito atual, ainda mais considerando-se que todos andavam em busca de uma solução espiritual para suas vidas. Embora pessoalmente não acreditasse em nada disso — achava que sua felicidade estava nas suas mãos —, não havia nenhum motivo para não negociar com as massas.

— Pode ser.

O alívio atenuou o veneno da insinuação de Lisa. Durante o curto espaço de tempo em que Ashling trabalhava na *Garota*, vivia angustiada com sua falta de ideias. Até que Ted lhe sugerira que pensasse no que *ela própria* gostaria de uma revista, e, de repente, todos os caminhos se abriram. Tudo que tivesse a ver com tarô, reiki, feng shui, autossugestão, anjos, magia branca e feitiços despertava seu interesse.

A porta de Jack tornou a se abrir, e todos se atiraram em cima de seus maços de cigarro, protetores.

— Lisa? — chamou ele. — Posso dar uma palavra com você?

— Claro. — Ela se levantou com elegância, tentando imaginar o que ele quereria falar com ela. Será que iria convidá-la para sair?

Quando ele lhe ordenou que fechasse a porta, sua excitação foi às nuvens. Para despencar um segundo depois, quando ele disse, em tom de desculpas:

— Não tenho como dizer isso de uma maneira agradável.

— Pode falar — disse Lisa, imperturbável.

— Não estamos conseguindo arranjar anunciantes — desfechou ele, sem rodeios. — Ninguém está comprando os espaços. Só temos... — Deu uma olhada no memorando em sua mesa. — ...doze por cento do previsto.

Lisa se remexeu de medo. Isso nunca havia acontecido. Embora sempre houvessem negociado pelos valores da tabela, as grifes e empresas de cosméticos sempre avançavam em cima dos anúncios de página inteira, quando ela era editora da *Femme*. E, como todo mundo que trabalha em revistas sabe, a renda gerada com a venda de anúncios é infinitamente superior àquela gerada com a venda da revista. Ou, pelo menos, deve ser. Se as empresas não puderem ser convencidas de que uma determinada publicação é o veículo certo para seus produtos, adeus! O pânico desabou sobre Lisa como uma chuva de espinhos. Como iria sobreviver ao fracasso de uma revista natimorta?

— Ainda é cedo — arriscou.

A contragosto, ele sacudiu a cabeça. Não era cedo, e ambos sabiam disso. Antes mesmo de a equipe da *Garota* chegar, Margie fizera um trabalho de pré-produção durante um mês — ou seja, os anunciantes interessados tinham tido tempo de sobra para comprar os espaços. Lisa ardia de humilhação. Queria que aquele homem a respeitasse e desejasse e, em vez disso, ele iria considerá-la um fracasso.

— Mas eles não sabem...? — soltou, sem conseguir se conter.

— Sabem o quê?

Ela tentou reformular a frase, mas não conseguiu.

— Que eu sou a diretora?

— Seu nome tem muito peso — disse Jack, diplomático, fazendo com que ela percebesse o quanto ele também estava achando tudo isso desagradável, o que amenizou o golpe. — Mas é um novo mercado, um novo público, ainda não fizemos um nome...

— Mas você não disse que Margie é um verdadeiro Rottweiler? Que poderia convencer até *Deus* a pôr um anúncio? — Na dúvida, jogue a culpa nos outros. Era um lema que até hoje dera certo em sua carreira.

— Margie é ótima quando se trata de conseguir anúncios de companhias irlandesas — explicou Jack. — Mas é o escritório de Londres que se encarrega das grifes e empresas de cosméticos internacionais. Em que pé estamos? Que tipo de seção fixa temos? Precisamos atirar uma ou duas iscas para o escritório de Londres, para eles mostrarem aos anunciantes em potencial.

Lisa dava tratos à bola, seu rosto uma máscara branca. Seções fixas! Estava naquela merda de emprego há duas semanas, no inferno astral de uma editora, para o qual fora pega totalmente desprevenida, e num país estranho, ainda por cima! Estava dando o couro para tentar tomar pé na situação, e eles já queriam saber de seções fixas!

— Só uma ideia por alto — disse Jack, com uma delicadeza dilacerante. — Me perdoe por fazer você passar por isso.

— Por que não vamos todos para a sala da diretoria e fazemos uma reunião para ter uma ideia do andamento das coisas? — sugeriu ela, com um tremor insensível em seus joelhos. E pensar que todo mundo achava que editar uma revista fosse puro glamour. Era o trabalho mais aterrorizante, o maior responsável por noites e noites de insônia que se pudesse imaginar, um mundo sem certezas nem tréguas: só tentar atingir uma determinada vendagem todo mês. E, assim que você se estressava e suava até o limite das suas forças, tinha que dar meia-volta e começar tudo do zero outra vez. Você não passava de uma vendedora metida a besta.

Num rompante de dinamismo, saiu ventando do escritório de Jack, mas os músculos de suas pernas estavam frouxos e o suor já brilhava sobre seu lábio superior.

— Para a sala da diretoria, pessoal, agora!

Todos os que não trabalhavam na *Garota* soltaram risadinhas, encantados por não ser o deles que estava na reta.

— Muito bem. — Lisa tentou ganhar tempo correndo um sorriso apavorante pela sala da diretoria. — Gostaria que contassem para mim e Jack o que andaram fazendo nas duas últimas semanas. Ashling?

— Enviei releases para todas as grifes e ...

— Releases? — repetiu Lisa, sarcástica. — Será que os seus talentos nunca vão ver a luz do dia?

Risadinhas *comme il faut* de Trix, Gerry e Bernard.

— Você acha que as leitoras vão pagar duas libras e cinquenta para ler releases? Seções fixas, Ashling, estou falando de seções fixas! O que você tem de concreto?

Desconcertada com a agressão de Lisa, Ashling fez um relato sobre o clube de salsa. Enquanto descrevia a aula, o professor e os outros alunos, Lisa relaxou um pouco. Era um bom começo. Encorajada pelos meneios afirmativos de Lisa, Ashling se entusiasmou e pôs-se a discorrer sobre o baile que acontecia no clube depois da aula.

— Foi ótimo. Dança no duro, à moda antiga, com o máximo de contato físico. Na verdade, foi uma coisa... — Por algum motivo hesitou em usar a palavra na presença de Jack Devine. Ele a fazia sentir-se extremamente encabulada. — ...muito sexy.

— E o fator romance? — perguntou Lisa, indo direto ao ponto. — Conheceu algum cara?

Ashling se contorceu.

— Eu, hum, dancei com um cara, sim — admitiu.

Enquanto todo mundo soltava gritinhos e caía em cima de Ashling para saber os detalhes, Jack Devine a observava com os olhos semicerrados.

— Só dancei com ele — protestou Ashling. — E ele nem perguntou meu nome.

— Você fez fotos do clube — disse Lisa. Não era uma pergunta. Como Ashling assentisse, ela prosseguiu: — Vamos fazer uma matéria de quatro páginas com esse material. Duas mil palavras, o mais rápido possível. Faz uma coisa divertida.

O pavor se abateu sobre Ashling. Teria dado qualquer coisa para ainda estar na *Cantinho da Mulher*. Não sabia redigir. Meter a cara nas tarefas tediosas, esse, sim, era seu forte, era imbatível nisso, e esse fora o motivo pelo qual a *Garota* a contratara. Será que Mercedes ou algum dos colaboradores não poderia escrever a matéria?

— Algum problema? — Lisa repuxou o canto da boca, sarcástica.

— Não — sussurrou Ashling. Mas sentiu as entranhas se encolherem de medo ao se dar conta do quanto estava aquém da tarefa. Joy teria que ajudá-la. Ou talvez Ted — ele era obrigado a fazer um monte de relatórios em seu emprego no Ministério da Agricultura.

O próximo item na pauta era a coluna de Trix sobre uma garota comum. A primeira seria sobre os perigos da traição. A chatice que era estar na cama com um namorado, o outro aparecer na sua casa e sua mãe deixá-lo entrar. Um relato divertido, ousado e totalmente verdadeiro.

— Santo Deus, Patricia Quinn — Jack sacudiu a cabeça, divertido. — Eu sou ingênuo e não sabia!

— Ninguém merece! — exclamou ela. — Ele e minha mãe na sala vendo a novela, e eu presa no quarto com o outro, inventando mil desculpas para não sair. Envelheci dez anos!

— E aí ficou com quantos? Vinte e cinco? — Jack ria tanto que a pele em volta de seus olhos estava toda enrugada.

Ashling olhou para ele com uma espécie de perplexidade azeda. *Por que ele é sempre tão antipático comigo? Por que nunca acha graça do que digo?* No momento em que já chegava à conclusão de que talvez simplesmente fosse uma pessoa sem graça, viu o rosto de Lisa. Um brilho tênue de determinação, uma profunda admiração. *Ela se sente atraída por ele,* compreendeu Ashling, e foi como se levasse um soco no estômago. Se havia alguém que pudesse roubá-lo da exótica Mai, esse alguém era Lisa. Como seria ter esse tipo de poder?

Em seguida Lisa esboçou uma seção "divertida" que acabara de bolar naquele exato instante: uma resenha sobre as camas de hotel mais sexy da Irlanda, classificadas de acordo com a limpeza da roupa de cama, a firmeza do colchão, o espaço para o rala e rola e o "fator algemas" — espaldares em ferro trabalhado e colunas de dosséis eram ideais.

— Caramba, não sei quanto estão te pagando, mas você vale! — Trix transbordava de admiração.

— Mercedes? — desafiou-a Lisa.

— Vamos para Donegal na sexta fazer fotos exclusivas da coleção de inverno de Frieda Kiely — informou, vaidosa. — Vai dar uma matéria de doze páginas.

Frieda Kiely era uma estilista irlandesa que vendia muito bem no exterior. Suas criações eram extravagantes e suntuosas: tweed irlandês bruto combinado com chiffon vaporoso; linho lustroso do Ulster fazendo par com xales de crochê de seda; mangas de tricô que vinham até o chão. O efeito era romântico e rústico. Um pouco rústico demais para o gosto de Lisa, para dizer a verdade. Se fosse para pagar um preço daqueles — não que pretendesse fazê-lo, é claro —, teria preferido a modelagem elegante do Sr. Gucci.

— E que tal uma entrevista com ela? — sugeriu Lisa.

Mercedes riu:

— Ah, não, ela é doida. Não se arranca uma palavra coerente dela.

— Exatamente — tornou Lisa, brusca. — Tornaria o texto mais interessante.

— Você não sabe como ela é...

— Vamos mostrar a coleção de inverno dela, o mínimo que ela pode fazer é nos dizer o que come no café da manhã.

— Mas...

— Me impressione — disse Lisa, com um brilho cruel nos olhos, parodiando Calvin Carter. Coisa que teria divertido Mercedes, se soubesse o que Lisa estava fazendo. Mas não sabia, de modo que sua única opção foi lançar um olhar de ódio para Lisa.

Jack voltou sua atenção para Gerry:

— Como é que estamos indo com a capa?

Lisa o observou, ansiosa. Gerry era tão calado que ela não lhe prestava a menor atenção e, em consequência, não tinha a mais pálida ideia se era bom no que fazia. Mas na hora Gerry tirou da cartola vários protótipos de capas — três garotas diferentes, com uma seleção de textos e tipos superpostos. O clima que conseguira criar era incrivelmente sexy e divertido.

— Excelente — elogiou-o Jack. Em seguida, voltou-se para Lisa: — E como vamos indo com a coluna das celebridades?

— Estou trabalhando nela — Lisa sorriu, tranquila. Bono e as Corrs estavam se recusando a retornar suas ligações. — Mas, e isso é mais interessante, embora nossa revista seja feminina e noventa e cinco por cento do nosso público vá ser de mulheres, acho que é realmente o caso de termos uma coluna escrita por um homem na *Garota.*

Espera aí, pensou Ashling, a cabeça doendo da bordoada, *essa ideia foi minha.*

Sua boca se mexia, fazendo "ohs" e "ahs" silenciosos, enquanto Lisa prosseguia, despreocupada:

— Há um humorista que, segundo minhas fontes, está prestes a se tornar uma estrela. O problema é que não quer nada com revistas femininas, mas vou convencê-lo do contrário.

Sua filha da puta, pensou Ashling. *Sua grandessíssima filha da puta.* Será que ninguém mais se lembrava? Será que ninguém tinha notado?

— Eu... — Ashling conseguiu dizer.

— O quê? — desafiou-a Lisa, seu rosto dourado aterrorizante, seus olhos cinza duros e frios como bolas de gude.

Incapaz de se defender, como sempre, Ashling apenas murmurou:

— Nada.

— Quem é ele?

— Marcus Valentine.

— Não brinca! — Jack ficou extremamente animado.

— Q-quem? — perguntou Ashling. Era um choque em cima do outro.

— Marcus Valentine — repetiu Lisa, impaciente. — Já ouviu falar nele?

Ashling assentiu, calada. Aquele sujeito sardento não tinha o menor jeito de alguém "prestes a se tornar uma estrela". Lisa *devia* estar enganada. Mas parecia tão segura do que dizia...

— Ele vài se apresentar sábado à noite num lugar chamado River Club — disse Lisa. — Você e eu vamos, Ashling.

— No River Club? — Ashling ficara quase tão rouca quanto Trix. — Sábado à noite?

— Éééé! — Lisa tiniu de impaciência.

— Meu amigo Ted vai se apresentar também — disse Ashling, sem sentir.

Lisa estreitou os olhos, avaliando a informação.

— Ah, é? Que bom. Ele pode nos apresentar a Valentine nos bastidores.

— Ainda bem que não tenho nenhum compromisso para sábado à noite — disse Ashling, as palavras saindo de um jorro de sua boca normalmente tão mansa.

— É isso aí — concordou Lisa, fria. — Ainda bem.

Enquanto todos saíam da sala em fila indiana, Lisa voltou-se para Jack.

— Satisfeito? — cobrou.

— Você é incrível — disse ele, com sinceridade. — Verdadeiramente incrível. Obrigado. Vou falar com o pessoal em Londres.

— Quando vamos ter uma resposta?

— Provavelmente não antes de semana que vem. Não se preocupe, você teve ideias fantásticas, desconfio que vai dar tudo certo. Às seis está bom para ir ver a casa?

Ferida e furiosa com a injustiça, Ashling voltou para sua mesa. Nunca mais seria boa com aquela filha da puta. E pensar que sentira pena dela, sem amigos, num país estranho. Tentara perdoar as constantes e cruéis cortadas de Lisa sob a premissa de que devia estar se sentindo infeliz e assustada. Ashling relembrou, envergonhada, que chegara a esboçar uma risada quando Lisa insinuara que Dervla era gorda, Mercedes peluda, Shauna Griffin uma aberração teratológica e ela, Ashling, pateticamente grudenta. Mas agora, Lisa

Edwards podia morrer de solidão, que ela, Ashling Kennedy, estava pouco se importando.

Havia um *Post-it* amarelo colado sobre o rosto de George Clooney que decorava o display de seu computador, dizendo que "Dillon" havia ligado. Ela descolou o bilhete, fazendo a tela estalar de estática. Ainda não estavam em outubro, estavam? Dylan ligava para Ashling duas vezes por ano. Em outubro e dezembro. Para lhe perguntar o que devia comprar para Clodagh no aniversário e no Natal.

Ela ligou de volta para ele.

— Oi, Ashling. Tem tempo para um drinque rápido amanhã, depois do expediente?

— Não. Tenho um artigo horrível para escrever... Talvez mais para a frente na semana, pode ser? Mas por quê, o que foi que houve?

— Nada. Acho eu. Vou viajar para uma conferência. Te ligo na volta.

CAPÍTULO 15

— Está pronta, Lisa? — perguntou Jack, aparecendo diante de sua mesa às seis e dez.

Observados em silêncio pelos fofoqueiros de plantão, saíram da redação e tomaram o elevador para o estacionamento.

No instante em que entraram no carro, Jack arrancou a gravata do pescoço e a atirou no assento traseiro, para logo em seguida abrir os dois primeiros botões da camisa.

— Que alívio — suspirou. — Fica à vontade — disse a Lisa. — Pode tirar o que quiser... — Interrompeu-se bruscamente ao fim da frase. Seguiu-se um hiato de constrangimento. A intensidade de seu desconforto não passou despercebida para Lisa. — Desculpe — murmurou, sério. — Falei bobagem. — Agitado, passou as mãos pelos cabelos desgrenhados, os fios da frente eriçando-se em pequenos picos sedosos antes de voltarem a cair sobre o rosto.

— Não tem problema. — Lisa sorriu, educada, mas a penugem em sua nuca se arrepiara toda, entre o susto e a excitação, ao que ela se visualizava tirando as roupas para Jack no carro dele, sentindo aqueles olhos escuros sobre seu corpo, o frio dos assentos de couro contra o calor de sua pele. Mordeu o lábio, determinada, jurando a si mesma que isso ainda haveria de acontecer.

Depois do devido período de "convalescença", Jack tornou a falar.

— Deixa eu te falar sobre a casa. — Manobrou o carro, desembocando no trânsito de Dublin. — O negócio é o seguinte. Brendan vai trabalhar nos Estados Unidos. Assinou um contrato de um ano e meio, que pode ser prorrogado, mas, de um jeito ou de outro, você ficaria com a casa no mínimo por um ano e meio. Depois disso, nós teríamos que ver em que pé ficariam as coisas.

Lisa se remexeu, evasiva. Não estava se importando, porque não pretendia estar ali dentro de um ano e meio.

— É perto da South Circular Road, que fica bem no centro — afirmou Jack. — É uma zona de Dublin que ainda não foi dominada pelos yuppies.

A animação de Lisa começou a diminuir. Estava *louca* para viver numa zona que tivesse sido dominada pelos yuppies.

— As pessoas têm um forte senso de comunidade. Muitas famílias vivem aqui.

Lisa não queria saber de famílias. Queria se cercar de outros solteiros e esbarrar em homens atraentes no supermercado da região, comprando batatinhas dietéticas e vinho branco. Apática, observou as mãos de Jack no volante do carro, e sua infelicidade se atenuou à visão da confiança com que elas resvalavam pelo couro durante as manobras.

Ele saiu da rua principal, enveredando por uma rua menor, e depois por outra menor ainda.

— É aqui. — Apontou pelo para-brisa.

Na calçada, erguia-se um pequeno chalé de tijolos vermelhos, antigo e pitoresco. Lisa o odiou à primeira vista. Gostava de casas modernas, de design arrojado, com ambientes bem arejados e espaçosos. Aquela casa prometia cômodos escuros e minúsculos, encanamento decrépito e uma cozinha anti-higiênica, com os móveis e eletrodomésticos avulsos, espalhados sem sombra de planejamento ou integração, e, de quebra, uma hedionda pia da marca Belfast.

A contragosto, saiu do carro.

Jack se aproximou da casa, pôs a chave na fechadura, empurrou a porta e afastou-se para Lisa passar. Teve que abaixar a cabeça ao transpor o umbral.

— Tábuas corridas — observou ela, olhando ao redor.

— Brendan mandou instalar dois meses atrás — disse Jack, orgulhoso.

Ela se absteve de lhe explicar que os entendidos haviam decretado a morte das tábuas corridas, e que os carpetes, sim, estavam acontecendo.

— A sala. — Jack a conduziu em direção a um aposento pequeno, com tábuas corridas em freixo, um sofá vermelho, uma televisão e uma lareira de ferro batido. — A lareira é original — disse ele, indicando-a com a cabeça.

— Hummmm. — Lisa abominava lareiras de ferro batido — eram tão *rebuscadas*.

— A cozinha. — Jack a rebocou para o próximo aposento. — Geladeira, micro-ondas, máquina de lavar louça.

Lisa olhou à sua volta. Pelo menos os armários eram planejados, e a pia tinha uma cuba comum, de alumínio — ela preferia correr o risco de ter Alzheimer a viver com uma pia da marca Belfast. Mas seu contentamento começou a se esvair quando ela viu uma mesa de cozinha em pinho, com quatro cadeiras rústicas e pesadas! Com o coração apertado, relembrou a mesa de fórmica metálica azul e as quatro cadeiras de arame trançado de sua cozinha em Ladbroke Grove.

— Ele disse alguma coisa sobre o aquecedor estar com defeito. Vou dar uma olhada rápida. — Ocultando parcialmente o tronco num armário, enrolou as mangas, deixando à mostra os antebraços morenos, seus feixes de músculos movendo-se enquanto as mãos trabalhavam.

— Quer pegar para mim a chave inglesa que está naquela gaveta? — Indicou-a com a cabeça. Lisa se perguntou se ele estaria dando uma de machão em sua homenagem, mas então lembrou-se de Trix dizendo que ele era jeitoso com máquinas, e ficou excitada. Sempre tivera um fraco por homens que eram bons com as mãos e voltavam para casa sujos de graxa ao fim de um dia duro na oficina, puxavam lentamente o zíper do macacão e diziam, em tom insinuante: "Andei pensando em você o dia todo, garota." Também tinha um fraco por homens com salários de seis dígitos e poder para promovê-la, apesar de ela não merecer a promoção. Como seria bom unir o útil ao agradável!

Jack remexeu as coisas estrepitosamente por mais algum tempo, antes de dizer:

— Acho que o timer pifou. Você pode ter água quente, mas não pré-programar o banho. Vou consertar ele para você. Vamos ver o banheiro.

Para surpresa de Lisa, o banheiro passou no teste. Seus banhos não precisariam fazer o gênero ataque relâmpago, com uma esponja na mão e um cronômetro na outra.

— A banheira é boa — admitiu ela.

— Aquela prateleirazinha ali ao lado é bem prática — concordou Jack.

— Do tamanho certo para dois copos de vinho e uma vela aromática. — Lançou-lhe um olhar carregado de segundas intenções. E perdeu seu tempo. Para sua frustração, Jack já seguira em frente, em seu passo decidido, rumo ao próximo aposento.

— O quarto — anunciou.

Era mais espaçoso e bem iluminado do que os outros aposentos, apesar de ainda afligido por um certo ar de casa de campo. Estampa de raminhos nas cortinas brancas, mais estampa de raminhos na colcha e pinho *demais*. A cabeceira era de pinho, o vasto guarda-roupa era de pinho, a cômoda era de pinho.

Provavelmente até o colchão é de pinho, pensou Lisa, cheia de desprezo.

— Dá para o jardim. — Jack apontou pela janela um quadrado de grama um tanto acanhado, margeado por arbustos e flores em botão. Lisa quase morreu de desânimo. Nunca tivera um jardim na vida, e não queria ter um agora. Gostava de flores tanto quanto qualquer mulher, mas só quando vinham num grande buquê envolto em papel celofane, com um enorme laço de cetim e um cartão de parabéns. Preferia morrer a adotar a jardinagem como hobby, porque os acessórios eram sinistros — calças com elástico na cintura, chapelões ridículos, cestinhas idiotas e luvas absurdas de Michael Jackson. Não era um Visual Legal.

E, embora tivesse dito às leitoras da *Femme* na edição de julho passado que a jardinagem era o novo sexo, não acreditava numa palavra do que dissera. Sexo era sexo. Eternamente. E ela sentia falta.

— Ele disse alguma coisa sobre um canteiro de ervas — disse Jack. — Vamos dar uma conferida?

Desaferrolhou a porta dos fundos e novamente teve que abaixar a cabeça para sair. Ela seguiu seu andar empertigado, enquanto ele atravessava o jardinzinho, ironicamente divertida com sua própria admiração. Os passarinhos chilreavam na luminosidade suave do poente, o ar tinha um cheiro penetrante de grama e terra e, por um momento, ela não sentiu ódio de tudo.

— Aqui. — Ele acenou em direção a um canteiro e dobrou as pernas compridas, agachando-se. Para mostrar boa vontade, Lisa agachou-se ao seu lado, sem muito entusiasmo.

— Cuidado com o seu terno. — Ele estendeu o braço num gesto protetor. — Não vai sujar ele de adubo.

— E o seu?

— Estou me lixando para o meu. — Voltou-se e lhe deu um inesperado sorriso maroto. De perto, ela percebeu que um de seus dentes da frente tinha uma ponta quebrada. O que só servia para aumentar seu ar rebelde. — Se ficar todo manchado de terra, vai ter que ir para a tinturaria e não vou poder usar ele amanhã... Não seria horrível? — acrescentou, irônico.

Lisa riu e, de pura curtição, aproximou a cabeça da dele. Observou suas pupilas se estreitarem e alargarem durante uma série de expressões — confusão, seguida por interesse, depois *extremo* interesse, de volta para confusão e, por fim, indiferença — tudo isso num átimo de segundo. Em seguida, ele se voltou para ela e perguntou:

— Isso é coentro ou salsa?

Uma mecha do cabelo dele se encaracolara, formando um cachinho. Lisa sentiu vontade de enfiar seu dedo nela e enrolá-la.

— O que você acha? — ele tornou a lhe perguntar.

Sentindo-se como se estivessem conversando por um código, ela olhou para a folha na mão dele.

— Não sei.

Ele esfarelou a folha entre o polegar e o indicador, levando-a até seu rosto. Uma proximidade de pessoas íntimas.

— Cheira — ordenou.

Com os olhos fechados, ela aspirou, tentando sentir o cheiro de sua pele.

— Coentro — disse, triunfante. Foi recompensada com outro sorriso dele. Os cantos de sua boca se curvaram ligeiramente.

— E aqui tem manjericão, cebolinha e tomilho — ele apontou. — Você pode usar todos eles, quando for cozinhar.

— É... — ela sorriu. — Posso salpicar nos pratos que mandar buscar nos restaurantes.

Não fazia sentido representar para ele. Já ia longe o tempo em que caía de quatro quando se apaixonava, e tinha vontade de cozinhar para o homem amado.

— Você não cozinha?

Ela sacudiu a cabeça:

— Não tenho tempo.

— É o que eu vivo ouvindo — disse ele.

— Mai, hum, não cozinha?

Grande erro. A expressão de Jack tornou a se fechar.

— Não — limitou-se a dizer. — Pelo menos, não para mim — acrescentou. — Vem, vamos entrar.

— E aí, o que achou da casa? — perguntou, quando já estavam novamente em seu interior.

— Gostei — mentiu Lisa. Era o melhor lugar dentre todos os que vira, mas isso não queria dizer grande coisa.

— Tem várias vantagens — concordou Jack. — O aluguel é razoável, a zona é boa e você pode ir a pé para o trabalho.

— É verdade — disse Lisa, com uma sombriedade que o desconcertou. — E economizar uma libra e dez *pence* de cada passagem.

— É esse o preço? Não tenho como saber, porque em geral ando de carro...

— O que dá duas libras e vinte *pence* por dia.

— Acho que deve ser isso mesmo...

— E onze libras por semana. Se a gente pensar em termos de uma vida inteira, dá um dinheirão. — Ao ver Jack se esforçando por manter uma expressão cortês e interessada, Lisa deixou a encenação de lado. Rindo, contou-lhe de sua experiência com a pão-duro Joanne. Em seguida discorreu sobre os outros lugares horríveis que havia visto — o homem em Lansdown Park que deixava sua cobra de estimação passear à vontade pela sala, a casa em Ballsbridge tão desarrumada que parecia ter acabado de ser revirada por assaltantes.

Ele se levantou e deu início ao canhestro tilintar de moedas nos bolsos, que Lisa já conhecia de longa data. Era o que os homens sempre faziam quando tentavam criar coragem para convidá-la para tomar um drinque. Ela podia ver a hesitação em seus olhos, e seu corpo estava enrodilhado como que prestes a saltar em cima de alguma coisa.

Anda logo com isso, ordenou-lhe em silêncio.

Então os olhos dele clarearam e toda a tensão se dissipou.

— Vou te levar de volta para o hotel — disse.

Lisa compreendeu. Intuía que ele se sentia atraído por ela, e também suas reservas. Não apenas trabalhavam juntos, como ele estava envolvido com outra pessoa. Mas não importava. Ela teceria sua teia lentamente ao redor dele e superaria suas objeções. Eis aí algo que lhe daria muito prazer — fazer com que Jack se apaixonasse por ela seria uma forma de esquecer todo o seu sofrimento.

— Obrigada por me arranjar uma casa para morar. — Sorriu meigamente para Jack.

— Foi um prazer — replicou ele. — E não faça cerimônia em me pedir qualquer coisa de que precise. Vou fazer tudo que puder para tornar sua mudança para a Irlanda mais fácil.

— Obrigada. — Ela lhe deu outro sorrisinho coquete.

— Você é uma pessoa ocupada e importante demais para a *Garota* para perder tempo vendo apartamentos.

Ah.

Enroscada numa poltrona, Lisa acendeu um cigarro e olhou pela janela para Harcourt Street. Um sutil sentimento de culpa a incomodava. Tão sutil que mal chegava a existir, mas sua simples existência já era digna de registro. Era aquela chata da Ashling. Ficara pateticamente surpresa quando Lisa roubara sua ideia.

Ora, dane-se, a vida é assim mesmo. Era por essa razão que Lisa era a diretora da revista, e Ashling uma burra de carga. E Lisa tinha ficado horrorizada, totalmente acovardada quando Jack a inteirara sobre a situação da publicidade. O medo sempre a deixava traiçoeira e impiedosa.

No momento, o terror inicial havia amainado um pouco. Graças ao estilo prepotente de seu otimismo, encapsulara-se numa bolha de esperança onde a hipótese de conseguir a publicidade desejada parecia bastante razoável. No entanto, era o de Lisa que estava na reta. Se a revista afundasse, a vida de Ashling não estaria acabada como a dela — era simples assim. Verdade que todos a achavam uma filha da puta, mas não tinham ideia da pressão sob a qual ela vivia.

Com um longo suspiro, exalou uma baforada de fumaça. A lembrança da expressão chocada de Ashling a alfinetava, fazendo com que sentisse um vago mal-estar.

Sempre fora capaz de controlar suas emoções até então. Era fácil subjugá-las em favor de um bem maior, o de sua carreira. Era melhor retomar as rédeas da situação.

CAPÍTULO 16

Os convites para coquetéis de lançamentos chegavam diariamente na correspondência. Havia de tudo, desde o lançamento de uma nova linha de sombras até a inauguração de uma loja. Lisa e Mercedes repartiam pau a pau os convites entre si. Lisa, na qualidade de diretora, era sempre a primeira opção. Mas tinha que permitir que Mercedes, como editora de moda e beleza, fosse a alguns também. Ashling, à moda de Cinderela, ficava tomando conta da casa, e Trix ocupava uma posição muito baixa na cadeia alimentar para ter qualquer chance de ir.

— O que acontece num coquetel de lançamento? — perguntou Trix a Lisa.

— Você fica lá, com um monte de outros jornalistas e algumas celebridades — disse Lisa. — Conversa com todo mundo que seja importante, ouve a apresentação...

— Me fala sobre essa a que você vai hoje.

Uma loja chamada Morocco iria abrir sua primeira filial na Irlanda. Lisa não estava dando a mínima, já estava aberta em Londres há anos, mas o dono da franquia estava tratando o fato como se fosse um grande acontecimento. Tara Palmer Tompkinson viria de Londres para a inauguração, que aconteceria no Hotel Fitzwilliam, com seu esplendor inspirado no do Royalton.

— Vai ter comida? — perguntou Trix.

— Em geral servem alguma coisa. Canapês, champanhe...

Na verdade, Lisa esperava ardentemente que servissem mesmo alguma coisa, porque acabara de adotar um novo plano alimentar, trocando a Dieta dos Sete Anões pela Dieta Promocional. Podia comer e beber à vontade, *mas apenas em eventos promocionais*. Sabia o quanto era importante manter-se magra, mas se recusava a ser uma escrava tradicional das dietas. Em vez disso, incorporara limitações insólitas e prêmios à sua alimentação, para manter o desafio sempre vivo e interessante.

— Champanhe! — A excitação fez com que Trix ficasse rouca como Don Corleone.

— Isso se não for uma empresa vagabunda, porque, se for, não consegue propaganda na revista. E depois você recebe sua sacolinha com um jabá* e vai embora.

— Uma sacolinha com um *jabá*! — Trix ficava acesa à menção de qualquer coisa gratuita. Qualquer coisa que não precisasse se dar ao trabalho de roubar. — Que tipo de jabá?

— Depende. — Lisa fez um beicinho de tédio. — No caso de uma empresa de cosméticos, por exemplo, você geralmente recebe um apanhado dos produtos da nova estação.

Trix deu um gritinho eufórico.

— No caso de uma loja como essa, talvez uma bolsa...

— Uma bolsa! — Ela não sabia o que era uma bolsa grátis há *anos*, desde que haviam começado a prender dispositivos antifurto nelas.

— ...ou uma camisa.

— Ah, meu Deus! — Trix vibrava de excitação. — Você tem tanta sorte!

Depois de refletir longamente, sugeriu, com excessiva inocência:

— Sabe, você devia levar a Ashling com você. — Pela hierarquia, não havia a menor chance de Trix ter permissão para ir até que Ashling fosse. — Ela é a redatora-chefe. Seria bom que soubesse como se comportar, para o caso de algum dia você ficar doente.

— Mas... — O rosto liso e azeitonado de Mercedes encheu-se de ansiedade à sugestão de mais alguém invadindo aquele solo sagrado. Afinal, não havia batom de graça para todo mundo.

A *óbvia* inquietação de Mercedes, aliada a um residual sentimento de culpa em relação a Ashling, fez com que a decisão se tornasse fácil para Lisa.

---

*Gíria jornalística para brinde ganho em evento.

— Boa ideia, Trix. Tudo bem, Ashling, pode ir comigo hoje à tarde. Isso é — acrescentou, sem a menor sinceridade —, se você quiser ir.

Ashling nunca tivera talento para guardar rancor. Principalmente quando havia alguma coisa de graça em jogo.

— Se eu gostaria de ir...? — Decepcionou-se ao dizer: — Eu *adoraria* ir.

Lisa almoçou no Clarence com uma autora de best-sellers que estava tentando convencer a escrever uma coluna. Foi um sucesso: não apenas a mulher concordou em fazer a coluna por um valor reduzido em troca de publicidade regular para seus livros, como Lisa escapou quase ilesa da refeição. Apesar de remexer a comida vigorosamente no prato, só comeu meio tomate-cereja e uma garfada de frango caipira.

Voltou para o trabalho sentindo-se vitoriosa, e estava vasculhando a correspondência quando Ashling apareceu ao lado de sua mesa, de bolsa e blazer.

— Lisa — começou, ansiosa —, são duas e meia, e o convite é para as três. Vamos?

Lisa riu, entre surpresa e sardônica:

— Regra número um: nunca chegue na hora. Todo mundo sabe disso! Você é muito importante.

— Sou?

— Finge que é. — E voltou à sua pilha de releases. Mas, depois de algum tempo, levantou o rosto e viu o olhar ávido de Ashling colado nela.

— Pelo amor de Deus! — exclamou, já se arrependendo amargamente de ter convidado Ashling.

— Desculpe. Só estou com medo de que tudo acabe.

— Tudo o quê?

— Os canapês, os jabás...

— Não vou sair antes das três, e não me pede de novo.

Às três e quinze, Lisa tirou sua sacola Miu Miu de baixo da mesa e disse para a trêmula Ashling:

— Vamos lá!

O trajeto de táxi pelas ruas congestionadas demorou tanto, que até Lisa começou a ter medo de que os canapês e jabás acabassem.

— Que foi, agora? — indagou, irritada, ao ver um guarda chapar a manzorra gorda na frente deles, fazendo um sinal para que parassem.

— Patos — disse o chofer, curto e rasteiro.

Lisa já se perguntava se "patos" era algum palavrão dublinense da mesma família do "joça", quando Ashling exclamou:

— Ah, olha lá, patos!

Como é que é?!, perguntou-se Lisa, quando, diante de seu olhar sobressaltado, uma mamãe pata pôs-se a atravessar a rua, toda serelepe, liderando seus patinhos em fila indiana atrás de si. Dois guardas interditavam o trânsito nas duas direções, para garantir uma travessia segura à família de patos. Ela mal podia acreditar!

— Acontece todo ano. — Os olhos de Ashling brilhavam. — Os patos nascem no canal e, quando já estão crescidinhos, vêm para o lago de Stephen's Green.

— Centenas deles. Fodem o trânsito que é uma beleza. Aporrinham a gente até dizer chega — disse o chofer, em tom carinhoso.

Porra de cidade..., Lisa suspirou.

Quando Lisa e Ashling desceram diante do Hotel Fitzwilliam, o tempo estava fechado e frio, e a minionda de calor da semana passada já se tornara uma saudosa lembrança.

Uma sessão de depilação não faz verão, pensou Ashling, triste, voltando a usar calças depois que sua saia comprida de verão desfrutara uma brevíssima arejada no dia anterior. Então esqueceu-se do tempo e, extasiada, deu uma cotovelada em Lisa:

— Olha! A mulher de que você falou, como é mesmo o nome dela? Tara Palmer de Perequeté.

E era *realmente* Tara Palmer de Perequeté, exibindo-se de um lado para o outro diante do hotel, cercada por uma multidão de fotógrafos e seus disparos frenéticos.

— Mostra as pernocas um pouquinho, boa menina, Tara — pediam.

Ashling se encaminhou para a rua, a fim de contornar o anel de fotógrafos, mas Lisa avançou diretamente para o meio deles, resoluta.

— Epa, quem é essa? — Ashling ouviu dizerem.

Nesse momento, Lisa soltou um "Taaaaraaaaa, querida, há quanto tempo!", gadunhou-a para uma relutante troca de dois beijinhos e girou com ela para as câmeras. Os fotógrafos interromperam os disparos frenéticos, logo em seguida enquadraram a mulher dourada de cabelos cor de caramelo, *cheek-to-cheek* com Tara, e recomeçaram as fotos com fervor redobrado.

— Lisa Edwards, diretora da revista *Garota* — informou Lisa, avançando por entre os fotógrafos. — Lisa Edwards. Lisa Edwards. Sou uma velha amiga de Tara.

— De onde você conhece Tara Palmolive? — perguntou Ashling, assombrada, quando Lisa voltou para ela, que ficara à margem, completamente ignorada pelos fotógrafos.

— Não conheço. — Lisa a surpreendeu com um sorriso. — Mas... regra número dois... nunca deixe a verdade empatar uma boa história.

Lisa entrou no hotel, altiva, com Ashling atrás dela. Dois jovens bonitos se adiantaram, cumprimentando-as, e retiraram o blazer de Ashling. Lisa, porém, recusou-se a entregar o seu, com ar displicente.

— Permita-me relembrá-la da regra número três — murmurou, irritada, a caminho da recepção. — *Nunca* deixe o blazer. Você quer dar a impressão de que é muito ocupada, de que só deu uma passadinha de alguns minutos, e que tem uma vida muito mais interessante lá fora.

— Desculpe — pediu Ashling, humilde. — Não sabia.

Entraram no salão de festas, onde uma mulher transparente de tão esquálida vestindo Morocco da cabeça aos pés apurou quem eram e fez com que assinassem um livro de visitas.

Lisa rabiscou algumas palavras superficiais e passou a caneta para Ashling, que vibrava de prazer.

— Eu também? — deu um gritinho.

Lisa apertou os lábios e sacudiu a cabeça em advertência. *Vai com calma!*

— Desculpe — sussurrou Ashling, mas não conseguiu se conter e escreveu com grande cuidado e capricho: Ashling Kennedy, Redatora-Chefe, Revista *Garota*.

Lisa correu uma unha bem-feita pela lista de nomes.

— A regra número quatro, como você sabe, é olhar o livro — instruiu-a. — Ver quem está aqui.

— Assim a gente sabe quem deve conhecer — compreendeu Ashling.

Lisa olhou para ela como se fosse louca.

— Não! Assim a gente sabe quem deve evitar!

— E quem a gente deve evitar?

Cheia de desprezo, Lisa esquadrinhou o salão apinhado de *liggers** de revistas rivais:

— Quase todo mundo.

Mas Ashling já devia saber de tudo isso. Acabara de ficar claro para Lisa que ela não tinha a mais pálida noção do básico. Agitadíssima, cochichou:

— Não vai me dizer que nunca esteve num coquetel de lançamento antes! E quando trabalhava na *Cantinho da Mulher*?

— A gente não recebia muitos convites — escusou-se Ashling. — Muito menos para lançamentos tão glamourosos quanto este. Acho que nossas leitoras eram muito idosas. E, mesmo quando a gente recebia algum convite para o lançamento de uma nova bolsa de colostomia, a inauguração de um asilo subvencionado ou qualquer coisa assim, quase sempre era Sally Healy quem ia.

O que Ashling não disse foi que Sally Healy era um tipo rotundo e maternal, que tratava todo mundo com simpatia. Não tinha nada da competitividade e sofisticação de Lisa ou suas regras estranhas e agressivas.

— Está vendo aquele ali? — Maravilhada, Ashling apontou um sujeito alto, parecendo o boneco Ken. — É Marty Hunter, o apresentador de tevê.

— *Déjà vu* — bufou Lisa. — Estava ontem no coquetel da Bailey's e segunda-feira no da MaxMara.

Diante dessa resposta, Ashling se calou, angustiada. Seu plano era instruir e orientar Lisa, com isso provando-lhe que era necessária. Já se via ganhando o tão cobiçado respeito de Lisa, graças ao seu indispensável conhecimento dos irlandeses famosos — um conhecimento que Lisa, como inglesa, não poderia esperar ter. Mas Lisa estava quilômetros à sua frente, já tomara pé no cenário vigente das celebridades e parecia irritada com suas amadorísticas tentativas de ajudar.

*Indivíduo que frequenta todo e qualquer evento promocional para fazer contatos e se promover (ou à empresa que representa).

Uma garçonete que transitava pelo salão se deteve e empurrou uma bandeja na direção delas. A comida era inspirada nos pratos da culinária marroquina: cuscuz, salsichas Morguez, canapês de carne de cordeiro. A bebida, surpreendentemente, era vodca. O que não era lá muito marroquino, mas Lisa não se importou. Comeu o quanto pôde, mas sem se exceder, porque estava sempre conversando com alguém, com Ashling a reboque. Esbanjando energia e charme, Lisa explorava o salão como uma profissional, embora não oferecesse grandes surpresas.

— O mesmo de sempre, o mesmo de sempre — suspirou para Ashling. — Os *liggerati* irlandeses — a maioria desses tristes perdedores compareceria até à abertura de uma lata de feijão. O que, muito a propósito, me leva à regra número cinco: use o fato de ainda estar de blazer como desculpa para dar o fora. Mas, já que tirou, se alguém se tornar *isso assim* chato *demais*, você pode dizer que tem que ir ao vestiário.

Algumas modelos com olhos de corça vagavam pelo salão, seus corpos idênticos e subnutridos vestindo Morocco. Volta e meia uma relações-públicas empurrava alguma delas para cima de Ashling e Lisa, cujo papel era soltar "ahs" e "ohs" de admiração. Vermelha de vergonha, Ashling se esforçava ao máximo, mas Lisa mal olhava.

— Podia ser pior — confidenciou, depois que outra adolescente se sacudiu e contorceu diante delas, indo embora em seguida. — Pelo menos não é moda praia. Aconteceu durante um jantar sentado em Londres: eu lá, tentando jantar, enquanto seis garotas metiam as bundas e peitos no meu prato. Ugh!

Em seguida disse a Ashling algo que esta já começava a concluir por conta própria:

— Regra número... em qual estamos, mesmo? Seis? Nada é de graça. Quando você vem a um coquetel desses, tem que aguentar o massacre promocional. Ah, não, olha lá aquele nojento do *Sunday Times*. Vem para cá.

Ashling sentia-se cada vez mais humilhada com o conhecimento enciclopédico que Lisa exibia de quase cada pessoa presente no salão. Estava na Irlanda há menos de duas semanas, e já parecia ter ficado amiga — e se descartado — da maior parte do *Quem é Quem*.

Com um sorriso firmemente grampeado no rosto, Lisa girou discretamente sobre os saltos de seus sapatos Jimmy Choo. Será que tinha deixado passar alguém? Nesse momento localizou um jovem bonito, remexendo-se desconfortavelmente num terno que, pela pinta, acabara de sair da loja.

— Quem é ele? — perguntou, mas Ashling não fazia a menor ideia. — Vamos descobrir, certo?

— Como?

— Perguntando a ele. — Lisa pareceu achar graça da expressão chocada de Ashling.

Com um largo sorriso e olhos brilhantes, lançou-se sobre o rapaz, seguida por Ashling. De perto, viam-se as espinhas no seu queixo jovem.

— Lisa Edwards, da revista *Garota*. — Estendeu-lhe a mão lisa e bronzeada.

— Shane Dockery. — Ele passou um dedo infeliz por dentro do colarinho apertado.

— Do Laddz — completou Lisa para ele.

— Você já ouviu falar de nós? — exclamou ele. Ninguém mais naquele coquetel tinha a menor noção de quem ele era.

— É claro. — Lisa lera uma notinha minúscula sobre eles em um dos jornais dominicais e anotara seus nomes, junto com os de outras pessoas que achara bom ficar sabendo. — Vocês são a nova banda de garotos. Vão ser maiores do que o Take That jamais foi.

— Obrigado. — Ele engoliu em seco, com o entusiasmo dos não estabelecidos. Talvez tivesse valido a pena se enfatiotar todo com aquelas roupas terríveis, afinal das contas.

Quando se afastaram, Lisa murmurou:

— Viu só? Não se esqueça, eles têm mais medo de você do que você deles.

Ashling assentiu, pensativa, enquanto Lisa se felicitava por seu bondoso auspício. Auxiliada, muito provavelmente, pela copiosa quantidade de vodca que bebericava. E foi só pensar no diabo para a garçonete imediatamente aparecer ao seu lado.

— Vodca é a nova água. — Lisa levantou seu copo para Ashling.

Quando Lisa já havia comido e bebido até se fartar, foi hora de ir embora.

— Tchau. — Lisa passou como um zéfiro pelo bicho-pau na porta.

Obrigada — Ashling sorriu. — As roupas são lindas e tenho certeza de que as leitoras da *Garota* vão adorar...! — A frase de Ashling terminou com um grito abafado, quando alguém beliscou seu braço com muita, muita força. Lisa.

— Obrigada por virem. — O bicho-pau enfiou um pacote embalado em plástico nas mãos de Lisa. — Por favor, aceite esta pequena lembrança como símbolo de cordialidade.

— Ah, obrigada — disse Lisa, saindo, distraída.

Em seguida um pacote idêntico foi enfiado nas mãos ávidas de Ashling. Com o rosto iluminado, meteu a unha no plástico para rasgá-lo, mas logo abafou outro grito, quando alguém tornou a beliscar seu braço.

— Ah, hum, sim, quer dizer, obrigada. — Tentou, sem sucesso, dar à sua voz um tom casual.

— Não encosta nele — murmurou Lisa, quando atravessavam o saguão para pegar o blazer de Ashling. — Nem mesmo olha para ele. E nunca, *nunca* diga a uma relações-públicas que vai dar cobertura para ela. Banca a difícil!

— Suponho que essa seja a regra número sete — disse Ashling, mal-humorada.

— Isso mesmo.

Depois que saíram do hotel, Ashling lançou um olhar de interrogação para Lisa, e em seguida relanceou seu presente.

— Ainda não!

— Então quando?

— Quando a gente dobrar a esquina. Mas sem pressa! — repreendeu-a Lisa, quando Ashling já quase começava a correr.

No instante em que dobraram a esquina, Lisa disse “Agora!”, e ambas rasgaram o plástico de seus pacotes. Era uma camiseta com o nome Morocco estampado na frente.

— Uma camiseta! — soltou Lisa, enojada.

— Achei linda — disse Ashling. — O que você vai fazer com a sua?

— Levar de volta para a loja e trocar por alguma coisa que preste.

No dia seguinte, tanto o *Irish Times* quanto o *Evening Herald* publicaram na primeira página um retrato do abraço de Tara e Lisa.

CAPÍTULO 17

Às quinze para as sete de sábado, Clodagh foi acordada por Molly. Enchendo-a de cabeçadas.

— Acorda, acorda, acorda! — insistia, irritada. — Craig tá fazendo bolo.

A maternidade tinha lá suas vantagens, pensou Clodagh, cansada, arrastando-se da cama. Por exemplo, há cinco anos que não era obrigada a acertar o despertador.

Tinha um encontro marcado com Ashling na cidade. Iam fazer compras.

— Acho melhor a gente ir cedo — dissera Ashling. — Para pegar as lojas vazias.

— Cedo que horas?

— Lá para as dez.

— Dez?!

— Ou onze, se você achar cedo demais.

— Cedo demais? Às dez já vou estar acordada há horas!

Depois de limpar a lambança do bolo, Clodagh serviu uma tigela de Rice Krispies para Craig, mas ele se recusou a comê-los sob a alegação de que ela despejara leite demais na tigela. Então ela preparou outra, dessa vez com o leite e os cereais em proporções idênticas. Em seguida serviu uma tigela de Sugar Puffs para Molly. Assim que Craig pôs os olhos no café da manhã de Molly, tomou ódio mortal dos Rice Krispies, declarando que eram venenosos. E exigiu Sugar Puffs, batendo com a colher na mesa e espirrando o leite da tigela. Clodagh limpou o leite que respingara em seu rosto, abriu a boca para começar um discurso sobre o fato de ele ter feito sua escolha e agora ter que arcar com as consequências, mas terminou desistindo, cansada. Apanhou a tigela de Craig, despejou os restos na lata de lixo e chapou a caixa de Sugar Puffs diante dele, mal-humorada.

O prazer de Craig diminuiu. Agora já não queria mais os Sugar Puffs. A vitória tinha sido fácil demais.

Clodagh foi se aprontar para seu passeio à cidade. As crianças obviamente pressentiram que estava tentando fugir, pois tornaram-se ainda mais grudentas e exigentes do que o habitual, chegando mesmo a insistir em acompanhá-la quando ela entrou no chuveiro.

— Lembra do tempo em que era eu quem entrava no chuveiro com você? — perguntou Dylan, malicioso, quando ela saiu, tentando se enxugar, com as crianças na sua cola.

— Leeembro — respondeu ela, nervosa. Não queria que ele ficasse lhe lembrando o quanto a vida sexual dos dois era apimentada. Para o caso de ele pedir seu dinheiro de volta. Ou, pior ainda, tentar reativar as coisas.

— Aqui, enxuga ela. — Empurrou Molly em sua direção. — Estou apressada.

Quando tirava o carro da entrada, Molly postou-se na porta da frente e esgoelou um "Quero ir!" tão pungente, que vários vizinhos correram às janelas para ver quem estava sendo assassinado.

— Eu também! — Craig fez coro à irmã. — Volta, ah, mamãe, volta!

Espíritos de porco, pensou Clodagh, cruzando a rua a toda a velocidade. Passavam a maior parte da semana dizendo a ela que a odiavam e que queriam o papai e, no momento em que ela tirava duas horinhas para si mesma, no ato virava o doce de coco da casa e ficava até aqui de sentimento de culpa.

Às dez e quinze, Ashling e Clodagh despontaram no centro de Stephen's Green. Nenhuma das duas se desculpou por estar atrasada. Porque nenhuma das duas estava atrasada. Não para os parâmetros irlandeses.

— Que é que há com seu olho? — perguntou Ashling. — Você está parecendo aquele cara de *Laranja Mecânica*.

Alarmada, Clodagh pôs-se a vasculhar a bolsa às tontas, deixando cair uma batata frita de Molly.

— Toma aqui. — Ashling foi mais rápida com o espelho do que ela.

— É minha maquiagem — compreendeu Clodagh, vistoriando-se. — Só pintei um olho. Quando Craig viu que eu estava me maquiando, quis que eu pintasse os olhos dele, e eu devo ter me esquecido de acabar de pintar os meus... Dylan podia ter me avisado! Mas quando é que ele olha para mim hoje em dia?!

À menção de Dylan, Ashling sentiu-se constrangida. Tinha um encontro marcado com ele segunda à noite para um drinque rápido, conforme ele lhe pedira, e, por algum motivo, sentia-se desconfortável à ideia de contar isso para Clodagh. E igualmente desconfortável à ideia de não lhe contar. Mas algo lhe dizia que seria melhor ficar quieta até saber do que se tratava. Talvez Dylan estivesse planejando férias-surpresa para Clodagh — não seria a primeira vez.

— Eu tenho umas coisinhas. — Ashling tirou um rímel e um delineador da bolsa.

— Sua *Tardis* — Clodagh riu. — Opa! Rímel Chanel? Fala sério, Chanel?

Ashling exultou, entre orgulhosa e encabulada:

— Coisas do meu novo emprego. Foi um jabá.

Por um breve momento, Clodagh não conseguiu se mexer. Engoliu em seco e teve a impressão de que o som emitido por sua garganta fora muito alto.

— Um jabá? Como assim?

Ashling contou-lhe uma história enrolada sobre como uma mulher chamada Mercedes viajara para Donegal e outra chamada Lisa fora a um almoço de caridade para se entrosar com a alta sociedade de Dublin e uma terceira chamada Trix se parecia demais com uma Spice Girl para que a deixassem ir, e então ela, Ashling, tivera que representar a *Garota* no lançamento da coleção de outono da Chanel.

— E me deram uma bolsa com produtos na saída — arrematou.

— Genial — disse Clodagh, irônica. Quanto mais olhava para o sorriso eufórico de Ashling, mais ficava claro que era *mesmo* genial. Mas para onde fora a promessa de felicidade de sua própria vida?

— Anda, vamos torrar grana — incitou-a Ashling.

— Por onde vamos começar?

— Pela Jigsaw. Minha calça mágica Perca-três-quilos-num-instante ficou um pouco larga em mim e estou torcendo para encontrar outra... embora não leve muita fé nas minhas chances — confessou, sombria.

— Por quê? O horóscopo não estava bom hoje? — provocou-a Clodagh.

— Pelo contrário, espertinha, não estava nada mau, mas isso não faz diferença. No instante em que encontro alguma coisa de que gosto, a mulherada avança em cima e limpa os cabides e, no momento seguinte, a roupa sai de linha!

Loja após loja, enquanto Ashling experimentava um par de calças atrás do outro e sofria uma decepção atrás da outra, Clodagh passeava por um universo paralelo de roupas. Mas não conseguia se imaginar usando nenhuma delas.

— Olha só como esses vestidos são curtos! — exclamou, a certa altura, para logo em seguida cair em si: *Eu disse isso?*

— Essa é boa, vinda de uma mulher que no passado usava uma fronha como saia.

— *Eu?*

— Ah, não são vestidos, não. — Ashling acabara de perceber o que Clodagh estava olhando. — São túnicas. Para se usar com calças.

— Estou completamente por fora — disse Clodagh, deprimida. — É uma coisa que acontece sem você notar. De repente, o que você espera de uma roupa é que esconda bem as manchas de vômito... Olha só para mim — suspirou, indicando suas calças boca-de-sino e jaqueta jeans.

Ashling torceu a boca, irônica. Clodagh podia não ser podre de chique, mas, ainda assim, daria tudo para ser como ela, com suas pernas curtas e bem torneadas, sua cintura fina realçada pela jaqueta justa, seus cabelos compridos e cheios presos de qualquer jeito no alto da cabeça.

— Está vendo aquele tom de verde? — Clodagh avançou para um top verde-água. — Consegue imaginar ele em azul?

— Hum, consigo — mentiu Ashling, desconfiada de que a pergunta tivesse um cunho decorativo.

— Pois é exatamente dessa cor que vamos empapelar a sala — disse Clodagh, radiante. — Eles vêm na segunda. Mal posso *esperar*.

— Já? Foi rápido. Só faz duas semanas que você começou a falar nisso.

— É que decidi meter a cara, aquele terracota horroroso estava me dando nos nervos, aí disse aos decoradores que era uma emergência.

— Eu achava o terracota lindo — opinou Ashling. E Clodagh também, até pouco tempo atrás.

— Mas não é, não — disse Clodagh, categórica, logo voltando sua atenção outra vez para as roupas, decidida a tomar pé na moda atual. Por fim, comprou um vestido minúsculo de alcinhas, da Oasis, tão curto e transparente que Ashling achou que até Trix o rejeitaria — e olha que a chance de Trix rejeitar um vestido curto e transparente era de uma em um milhão!

— Quando você vai usar ele? — indagou Ashling, curiosa.

— Sei lá. Quando for levar Molly para o grupo de atividades, quando for buscar Craig na aula de pintura... Olha aqui, eu quero o vestido e acabou-se, tá?

Com ar desafiador, pagou por ele com um cartão de crédito onde constava como Sra. Clodagh Kelly. Ashling sentiu uma pontada, e presumiu que só poderia ser de inveja. Clodagh não trabalhava para se sustentar e, ainda assim, sempre tinha dinheiro de sobra. Não seria maravilhoso levar a sua vida?

E lá se foram as duas outra vez.

— Ah, olha só aquela jardineirazinha! — Clodagh se afastou da calçada em direção a uma butique cara de roupas infantis. — Ficaria uma graça na Molly. E esse boné de beisebol não ficaria lindo no Craig?

Só quando já tinha gasto mais com os filhos do que consigo mesma, conseguiu se livrar do sentimento de culpa.

— Vamos tomar um café? — sugeriu Ashling, ao fim do frenesi consumista.

Clodagh hesitou.

— Prefiro tomar um drinque.

— Mas ainda é meio-dia e meia.

— Tenho certeza de que alguns bares abrem às dez.

Na verdade, não fora isso que Ashling quisera dizer, mas enfim...

Assim, enquanto os dublinenses desfrutavam o inesperado sol de fim de semana, tomando cappuccinos duplos de leite desnatado e fingindo estar em Los Angeles, Ashling e Clodagh sentaram-se num bar sombrio, frequentado por homens idosos, onde todo o resto da clientela parecia saída de um anúncio do Ministério da Saúde contra os perigos da bebida. Não havia uma única veia intacta naquelas caras.

Enquanto Ashling tagarelava animadamente sobre o novo emprego, as pessoas famosas que quase conhecera e a camiseta da Morocco que ganhara, o moral de Clodagh despencava no fundo de seu copo de gim-tônica.

— Talvez eu devesse arranjar um emprego — interrompeu-a de repente. — Sempre *quis* voltar a trabalhar depois que Craig nasceu.

— É verdade. — Ashling sabia que Clodagh sempre ficava meio na defensiva por não ser uma dessas supermulheres que conciliam um emprego em tempo integral com a criação de seus filhos.

— Mas a exaustão era inacreditável — disse Clodagh, veemente. — Por mais que encham seus ouvidos sobre as dores do parto, nada te prepara para o inferno das noites sem sono. Eu vivia arrebentada, acordava me sentindo como se saísse de uma anestesia geral. *Não conseguiria* aguentar a barra de um emprego.

Felizmente, a firma de informática de Dylan ia bem o bastante para que ela fosse obrigada a isso.

— E agora você tem tempo para um emprego? — perguntou Ashling.

— Eu *sou* muito ocupada — disse Clodagh. — Tirando umas horinhas que reservo para ir à academia, nunca tenho um minuto para mim mesma. Agora, detalhe: só faço coisas insignificantes — tipo trocar de roupa porque vomitaram em cima de mim ou assistir a um vídeo do Barney atrás do outro... Se bem que — disse, com um brilho maligno nos olhos — eu tenha dado um fim no Barney.

— Como?

— Disse a Molly que ele morreu.

Ashling soltou uma gargalhada homérica.

— Atropelado por um caminhão — prosseguiu Clodagh, séria.

O sorriso de Ashling se desfez.

— Você não fez isso... fez?

— Fiz, sim — disse Clodagh, com ar de esperteza. — Já estava cheia daquele filho da puta roxo e todos aqueles fedelhos irritantes dando lições de moral e me dizendo como viver a minha vida.

— Molly não ficou mal?

— Ela vai superar. A vida é assim. Estou certa?

— Mas... mas... ela tem dois anos e meio.

— Eu também sou gente — defendeu-se Clodagh. — Também tenho direitos. E estava ficando louca com aquele dinossauro, juro que estava.

Ashling refletiu, confusa. Talvez Clodagh tivesse razão. Todo mundo espera que as mães sublimem seus próprios desejos e necessidades em favor dos filhos. E talvez isso não seja lá muito justo.

— Às vezes — Clodagh soltou um suspiro profundo — eu me pergunto: de que adianta? Meu dia consiste exclusivamente em levar Craig para a escola, Molly para o grupo de atividades, Molly para casa, Craig para as aulas de origami... Sou uma escrava.

— Mas criar filhos é a ocupação mais importante que alguém pode desempenhar — protestou Ashling.

— Mas nunca converso com outros adultos. Só com outras mães, e a competição é braba. Sabe como é: "Meu Andrew é muito mais agressivo do que o seu Craig." Craig nunca bate em ninguém, enquanto Andrew Porra de Higgins é um Rambo mirim. É tão humilhante! — Fitou Ashling com um olhar infeliz. — Vejo os artigos nas revistas sobre a competitividade no mercado de trabalho, mas não é nada em comparação com o que acontece no grupo das mães com filhos pequenos.

— Se isso te serve de consolo, passei a semana inteira morta de preocupação com um artigo que tenho que escrever sobre uma aula de salsa — Ashling tratou logo de dizer. — Tirou meu sono, literalmente. Você não tem que enfrentar esse tipo de preocupação. — Para convencê-la de uma vez por todas, concluiu, em voz baixa: — E, acima de tudo, você tem Dylan.

— Ah, o casamento não é tudo isso que as pessoas dizem, não.

Ashling não ficou convencida.

— Eu sei que você tem que dizer isso. É a regra, já vi esse filme. As mulheres casadas simplesmente não podem dizer que são loucas pelos maridos, a menos que sejam *recém*-casadas. É só juntar um grupo de mulheres casadas, que elas começam a competir para ver quem esculhamba mais o marido: "O meu deixa as meias sujas no chão", "E o meu, que nunca nota quando corto o cabelo?" Pois acho que o que vocês têm é vergonha da sua boa sorte!

De volta à rua ensolarada, Ashling ouviu uma voz conhecida gritar:

— Salman Rushdie, Jeffrey Archer ou James Joyce?

Era Joy.

— O que você está fazendo acordada tão cedo?

— Ainda não fui dormir. Oi. — Joy cumprimentou Clodagh com um aceno de cabeça ressabiado. Clodagh e Joy não gostavam nada uma da outra. Joy achava Clodagh mimada demais, e Clodagh invejava Joy por sua intimidade com Ashling.

— Anda, decide — insistiu Joy. — Salman Rushdie, Jeffrey Archer ou James Joyce?

— James Joyce vivo ou em estado de decomposição?

— Em estado de decomposição.

Ashling refletiu sobre a medonha escolha. Podia-se ver pelo rosto de Clodagh o quanto se sentia excluída.

— James Joyce — Ashling finalmente decidiu. — Muito bem, sua cretina. Gerry Adams, Tony Blair ou o príncipe Charles?

Joy estremeceu.

— Uuuui! Bom, Tony Blair, obviamente *não*. E nem o príncipe Charles. Vai ter que ser o número um.

Ashling voltou-se para Clodagh:

— Sua vez.

— O que eu faço?

— Escolhe três homens horríveis e nós escolhemos com qual deles dormir.

Clodagh hesitou.

— Por quê?

Ashling e Joy se entreolharam. Boa pergunta. Por quê?

— Porque... hum... é divertido.

— Tenho que ir. — Joy salvou a pátria. — Acho que vou morrer. Te vejo mais tarde. A que horas a gente vai ao River Club?

— Marquei com Lisa lá às nove.

— Você tem todos esses amigos que não conheço. — Clodagh olhava ressentida para Joy, que se afastava. — Essa aí, e aquele tal de Ted. Estou enterrada viva.

— Ora, por que não sai com a gente? Eu vivo te convidando.

— Taí, eu bem que podia ir, não é mesmo? Dylan pode muito bem tomar conta dos dois, para variar.

— Ou ele pode vir com a gente também.

CAPÍTULO 18

Ashling se enganara. Marcus Valentine não ligou. Ela mal conseguia acreditar na sua sorte. A secretária-eletrônica passara a semana inteira em seu canto no apartamento ameaçando explodir como uma bomba. Sempre que Ashling chegava em casa do trabalho e encontrava a luz vermelha piscando, quase botava o coração pela boca. Mas, embora houvesse duas mensagens de Cormac, uma informando que a caçamba para os galhos mortos seria entregue na terça e outra informando que a caçamba seria recolhida na sexta, não havia uma palavra de Marcus Valentine. E ela soube que não haveria, quando voltou das compras com Clodagh na noite de sábado.

Mas, enquanto pintava as unhas de azul-claro (e boa parte dos dedos a que pertenciam) em homenagem ao show no River Club, deu-se conta de que havia uma pequena chance de Marcus notá-la na plateia. Esperava que isso não acontecesse — esperava *sinceramente* que não acontecesse. O saldo de seu dia de compras estava espalhado em cima da cama: uma calça capri azul-clara, um par de sapatos chiquérrimos e uma camisa branca amarrada na cintura. Talvez não devesse usá-los hoje à noite — depois da sorte que tivera, não seria uma temeridade ficar tão bonita?

Mas seria ela própria quem sairia perdendo se não ficasse. Outras pessoas estariam lá — e era nessas que tinha de pensar.

Por volta das nove, Ted e Joy apareceram. Joy elogiou a sofisticação e a modernidade de seus tons pastéis, mas Ted não parava de sussurrar, agitado:

— Minha coruja não tem mulher. Merda, tá errado! Minha mulher não tem nariz. Não! Merda, merda, merda!... A gente bem que podia ficar em casa — disse, em tom choroso. — Vou fazer um papelão. As pessoas agora têm expectativas em relação a mim. Era diferente quando eu não tinha fãs. Minha coruja não tem nariz...

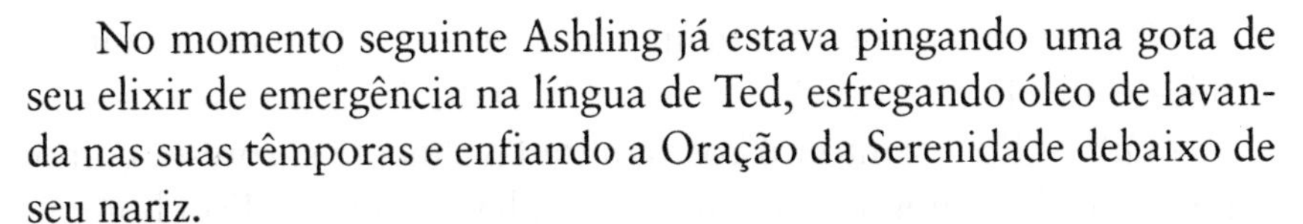

No momento seguinte Ashling já estava pingando uma gota de seu elixir de emergência na língua de Ted, esfregando óleo de lavanda nas suas têmporas e enfiando a Oração da Serenidade debaixo de seu nariz.

— Lê essa, e se não funcionar, vamos passar para a dos Desideratos.

— Traz o Buda da sorte para mim — pediu ele, quase entrando em órbita no sofá.

— Como vai Metade-homem-metade-texugo? — perguntou Ashling a Joy, enquanto as duas carregavam com esforço a estátua até Ted.

— *Mick* está ótimo.

As coisas deviam estar sérias para Joy agora chamar o Metade-homem-metade-texugo pelo nome, pensou Ashling. Dali a pouco estariam visitando lojas de plantas juntos.

Ted se animou depois de esfregar o Buda da sorte, tirar uma carta de tarô favorável e ouvir seu horóscopo. (Embora Ted fosse de Escorpião, Ashling leu a previsão para Áries, porque Escorpião não estava lá essas coisas.)

— Atenção: quero os dois se comportando o fino hoje à noite — advertiu Ashling. — E tratando a Lisa muito bem.

— Ela que não pense que vai ser tratada a pão de ló por mim — disse Joy, defensiva.

— Ela é uma filha da puta completa? — perguntou Ted.

— Não chega a tanto. — *Pelo menos, nem sempre.* — Mas é ardilosa. Com mestrado pela Universidade das Raposas Velhas. Vamos indo.

E lá foram os três, nos trinques, seus passos e vozes ressoando nas escadas. Animados pela promissora sensação de estarem no limiar do futuro, típica da noite de sábado. Uma espécie de antegozo eufórico, como se o resto de suas vidas estivesse pronto para se desenrolar.

O rapaz sem-teto estava sentado na calçada, com seu onipresente cobertor laranja, já não tão mais laranja assim. Ashling abaixou a cabeça. Toda vez que o via sentia-se na obrigação de lhe dar uma libra, e isso já estava começando a irritá-la. Deu uma espiada furtiva nele, que não estava nem olhando na sua direção, ocupado em ler um livro.

— Espera só um minuto, gente, eu quero... Deu meia-volta e dirigiu-se até ele.

— Oi! — Ele levantou o rosto, agradavelmente surpreso, como se fossem velhos amigos que não se viam há séculos. — Está bonita. Vai sair?

— Hum, vou. — Estendeu-lhe uma libra, que ele não pegou.

— Vai aonde?

— A um show humorístico.

— Legal — ele assentiu, como se vivesse indo a shows humorísticos. — Quem é o humorista?

— Um cara chamado Marcus Valentine.

— Ouvi dizer que ele é muito engraçado. — Finalmente pôs os olhos na moeda em sua mão. — Quer fazer o favor de guardar isso, Ashling? Não quero que você me dê dinheiro toda vez que me vir. Desse jeito, vai acabar com medo de sair de casa.

Ashling soltou uma risada nervosa, estridente. Nos últimos tempos, quase sempre descia a escada rezando fervorosamente para que ele não estivesse lá.

— Como você sabe meu nome? — perguntou, quase lisonjeada.

— Sei lá. Devo ter ouvido seus amigos dizerem.

Ashling se calou. Uma coisa estranha lhe ocorrera. Finalmente terminou por expressá-la:

— Como é o seu nome?

— Meus amigos me chamam de Boo. — Ele sorriu para ela.

— Muito prazer, Boo — disse ela como uma autômata e, antes que se desse conta do que acontecia, ele já estendera sua mão imunda e ela a apertava.

O livro deitado em seu colo era *A Enciclopédia dos Cogumelos*.

— Por que você está lendo *isso*? — perguntou Ashling, atônita.

— Não tenho outra coisa para ler.

Ela teve que correr para alcançar Joy e Ted.

— Mais um dos desamparados da Ashling — observou Ted, com ar superior, esquecendo completamente a carência em que se encontrava dez minutos antes.

— Ah, cala a boca!

Imagina só ter que passar a noite de sábado mendigando numa rua gelada, lendo um livro sobre cogumelos.

CAPÍTULO 19

Lisa esperava fazer algum progresso com Jack Devine conseguindo que ele fosse ao show humorístico. Teria sido uma ótima chance de se entrosar com ele, a pretexto de trabalharem. Mas não chegara a ter nenhuma oportunidade de sugerir a ideia casualmente, porque estourara uma crise na emissora de tevê — uma ocorrência rotineira, pelo visto —, e ele passara a quinta e a sexta inteiras fora do escritório, resolvendo o problema. Por esse motivo, ela também não ganhou nenhum elogio de Jack por conseguir que publicassem sua foto no jornal, com isso atraindo um pouco de publicidade antecipada para a *Garota*. Coisa que a deixou putésima.

No sábado, conseguiu encher seu dia fazendo compras para a "nova" casa. Mudara-se para lá na noite anterior e estava louca para atenuar o efeito pinheiral. Além disso, nada como uma ocupação para mantê-la nos eixos. Muito embora as lojas de decoração fossem de uma mediocridade lamentável — como, aliás, tudo o mais naquele país horrível.

Ninguém jamais ouvira falar de persianas japonesas em papel de arroz, cortinas de boxe com bolsos ou puxadores de vidro em feitio de flor para armários. Até conseguira encontrar uma loja que vendia jogos de cama decentes, em tons pastéis, mas não no tamanho desejado, e uma encomenda demoraria séculos para chegar, pois teriam que importar os jogos da Inglaterra.

Por fim, chegou em "casa" e teve que esperar por meia hora a água do chuveiro esquentar. E Jack com aquela conversa fiada de que consertaria o timer para ela! Os homens eram todos iguais, só bocas e calças. E, às vezes, nem calças.

Mesmo azeda e ressentida depois daquele dia mais que imperfeito, ainda assim lhe agradava a perspectiva de sair à caça de

Marcus Valentine. Pelo menos estaria fazendo alguma coisa construtiva. Desde que fora posta a par da situação da publicidade, sua necessidade de conseguir colunas maravilhosas para a *Garota* tornara-se ainda mais premente.

Pouco depois das nove, chegou ao River Club. Como tudo na Irlanda, foi uma decepção — menor e mais chubrega do que ela esperava. Parecido com o K-Bar, de Londres, é que certamente não era.

Não sabia se teria uma chance de escorar Marcus Valentine, mas, por via das dúvidas, recorrera à produção Sou-uma-garota-comum-e-não-uma-mandachuva-filha-da-puta-de-revista-feminina. Calças jeans bordadas e surradas, um par de sapatênis e uma camiseta com o decote esfarrapado. Embora estivesse usando maquiagem pesada, a sutileza do efeito raiava a invisibilidade. Sua figura era jovem, bonita e acessível, como se tivesse vestido as primeiras roupas em que pusera a mão, e não passado uma hora inteira se olhando no espelho (de pinho), calculando cuidadosamente o efeito que surtiria.

Esquadrinhou o salão apinhado de gente à procura de Ashling e seus amigos, mas nem sinal dela. Resolveu ir até o bar e pediu um Cosmopolitan — o nome do martíni ultrafashion que a turma virava no K-Bar, no Chinawhite e demais bares descolados que ela frequentava em Londres.

— Um o quê? — perguntou o barman gordo, de cara vermelha, quase rebentando dentro de sua camisa de náilon.

— Um Cosmopolitan.

— Se é revista que você quer, tem uma loja que vende, duas portas adiante — escusou-se. — Aqui a gente só vende bebida.

Lisa chegou a cogitar da hipótese de lhe ensinar a fazer o drinque, mas então se deu conta de que não sabia.

— Um copo de vinho branco — soltou, brusca, cheia de irritação. Talvez nem isso tivessem. Teria que beber aquela cerveja nojen ta, a tal de Guinness.

— Chablis ou Chardonnay?

— Ah — hum, Chardonnay.

Acendeu um cigarro e deu uma geral na multidão. Terminou o cigarro e o copo de vinho, mas Ashling ainda não havia chegado.

Talvez seu relógio estivesse adiantado. Lisa avistou um grupo de rapazes a poucos metros dali, escolheu o mais bem-apessoado e perguntou:

— Que horas são?

— Nove e vinte.

— ...e *vinte*? — Era pior do que ela pensara.

— Levou um bolo?

— Não! Mas o encontro estava marcado para as nove.

O rapaz percebeu seu sotaque.

— Você é inglesa?

Ela assentiu.

— Daqui a pouco eles chegam. Antes das dez, com certeza. É que por aqui "nove horas" é só uma figura de sintaxe, entende?

Lisa sentiu o sangue lhe subir à cabeça. Aquela porra de país. Tinha ódio mortal dele.

— Mas vamos ficar conversando com você até eles chegarem — ofereceu-se o rapaz, com um sorriso galante. Enfiou os indicadores na boca, soltou um assobio estridente e acenou para os amigos que haviam se afastado, chamando-os de volta.

— Não precisa... — tentou Lisa.

— Não esquenta, não — ele a tranquilizou. — Rapazes — disse aos cinco amigos —, essa aqui é... — Indicou Lisa com um salamaleque, à espera de que ela declinasse seu nome.

— Lisa — informou ela, emburrada.

— Ela é inglesa. Seus amigos se atrasaram e ela está se sentindo uma babaca, tendo que esperar sozinha.

— Hospitalidade irlandesa — resmungou Lisa, com desprezo.

Os seis rapazes assentiram, entusiasmados. Embora, se fossem ser honestos, suas atenções nada tivessem a ver com a legendária hospitalidade irlandesa, e sim com os cabelos cor de caramelo de Lisa, seus quadris esbeltos e as compridas canelas lisas e bronzeadas que emergiam das bainhas engenhosamente esfiapadas da calça jeans. Se Lisa fosse um homem, a essa altura estaria com a cara enfiada num copo de cerveja, jogada às traças.

— Acordo cancelado, olha ela aí. — Aliviada, Lisa viu Ashling passando pela porta.

Assim que Ashling viu Lisa, o esplendor de suas roupas novas se evaporou, e ela se sentiu idiota e inferiorizada. Nervosa, apresentou Joy e Ted, quando então, para seu horror, Joy se virou para Lisa, com o queixo empinado em desafio, e soltou:

— Jim Davidson, Bernard Manning ou Jimmy Tarbuck — e você *tem* que dormir com um deles!

— *Jo-oy!* — Ashling lhe deu um tranco. — Lisa é minha *chefe*!

Mas Lisa entrou no jogo imediatamente. Ficou pensativa durante algum tempo e, após refletir longamente, respondeu:

— Jim Davidson. Agora, vamos ver. Des O'Connor...

Isso espantou Joy a mais não poder.

— ...Frank Carson ou... ou... Chubby Brown. — Os olhos de Lisa se estreitaram, divertidos e cruéis, quando Joy estremeceu.

Depois de refletir um pouco, Joy soltou um profundo suspiro:

— Vá lá, Des O'Connor.

— Ela não é tão má assim — cochichou Joy com Ashling, enquanto procuravam assentos.

Ted foi o primeiro a se apresentar e, embora fosse apenas sua terceira aparição em público, já tinha conquistado um fã-clube numeroso e fiel. Sua crise de nervos horas antes no apartamento de Ashling fora totalmente desnecessária. Quando abriu o número gritando para a plateia: "Minha coruja sabe fazer uma sobremesa de chocolate deliciosa!", um grupo de seis rapazes com jeito de estudantes rebateu:

— Pavê?

— Não — respondeu Ted, e várias pessoas desfecharam a piada junto com ele: — Pa cumê!

Ted acrescentara dezenas de novas piadas de coruja ao seu repertório, e todas bombaram.

— O que se diz a uma coruja que anda falando demais? Nem mais um pio!... Que nome se dá à inveja de uma coruja? Olho grande!... Qual é a cantada que a coruja mais gosta de passar? Você me vira a cabeça!... E agora, momento político. Esse Charles Haughey, hein? Fala sério, onde foi que ele arranjou todas aquelas corujas?*

Embora a maior parte da plateia estivesse às gargalhadas, Lisa não se deixou enganar.

— Sei que é seu amigo, Ashling, mas é um caso inequívoco de O Novo Terno Hugo Boss do Imperador — disse Lisa, ferina.

---

*Referência ao enriquecimento ilícito do ex-presidente da Irlanda. Durante seu mandato, era corriqueira a pergunta "Onde foi que ele arranjou todo aquele dinheiro?".

— Ele só está fazendo isso para arranjar uma namorada — explicou Ashling, humilde.

— Bom, nesse caso, acho que não tem problema. — Lisa sabia que os fins justificam os meios.

Dois outros humoristas se apresentaram depois de Ted, e por fim chegou a vez de Marcus Valentine. A composição química do ar pareceu sofrer uma transformação, carregando-se de intensa expectativa. Quando ele finalmente apareceu no palco, a plateia ficou histérica. Tanto Ashling quanto Lisa se endireitaram e prestaram atenção, embora por motivos muito diferentes.

Marcus Valentine era um espécime estranho de humorista. Seu número não continha nenhuma piada sobre masturbação, ressacas ou Ulrike Johnson, o que era bastante atípico. Sua especialidade era fazer o Homem Perplexo com a Vida Moderna. O tipo de sujeito que dá um pulo no supermercado porque a manteiga acabou e entra em parafuso porque não consegue se decidir entre manteiga cremosa, manteiga não saturada, manteiga poli-insaturada, manteiga com sal, manteiga sem sal, manteiga light, manteiga diet e outras manteigas que nem manteigas são, apenas fingem ser. Um homem envolvente e simpático — de uma maneira sardenta, por assim dizer. Desorientado e vulnerável. E com um corpo muito bem-feito. Ashling ia catalogando todos esses dados, alarmada.

Então se apressou em enumerar as razões pelas quais rejeitara Marcus Valentine. Um: seu entusiasmo. Um par de olhos brilhantes num rosto desprovido do menor vestígio de cinismo não tem nada de sexy. É triste, mas é verdade. Dois: suas sardas. Três: o fato de estar a fim dela. Quatro: seu sobrenome idiota.

Mas, enquanto olhava para ele, com suas pernas compridas e peito largo, deu-se conta de que estava correndo o risco mortal de sucumbir à Lei do Homem no Palco. Junte-se a isso o fato de que ele dissera que lhe ligaria, mas não ligara — uma combinação fatal. *Não vou fazer isso,* dizia a si mesma. *Não vou em hipótese alguma fazer isso...* Era o equivalente mental de enfiar os dedos nos ouvidos e gritar: “LÁ-LÁ-LÁ, não estou te ouvindo, não estou te ouvindo...”

— Flocos de neve! — declarou Marcus, os olhos arregalados de inocência percorrendo a plateia. — Dizem que não existem dois iguais.

Fez uma pausa de suspense, e então gritou:

— Mas como é que eles *sabem*?

Enquanto as pessoas se acabavam de rir, ele perguntou, perplexo:

— Por acaso compararam cada um deles? Por acaso *verificaram*?

E passou para a piada seguinte.

— Tinha uma moça que eu queria convidar para sair — disse à sua apaixonada plateia.

Será que sou eu?, Ashling se pegou pensando.

Ele atravessou o palco, como se refletisse profundamente. As luzes de cima incidiam sobre os feixes de músculos de suas coxas.

— Mas, da última vez que pedi a uma moça o número do seu telefone, ela disse: "Está no catálogo." O problema é que eu não sabia o nome dela e, quando perguntei, ela disse... — Interrompeu-se por um momento e, com um timing impecável, desfechou: — "Também está no catálogo."

O clube rompeu em gargalhadas. Mas eram gargalhadas de solidariedade, do tipo Pelo-menos-não-é-só-comigo-que-isso-acontece.

— Aí resolvi segurar um pouco a onda. — Deu um sorriso bobinho e todo mundo se derreteu. — Então pensei em me inspirar em Austin Powers e pedir à moça que ligasse para mim. Escrevi meu nome e meu número num pedaço de papel e me perguntei o que Austin Powers diria. — Fechou os olhos e encostou os indicadores nas têmporas, dando a entender que estava em íntima comunhão espiritual com Austin Powers. — E, de repente, eu soube. Bellez-moi! — declarou Marcus. — Sutil, inteligente, sofisticado. Que mulher poderia resistir? Bellez-moi!

Fiquei famosa, Ashling teve o ímpeto histérico de se levantar e contar para todo mundo.

— Um doce para quem me disser o que aconteceu! — Marcus percorreu os rostos na plateia com uma carinha apalermada de fofo. Era como se um laço apertado o unisse a cada um dos espectadores. Correspondiam intensamente ao seu comando, cheios de amor, enquanto ele prolongava o suspense ao máximo, prendendo-os na palma de sua mão sardenta.

— Pois bem, ela não ligou!

Não restava dúvida, Marcus era um desses fracassados que nasceram para o sucesso.

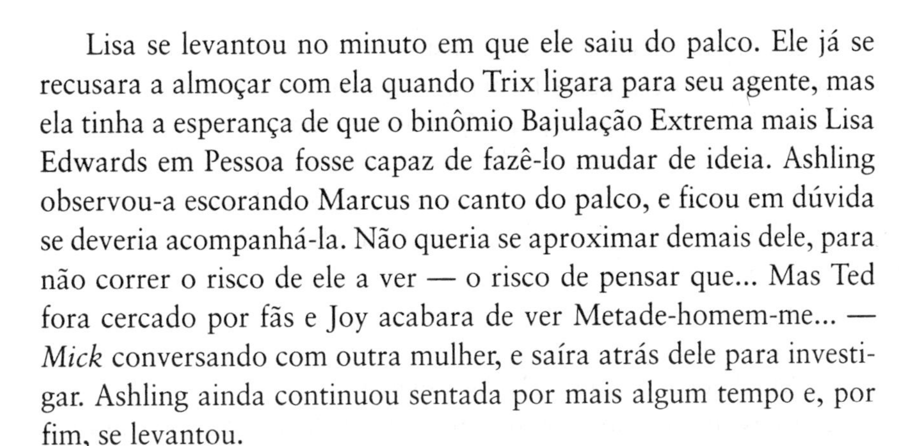

Lisa se levantou no minuto em que ele saiu do palco. Ele já se recusara a almoçar com ela quando Trix ligara para seu agente, mas ela tinha a esperança de que o binômio Bajulação Extrema mais Lisa Edwards em Pessoa fosse capaz de fazê-lo mudar de ideia. Ashling observou-a escorando Marcus no canto do palco, e ficou em dúvida se deveria acompanhá-la. Não queria se aproximar demais dele, para não correr o risco de ele a ver — o risco de pensar que... Mas Ted fora cercado por fãs e Joy acabara de ver Metade-homem-me... — *Mick* conversando com outra mulher, e saíra atrás dele para investigar. Ashling ainda continuou sentada por mais algum tempo e, por fim, se levantou.

Curiosa, observou Marcus olhando para Lisa, enquanto ela jogava sua lábia em cima dele: sua cabeça estava inclinada para o lado, e a maneira esdrúxula como curvava os cantos da boca para baixo numa careta perplexa era uma graça. Nesse momento, Lisa parou de falar, e ele tomou a palavra. Estava no meio de um discurso que tinha toda a pinta de uma recusa, quando vislumbrou Ashling e se interrompeu bruscamente.

— Oi — disse por mímica labial, abrindo um vasto sorriso para ela, os olhos fixos nos seus, cheios de carinho. *Como se a gente tivesse algum tipo de combinação,* pensou Ashling, constrangida. *Ele acha que vim aqui especialmente para vê-lo.*

Ele continuou a falar por mais alguns segundos, mas sempre lhe dando olhadelas furtivas. Por fim, tocou o braço de Lisa em sinal de despedida e se aproximou.

— Oi de novo.

— Oi.

— O que você está fazendo aqui?

Ela demorou um segundo para responder, os olhos baixos, à sombra das pestanas. Então os ergueu lentamente, e sorriu.

— Pensei que Macy Gray fosse se apresentar. — *Merda! Estou flertando com ele.*

Ele riu, apreciando a piada.

— Gostou do show?

— Hum-hum. — Ela assentiu, repetindo o golpe das pestanas.

— Posso te levar para tomar um drinque qualquer hora dessas?

Que isso lhe servisse de lição. Estava hipnotizada como um coelho pego de surpresa pelos faróis de um carro. Um coelho que dera um passo maior do que as patas, por assim dizer.

Não posso me sentir atraída por ele só por ser um cara famoso e admirado. Isso faria de mim uma pessoa muito frívola.

— Claro. — Sua voz resolvera ir em frente mesmo sem seu consentimento. — Me liga.

— Seu número...?

— Você tem.

— Me dá de novo, por via das dúvidas.

Marcus encetou uma pantomima elaborada, apalpando o corpo, como quem procura distraidamente uma caneta e um papel.

Felizmente, Ashling carregava em sua bolsa uma quantidade de artigos de escritório equivalente ao suprimento de uma escrivaninha. Anotou às pressas seu nome e o número de seu telefone numa página arrancada a um caderno.

— Vou guardar isso como um tesouro — disse ele, dobrando-o num quadradinho e enfiando-o no bolso da frente da calça jeans. — Perto do meu coração — prometeu, com um tom carregado de segundas intenções. — Já vou indo, mas ligo em breve.

Confusa com seus próprios sentimentos, Ashling o observou enquanto se afastava. Por fim, ciente de que Lisa olhava para ela com ar de riso, fugiu para o banheiro. Onde encontrou a pia bloqueada por uma garota miúda com olhos trágicos diante do espelho, retocando o delineador e ficando ainda mais trágica. Quando Ashling abriu a torneira, a trágica se virou para a amiga — uma garota mais alta do que ela, que, sem a menor pressa, contornava uma vez atrás da outra a boca com um untuoso gloss rosa-shocking — e soltou:

— Frances, você não vai acreditar, mas aquela era eu, sabia?

— Aquela quem?

— A garota para quem Marcus Valentine deu o bilhete do Bellezmoi.

Ashling teve um sobressalto violento, entornando a água toda nas roupas. Ninguém notou.

Frances fez uma pirueta lenta e incrédula, a ponta do aplicador de gloss petrificada na boca, enquanto sua trágica amiga prosseguia:

— Foi no Natal passado. A gente passou duas horas na fila do táxi, pertinho um do outro.

— Mas por que você não bellou para ele? — Frances afastou o bastão de gloss da boca e sacudiu a amiga com força pelos ombros. — Ele é gostoso. Gostoso!

— Sei lá, achei que era só um idiota sardento.

Frances mediu com o olhar a garota mais baixa durante um bom tempo, pensativa, antes de dar seu veredicto.

— Sabe de uma coisa, Linda O'Neill? Você merece sua infelicidade, merece mesmo. Nunca mais vou sentir pena de você.

Ashling, ainda lavando as mãos como alguém no último estágio do transtorno obsessivo-compulsivo, estava em êxtase. Passara a vida inteira à procura de sinais e, se aquilo não era um sinal, então não sabia o que era. *Dai uma chance a Marcus Valentine*, era o que o oráculo celestial a exortava a fazer. Mesmo que ele andasse distribuindo bilhetes Bellez-moi por aí como se fossem folhetos publicitários, ela estava com um bom pressentimento em relação a ele. Um ótimo pressentimento.

Quando saiu do banheiro, Lisa já estava de saída. Agora que conseguira o que queria, não via mais nenhuma razão para permanecer naquele clubeco rastaquera.

— Tchau, até segunda, na redação — despediu-se Ashling, encabulada, sem saber até que ponto deveria demonstrar camaradagem.

Lisa abriu caminho pela multidão, contorcendo-se toda, com uma expressão satisfeita. Até que tivera uma boa noite de trabalho. Seu encontro com Marcus Valentine convencera-a de que ele sem dúvida era digno de ser perseguido. Mas não seria nada fácil. Ele não tinha metade da inocência de seu personagem, na vida real. Na verdade, era muito esperto — e escorregadio. Lisa desconfiava que ele não fazia nenhuma objeção concreta a escrever uma coluna, apenas estava esperando uma oferta de algum bom jornal. Para combater essa hipótese, ela o engrupiria com a falsa possibilidade de publicar sua coluna também nas revistas internacionais da Randolph Media.

E também tinha havido aquela reviravolta-surpresa — ele parecia estar interessado em Ashling. Imprensado entre as duas, poderiam apelar para um ataque-sanduíche. A coluna já estava praticamente no papo.

Mas era melhor agir depressa e alinhavar tudo antes que ele desse um fora em Ashling. Porque ele *daria um fora* em Ashling. Lisa conhecia esse tipo de homem de longa data. Basta catapultar um sujeito banal para o estrelato, que ele não perde mais uma oportunidade de se aproveitar das garotas extracurriculares.

A coisa podia acabar se complicando — Ashling parecia ser dessas mulheres patéticas que reagem muito mal quando são chutadas para escanteio, e a última coisa de que Lisa precisava numa época agitada dessas era uma redatora-chefe em plena barafunda de suas faculdades mentais. Não conseguia entender as pessoas fracas, que entregavam os pontos. Era o tipo de coisa que ela *jamais* faria. Claro, tudo isso era baseado na suposição de que Ashling sairia com Marcus. Talvez não saísse, e quem poderia culpá-la? Na opinião de Lisa, ele era um espanto. Aquelas sardas! E o fato de fazer uma plateia mamada vir abaixo *não* servia de atenuante para elas.

— Lisaaa, até mais! Tchau, Lisaaa! — Os rapazes que tinham "tomado conta" de Lisa no início da noite acenaram para ela.

— Tchau. — Para sua surpresa, ela riu.

Já na porta, passou por Joy, que conversava animadamente com um homem cujo rosto consistia numa faixa soturna por trás da cortina de cabelos compridos e negros. Num rompante, Lisa sussurrou ao passar:

— Russ Abbott, Hale ou Pace, e você *tem* que dormir com um deles.

Joy se virou, mas Lisa já rumava para casa. Ao avançar a passos largos pelas ruas, deu-se conta de que aquela noite tivera qualquer coisa de diferente. Ela tinha se sentido... Tinha sido uma noite... De repente, a ficha caiu: divertida! É isso, tinha sido uma noite divertida.

CAPÍTULO 20

Lisa acordou na manhã seguinte sentindo que não aguentava mais. E ponto final. Nunca se sentira tão desesperançada. Nem durante a terrível fase terminal de seu casamento com Oliver — porque, na época, metera a cara no trabalho, extraindo um conforto amargo do fato de pelo menos uma parte de sua vida ainda estar de pé.

A questão é que Lisa não aceitava de modo algum a ideia da depressão. A depressão era um sentimento que acometia os outros quando suas vidas deixavam a desejar em termos de brilho. O mesmo que solidão. Ou tristeza. No entanto, se a pessoa tivesse uma boa coleção de sapatos, comesse com frequência em ótimos restaurantes e fosse promovida em detrimento de alguém que merecesse a promoção mais do que ela, não havia necessidade de se sentir tão mal assim.

Em teoria, pelo menos. Deitada em sua cama, chocou-se ao perceber o quanto estava deprimida. Culpou as cortinas e a pletora de pinho — só essa combinação já bastava para acabar com os nervos de qualquer pessoa com consciência de estilo. Odiava a quietude para além da luminosidade baça do quarto. *Porra de jardim,* pensou, feroz. O que queria era o rom-rom do motor dos táxis, o som das portas dos carros sendo batidas, os passos e as vozes de gente bem-vestida em seu vaivém. Queria *vida* do outro lado de sua janela. Estava de ressaca da noite anterior — perdera a conta dos copos de vinho branco que tomara e, de mais a mais, de pouco adianta alternar um copo de vinho com outro de água mineral quando já se está na vigésima rodada. A culpa fora daquela tal de Joy.

Mas sua verdadeira ressaca era emocional. Havia se divertido, aproveitado bastante, mas o alto-astral da noite passada deflagrara alguma coisa, porque simplesmente não conseguia parar de pensar em Oliver. E estava indo tão bem até agora! Sempre conseguindo bloquear suas lembranças durante os últimos... permitiu-se fazer as contas... quase cinco meses. Na verdade, agora que não estava resistindo a pensar no assunto, sabia quantos dias fazia. Cento e quarenta e cinco. É fácil não perder a conta quando o cara escolhe o réveillon para te dar o fora.

Não que ela tivesse se esforçado muito para convencê-lo a ficar. Era orgulhosa demais. E teimosa demais — pusera na cabeça que as diferenças entre os dois eram irreconciliáveis. Havia algumas coisas em relação às quais não cederia — não poderia ceder.

Mas, nessa manhã terrível, só conseguia se lembrar dos bons momentos, dos primeiros tempos, cheios de esperança e promessa de amor.

Trabalhava na *Chic*, e Oliver era fotógrafo de moda. Com uma Carreira em Ascensão. Entrava dando pulinhos graciosos na redação, quase sempre carregando uma enorme sacola com seu equipamento, que parecia pequena a tiracolo de seu ombro musculoso. Mesmo quando se atrasava para algum compromisso com a diretora — para dizer a verdade, principalmente nessas ocasiões —, sempre parava para bater um papo com Lisa.

— Como está Nova York? — perguntou Lisa, durante uma dessas conversas.

— Um lixo. Detesto aquele lugar.

— É mesmo? — Todo mundo parecia adorar Nova York, mas Oliver nunca se deixava influenciar pela opinião da maioria.

— E fotografou alguma top durante sua estada?

— Ah, sim. Um monte.

— É? Aí, vamos malhar, como é a Naomi?

— Tem um senso de humor fantástico.

— E a Kate?

— Ah, Kate é uma pessoa muito especial.

Embora Lisa tivesse ficado decepcionada por ele não lhe escancarar os bastidores das modelos, contando-lhe casos sobre seus pitis e picos de heroína, ficou muito impressionada com o fato de ninguém impressioná-lo.

Era infalível: mesmo antes de vê-lo, todo mundo já sabia que ele estava na redação. Porque sempre havia um clima de alvoroço ao seu redor — ora reclamava que haviam ferrado com seu orçamento, ora protestava que haviam impresso suas queridas fotos em papel ordinário, ora discutia ou ria vigorosamente. Sua voz grossa seria sedutora como chocolate, se ele não tivesse uma figura tão vibrante. Quando ria em público, as pessoas sempre se viravam para olhar. Isto é, se já não estivessem olhando antes. A beleza de seu corpo grande e rijo, aliada de maneira contrastante à sua graça sinuosa, era enfeitiçadora. Quando ele entrava na redação, Lisa aproveitava para analisá-lo discretamente. "Negro" seria a palavra errada, pensava. O fenômeno era infinitamente mais complexo e sutil. Tudo *reluzia* — sua pele, seus dentes, seus cabelos. Para não falar nas gotas de suor na testa da diretora. Que tipo de rolo ele iria armar dessa vez?

Embora ainda estivesse fazendo seu nome, era honesto, teimoso e difícil. Nunca se rebaixava diante de ninguém e, quando alguém o irritava, dizia isso na cara da pessoa. E foi essa autoconfiança, conjugada com sua beleza, que levou Lisa a decidir que o queria. É claro que nada tinha contra o fato de sua carreira estar em ascensão.

Desde que começara a sair com rapazes, os encontros de Lisa sempre haviam sido estratégicos. Não era do tipo de garota que sai com um empregadinho de companhia de seguros. Não que chegasse a agir com tanto sangue-frio assim. Nunca se obrigou a sair com nenhum homem bem relacionado *de quem não gostasse*. Quer dizer, quase nunca. No entanto, tinha de reconhecer que havia homens por quem se sentia atraída, mas que jamais levaria a sério — como um rapaz encantadoramente circunspecto que trabalhava na seção de arquivos do tribunal e atendia pelo nome de Frederick; Dave, o *mais meigo* dos bombeiros hidráulicos; e — o mais inadequado de todos — um bandidinho cheio de chinfra chamado Baz. (Pelo menos, esse foi o nome que deu a Lisa, mas não havia nenhuma garantia de que fosse o verdadeiro.)

Vez por outra ela se permitia um agradinho, e embarcava numa rápida aventura com algum desses lindos casos perdidos, mas nunca cometera o erro de achar que algum deles tivesse futuro. Eram a versão humana do chocolate Milky Way: o tipo de homem que você pode beliscar entre as refeições sem perder o apetite.

Seus *verdadeiros* relacionamentos eram com homens de outro calibre. Como o dinâmico executivo com quem tivera o romance que a levara a conseguir seu primeiro emprego, na *Brotinho*. Ou um romancista do gênero Angry Young Man,* que lhe deu um fora um tanto cruel, e cujos romances ela posteriormente cuidou para que recebessem resenhas virulentas (o que o deixou mais angry ainda). Ou um controvertido jornalista especializado em crítica musical, por quem ela foi louca até ele descobrir o acid jazz e deixar crescer um cavanhaque.

Oliver abarcava as duas categorias de homens: era bonito o bastante para pertencer à primeira, mas talentoso e descolado o bastante para se defender na segunda.

A cada visita que Oliver fazia à redação da *Chic*, sua ligação com Lisa tornava-se mais intensa. Ela sabia que ele gostava dela e a respeitava, que a atração que sentiam um pelo outro era forte e muito mais do que física. Naquele remoto passado, nem todo mundo que trabalhava com Lisa a odiava, mas, à medida que se tornava a favorita de Oliver, tornava-se também a Colega Mais Execrada.

Principalmente depois que começou a lhe prestar favores especiais. Quando encontrou quatro negativos que tinham desaparecido, por exemplo, Oliver deu um esporro bem-humorado no pessoal da redação:

— Escuta aqui, sua cambada de babacas inúteis, essa moça é um gênio. Por que vocês não podem ser como ela?

Com essa, um olhar indignado percorreu a redação como uma corrente elétrica. Lisa podia até ter encontrado os negativos desaparecidos, mas, em compensação, há dois dias que fazia uma besteira em cima da outra.

Lisa sabia por alto que Oliver tinha uma namorada, mas não ficou nem um pouco surpresa quando chegou aos seus ouvidos que ele estava novamente solteiro. Sabia que era a próxima da fila. Embora flertassem feito loucos, era sem o menor acanhamento. Seu envolvimento era tão óbvio, que teria sido hipócrita negá-lo.

Tão óbvio que Flicka Dupont (editora assistente de variedades), Edwina Harris (editora sênior de moda) e Marina Booth (editora de

---

**Angry Young Men* [Jovens Ferozes]: Grupo de escritores na Grã-Bretanha do pós-guerra, célebres por sua crítica mordaz aos valores e ao estilo de vida das classes média e alta.

saúde e beleza) se mancomunaram para impedir que ela recebesse a parte que lhe cabia de uma cesta gratuita de xampus John Frieda, sob a alegação de que ela já gozava de vantagens demais.

Finalmente, chegou o dia em que Oliver apareceu na *Chic*, se encaminhou direto para Lisa e disse:

— Posso te levar para tomar um drinque sexta à noite, paixão?

Ela hesitou, já a pique de fazer jogo duro, mas pensou duas vezes e, com uma risada trêmula, disse:

— Pode.

— Você ia me fazer sofrer, não ia? — perguntou ele.

— Hum-hum — assentiu ela, com ar solene.

Em seguida soltaram gargalhadas tão escandalosas que, três mesas adiante, Flicka Dupont murmurou "Por favor!", e foi obrigada a girar o dedo dentro do ouvido para que parasse de zumbir.

Horas depois, Flicka disse para Edwina, cheia de desdém:

— Não tenho a menor inveja dela.

— Deus do Céu, nem eu!

— Ele é um temperamental.

— Intragável — concordou Edwina.

Ficaram em silêncio.

— Até que eu gostaria de fazer sexo com ele — admitiu Flicka, por fim.

— *Jura?* — A perspicácia nunca estivera entre os pontos fortes de Edwina.

Na sexta à noite, Oliver e Lisa foram tomar um drinque. Em seguida ele a levou para jantar, e se divertiram tanto que resolveram emendar numa boate e dançar durante horas. Às três da madrugada foram para o apartamento dele e se entregaram ao sexo sôfrego por que tanto ansiavam, antes de dormir algumas horas. Na manhã seguinte, acordaram nos braços um do outro. Passaram o resto do dia na cama, conversando, cochilando e se amando apaixonadamente.

À noite, saciados, levantaram-se voluptuosamente do seu ninho de amor, e Oliver levou Lisa a um restaurante francês fajuto, cuja única virtude era o fato de ficar a pouca distância de seu apartamento. Com os rostos iluminados por velas vermelhas presas em garrafas de vinho, deram na boca um do outro ostras insossas e pedaços de *coq au vin* duro.

— É a comida mais deliciosa que já provei na vida. — Lisa lambeu os dedos, fitando-o do outro lado da mesa.

Na volta para casa, viram-se engolfados por um casamento armênio que estava sendo celebrado no salão paroquial da igreja do bairro.

— Venham, venham — um homem expansivo os convidou, quando passaram por ali. — Comemorem a felicidade do meu filho.

— Mas... — protestou Lisa. Isso não era jeito de uma guerreira do estilo passar a noite de sábado! E se algum conhecido seu a visse?

Mas Oliver disse, descontraído:

— Por que não? Vamos lá, Lees, pode ser divertido.

Alguém empurrou dois drinques nas suas mãos, e eles se sentaram no interior de uma bolha onírica de descontração, ao que todos à sua volta, jovens e velhos, vestindo trajes típicos bordados e bufantes, dançavam estranhas gigas semelhantes à polca, ao som de uma música rápida e estridente como o *bazouki* grego. Uma velha com um pano amarrado na cabeça beliscou a bochecha de Lisa, carinhosa e sorridente, seu olhar pulando dela para Oliver e de volta, ao dizer:

— Amando. Amando muito.

— Ela está se referindo a mim ou a você? — perguntou Lisa, ansiosa, compreendendo, um pouco tarde, que podia andar dando na pinta um pouco demais ultimamente.

— A você, moça. — A velha abriu um sorriso desdentado.

— Vai tomar banho — murmurou Lisa.

Oliver explodiu numa gargalhada, seus belos lábios esticados ao redor das fieiras de dentes fortes e brancos.

— Que sensibilidade! — provocou-a. — Deve ser porque você *realmente* me ama.

— Ou talvez seja você que me ame — rebateu ela, rabugenta.

— Eu nunca disse que não amava — tornou ele.

E, embora não fosse o tipo de coisa que acontecesse com ela a toda hora, ali, em meio à inesperada beleza surrealista daquela festa de casamento, teve a sensação de que haviam sido tocados pela mão de Deus.

Na manhã de domingo, acordaram aninhados nos braços um do outro. Oliver a enfiou aos empurrões no carro e voou pela autoestrada em direção ao parque Alton Towers, onde passaram o dia se desafiando a dar voltas em montanhas-russas cada vez mais perigosas. Embora ela estivesse apavorada, deu uma volta na Nemesis para não demonstrar medo diante dele. Quando saiu, esverdeada e cambaleante, ele riu: "Foi demais para você, paixão?" Ao que ela respondeu que sofria de labirintite crônica. Oliver a desafiava e atraía mais do que qualquer outro homem jamais fizera. Ele era como ela — só que mais ainda.

Em seguida, foram para casa comer pizza e fazer amor. Seu primeiro encontro durou sessenta horas e só terminou no momento em que ele a deixou no trabalho, na manhã de segunda-feira.

Por volta do terceiro encontro, estavam oficialmente apaixonados.

No quarto, Oliver decidiu levá-la a Purley para conhecer seus pais. Lisa achou que era um ótimo sinal, mas, por acaso, quase foi a desgraça dos dois. O mistério começou a se desvendar quando já estavam no carro havia mais ou menos uma hora e meia, e Oliver comentou:

— Não sei se papai já vai ter chegado em casa.

— O que ele faz? — Lisa nunca pensara em perguntar antes, pois não parecia importante.

— Ele é médico.

Médico?

— Que tipo de médico?

Um sanitarista das ruas — ou, por outra, um gari?

— Clínico geral.

O choque a deixou muda. Vinha acalentando a ideia de que Oliver fosse uma pessoa humilde, e eis que sempre fora classe média, e ela, sim, a metade "humilde" do casal. Agora, não o levaria para conhecer seus pais nem a bala.

Durante o resto do percurso, torceu para que, apesar de seu pai ser médico, a família fosse pobre. Mas, quando o carro de Oliver entrou no terreno do casarão quadrado, com suas janelas adornadas por treliças de ferro em falso estilo Tudor, as persianas austríacas Laura Ashley e a pletora de enfeites à vista nos peitoris, ela compreendeu que eles não estavam exatamente de pires na mão.

Antes de saírem, ela esperara que a mãe de Oliver fosse uma mulher de coxas grossas, bem-humorada, calçando sapatos da

Minnie, que tomava Red Stripe no café da manhã e soltava uma gargalhada estridente, do tipo "Ri! Ri! Ri!". Em vez disso, quando abriu a porta, parecia a rainha Elizabeth. Alguns tons mais escura, mas com o mesmo capacete cacheado e roupas afetadas da Marks & Spencer, como mandava o figurino.

— Muito prazer, querida. — O sotaque era puro Sul da Inglaterra, e Lisa sentiu sua autoestima despencar mais ainda.

— Oi, Sra. Livingstone.

— Pode me chamar de Rita. Entre, por favor. Meu marido se atrasou no consultório, mas já deve estar chegando.

Conduziu-os a uma sala bem mobiliada e, quando Lisa viu que as capas protetoras dos tapetes e cortinas haviam sido removidas, foi o golpe final.

— Aceita um chá? — ofereceu Rita, jovial, afagando o Labrador dourado que deitara a cabeça em seu colo. — Lapsang Suchong ou Earl Grey?

— Indiferente — murmurou Lisa. Qual era o problema com PG Tips?

— Não era isso que eu esperava! — Lisa não se conteve e cochichou para Oliver, quando ficaram a sós.

— E o que é que você esperava? Que nóis cumesse arroz com ervilha — passou a fazer um sotaque perfeito do Caribe —, bebesse rum e dançasse na varanda tocando bongô?

Exatamente! Não vim por outra razão.

— Não havia a menor possibilidade, minha querida. — Mudou rapidamente para a dicção dramática dos locutores de noticiários da BBC durante a Segunda Guerra Mundial: — Porque somos brrrrritânicos!

— O nome certo para nós, pelo que me disseram — Rita voltara com uma bandeja de biscoitos caseiros, sem doce e sem graça —, é "Bounties". Ou "Choc-ices".

— P-por quê? — Lisa ficou confusa.

— Marrons por fora, brancos por dentro. — Abriu um súbito e largo sorriso, parecendo um melão quando se tira um naco do meio. — É assim que nossos parentes nos chamam. E é preso por ter cão e preso por não ter, porque os vizinhos também nos detestam! O daqui do lado disse que sua casa se desvalorizou em dez mil libras quando nos mudamos para cá.

Inesperadamente, num constraste brutal com a sua estampa M & S, soltou uma gargalhada estridente: "Ri! Ri! Ri!" E Lisa sentiu toda a sua reserva se dissolver. Bom, se os vizinhos os detestavam, então estava tudo certo, não é mesmo? Agora não eram mais tão assustadores.

No quinto encontro, Oliver e Lisa começaram a falar em morar juntos.

E exploraram a possibilidade no sexto. Seu sétimo encontro consistiu numa viagem de ida e volta de Battersea a West Hampstead, a fim de transportar numa van o considerável guarda-roupa de Lisa para o apartamento dele.

— Você vai ter que se desfazer de algumas coisas, paixão — disse ele, alarmado. — Ou a gente vai ter que comprar um apartamento maior.

Talvez, como Lisa só foi compreender tempos depois, já houvesse nessa época sinais de que as coisas não iam tão bem quanto deveriam. Por outro lado, estava cega para eles. Nunca experimentara sensação igual de que estava tudo certo. Sentia que ele verdadeiramente a compreendia e aceitava, com toda a sua força, ambição, talento e medo. Acreditava que haviam sido feitos um para o outro. Jovens, entusiasmados, ambiciosos, progredindo apesar de todos os obstáculos.

No seu meio, o conceito de alma gêmea andava no auge da moda, recém-importado de Los Angeles. E agora Lisa era a feliz proprietária de uma.

Pouco depois de se juntarem, Lisa foi trabalhar na *Femme* como redatora-chefe. Na mesma época, Oliver se tornou a mais nova aquisição da revista. Embora não fosse popular como pessoa — havia quem o achasse um *pouquinho* difícil demais —, de uma hora para a outra todas as boas revistas estavam disputando a tapas seu trabalho. Oliver o dividiu fraternalmente entre todas, até Lily Headly-Smythe prometer que usaria uma de suas fotos na capa da edição de Natal da *Garbo* e depois mudar de ideia.

— Ela não cumpriu sua palavra. Nunca mais vou trabalhar de novo para a *Garbo* ou Lily Headly-Smythe — declarou Oliver.

— Até a próxima vez — Lisa riu.

— Não. — Seu rosto estava sério. — Nunca mais.

E não trabalhou, mesmo, nem quando Lily lhe mandou um filhote de Wolfhound irlandês como pedido de desculpas. Lisa encheu-se de admiração. Ele era tão determinado, tão idealista.

Mas isso foi antes de sua irascibilidade se voltar contra ela. Porque, quando isso aconteceu, Lisa já não gostou tanto dela assim.

CAPÍTULO 21

O domingo de Ashling também não estava sendo nenhuma maravilha.

Acordara transbordando de ansiedade em relação a Marcus Valentine. Cheia de curiosidade e expectativa, sentindo-se pronta, prontinha! — para um encontro, um flerte, uma massagenzinha no ego... *Alguma coisa*, com certeza.

Passou a manhã inteira sonhando acordada, encapsulada naquela sensação de bem-estar, suas faculdades positivas em estado de alerta máximo. Mas, à medida que o dia foi morrendo, sem que nenhum telefonema viesse, aquele sorriso interior se azedou e transformou em irritação. Para passar o tempo e despender a energia represada, resolveu fazer uma limpezinha na casa.

Não que Marcus tivesse dito *quando* ligaria. O desencanto de Ashling não era tão motivado pelo senso de rejeição quanto pela sensação de ter perdido uma boa oportunidade. Porque, embora não estivesse cem por cento certa de sua atração por ele, suspeitava que existisse. Certamente estava disposta a dar tudo de si. Do ponto de vista emocional, estava toda produzida e sem nenhum lugar aonde ir, o que não era nada agradável.

Olha só para mim, pensou, esfregando a banheira com força para descarregar sua frustração. *Já vi esse filme.* Tarde demais, compreendeu o quanto adorara aquele breve interregno em que já não estava mais no inferno por causa de um homem nem no paraíso por causa do homem seguinte.

Como se arrependia de não ter bellado para Marcus quando tivera a oportunidade! E agora era tarde demais, pois não conseguia encontrar o bilhete. Não tinha nenhuma lembrança de si mesma jogando-o fora — o que seria inevitável se o houvesse feito, pois teria se achado cruel. Mas foi em vão que revirou bolsos e gavetas da mesa de cabeceira: não encontrou nada além de notas fiscais, que a encheram de sentimento de culpa, e o anúncio de uma liquidação de computadores.

De volta à limpezinha. Mas, depois de esfregar o interior do micro-ondas, sentiu necessidade de uma pequena compensação, e resolveu ter uma palinha do seu futuro. O tarô dos anjos não prometeu nada, de modo que, para apressar o telefonema de Marcus, Ashling — um pouco sem graça — desencavou o Kit dos Desejos. Que não via a luz do dia desde os últimos tempos de seu namoro com Phelim. Ela sabia que não era um bom presságio.

O kit consistia em seis velas, cada uma com uma palavra gravada — Amor, Amizade, Sorte, Dinheiro, Paz e Sucesso —, e as seis caixas de fósforos correspondentes. As velas da Amizade, do Dinheiro e do Sucesso nem haviam chegado a ser acesas, a da Paz e a da Sorte estavam um pouquinho mais baixas, mas era a do Amor que realmente fora posta para jambrar. Era a pastilha de frutas preta do pacote. Reverente, Ashling acendeu a vela, que queimou muito lampeira durante uns dez minutos, até que a cera chegou ao fim, a chama bruxuleou e morreu.

Ah, que merda, pensou Ashling. *Tomara que não seja um sinal.*

À noitinha Ted apareceu, sofrendo da depressão que se segue a uma grande euforia. Apesar de ter conhecido um monte de garotas, não engrenara com nenhuma delas.

— E aquela, fantástica, com quem você estava conversando quando saí? Dormiu com ela?

— Não.

— Ted! Você não pode dizer isso. Mesmo que não tenha comido a garota, tem que dizer que sim, para proteger sua honra.

Mas Ted não achou graça:

— Ela disse que eu tinha um cheiro esquisito. Igual ao da avó dela.

— As pessoas às vezes dizem as coisas mais loucas, não é mesmo?

— Não, não. — Ted estava aborrecido. — Ela tinha razão. Eu estava *mesmo* cheirando igual à avó dela.

Ashling já se perguntava em voz alta como Ted podia saber qual era o cheiro da avó da garota, quando ele a atropelou, em tom de acusação:

— Sabe o que eu acho que era?

— O quê?

— Aquela porcaria que você esfregou nas minhas têmporas antes de a gente sair.

— Ah, o óleo de lavanda. — Ashling às vezes achava que as pessoas eram muito ingratas com ela.

— Aquilo tem cheiro de avó, não tem? — Ted não largava o osso.

— Eu achava que em geral elas tinham cheiro de urina choca. — Bastava Ashling se sentir injustiçada para sua língua se afiar.

— Ah, ela não servia mesmo para mim — concedeu Ted, rabugento. — São todas jovens e bobas, e gostam de mim pelos motivos errados... Sua amiga Clodagh — perguntou, de repente. — Continua casada, né?

— Claro que sim.

— Está tudo bem com você, Ashling? — Ted finalmente compreendeu que não era o único com o moral lá embaixo.

Ashling refletiu, e resolveu não se lamuriar sobre o fato de Marcus não ter ligado. Ele não faltara com a sua palavra, ainda podia ligar a qualquer momento. Assim sendo, ela preferiu dizer, com ar displicente: "É a fossa de domingo à tarde." Muitas vezes discutira com Ted, Joy, Dylan — qualquer um que tivesse um emprego, na verdade — sobre a trovoada de horror que ribomba por volta das cinco da tarde de domingo. Quando a consciência de que você tem que ir trabalhar na segunda de manhã desaba sobre sua cabeça como uma tonelada de tijolos. Embora ainda tenha algumas horinhas de fim de semana pela frente, para todos os efeitos ele já acabou, no momento em que o desespero de saber que é o fim da linha toma conta de você.

Ted pareceu se dar por satisfeito com a explicação, e olhou para o relógio de pulso.

— Cinco e dez. Cravados.

— Não aguento mais ficar presa aqui dentro. Vamos sair. — Ashling acabara de se lembrar de uma das regras básicas da relação homem/mulher. É claro que Marcus não ligara — ela ficara esperando ao lado do telefone! Bastaria sair do apartamento para ele provocar um congestionamento nas linhas telefônicas.

Antes de sair, apanhou alguns livros para Boo. Fora pega desprevenida na noite anterior, sem nenhum romance na bolsa para substituir a *Enciclopédia dos Cogumelos*, e se sentira muito humilhada. Mas, ao enfiar um exemplar de *Trainspotting* na bolsa, bateu a dúvida: será que ele ficaria ofendido se ela lhe desse um livro sobre viciados em heroína? Será que acharia que ela estava insinuando alguma coisa?

Por via das dúvidas, o livro tornou a sair da bolsa. Em seu lugar entrou *Febre de Bola* e um outro de ficção científica, vagabundo, que devia ter ganho de Phelim no aniversário dois anos atrás e nunca lera. Um livro para homens. Mas, na rua, não viu nem sinal de Boo.

Ted e Ashling foram para o Long Hall, onde tomaram dois drinques bastante comedidos, seguidos por uma pizza recatada no Milano's, e em seguida voltaram para casa. No momento em que Ashling passou pela porta, a primeira coisa que fez foi procurar a luz vermelha piscando na secretária-eletrônica. E lá estava ela! Preparara-se tanto para ter uma decepção, que achou que estava alucinando. Ficou lá, parada, olhando a luz se acender e apagar — bolinha vermelha sim, bolinha vermelha não, bolinha vermelha sim, bolinha vermelha não... Era um recado, não restava dúvida. Ao apertar a tecla "play", porém, uma ideia horrível a afligiu. *Se for Cormac dizendo que vai passar por aqui com um caminhão cheio de arbustos na quarta-feira, eu grito.*

Mas o recado não era nem do misterioso fornecedor de plantas nem de Marcus Valentine. Era do pai de Ashling.

Ah, meu Deus, que será que aconteceu?

A voz de Mike Kennedy foi precedida por um silêncio cheio de estalos, chiados de estática e uma respiração ofegante. Em seguida perguntou a alguém que estava a seu lado: "Já posso falar?"

A outra pessoa — a mãe de Ashling, provavelmente — disse algo que Ashling não ouviu. Ato contínuo, Mike prosseguiu: "Deu uns curtinhos e agora um mais comprido. Meu Deus, detesto esses troços... Ashling, aqui é o papai. Estou me sentindo um perfeito idiota por falar com uma máquina. Não temos notícias suas há algum tempo. Você está bem? Aqui estamos todos ótimos. Janet ligou semana passada, teve que mandar o gato embora, ele não parava de dar cabeçadas nela quando ela dormia. E recebemos uma carta de Owen, ele acha que descobriu uma nova tribo. Não uma tribo *inédita*, é claro. Nova para ele. Imagino que você esteja ocupada com seu novo emprego, mas não vai se esquecer de nós, hein? Ha, ha, ha. Tchau."

Mais estalos e sons de respiração. Seguidos por: "Que é que eu faço agora? Basta desligar? Não tenho que apertar nenhum botão ou qualquer coisa assim?"

A ligação foi cortada bruscamente.

Ashling foi esmagada pelo sentimento de culpa e o ressentimento. Marcus Valentine estava totalmente esquecido. A pressão para uma visita a Cork já começava a se fazer sentir. No mínimo teria que ligar para eles. Ainda mais quando sua irmã Janet conseguia burlar as oito horas de diferença de fuso horário ligando da Califórnia, e seu irmão Owen fazer com que uma carta enviada da bacia Amazônica chegasse até eles.

Deu uma olhada na foto que ficava em cima da tevê. Já estava lá havia tanto tempo, que raramente se dava conta de sua existência. Porém, as emoções provocadas pelo telefonema levaram-na a tomála entre as mãos, encarando-a, como que à procura de pistas.

E lhe ocorreu, como das outras vezes, que Mike Kennedy fora um homem bonito. Forte e alto, rindo para a máquina fotográfica, com suas costeletas e cabelos encaracolando o colarinho da camisa estampada — o típico visual da década de setenta. O engraçado é que, por um lado, aquele era seu pai. Mas, por outro, parecia o tipo de cafajeste que a mulher vê numa festa e se sente atraída na hora, embora seu instinto de sobrevivência a aconselhe a ficar bem longe dele.

Mike enlaçava Janet, então com quatro anos, seu corpo dobrado para a frente até a cintura, o punho enfiado entre as pernas — ficara apertada antes de tirar a foto, as máquinas fotográficas sempre surtiam esse efeito sobre ela. Encostada em Mike, segurando Owen, de três anos, nos braços cobertos por mangas de poliéster estampadas com grafismos psicodélicos, estava Monica. Sorria, feliz, com sua inverossímil juventude, seus cabelos lisos e bem penteados, seus sofisticados cílios curvos de rímel, ao estilo de Priscilla Presley. E, bem no centro da foto, imprensada entre os dois adultos, com os olhos comicamente vesgos, Ashling.

Lúcifer antes da queda — era o que ela sempre pensava ao analisar o retrato. Pareciam uma família perfeita. Mas ela sempre se perguntava se naquela época as coisas já haviam começado a se deteriorar.

Recolocando a foto no lugar, voltou ao presente. Já fazia umas três semanas desde que ligara pela última vez para os pais. Não que depois disso tivesse se esquecido de ligar — pensava em fazê-lo várias vezes, mas quase sempre conseguia bolar alguma desculpa para evitar o telefonema.

No entanto, essa falta de comunicação nunca a deixava sentir-se realmente em paz. Sabia que Clodagh ligava todos os dias para a mãe. Se bem que Brian e Maureen Nugent fossem muito diferentes de Mike e Monica Kennedy. Se Brian e Maureen fossem seus pais, talvez ela não achasse tão difícil assim manter-se em contato com eles.

CAPÍTULO 22

Manhã de segunda-feira. Tradicionalmente, a mais deprimente de todas as manhãs. (Com exceção da manhã de uma segunda-feira feriado, quando então a de terça tem seu dia de mingau.) Mesmo assim, Lisa estava animadíssima. A ideia de ir para a redação fazia com que se sentisse no controle da situação — pelo menos, estaria fazendo alguma coisa por si mesma. Então tentou tomar um banho de chuveiro, e a água saiu gelada.

Mas resolveu arquivar por algum tempo o projeto de chamar Jack às falas pelo timer do aquecedor, quando a Sra. Morley deixou escapar que ele passara o fim de semana inteiro conciliando eletricistas furiosos e câmeras ressentidos. Parecia exausto e com um humor cão.

Ashling, abatida e atrasada, também estava achando o dia difícil. E o achou ainda mais difícil quando Jack Devine pôs a cabeça de fora do escritório e disse, curto e rasteiro:

— Senhorita Quebra-Galho?

— Sr. Devine?

— Posso dar uma palavra com você?

Alarmada, levantou-se depressa demais e teve de esperar que a circulação se refizesse até voltar a enxergar.

— Ou você está numa baita encrenca, ou tendo um caso com ele — cochichou Trix, divertida. — Que é que está havendo?

Mas Ashling não estava com paciência para as palhaçadas de Trix. Não tinha a menor ideia da razão pela qual Jack Devine queria falar com ela em particular. Já pressentindo uma desgraça iminente, atravessou a redação em direção ao seu escritório.

— Fecha a porta — ordenou ele.

Vou ser despedida. Estava horrorizada.

A porta se fechou às suas costas e, no ato, a sala encolheu — e escureceu. Jack, com seus cabelos escuros, seus olhos escuros, seu terno azul-escuro e seu humor tenebroso, tendia a surtir esse efeito. Para piorar as coisas, não estava sentado atrás da mesa, e sim encostado à sua frente, deixando muito pouco espaço entre os dois. Ele a fazia se sentir tão *encabulada.*

— Eu queria te dar isso sem que o resto do pessoal visse.

Ela inclinou o corpo para trás, num gesto instintivo, embora não tivesse para onde ir. Ele lhe estendeu uma sacola de plástico, que ela aceitou, embotada. Percebeu vagamente que era um pouco grande demais para conter um aviso de demissão.

Ficou parada, segurando-a entre as mãos, até Jack dizer, com uma risada impaciente:

— Olha o que tem dentro.

Amarfanhando o plástico, Ashling espiou dentro da luminosidade perolada da sacola. Para sua surpresa, continha um pacote de dez maços de Marlboro, com uma roseta vermelha torta espetada no celofane.

— Porque eu vivo filando seus cigarros. — Jack a encarou, impassível. — Eu, hum, lamento muito — acrescentou, com uma expressão de quem não lamenta nada.

— É lindo — ela murmurou, atônita com a revogação de sua sentença — e com a roseta.

Pela primeira vez desde que ela o conhecera, Jack Devine realmente riu. Uma gargalhada gostosa, autêntica, com a cabeça jogada para trás.

— Lindo? — exclamou, deliciado. — Barcos a vela são lindos, ondas de três metros são lindas. Mas um pacote de cigarros, lindo?... Bom, talvez você tenha razão.

— Pensei que o senhor fosse me despedir — soltou ela.

O rosto dele se contraiu de surpresa.

— Despedir você...? Mas, Senhorita Quebra-Galho — disse, a voz subitamente suave, o olhar brincalhão —, quem mais iria nos abastecer de Band-Aids, Anadin, guarda-chuvas, alfinetes de pressão e... como é mesmo o nome daquele negócio para traumas... não-sei-quê de emergência...?

— Elixir de emergência. — Bem que ela estava precisada de umas gotinhas. E de dar o fora dali. Para conseguir respirar de novo.

— Do que é que você tem tanto medo? — perguntou ele, com a voz ainda mais suave. Ela teve a impressão de que sua alta figura se aproximou.

— De nada! — Sua voz saiu como um guincho de freada de ônibus.

Ele a estudava, com os braços cruzados. Algo na maneira como os cantos de sua boca se curvavam para cima fazia com que ela se sentisse uma menina boba, como se ele estivesse zombando dela. De repente, sem mais nem menos, ele pareceu se desinteressar.

— Vai lá — disparou, voltando para trás da mesa. — Volta para o seu trabalho... Mas não vai contar para os outros — indicou a sacola com a cabeça —, senão vão todos querer um também.

Ashling voltou para sua mesa sentindo-se como se suas pernas pertencessem a outra pessoa. Segurem a primeira página — um furo de reportagem! Jack Devine Não É o Filho da Mãe Miserável Que Parecia Ser! Mas o mais estranho de tudo é que ela parecia preferir o antigo Jack Devine. Não fosse por isso: em questão de minutos, as coisas haveriam de voltar ao normal.

Mercedes cambaleou pela redação adentro, e todos só faltaram cair de suas cadeiras quando viram que, ao contrário de sempre, estava extravasando sua emoção. Sua forte emoção. Por ordem de Lisa, fora tentar entrevistar a desmiolada Frieda Kiely. E, embora tivesse passado o fim de semana em Donegal fotografando as roupas dela para uma matéria de doze páginas, Frieda a deixara esperando durante uma hora e meia e, por fim, alegara nunca ter ouvido falar na *Garota*.

— Quem é você? — indagou. — *Garota*? Que diabo é isso? O que *é* isso?

— É uma insana. Uma filha da puta louca — rosnou Mercedes, para logo tornar a romper em lágrimas de humilhação. — Uma *escrota* duma filha da puta louca!

— Uma psicoputa diabólica sofrendo de TPM. — Kelvin estava louco para cair nas boas graças de Mercedes.

— Uma vaca esquizoide — intrometeu-se Trix.

— E seca feito um bacalhau — disse Bernard, o Xarope, só para não ficar de fora. Na verdade, não fazia a menor ideia de como ela fosse, e apreciava uma boa filha da puta, como todo filhinho de mamãe. — Até o punho de um cigano teria mais carne depois de uma boa briga.

Trix olhou para ele com desprezo:

— Isso é um elogio, seu babaca. Você não tem noção!

Insulto em cima de insulto foi atirado em Frieda Kiely, menos por parte de Ashling, que ouvira dizer que ela era *realmente* louca. Pelo que constava, era esquizofrênica e não se inclinava muito a seguir sua medicação.

— Mas — interrompeu, achando que alguém devia defender Frieda — vocês não acham que deviam tentar se pôr no lugar dela?

— Eu adoraria me pôr no lugar dela — disse Jack Devine, que saíra do escritório para saber que bochicho era aquele. — Mas sem avisar a ela para se levantar primeiro: já ia me jogando em cima antes que ela tivesse tempo de pedir socorro, e só sairia quando os cacos mortais começassem a espetar minha bunda. — Deu um sorriso debochado para Ashling e em seguida soltou, ríspido: — Pelo amor de Deus, Ashling! Você às vezes parece que confunde sua idade com o limite de velocidade!

Lisa achou graça.

— E qual *é* o limite de velocidade neste país?

— Cento e dez — disse Jack, batendo a porta do escritório.

Ashling novamente odiava Jack. As coisas tinham voltado ao normal.

Embora Marcus Valentine não tivesse o número de telefone de seu trabalho, Ashling engoliu em seco — e sua alma também, suas entranhas, até seus joelhos engoliram em seco — quando, às dez para as quatro, Trix lhe entregou o telefone, dizendo: "Um homem para você."

Ashling pegou o fone, esperou um momento até se recompor e fez uma vozinha melosa:

— Ooooi...

— Ashling? — Era Dylan, e pareceu confuso. — Você está resfriada?

— Não. — Decepcionada, voltou ao seu tom de voz normal. — Pensei que fosse outra pessoa.

— Que tal a gente tomar aquele drinque hoje à tarde? Posso ir à cidade à hora que for mais conveniente para você.

— Claro. — Isso a obrigaria a dar um tempo na vigília telefônica em casa. — Passa aqui na redação lá pelas seis.

Em seguida, ligou correndo para casa, para ver se havia algum recado. Só fazia quinze minutos que checara pela última vez, mas a gente nunca sabe!

Até ficar sabendo. Ninguém tinha ligado.

Às seis e quinze, Dylan lhe deu um pequeno susto quando, com os cabelos louros caindo nos olhos, apareceu com um terno de linho bem cortado e uma camisa imaculadamente branca. Ao postar-se diante da mesa de Ashling, parecia haver algo de errado com sua figura — uma espécie de desnível entre os ombros, como se um deles estivesse deslocado.

— Você está bem? — Ashling se levantou, contornou-o e descobriu que a razão pela qual estava torto era o fato de tentar esconder uma sacola da HMV nas costas.

— Dylan, eu não vou contar para Clodagh que você andou comprando CDs.

— Desculpe. — Ele deu de ombros, sem graça. — É nisso que dá trabalhar em Sandyford, aquele fim de mundo. Sempre que venho à cidade, perco a cabeça nas lojas de CDs. E aí fico me sentindo meio culpado.

— Minha boca é um túmulo.

— Blazer novo? — perguntou ele, enquanto ela desligava o computador.

— É, sim.

— Deixa eu ver.

Insistindo para que ela ficasse parada, percorreu com o olhar seus ombros e assentiu: "Hum-hum." Ashling tentou, em vão, encolher a barriga quando seus olhos desceram pelas costuras laterais. Ele assentiu e tornou a dizer "Hum-hum", num tom de aprovação ainda mais enfático, e então ergueu os olhos.

— Cai bem em você — arrematou, com um sorriso. — Cai muito bem em você.

— Você não passa de um patife. — O prazer de Ashling crescia à medida que o exame prosseguia. Dylan era incrivelmente pródigo com seus elogios. Mas, mesmo sabendo que ele os distribuía a torto e a direito, era difícil não acreditar neles, e menos ainda não ficar encantada.

— Você é *perigoso* — disse ela, envaidecida. — Vamos lá. — Virou-se para sair e viu que Jack Devine estava por perto, vasculhando com a cara fechada um fichário na mesa de Bernard. Ela se despediu, sorrindo, nervosa e, durante um segundo de inquietação, achou que ele iria ignorá-la. Soltou um profundo suspiro quando ele disse: "Boa-noite, Ashling."

Lisa acabava de sair do banheiro, onde retocara a maquiagem em homenagem ao seu jantar aquela noite com um célebre chef irlandês que esperava convencer a assinar uma seção de culinária. Voltando apressada à redação para buscar seu blazer, contornou a porta depressa demais e deu um encontrão num homem que nunca tinha visto. Seu ombro bateu no peito dele, e ela sentiu, por um momento, o calor do corpo do estranho, que lhe atravessava a camisa fina.

— Desculpe. — Ele pôs as mãos grandes nos seus ombros. — Você está bem?

— Acho que sim. — Enquanto ela se endireitava, os dois trocaram um olhar longo e interessado. Foi quando ela viu Ashling ao lado dele. Seria seu namorado? Não, claro que não.

— Quem era *essa*? — perguntou Dylan, quando as portas do elevador se fecharam atrás deles.

— Você é um homem bem casado — relembrou Ashling.

— Só perguntei, ué.

— O nome dela é Lisa Edwards e ela é minha chefe. — Ashling se lembrou da conversa que tivera com Clodagh sobre as conferências a que Dylan ia. *Será que ele é fiel a ela?*

— Onde vamos tomar esse drinque? — apressou-se em perguntar.

Ele a levou ao Shelbourne, que estava lotado de pândegos pós-expediente.

— Vamos ter que ficar em pé — disse Ashling. — Nunca vamos conseguir uma mesa.

— A esperança é a última que morre — disse ele, com os olhos brilhantes. — Espera aí.

Em questão de segundos abordou um grupo sentado a uma mesa, bateu um papo rápido e sorridente com eles e voltou para junto de Ashling.

— Vamos lá, eles já estão de saída.

— Desde quando? Que foi que você disse a eles?

— Nada! Só notei que já estavam acabando.

— Hummm. — Dylan tinha uma lábia tão irresistível, que seria capaz de vender sal para a Sibéria.

— Senta aí, Ashling — tchau, muito obrigado! — Todo sorrisos, acenou para os doadores da mesa. Em seguida, com uma rapidez um tanto suspeita, abriu caminho pela multidão no bar e voltou com os drinques. As boas coisas tinham o hábito de acontecer com Dylan. Quando ele pousou o copo de gim-tônica diante de Ashling, ela se perguntou, e não pela primeira vez, como seria ser casada com ele. Uma felicidade completa, suspeitava.

— Me conta tudo, *tudo*, sobre esse novo emprego maravilhoso — ordenou Dylan, veemente. — Quero saber tudo sobre ele.

Ashling se deixou levar pelo entusiasmo contagiante de Dylan. Esbaldando-se, esboçou todas as diferentes personalidades que trabalhavam na *Garota* e a maneira como interagiam — ou deixavam de interagir, dependendo do caso.

Dylan ria muito, parecendo sinceramente divertido, e Ashling caiu, até certo ponto, na armadilha de achar que era uma grande contadora de casos. Tudo isso fazia parte do mesmo mecanismo que vira em ação quando ele admirara seu blazer novo — seu grande dom de aumentar a autoestima das pessoas. Era uma coisa compulsiva. Não que fosse insincera, e Ashling sabia disso. Apenas um pouco excessiva. Ela não devia cometer o erro de contar as mesmas histórias idiotas para outras pessoas e esperar gargalhadas semelhantes.

— *Meu Deus*, como você é engraçada. — Ele tocou o copo dela com o seu, num brinde elogioso. Seu tom de flerte sempre prometia mais do que ele estava preparado para dar. Não que Ashling o levasse a sério. Não mais, pelo menos.

— E aí, como vai a firma de informática? — perguntou ela, por fim.

— Meu Deus! Um movimento louco! A gente quase não está dando conta das encomendas.

— Uau! — Ashling sacudiu a cabeça, maravilhada. — Quando te conheci, você nem sabia se a empresa chegaria ao segundo ano. Olha só para você agora!

Houve um breve hiato na conversa, quase imperceptível, provocado pela menção à época em que haviam se conhecido. Mas, por sorte, seus drinques já estavam quase no fim, e Ashling se pôs de pé:

— O mesmo de novo?

— Senta aí, eu pego.

— De jeito nenhum, eu vou...

— Senta aí, Ashling, faço questão.

Era outra característica de Dylan: a generosidade espontânea e elegante.

Quando voltou com os drinques, Ashling perguntou, ansiosa:

— Mas e aí, havia alguma razão em especial para você querer se encontrar comigo?

— Pois éééé... — disse ele, com voz arrastada, brincando com um porta-copos de papel. — É, havia. — De repente não estava nada à vontade, e só isso já era motivo de preocupação. — Você não notou... nada...?

Ashling esperou que Dylan prosseguisse, mas ele continuou calado.

— Nada como?

— Em Clodagh.

— Como assim?

— Eu estou... — Uma longa pausa. — ...um pouco preocupado com ela. Nunca parece estar feliz, vive irritada com as crianças e às vezes até... se comporta de maneira meio irracional. Molly a acusou de bater nela, e nós nunca batemos nas crianças.

Outra pausa pouco à vontade, antes de Dylan prosseguir:

— Provavelmente você vai achar isso uma idiotice, mas ela vive reformando a casa. Mal a gente acaba um cômodo, ela já está falando em reformar outro. Eu tento conversar com ela sobre isso, mas não adianta nada. Andei imaginando... pensei que ela talvez estivesse deprimida.

Ashling refletiu. Agora que pensava no assunto, Clodagh parecia insatisfeita e um tanto irascível nos últimos tempos. E realmente parecia andar exagerando com as reformas. Ashling também achara estranho ela dizer a Molly que Barney morrera. Chocante, mesmo.

Embora o argumento de Clodagh de que também tinha sentimentos tivesse parecido razoável. Mas agora, à luz da preocupação de Dylan, no ato tudo isso voltou a se revestir de uma aparência sinistra.

— Não sei. Talvez — disse Ashling, profundamente pensativa. — Mas é difícil criar filhos. Uma coisa muito estressante. E quando a pessoa tem que trabalhar horas a fio...

Dylan se inclinou para a frente, escutando atentamente o que Ashling dizia, como se suas palavras pudessem ser colhidas ou retidas. Mas, quando ela se calou, num silêncio deprimido, ele disse:

— Espero que não se importe por eu dizer isso, mas achei que você talvez conhecesse alguns dos sintomas. Por causa da sua mãe...

Como Ashling permanecesse calada, ele a instigou:

— Sua mãe sofreu de depressão, não sofreu?

A delicadeza de Dylan por si só não foi suficiente para convencer Ashling a falar.

— E por isso pensei que Clodagh pudesse estar passando pela mesma coisa...

De súbito, Ashling se viu novamente em meio à roda-viva da loucura, da perplexidade, do terror de todas as horas. Os gritos do passado ecoavam em seus ouvidos, mas os músculos de sua boca permaneceram imóveis, travados pela falta de vontade de tocar no assunto.

— O comportamento de Clodagh não se parece em nada com o da minha mãe — afirmou, categórica, quase agressiva.

— Não? — À esperança de Dylan aliava-se uma enorme curiosidade.

— Reformar a sala não é sintoma de depressão. Bom, pelo menos não da depressão como eu a conheço. Ela não se recusa a sair da cama, se recusa? Ou tem vontade de morrer, tem?

— Não. -- Ele sacudiu a cabeça. — De jeito nenhum. Nada desse gênero.

Se bem que a mãe de Ashling não tivesse começado assim. Fora uma coisa gradual, não fora? A contragosto, Ashling se viu de volta aos seus nove anos, a idade que tinha quando se deu conta de que havia alguma coisa errada. Estavam passando as férias em Kerry, e seu pai fez um comentário sobre o belo pôr do sol.

— Um lindo fecho para um lindo dia. Não é, Monica?

Olhando em frente, Monica disse, amarga:

— Graças a Deus o sol já está se pondo. Quero mais que o dia de hoje acabe logo.

— Mas o dia de hoje foi maravilhoso — argumentou ele. — Fez sol, nós brincamos na praia...

Monica se limitou a dizer:

— Estou louca para que o dia de hoje acabe logo.

Ashling interrompeu sua briga com Janet e Owen, sentindo-se excluída e insegura. Não era para os pais terem sentimentos — não daquele tipo, pelo menos. Podiam até reclamar quando o filho não fazia o dever de casa ou se recusava a jantar, mas não tinham o direito de ter sua infelicidade particular.

Ao fim da viagem de duas semanas, voltaram para casa. Ashling teve a impressão de que num minuto sua mãe era jovem, bonita e feliz, no outro uma mulher calada, no fundo do poço, que não queria mais pintar os cabelos. E chorava. O tempo todo, em silêncio, apenas deixando as lágrimas escorrerem pelo rosto.

— Que foi? — Mike perguntava, uma vez atrás da outra. — Que *foi*?

— Que foi, mamãe? — perguntava Ashling. — Tá com dor de estômago?

— Estou com dor de alma — sussurrava ela.

— Toma dois Disprins infantis! — Ashling repetia como um papagaio o que sua mãe lhe dizia quando ela sentia alguma dor.

As desgraças alheias deflagravam suas crises. Passou três dias inteiros chorando por causa da fome num país africano. Mas, quando Ashling chegou em casa com a boa notícia, recebida da mãe de Clodagh, de que "vão mandar comida pra eles", Monica já mudara de tema, e agora chorava por um bebê que fora encontrado numa caixa de papelão.

— Coitadinha daquela criança — chorava convulsivamente. — Coitadinha daquela criança indefesa.

Enquanto sua mãe chorava, seu pai sorria pelos dois. Sorria sempre. Matava-se de tanto sorrir. Tinha um emprego importante e dinâmico. Era o que todos diziam a Ashling: "Seu pai tem um emprego muito importante e dinâmico." Era vendedor, e descrevia suas viagens de Limerick a Cork e de Cavan a Donegal como se fossem as aventuras do Fianna.* Era um homem tão importante e dinâmico, que estava sempre viajando, de segunda a sexta. Ashling se orgulhava disso. Os pais dos outros voltavam para casa toda tarde às cinco e meia, e ela não conseguia deixar de pensar, com desprezo, que seus empregos não deviam ser lá grande coisa.

Seu pai vinha para casa nos fins de semana e sorria, sorria, sorria.

— O que vamos fazer hoje? — Batia as mãos uma na outra, correndo um sorriso radiante pela família.

— Que me importa? — murmurava Monica. — Estou morrendo por dentro.

— Ora, por que você haveria de querer fazer uma besteira dessas? — ele brincava. E, sorrindo para Ashling, em tom de segredo: — Sua mãe é uma artista.

Sua mãe sempre escrevera poesia. Chegara mesmo a publicar um poema numa antologia quando Ashling ainda era bebê e, desde o início das crises de choro e da estranheza, escrevera muitos outros. Ashling sabia o que era um poema. Eram palavras bonitas e rimadas sobre poentes e flores, geralmente narcisos. Mas, quando Clodagh a instigou, aos risinhos, a dar uma espiada com ela em alguns poemas de Monica, Ashling teve um choque violento. Em meio ao embotamento provocado pelo desgosto, ficou profundamente grata por uma única coisa — o fato de Clodagh não saber ler direito.

Os versos não rimavam, a métrica era toda quebrada, mas eram as palavras isoladas que constituíam o maior motivo de preocupação. Não havia flores nos poemas de Monica Kennedy, mas termos estranhos e brutais, que Ashling passou muito tempo decifrando.

Pregado no interior do silêncio,
Meu sangue é negro.
Sou vidro quebrado,
Sou lâminas enferrujadas,
Sou o castigo e o crime.

De volta ao presente, Ashling encontrou Dylan a observá-la, com interesse e ansiedade.

---

*Panteão dos heróis da mitologia irlandesa.

— Você está bem?

Ela assentiu.

— Por um momento, você pareceu completamente fora do ar.

— Estou ótima — insistiu ela. — Clodagh não começou a escrever poesia, começou? — Forçou-se a sorrir ao fazer a pergunta.

— Clodagh? Imagina! — Dylan riu em silêncio, satisfeito, dando-se conta de como fora bobo. — Quer dizer então que se ela começar a escrever poesia, aí, sim, devo me preocupar?

— É, mas até lá, não se preocupe. O mais provável é que ela esteja só cansada e precisando de um tempo. Será que não dá para fazer alguma coisa legal? Tirar umas férias ou qualquer coisa assim, para levantar o astral dela? — *Férias de novo,* pensou, maldosa. Sentia-se vagamente ressentida por Dylan estar pedindo conselhos *a ela* sobre como tornar a vida de Clodagh ainda melhor.

— Não posso me ausentar no momento — disse Dylan.

— Bom, então leva ela a algum restaurante super-hiper-ultra-chique.

— Clodagh se preocupa com as babás.

— Por quê? Qual é o problema com elas?

Dylan riu, um pouco constrangido.

— Clodagh tem medo de que abusem das crianças. Ou de que batam nelas. Para ser franco, às vezes até eu me preocupo.

— Santo Deus, vivem inventando coisas para a gente se preocupar. Então chama alguém em quem você confie. Que tal sua mãe?

— Ah, não! — Dylan fez uma careta contrariada, repuxando os cantos da boca para baixo. — Não seria uma boa ideia *mesmo.*

Ashling balançou a cabeça. Era a pura verdade. A única hora em que a jovem Sra. Kelly e a já não tão jovem assim Sra. Kelly se olhavam olhos nos olhos era quando ficavam nariz a nariz em algum bate-boca — geralmente sobre a melhor maneira de cuidar de Dylan e seus filhos.

— E a artrite deixou a mãe de Clodagh praticamente entrevada — disse Dylan. — Ela não conseguiria dar conta das crianças.

— Posso ficar com elas, se você quiser — ofereceu-se Ashling.

— Numa noite de sábado? Uma criaturinha jovem e agitada como você?

Após um momento de hesitação, ela disse:

— É... é — repetiu, com mais firmeza, num leve tom de desafio: — Por que não?

Se realmente não estivesse em casa para atender o telefone, as chances de Marcus Valentine ligar aumentariam.

— Mas isso é espetacular! — Dylan se animou. — Obrigado, Ashling, você é um amor. Vou reservar uma mesa para sábado à noite. Vamos ver se consigo uma no L'Oeuf.

Mas é claro, pensou Ashling, achando graça mesmo contra sua vontade. *Onde mais haveria de ser?* O L'Oeuf era o veterano mais respeitado dos restaurantes de Dublin. Sua peculiaridade era o fato de estar sempre na moda — *apesar* de não servir pratos das escolas fusão asiática ou irlandesa moderna. Eternamente sofisticado, a comida deixava o cliente com lágrimas nos olhos. E os preços também.

— Sua mãe está melhor agora, não está? — Dylan tentou se desculpar com ela por ter forçado o assunto.

"Melhor" era um conceito relativo e, de mais a mais, o problema nem sempre era esse, mas, para agradar a ele, Ashling balançou a cabeça:

— Está, sim, está melhor agora.

— Você é uma garota maravilhosa, Ashling. — Dylan se despediu dela.

Sou, não sou?, pensou Ashling, irônica.

CAPÍTULO 23

A dez minutos de Dylan e Ashling, Lisa e Jasper Ffrench, o célebre chef, jantavam no Clarence. Jasper especificara o restaurante onde desejava jantar, para que pudesse baixar o pau na comida por não ter um décimo da qualidade da que ele servia no seu restaurante epônimo. Era bem-apessoado, antipático, não tinha o menor pudor de alardear que se considerava um gênio e não sentia nada além de inveja por todos os outros profissionais do ramo.

— Amadores — declarou, gesticulando com seu sexto copo de vinho branco —, não passam de amadores e diletantes. Marco Pierre White — amador! Alasdair Little — amador!

Meu Deus do Céu, você é um saco. Lisa assentiu e sorriu. Ainda bem que os homens difíceis eram sua especialidade.

— Foi por isso mesmo que escolhemos você para partilhar do sucesso da *Garota*, Jasper.

Isso não era bem verdade. Jasper fora o escolhido porque Conrad Gallagher já recusara seu convite, alegando compromissos profissionais.

Enquanto Jasper fazia grandes avanços numa segunda garrafa de vinho, Lisa o deslumbrou falando sobre sinergia. Sem chegar a lhe prometer nada, insinuou que uma coluna na *Garota* poderia facilmente levá-lo a ter seu próprio programa no Canal 9, a emissora de tevê da Randolph Media.

— Vou fazer! — decidiu-se Jasper. — Me manda um contrato amanhã de manhã.

— Por acaso, já tenho um aqui comigo — disse Lisa, tranquila, malhando o ferro enquanto ainda estava quente.

Jasper rabiscou sua assinatura, e foi bem na hora, porque houve um momento perigoso, quando o garçom veio levar o prato de Lisa.

Como sempre, ela empurrara a comida de um lado para o outro, mas não comera quase nada.

— Havia algo de errado com seu jantar? — perguntou o garçom.

— Não. Estava uma delícia, mas... — Lisa viu Jasper fuzilando-a do outro lado da mesa e trocou seu veredicto por outro mais neutro: — Estava boa.

— Se estava como a porcaria insultuosa que me serviram, não me espanta que ela não tenha conseguido engolir nem um pedaço — desafiou-o. — Blinis de morcela? Isso é mais do que um clichê. Isso é uma piada!

— Lamento ouvir isso, senhor. — O garçom olhou com uma expressão impassível para Jasper e seu prato vazio. Já trabalhara para aquele filho da mãe maluco. — Gostariam de pedir a sobremesa?

— Não, não gostaríamos! — disse Jasper, exaltado, para desgosto de Lisa, que essa semana estava fazendo uma dieta de sobremesas. O prato mais leve da balança, é claro: frutas frescas, *sorbets*, musses de frutas. Lá se iam mais de dez anos desde que sua boca experimentara pela última vez o soco entontecedor das sobremesas da Death by Chocolate.

Ah, não tinha importância. Pagou a conta, e os dois se levantaram para sair, um com as pernas menos firmes do que o outro. Na porta, trocaram um aperto de mão e Jasper resolveu dar uma prensa bêbada em Lisa, da qual ela se esquivou com toda a diplomacia. Graças a Deus já estava com o contrato assinado!

Jasper saiu pela rua afora, cambaleando num zigue-zague sinistro. No momento em que Lisa se viu sozinha, a depressão a assaltou de novo. Por quê? Por que as coisas eram tão mais difíceis ali? Estava indo razoavelmente bem em Londres. Mesmo depois de Oliver ter dado o fora, tocara a bola para a frente, realizando seus projetos, tirando planos do papel, sempre convicta de que haveria um prêmio para ela, por menor que fosse. Mas o prêmio fora parar nas mãos de outra pessoa, e ela estava na Irlanda, onde seus mecanismos de defesa pareciam não funcionar muito bem.

Não telefonara para sua mãe na véspera, embora fosse domingo. Estava deprimida demais. Só se vestira para ir comprar uma caixa de sorvete e cinco jornais na horrorosa loja da esquina e, assim que chegou em casa, voltou a se enrolar no edredom e passou a manhã inteira no fundo do poço, no ar viciado de fumaça de cigarro. Seu único contato com a humanidade eram as boladas que a garotada de oito anos da vizinhança mandava na sua porta da frente, uma atrás da outra.

Antes de fazer sinal para um táxi, dera um pulo numa loja para comprar cigarros, e tomou uma injeção de ânimo quando viu que a nova edição da *Irish Tatler* já saíra. A *Irish Tatler* era uma das rivais da *Garota*, e achincalhar com ela lhe daria algo com que se ocupar pelo resto da noite. De repente, sua nova casa não lhe pareceu mais tão repulsiva.

— Oi, Liiisa! — Um bando de garotas pequenas brincando no meio da rua berrou para ela quando desceu do táxi. — Seu vestido é sexy!

— Obrigada.

— Que número você calça?

— Trinta e nove.

Seguiu-se um círculo de confabulações. De que tamanho era um sapato trinta e nove? De um tamanho grande demais para elas, concluíram, a contragosto.

Entrando em casa, jogou a bolsa no chão, ligou a chaleira e foi checar a secretária-eletrônica. Não havia nenhum recado, o que não chegava a ser surpreendente, pois quase ninguém sabia seu número. Mas isso não a impediu de se sentir um fracasso.

Descalçou os lindos sapatos, atirou o vestido numa poltrona e já estava vestindo um par de calças de cordão na cintura e uma camiseta curta quando a campainha tocou. Provavelmente uma das meninas, querendo saber se poderia ficar com sua bolsa quando ela não a quisesse mais.

Suspirou, escancarando a porta. Diante de sua soleira, inclinando o corpo alto para caber no umbral, estava Jack.

— Ah — fez ela, embotada com a surpresa.

Era a primeira vez que o via sem terno. Sua camisa comprida com gola de padre estava aberta até o meio do peito. Não porque fosse esse o modelo, mas porque estavam faltando os botões. Suas calças cáqui pareciam ter servido em duas guerras mundiais, e tinham um rasgão horizontal na altura do joelho direito, deixando à mostra uma rótula lisa e um quadrado de dez centímetros de canela peluda. Seu cabelo parecia ainda mais desgrenhado do que de costume, e seu rosto também — Jack era desse tipo de homem que precisa se barbear duas vezes por dia.

Encostado à soleira, exibiu um dispositivo na palma da mão, como um guarda mostrando o reluzente distintivo:

— Tenho um timer para o seu aquecedor.

A frase soou vagamente sugestiva.

— Desculpe por não ter arranjado antes. — Hesitou. — Cheguei numa boa hora?

— Entra — convidou-o Lisa. — Entra aí.

Estava totalmente desconcertada, porque em Londres ninguém ia bater no seu apartamento assim, sem mais nem menos. Nunca marcara um compromisso com alguém sem antes abrir sua agenda, para jogar uma partida de Sou-mais-ocupada-e-importante-do-que-você. Era um ritual complexo, regido por leis rigorosíssimas. No mínimo cinco datas deveriam ser oferecidas e rejeitadas antes que ambas as partes concordassem com uma sexta.

— Terça que vem? Não dá, vou estar em Milão.

Que é a deixa para o adversário responder:

— E quarta quem não pode sou eu, porque é a noite em que faço reiki.

Uma resposta aceitável para isso é:

— E quinta não tem a menor possibilidade, porque é o dia das minhas aulas de Alexander Technique.

O cacife é aumentado pelo adversário, que se sai com essa:

— O fim de semana está fora de cogitação. Vou para o chalé de uns amigos no Lake District.

Diante disso, o jogador inteligente responde:

— Minha semana que vem está toda tomada. Los Angeles, a trabalho.

Depois que uma data é finalmente combinada, ainda é aceitável — desejável, na realidade — que você a cancele no dia, alegando a diferença de fuso horário, um jantar com um cliente ou uma viagem a Genebra para demitir setenta pessoas.

Como os óculos Gucci e as bolsas Prada, a Escassez de Tempo é um símbolo de status. Quanto menos tempo você tem, mais importante você é. Era óbvio que Jack não sabia disso.

Ele olhou ao seu redor, com ar de admiração.

— Você está aqui há... quantos dias faz? ...três, quatro dias, e o lugar já está com outra cara. Olha só... — Apontou um jarro de vidro sobrecarregado de tulipas brancas. — E ali... — Um vaso com flores desidratadas chamara sua atenção.

Ainda bem que ele não vira as xícaras embaixo da cama, onde o mofo já começava a grassar, pensou Lisa. Suas casas sempre haviam sido um triunfo do estilo sobre a higiene. Precisava tentar arranjar uma arrumadeira...

— Quer beber alguma coisa? — ofereceu.

— Tem cerveja?

— Hum, não, mas tenho vinho branco.

Experimentou um prazer ridículo quando ele aceitou um copo.

— Vou lá pegar minhas coisas no carro — disse ele, abaixando-se e voltando pouco depois com uma maleta azul de metal.

Ah, meu Deus, ele tinha uma caixa de ferramentas! Lisa teve que se sentar em cima das mãos para não pô-las nele, arrancar os últimos e poucos botões de sua camisa, expondo seu peito largo, coberto pela quantidade *exata* de pelos, e passar as mãos pela pele lisa de suas costas.

— Você se importa se eu abrir a porta dos fundos? — perguntou ele, interrompendo o amasso na cabeça de Lisa.

— Hum, não, fica à vontade. — Observou-o atravessar a sala e puxar o ferrolho que não fora tocado desde a última vez que ele estivera lá. Uma brisa perfumada foi pouco a pouco tomando conta da cozinha, trazendo o forte aroma noturno da folhagem e os pios e chilreios dos passarinhos que descansavam no fim do dia. Legal. Para quem gostava desse tipo de coisa.

— Você já sentou no jardim para tomar um pouco de ar fresco? — perguntou Jack.

Não.

— Já.

— É tão tranquilo lá fora que nem parece que a gente está na cidade — disse ele, meneando a cabeça em direção à porta.

— Eu sei.

A quem você vem dizer?

— Lá vou eu. — Olhou para o aquecedor. — Parece um trabalhinho bem simples, mas nunca se sabe.

Ato contínuo, arregaçou as mangas, deixando à mostra os belos tendões dos pulsos, e pôs mãos à obra. Lisa ficou sentada na cozinha, abraçando um joelho, apreciando, e muito, a presença de um homem bonito na sua casa. E decidiu que, acontecesse o que acontecesse, não iriam falar sobre a situação da publicidade. Nada que pudesse comprometer o astral — essa era uma oportunidade feita sob medida para flertarem.

— Me fala tudo sobre você — ordenou ela, com ar confiante e coquete, a ele, que estava de costas.

— O que você quer saber? — perguntou ele, num tom não muito gentil, enquanto remexia barulhentamente suas ferramentas de metal. — Por favor, Lisa! Esse é o tipo de pergunta que deixa a cabeça de qualquer um completamente em branco.

— Bom, me conta como você foi acabar como diretor-superintendente de uma emissora de tevê, uma estação de rádio e várias revistas de sucesso aos trinta e dois anos de idade. — Tudo bem, ela estava rasgando um pouco de seda demais, mas, afinal, estava no ramo da adulação.

— É um emprego — disse ele, curto e rasteiro, como se desconfiasse que ela estava zombando dele. — Fui despedido do meu emprego anterior, e tinha que ganhar a vida.

Despedido? Isso não agradou nada a ela.

— Por que você foi despedido?

— Porque apresentei uma proposta radical, que implicava pagar aos funcionários o que valiam e dar a eles direito de participação nas decisões da diretoria. Em troca, eles fariam concessões quanto à delimitação das atribuições e às horas extras, mas a diretoria decretou que eu era um esquerdista e fui posto para fora.

— Um *esquerdista*? — Os esquerdistas não eram muito divertidos, eram? Convenciam as pessoas a participar de passeatas e tinham carros horríveis. Trabants. Ladas. Isso quando tinham um carro. Mas Jack era dono de um BMW.

— Quando eu era mais jovem e mais idealista — ele desferiu uma pancada violenta na chaminé de metal —, até poderia ser considerado um socialista.

— Mas agora não é mais, é? — perguntou Lisa, alarmada.

— Não. — Ele deu um riso forçado. — Não precisa ficar tão preocupada. Pendurei as chuteiras quando percebi que a maioria dos trabalhadores está muito satisfeita jogando bingo ou comprando ações de estatais privatizadas, e que o seu bem-estar econômico é uma coisa de que eles preferem cuidar sozinhos.

— Tem toda razão. Você não tem que fazer mais nada além de dar duro — apaziguou Lisa. Afinal, fora o que ela fizera. Era uma mulher da classe trabalhadora — bem, teria sido, se seu pai *realmente* trabalhasse —, e isso não a prejudicara em nada.

Jack se virou e lhe deu um sorriso complexo, que mesclava ironia e tristeza.

— Me dá um breve histórico da sua vida profissional — pediu Lisa.

Jack voltou ao aquecedor e disparou de um jato, sem entusiasmo aparente:

— Terminei a faculdade com um mestrado em comunicação, passei a temporada obrigatória para todo irlandês no exterior — dois anos numa empresa de comunicação, quatro em São Francisco numa emissora de tevê a cabo —, voltei para a Irlanda em tempo de presenciar o milagre econômico, trabalhei num jornal e fui para o olho da rua, como já disse... Aí, dois anos atrás, o velho Calvin Carter me arranjou a parada aqui.

— E o que você faz para relaxar? — Lisa apreciava a vista da camisa de Jack esticada sobre os músculos de suas costas enquanto ele trabalhava. — Por exemplo — deu um sorriso malicioso, que ele, infelizmente, perdeu —, você joga golfe?

— É a última vez que venho consertar seu aquecedor — resmungou ele.

— Não sei por quê, mas não achei mesmo que você fosse do tipo de homem que joga golfe — disse ela, às risadinhas. — Mas, e aí, o que você *faz*?

— Lisa, não fica me perguntando essas coisas. O que eu sei... — Deu um meio sorriso fugaz por sobre o ombro. — ...é que conserto aquecedores. Saio por aí entrando em casas aleatórias, sem avisar, e insisto em consertar os aquecedores das pessoas. Às vezes, até mesmo quando não estão quebrados. — Calou-se para se concentrar na torcedura metódica de um parafuso e, em seguida, disse: — Que mais? Saio com minha namorada. Vou velejar.

— Num iate? — perguntou Lisa, ávida, ignorando a menção a Mai.

— Não, imagina. Não, longe disso. É um barquinho para uma pessoa só, não muito maior que uma prancha de surfe. Ah, vamos ver... Passo metade da noite jogando Sim City, isso conta?

— O que é isso? Um game de computador? É claro que conta. Mais alguma coisa?

— Sei lá. A gente vai a um bar, ou come fora, e fala à beça em ir ao cinema, mas... taí uma coisa que eu não entendo mesmo: a gente acaba nunca indo.

Lisa não gostou do "a gente" na frase. Presumiu que se referisse a Jack e Mai, e não sabia o que faziam em vez de ir ao cinema, mas podia adivinhar.

— Me encontro com alguns colegas dos tempos de faculdade, vejo um pouquinho de tevê... mas, atenção: a trabalho!

— Claro, claro — debochou Lisa, brincalhona. Então se deu conta de uma coisa. — É disso que você gosta mais, não é? Trabalhar na emissora de tevê?

— Pode cr... — Ela viu as costas de Jack se retesarem, quando ele lembrou com quem estava falando. — Hum, eu gosto das revistas, também. Você não acreditaria no volume de trabalho que o Canal 9 gera para mim...

— Quer dizer então que você não precisava da *Garota* e de todo esse trabalho extra? — provocou-o Lisa.

Jack se esquivou da pergunta, diplomático:

— A questão é que, no momento, trabalhar no Canal 9 está sendo muito gratificante para mim. Depois de dois anos de lutas, finalmente a equipe está sendo bem paga, os patrocinadores estão satisfeitos e o público recebe uma programação inteligente. E estamos começando a atrair novos investidores, graças ao que vamos poder produzir uma programação de melhor nível ainda.

— Que máximo — disse Lisa, distraída. Já ouvira o bastante sobre o Canal 9 por ora. — Que mais você faz?

— Aahhhhh — Jack pensou em voz alta. — Visito meus pais quase todos os fins de semana. Dou um pulinho lá e passo uma hora.

Eles já não são mais tão jovens assim, de modo que o tempo que passo com eles parece ser muito mais precioso, entende?

Lisa tratou correndo de mudar de assunto:

— Você nunca vai a inaugurações de restaurantes, estreias, esse tipo de coisa?

— Não — disse ele, bruscamente. — Detesto tudo isso. Não nasci com o gene da extroversão, mas tenho certeza de que você não precisa que eu te diga isso.

— Como assim? — Lisa se fez de ingênua.

— Ah, pelo amor de Deus, eu sou o cara mais neurastênico do mundo.

— Comigo nunca foi — disse Lisa, sem que com isso quisesse dizer que nunca testemunhara suas cenas.

— Mas eu não queria ser assim — disse ele, com uma ponta de melancolia. — É só porque... É... uma coisa que acontece, e eu sempre me arrependo depois.

— Quer dizer que você ladra mais do que morde?

Ele se virou para ela.

— Está pronto — disse, abaixando a chave inglesa, para logo em seguida acrescentar, manso: — Nem sempre. Às vezes eu mordo, e mordo feio.

Antes que ela pudesse aceitar essa provocante afirmação, ele já enfiava com estrépito a chave inglesa e a chave de fenda de volta na caixa de ferramentas.

— Está num relógio de vinte e quatro horas, não deve dar trabalho de acertar, agora você tem água quente a hora que quiser. Até amanhã e desculpe por aparecer assim, sem avisar.

E, de repente, tinha ido embora. A casa pareceu vazia demais e Lisa se viu sozinha — muito sozinha — com seus pensamentos.

Oliver gostava de roupas, festas, artes plásticas, música, clubes e conhecer as pessoas certas. Jack era um membro mal-ajambrado da esquerda festiva que velejava numa prancha de surfe e praticamente não tinha vida social. Mas também era alto, sensual, perigoso, cheirava bem e, ora bolas, não se pode ter tudo!

CAPÍTULO 24

Você é uma mulher maravilhosa, Ashling, você é uma mulher maravilhosa, Ashling. As palavras de Dylan davam voltas na cabeça de Ashling como um carrossel, enquanto ela caminhava de volta do Shelbourne para casa. E só parou para dar um pulo no Café Moka, a fim de comer alguma coisa.

Quando finalmente chegou em casa, encontrou Boo diante da portaria.

— Por onde você andou? — perguntou Ashling. — Já faz dias que não te vejo.

Ele lançou um olhar para os Céus.

— Mulheres! — exclamou, bem-humorado. — Sempre tentando vigiar a gente. — Seus olhos brilhavam no rosto hirsuto. — Eu estava a fim de uma mudança de cenário. — Brincalhão, fez um gesto malicioso com a mão imunda. — A linda porta de uma loja em Henry Street acenou para mim, aí resolvi colocar meu chapéu lá por umas noites.

— Quer dizer então que você dorme cada hora num canto — disse Ashling. — Típico homem.

— Não significou nada — disse Boo, com honestidade. — Foi uma coisa puramente física.

— Ontem à noite eu tinha uns livros para você. — Ashling estava aborrecida por ser pega desprevenida outra vez.

Até lembrar que tinha um exemplar de Patricia Cornwell na bolsa, que a editora mandara para a redação. Como ninguém da equipe o quisera, Ashling o pegara para Joy.

— Será que isso te interessaria? — Tirou-o da bolsa com um puxão desajeitado. Os olhos de Boo brilharam com tamanho interesse, que Ashling chegou a sentir uma certa raiva. Ela tinha tanto, e ele nada, só um cobertor laranja.

— Animal! — arquejou. — Vou tomar conta dele, cuidar para que nada aconteça com ele.

— Pode ficar para você.

— Por quê?

— Eu consegui, hum, de graça. No trabalho.

— Mão boba, gostei de ver, maneiro — felicitou-a. — Valeu, Ashling. Obrigado mesmo.

— Não foi nada — disse ela, cerimoniosa. Ferida com a injustiça do mundo, cheia de raiva de si mesma por ter tanto poder, e sentimento de culpa por fazer tão pouco.

Ao enfiar a chave na porta, ele lhe perguntou:

— O que você achou de Marcus Valentine?

— Não sei. — Por um momento ela esteve prestes a soltar uma longa explicação sobre como não se sentia atraída por ele, mas depois o vira no palco e, mesmo contra a sua vontade, mudara de ideia, como estava louca para que ele lhe ligasse e torcia para que houvesse um recado à sua espera e... devagar com o andor.

— Engraçado. — Deu um sorriso débil para Boo. — Ele é muito engraçado.

Bota engraçado nisso. Dizendo que ia ligar e agora fazendo corpo mole. Subiu as escadas correndo, apressada para ver se havia algum recado.

Ao ver a luz vermelha piscando, sua cabeça ficou zonza. Apertou a tecla "play" e, enquanto a fita rebobinava até o início, deu uma pirueta rápida e esfregou o Buda da sorte, tocou no seixo da sorte, passou os dedos no cristal da sorte e pôs na cabeça o chapéu com o pompom vermelho da sorte.

— Por favor, Força Benigna do Universo que prefiro chamar de Deus — rezou —, façai com que ele tenha ligado.

Obviamente houve alguma confusão no contínuo do tempo-espaço, porque sua oração foi atendida. Mas a oração *errada*. Uma oração com o prazo de validade vencido — o recado era de Phelim. Quantas vezes no passado Ashling rezara para que ele lhe ligasse, e agora que ligava, era tarde demais...!

— Bom-dia, Ashling — veio sua voz de Sydney, a ligação cheia de chiados. — Como é que vai? — Sua entonação era extrovertida e australiana, mas ele logo tratou de retomar o sotaque de Dublin. —

Escuta só, esqueci de comprar um presente de aniversário para minha mãe, e estou correndo risco de vida por isso. Você compraria um enfeite ou alguma coisa assim para ela? Você conhece o gosto dela melhor do que eu... Pode deixar que eu te reembolso depois. Valeu, você é um anjo.

— Filho da puta cretino — resmungou ela, arrancando o chapéu com o pompom vermelho da sorte. Se não tivesse destrinchado todos os aspectos práticos da viagem para ele, as passagens, os vistos, os passaportes e os dólares australianos, ele ainda estaria tentando descobrir como sair do país. Quase fora obrigada a enfiá-lo dentro do avião, literalmente, com um bilhete amarrado no pescoço. Em seguida, observou suas próprias reações — uma completa ausência de náusea, nostalgia ou saudade. Em geral qualquer contato com Phelim a deixava alterada, mas, pelo visto, começara a acreditar nas próprias mentiras e *realmente* o esquecera.

Tirou o fone do gancho e ligou para Ted.

— Se pelo menos o Funcionário Público estivesse aqui... — disse, à guisa de saudação.

— Já estou indo.

— Chama a Joy também.

Momentos depois, Ashling recebeu Ted e Joy dizendo:

— Estou tendo problemas com um homem.

— Eu também — vangloriou-se Joy.

— Metade-homem-metade-texugo?

— Metade-*babaca*-metade-texugo — corrigiu-a Joy. — Fazendo cu-doce comigo... Mas quem é o homem, Ashling, que está te dando trabalho? O Bonito & Gostoso da revista? Eu cantei a pedra, não cantei?

— Quem? Ah, Jack Devine? — A lembrança dos dez maços de cigarros deixou-a extremamente encabulada, de modo que tratou rapidinho de se lembrar da acusação "Às vezes você parece que confunde sua idade com o limite de velocidade", e conseguiu se situar outra vez. — Aquele filho da mãe?

Joy olhou para Ted com um sorriso presunçoso, do tipo "Eu não disse?".

— Os ânimos andam *mesmo* exaltados — comentou, com ar benevolente.

— Não é Jack Devine — insistiu Ashling. — É aquele humorista, Marcus Valentine.

— *Do que* é que você está falando? — perguntou Joy, irritada.

Ashling contou-lhe a história toda: como conhecera Marcus na festa no cais do porto, como ele lhe dera o bilhete do Bellez-moi...

— Mas ele falou disso no show! — disse Ted, entusiasmado. — A garota de quem ele estava falando era você. É fantástico!

Ashling levantou a mão em sinal de silêncio:

— Aí esbarrei com ele de novo no fim de semana retrasado naquela festa em Rathmines, mas nem então me senti atraída. Mas depois nos vimos sábado à noite, e acho que comecei a gostar dele. E ele disse que ligaria para mim, mas não ligou.

— Claro que não ligou! — exclamou Joy. — Ainda é segunda-feira!

Ao ouvir essas palavras, Ashling recobrou a sanidade.

— Tem toda a razão! Estou dando um nó no joelho, como sempre, quando nem mesmo tenho certeza se me sinto atraída por ele. E pensar que passei o dia de ontem inteiro me sentindo uma pilha de nervos. Quando é que vou aprender...?

— Se ele te ligar, vai ser na terça ou na quarta — disse Joy, segura.

— Como é que você sabe?

— Está no Estatuto dos Homens. Ted, anota aí: você conhece uma mulher no sábado à noite e em hipótese alguma liga para ela antes de terça, porque corre o risco de parecer interessado demais. Se o telefonema não sair na terça ou na quarta, não sai mais.

— E quinta-feira? — perguntou Ashling, alarmada.

— Perto demais do fim de semana. — Joy sacudiu a cabeça, com ar de quem sabe das coisas. — Eles acham que a gente já tem compromissos e não querem se arriscar a levar um fora.

— Por acaso, já tenho mesmo um compromisso para sábado à noite. — Ashling se distraiu por um momento. — Disse que tomaria conta das crianças para Dylan e Clodagh poderem sair.

Ted abafou um grito.

— Posso ir?

— Não me diga que ele é fã da princesa — disse Joy, em tom de desprezo.

— Ela é linda — disse Ted.

— É mimada em último grau e...

— Posso ir? — Ted tornou a implorar a Ashling, ignorando Joy.

— Ted, se alguém vai tomar conta dos filhos de Clodagh, isso significa que ela *não vai estar lá*. — Ashling ficou irritada por Ted praticamente lhe pedir que servisse de intermediária entre ele e uma amiga sua casadíssima.

— Ainda assim... Ouve só, por que não pergunta a ela se eu posso ir? Você nunca vai conseguir dar conta de duas crianças sozinha.

Ashling se viu presa entre a irritação e a consciência de que Ted estava certo. Sozinha, não era páreo para o poder combinado de Molly e Craig.

— Tudo bem, vou perguntar. — Mas, se Clodagh fosse mesmo tão neurótica com a guarda de seus filhos quanto Dylan dissera, não deixaria Ted entrar na sua casa nem por decreto.

— Eu diria que Marcus Valentine vai ligar amanhã à noite ou quarta. — Joy já estava cansada de falar de Clodagh.

— Não vou estar aqui amanhã à noite.

— Aonde você vai?

— À minha aula de salsa.

— Como é que é?!

— Eu gostei — defendeu-se Ashling. — É só por dois meses e meio. E estou totalmente fora de forma.

— Vai ficar magrinha, magrinha — disse Joy, em tom de choro.

— Não vou, não — disse Ashling, veemente, mas sem a menor convicção. — Sou sócia da academia há anos, e não fiquei um centímetro mais magra.

— Talvez ficasse, se fosse de vez em quando — comentou Joy, irônica. — Pagar a mensalidade não basta.

— Mas eu ia, sim — defendeu-se Ashling, mal-humorada. E ia mesmo, e fazia centenas de variações de abdominais e exercícios para a cintura. Encostava o cotovelo no joelho oposto uma vez atrás da outra, até o sangue ir todo para a cabeça e mil veiazinhas vermelhas romperem em seus olhos. Mas, quando ficou claro que mesmo que se contorcesse até entrar em coma sua cintura teimosamente se recusaria a afinar, desistiu. O resto de seu corpo não era tão mau assim, decidiu, de modo que em nada lucraria com os exercícios.

Com a salsa era diferente. Não ia pela cintura, mas porque queria se divertir.

— Você arranjou um hobby — acusou-a Joy, novamente preocupada. — Vai virar uma daquelas pessoas esquisitas que têm hobbies.

— Não é um hobby — disse Ashling, alarmada. — É só uma coisa que eu tenho vontade de fazer.

— E você acha que um hobby é o quê?

— Por falar em salsa — disse Ted —, dei uma olhada no seu artigo e está fantástico. Fiz uma ou outra sugestão, mas está ótimo do jeito que está.

— É mesmo? — disse Ashling, mal se atrevendo a acreditar. Tinha dado o couro durante três noites inteiras na semana anterior e acreditava ter conseguido fazer com que ficasse até mesmo um tanto engraçado, mas não sabia se era sua imaginação.

— Eu gostei. Foi bom trabalhar numa coisa assim, para variar, em vez de fazer um relatório sobre a erradicação da brucelose do gado leiteiro. Sexy, não? — disse Ted, com uma ponta de amargura. — Não admira que Clodagh não se interesse por mim. Quanto antes eu conseguir minha transferência para o Ministério da Defesa, melhor.

E se perdeu num devaneio sobre metralhadoras, carros blindados, caras pintadas, canivetes complicados e toda essa parafernália de machão.

— E olha só o que eu fiz para você. — Joy sacou de uma folha de papel com vários desenhos de solas de sapatos, ilustrando a sequência de passos de uma salsa. Desenhara-os com um traço cômico, no estilo das histórias em quadrinhos, com setas e linhas pontilhadas indicando a movimentação.

— Que ideia inteligente! — exclamou Ashling. — Vocês dois são fantásticos!

O tão temido artigo começava a se transformar em algo razoável. Além das fotos dela e de Joy, pedira a Gerry, o diretor de arte, para fazer uma busca de uma foto de dois dançarinos, e ele encontrara uma ótima, a mulher curvada para trás até a cintura, os cabelos negros varrendo o chão, o homem inclinado sensualmente sobre ela. Muito sexy. E Ashling teve uma curta trégua da incessante suspeita de que não estava à altura de seu emprego.

O telefone tocou e, como a secretária-eletrônica ainda estava ligada, os três prestaram a máxima atenção para ver quem era. Seria Marcus Valentine?

— Não vai ser. Já te disse — suspirou Joy, entediada —, ainda é segunda-feira.

Era Clodagh.

— Sossega, coração — disse Joy a Ted, sarcástica.

Embora o recado fosse curto, à luz da preocupação de Dylan, deixou Ashling nervosa.

— Ashling — disse a voz de Clodagh para a sala —, será que dava para me ligar? Quero falar com você sobre... uma coisa.

CAPÍTULO 25

Na terça de manhã, quando Trix entrou na redação com o rosto cintilante e um par de saltos plataforma de plástico, acompanhava-a um tênue porém inconfundível cheiro de peixe. Ashling o notou no momento em que chegou e, em seguida, mal passavam pela porta, os recém-chegados, um a um, punham-se a farejar, alarmados. Falar com Trix, no entanto, seria um pouco constrangedor, e ninguém tocou no assunto até Kelvin chegar. Afinal, era um rapaz de vinte e poucos anos, e estava no auge da vulgaridade.

— Trix, você está com um cheiro que só posso esperar seja de peixe.

— E *é* de peixe.

— Podemos perguntar por quê?

— Eu queria um homem motorizado — explicou ela, de mau humor.

Kelvin esbofeteou o rosto várias vezes.

— Não! — disse, brincalhão. — Agora eu estou acordado, e ainda não faz sentido.

— Eu queria um homem motorizado — repetiu ela, irritada. — Aí conheci Paul, que é entregador de uma peixaria, e o dono deixa ele usar a van depois do expediente.

A ideia de Trix sentada ao lado de um montão de peixes, com seus modelitos *tchan*, fez com que a redação explodisse em gargalhadas, o que não era de surpreender.

— Eu sento na frente, com o motorista — protestou ela, inutilmente —, não atrás, com os peixes.

— E seus outros namorados? — perguntou Kelvin.

— Dei um pé na bunda de cada um.

Ah, quem me dera ser durona como ela, pensou Ashling, digitando furiosamente. Estava passando seu artigo sobre o clube de salsa para o computador. Assim que acabou, entregou-o a Gerry, que esca neou os desenhos e fotos de Joy.

— Vou jogar com tipos e cores diferentes — disse ele. — Me dá um tempinho, depois a gente mostra para a Lisa. Pode confiar, vou fazer uma coisa bem bonitinha.

— Eu confio em você — garantiu Ashling. Gerry era um oásis de calma e mansidão, parecendo nunca entrar em pânico, não importava o quanto o pedido parecesse obscuro e difícil, coisa que tinha o dom de tranquilizá-la.

Enquanto Ashling esperava, ligou para Clodagh.

— Você disse que queria falar uma coisa comigo — disse, ansiosa.

— E quero — confirmou Clodagh, com a cacofonia de praxe ao fundo. — Craig está indisposto, e Molly foi suspensa do grupo de atividades de novo.

— Que foi que ela fez agora?

— Pelo que consta, tentou tocar fogo nas instalações. Mas ela é só uma menina pequena explorando o mundo, descobrindo o que os fósforos podem fazer. Que é que eles queriam? — Outro berreiro irrompeu. — Pelo menos, ela tem um mínimo de curiosidade. Porra, estou perdendo a razão aqui, Ashling.

É disso que eu tenho medo.

— E é sobre isso que quero falar com você... MOLLY, LARGA ESSA FACA!!! AGORA!!! Craig, quando a Molly bater em você, pelo amor de Deus, BATE NELA TAMBÉM!!! Seu mariquinhas — soltou Clodagh, com desprezo. — Tenho que desligar, Ashling, te ligo depois.

E desligou. Com que então, Dylan estava certo, alguma coisa estava mesmo acontecendo. Ashling engoliu em seco. Ora, foda-se.

Tentando se distrair, apertou algumas teclas do computador, os dedos ávidos ao ver que recebera um e-mail. Era uma piada enviada por Joy. Qual era a diferença entre um ouriço e um BMW?

— Tenho uma piada para vocês — gritou para a redação. Na hora todos largaram o trabalho. Não precisavam de muito incentivo. — Qual é a diferença entre...

— Já conheço — disparou Jack Devine, dirigindo-se a passos largos para o seu escritório.

— O senhor nem sabe o que eu ia dizer — protestou Ashling.

No ouriço, os espinhos ficam *do lado de fora.* — Jack bateu a porta.

— Como é que ele sabe? — espantou-se Ashling.

— É a piada do BMW e do ouriço? — indagou Kelvin.

Como Ashling assentisse, Kelvin explicou, com delicadeza:

— Está circulando há dois dias. E, como Jack tem um BMW, já contaram a ele um monte de vezes.

— Aahhh. Pensei que ele tivesse tido outro pega com a namorada.

— Vocês têm ideia do quanto o pobre Sr. Devine está assoberbado? — Por trás de sua mesa, a Sra. Morley se pusera de pé (e nem assim pareceu mais alta). Sua voz se elevara, num acesso de superproteção. — Ele ficou negociando com o sindicato dos técnicos até as dez da noite de sábado. E hoje de manhã vai receber três executivos do grupo para discutir assuntos muito sérios, e nenhum de vocês se importa. Embora devessem — arrematou, com um tom de voz sinistro.

Embora geralmente fosse tida na conta de velha megera e profetisa de desgraças, suas palavras surtiram um efeito moralizante sobre todos. Principalmente sobre Lisa. Ainda não tinham recebido uma palavra sobre a situação da publicidade. Seus nervos eram de ferro, mas até ela estava achando isso desgastante.

Jack saiu do escritório.

— Acabaram de ligar — informou a Sra. Morley. — Vão estar aqui dentro de dez minutos.

— Obrigado — suspirou Jack, passando as mãos distraidamente pelos cabelos desgrenhados. Parecia cansado e preocupado e, de repente, Ashling sentiu pena dele.

— Gostaria de tomar uma xícara de café antes da reunião? — ofereceu, simpática.

Ele voltou os olhos escuros para ela.

— Não — disse, azedo. — Isso poderia me manter acordado.

Bom, nesse caso, vai catar coquinhos, pensou Ashling, toda a simpatia se evaporando no ato.

— Ashling, dá só uma olhada — disse Gerry. Ashling foi correndo olhar a tela do computador e se encheu de admiração pela maneira como ele diagramara sua matéria. Quatro páginas com um visual colorido, engraçado, chamativo e interessante. O texto estava dividido em colunas, toda a matéria dominada pela foto erótica do casal de dançarinos, os cabelos compridos da mulher chegando até o chão.

Ele imprimiu o material e Ashling o levou para Lisa como se fosse uma oferenda sagrada. Sem dar uma palavra, Lisa esquadrinhou as páginas. Nem a expressão de seu rosto traía nada. O silêncio durou tanto, que o entusiasmo de Ashling começou a se transformar em preocupação. Será que entendera tudo errado? Talvez não fosse nada daquilo que Lisa quisesse.

— Um erro de ortografia aqui. — A voz de Lisa não tinha nenhuma entonação. — Um erro de digitação aqui. E outro. E mais outro. — Quando chegou ao fim, empurrou os papéis de sua frente e disse: — Está bom.

— Bom? — repetiu Ashling, ainda à espera de reconhecimento por todo o trabalho e preocupação que a matéria lhe dera.

— É, bom — disse Lisa, impaciente. — Passa a limpo e imprime.

Ashling a encarou, com ódio, sem conseguir conter sua decepção. Não podia saber que tal reação, no vocabulário de Lisa, constituía um alto elogio. Quando os funcionários da *Femme* eram submetidos a seus gritos de "Tira essa merda da minha mesa e reescreve do começo ao fim", recebiam essas palavras como um tributo.

Lisa mudou totalmente de assunto ao se lembrar de uma coisa. Num tom excessivamente casual, perguntou:

— Escuta, quem era aquele cara com quem você estava ontem à noite?

— Que cara? — Ashling sabia muito bem de quem ela estava falando, mas resolvera tirar sua vingancinha.

— O cara louro com quem você saiu.

— Ah, Dylan. — E mais não disse. Estava curtindo adoidado o interrogatório.

— E quem é ele? — Lisa acabou se vendo obrigada a perguntar.

— Um velho amigo.

— Solteiro?

— Casado com a minha melhor amiga. E aí, gostou do meu artigo? — insistiu.

— Já disse que está bom. — Lisa ficou irritada. E as palavras que pronunciou em seguida puseram o dedo fundo na ferida: — Acho que vamos transformá-lo numa seção fixa. Faz outro sobre lugares onde se podem conhecer homens, para a edição de outubro. Que foi mesmo que você sugeriu na primeira reunião? Uma agência de encontros? Aulas de equitação? Navegar na Internet?

Ela se lembrava de *tudo*, pensou Ashling, esmagada pela perspectiva de ter de fazer o mesmo esforço monumental não só no mês seguinte, como em todos os outros. E nunca receber uma joça de elogio por isso!

— Ou você podia escrever uma matéria sobre as chances de se conhecer homens em shows humorísticos — disse Lisa, com um sorriso astuto.

Ashling deu de ombros, encabulada.

— Ele já ligou para você? — perguntou Lisa, de repente.

Ashling sacudiu a cabeça, constrangida, sentindo-se uma derrotada. Será que ele tinha ligado para Lisa? Provavelmente, e a cretina devia estar estourando de vaidade. Após alguns segundos de silêncio, não se aguentou mais de curiosidade:

— Ele ligou para você?

Para sua surpresa, Lisa também sacudiu a cabeça.

— Palhaço! — disse Ashling, veemente, morta de alívio.

— Palhaço! — concordou Lisa, com um riso inesperado.

De repente, o fato de ele não ter ligado para nenhuma das duas pareceu muito engraçado.

— Homens! — A pesada expectativa que Ashling vinha carregando desde quarta-feira se dissolveu em hilaridade.

— Homens! — tornou a concordar Lisa, transbordando de divertimento.

Nesse momento, Kelvin atraiu o olhar das duas. Estava plantado no meio da redação, coçando o saco preguiçosamente, com o olhar perdido no espaço. Parecia tanto um *homem* que, quando os olhos das duas voltaram a se encontrar, chegaram a se dobrar de tanto rir.

Os espasmos de humor saíam do íntimo de Lisa. O que a exaltava e liberava tanto era a consciência de que há muito não ria para valer. Uma gargalhada visceral, sem se importar com mais nada.

— Que foi? — perguntou Kelvin, irritado. — Qual é a graça?

Foi o bastante para elas caírem no riso outra vez. A desconfiança mútua que alimentavam fora levada pela maré de hilaridade, e ambas experimentaram um momento de união e amizade.

Com a boca ainda escancarada como a de um golfinho pelos restos de hilaridade, Lisa perguntou a Ashling, num impulso:

— Tenho um convite para a apresentação de uma linha de maquiagem hoje à tarde. Quer vir?

— Por que não? — disse Ashling, bem-humorada. Agradecida, mas não mais de uma maneira servil.

A apresentação da linha de maquiagem era da Source, a atual queridinha das tops e modetes. Seus preços exorbitantes inspiravam confiança nas consumidoras, todos os seus produtos eram orgânicos, com embalagens biodegradáveis, recicláveis ou reutilizáveis, e faziam a maior onda em cima do fato de investirem uma parte de seus lucros em projetos de replantio de árvores, reparação dos buracos na camada de ozônio etc. (A quantia propriamente dita representava 0,003% dos lucros apurados depois de deduzidos o imposto de renda e os dividendos dos sócios. Na prática, o total não ultrapassava a casa das centenas de libras, mas, mesmo que soubessem disso, as pessoas não se importariam. O que compravam era a ideia: "Source — Beleza responsável.")

O Hotel Morrison, onde aconteceria a demonstração, ficava longe o bastante da redação para Lisa insistir em tomar um táxi. Teriam chegado mais rápido se tivessem ido a pé, porque o trânsito estava engarrafado, mas Lisa não se importou. Em Londres jamais ia a pé a parte alguma, e consideraria uma afronta ao seu status se esperassem isso dela em Dublin.

Um dos salões de festas do hotel fora transformado numa farmácia antiga para a apresentação. As garotas da Source usavam jalecos de médico e ficavam atrás de mesas de boticário (feitas de MDF, mas tratadas para adquirir a aparência de teca envelhecida). Por toda parte havia frascos com tampas de vidro, contagotas medicinais e vidrinhos de medicamentos de manipulação.

— Baboseira pretensiosa — Lisa sussurrou no ouvido de Ashling, rindo de desprezo. — E, quando falam nos produtos da nova estação, é como se tivessem acabado de descobrir a cura do câncer. Mas, antes de mais nada, uma bebida!... Suco de capim?! —

exclamou, quando o garçom lhe exibiu os copos de sua bandeja. — Uó! O que mais vocês têm?

Acenou para outro garçom, cuja bandeja estava repleta de latinhas de prata, cada qual com um tubo opaco, parecendo um canudinho dobrado.

— Oxigênio? — disse Lisa, indignada. — Não seja idiota. Me traga uma flûte de champanhe.

— Duas — disse Ashling, nervosa. A simples visão do suco de capim verde e encaroçado já começava a embrulhar seu estômago e, até onde sabia, podia conseguir oxigênio a hora que quisesse. Beberam três flûtes de champanhe cada uma, para grande inveja dos outros *liggers*, que bebericavam timidamente os sucos de capim da boca-livre, tentando não vomitar. Só Dan "Novidade é Comigo Mesmo" Heigel, do *Sunday Independent*, experimentara o oxigênio, e ficara com a cabeça tão leve que fora obrigado a se estirar no saguão, onde os turistas passavam por cima dele, com sorrisos benevolentes, crendo tratar-se do exemplo clássico do irlandês bêbado decadente.

— Vamos lá — disse Lisa a Ashling, por fim. — Temos que assistir à palestra, para podermos reivindicar nossos jabás.

Ashling constatou que Lisa tinha toda a razão: Caro, a garota que demonstrou os cosméticos para elas, comportou-se com uma incrível sinceridade e falta de ironia em relação aos produtos.

— O look desta estação é brilhoso — disse ela, espalhando um pouco de sombra nas costas da mão com ar apaixonado.

— Mas esse também foi o look da estação passada — desafiou-a Lisa.

— Ah, não. O da estação passada foi brilh*ante*. — Disse isso sem o menor vestígio de ironia.

Lisa deu uma cotovelada em Ashling, e as duas compartilharam um frêmito de hilaridade. Lisa se deu conta de que era bom ter alguém com quem rir dessas coisas.

— Nós inovamos esta estação produzindo uma sombra em forma de gloss, estamos muito entusiasmados com ela... Se a textura parece um pouco leve, é porque, ao contrário de outras empresas de cosméticos, nós nos recusamos a corromper nossos produtos com gorduras animais. Um preço pequeno a ser pago...

Por fim, a meritória demonstração chegou ao fim, e Caro arrepanhou uma seleção dos cosméticos da nova estação. Todos os produtos vinham em frascos de vidro grosso marrom, como os dos medicamentos de antigamente, e embalados numa réplica de maleta de médico.

Ela entregou uma maleta a Lisa, que era obviamente a encarregada. Mas, como Ashling e Lisa não arredassem pé dali, Caro disse, ansiosa:

— Só um brinde por publicação. Nossa filosofia na Source é desencorajar os excessos.

Horrorizadas, Lisa e Ashling experimentaram um momento de rivalidade.

— Eu sabia — disse Lisa, displicente, saindo do salão em passos altivos e despreocupados, a mão fechada como uma garra em torno da alça. Ashling até podia ter o direito, mas Lisa tinha o poder, e quem pode, pode, quem não pode, se sacode: essa era a lei e, até onde Lisa sabia, ainda estava em vigor. Saiu no vestíbulo e atravessou o saguão, sem se deter um segundo ao transpor o ainda emborcado Dan Heigel.

— Bela calcinha — murmurou ele.

— Por que você tem que usar calça comprida? — perguntou a Ashling, quando, um segundo depois, ela pulou por cima dele.

Quando Lisa julgou que já estavam longe o bastante do hotel, afrouxou o passo. Ashling a alcançou, lançando um olhar ansioso para a maleta.

— Depende do que tiver dentro — disse Lisa, irritada. Acabara de lembrar por que gostava de trabalhar sozinha. Quando você trabalha com outras pessoas, às vezes é obrigada a dividir — a maquiagem, os elogios, tudo. Abrindo a maleta de médico, disse:

— Pode ficar com a sombra. Olha, é brilhosa!

Mas era também de um tom de lama esquisito que nenhuma das duas usaria.

— E pode ficar com a sombra em gloss também. Eu fico com o creme para o pescoço e o delineador.

— E o batom? — perguntou Ashling, com um nó de ansiedade no estômago. O batom era o verdadeiro prêmio, de um castanho desmaiado maravilhoso, com um perfeito acabamento mate.

— Eu fico com o batom — disse Lisa. — Afinal, sou a chefe.

E quem não sabe?, pensou Ashling, ressentida.

CAPÍTULO 26

Na noite de terça, Ashling foi à aula de salsa. Como da outra vez, havia uma média de dez mulheres para cada homem. Ashling teve que dançar com outra mulher, que lhe perguntou se ela ia sempre ali.

— É a primeira aula — observou Ashling.

— Ah, sim, tinha me esquecido. Mas, enfim, não é legal ter um hobby?

Depois da aula, com o rosto rosado e um ar radiante, voou para casa a fim de checar a secretária-eletrônica, mas, no momento em que abriu a porta, viu o olhar sinistro e fixo da luz vermelha. Ah, tudo bem, ainda era noite de terça. Nem tudo estava perdido.

Enquanto vasculhava os armários da cozinha, procurando alguma coisa para comer, preocupou-se com a hipótese de Marcus ter perdido o número de seu telefone. Mas não: ele o enfiara no fundo do bolso e dissera que o guardaria perto do coração. Além disso, era a segunda vez que ela lhe dava seu número, o que diminuía as chances de ele vir a perdê-lo.

Deu uma olhada no seu butim: meio saco de salgadinhos de milho, já meio moles; uma caixa de azeitonas pretas; quatro biscoitos de chocolate, também já meio moles; uma lata amassada de abacaxi em calda; oito fatias de pão dormido. Um resultado bem pouco expressivo — teria que ir ao supermercado no dia seguinte.

Como estava louca para comer alguma coisa quente, enfiou duas fatias de pão dormido na torradeira. Enquanto esperava, sentiu um ímpeto de frustração impotente em relação a Marcus. Por fazer um buraco na sua vida, abrindo caminho para a expectativa entrar, sorrateira. Ela estava muito bem até ele começar a infernizá-la.

E, afinal, por que a estava infernizando? Agora que ela o vira no palco, sua opinião mudara totalmente. Em vez de um homem de quem jamais se aproximaria, Marcus Valentine se tornara uma mercadoria desejável, e ela já não sabia se era digna dele.

Bem no meio de uma torrada, o telefone tocou, fazendo disparar sua taxa de adrenalina. Espanejando do rosto farelos sujos de manteiga, atravessou a sala e agarrou o fone.

— Alô? — disse, sem fôlego da expectativa. Que murchou rapidamente. — Ah, oi, Clodagh.

— Você está em casa? — perguntou Clodagh.

— Hum, que é que você acha?

— Desculpe. O que eu quis dizer é se posso dar um pulo aí.

Essa, não. O moral de Ashling despencou. Má notícia à vista. Cancelou imediatamente o plano de telefonar para os pais — sua carga já estava bastante pesada.

— Pode — disse a Clodagh. — Vou passar a noite em casa.

— Vou dar um pulo na casa da Ashling, devo demorar uma hora — disse Clodagh de longe para Dylan, que assistia à tevê na sala de estar semiempapelada.

— Vai? — perguntou ele, surpreso. Era um tanto atípico, pois Clodagh raramente saía à noite. E nunca sem ele. Mas, antes que pudesse lhe fazer mais perguntas, ela já batia a porta da frente e dava marcha à ré no Nissan Micra em direção à rua.

— Preciso falar com você — anunciou, quando Ashling abriu a porta do apartamento para ela.

— Imagino que sim — disse Ashling, desanimada.

— E preciso que você me faça um favor.

— Vou tentar.

— Aliás, sabe que tem um cara sem-teto sentado na frente da sua portaria? — Clodagh mudou bruscamente de assunto. — E ele me *cumprimentou*!

— Deve ser Boo — disse Ashling, distraída. — Jovem, com cabelos castanhos, todo sorridente?

— É, mas... — Clodagh hesitou. — Você *conhece* ele?

— Não tenho nenhuma intimidade com ele, mas... bom, a gente às vezes troca umas palavrinhas, quando estou saindo ou chegando.

— Mas provavelmente ele é um toxicômano! Pode te atacar com uma seringa — é isso que eles fazem, sabia? Ou arrombar seu apartamento.

— Ele não é um toxicômano.

— Como é que você sabe?

— Ele me disse.

— E você acreditou nele?

— A gente sabe essas coisas. — De repente, Ashling ficou irritada. — Quando alguém está bêbado ou ligado, a gente sabe só de olhar para a pessoa.

— Então por que ele é um sem-teto?

— Isso eu não sei — admitiu Ashling. Achara que seria grosseiro perguntar. — Mas ele é muito legal. Normal, mesmo. E eu não culparia ele se bebesse ou usasse drogas... deve ser uma coisa horrível, ser um sem-teto.

Clodagh esticou o lábio inferior, com ar rebelde:

— Não sei onde é que você arranja essas pessoas. Mas vê se toma cuidado, hein? Enfim, preciso conversar com você. Tomei uma decisão.

— Qual? — *Começar a tomar antidepressivos? Deixar Dylan?*

— Chegou a hora... — Clodagh se arriou no sofá e, depois de se acomodar, recomeçou: — Chegou a hora...

— De *quê*? — O nervosismo deixava Ashling ríspida.

— ...de eu voltar a trabalhar — concluiu Clodagh.

Não era o que Ashling estava esperando. Preparara-se para algo muito pior.

— O quê...? Voltar a trabalhar?

— Por que não? — Clodagh se pôs na defensiva.

— Hum, exatamente. Por que não? Mas o que foi que te levou a tomar essa decisão?

— Ah, eu já vinha pensando nisso há algum tempo. Provavelmente não é saudável investir toda a minha energia nas crianças. — Secretamente, Clodagh supunha ser essa a origem daquela terrível e desconfortável sensação de insatisfação. — Preciso sair mais de casa. Conversar com outros adultos.

— E era só isso que você queria conversar comigo? — Ashling precisava ter certeza.

— E o que mais haveria de ser? — Clodagh pareceu surpresa.

— Nada. — Ashling teve vontade de dar uma bolacha em Dylan, por deixá-la naquele estado de extrema ansiedade, quando era óbvio que o único problema de Clodagh era tédio. — E aí, em que tipo de emprego você pensou?

— Ainda não sei — admitiu Clodagh. — Mas não faz diferença. Qualquer um... Embora, seja lá qual for, vá ser difícil voltar a receber ordens de terceiros — lamentou-se. — Isso é, terceiros que não sejam meus filhos.

Enquanto Ashling reorganizava suas ideias para assimilar essa reviravolta inesperada, Clodagh se perdeu num devaneio. Vivia lendo livros sobre donas de casa que iniciavam seus próprios negócios. E que transformavam sua habilidade para fazer doces numa fábrica. Ou montavam um spa para mulheres. Ou transformavam o hobby da cerâmica numa próspera empresa, empregando, ah, no mínimo sete ou oito pessoas. As autoras desses livros faziam tudo parecer tão fácil. Os bancos lhes emprestavam dinheiro, as cunhadas tomavam conta de seus filhos, os vizinhos transformavam a garagem na sede da empresa, enfim, todos se juntavam num grande mutirão de boa vontade. Quando uma enchente inundava a cafeteria, Deus e todo mundo aparecia para ajudar na limpeza: fregueses, carteiros, transeuntes inocentes e alguém com quem a heroína tivera uma briga. (O que em geral assinalava o fim da desavença.)

E, de quebra, essas empreendedoras ficcionais invariavelmente abiscoitavam um homem.

Mas você já tem um homem, Clodagh relembrou a si mesma.

Sim, mas...

Será que conseguiria montar seu próprio negócio? Mas o que poderia fazer?

Nada, se fosse ser honesta. Duvidava sinceramente que alguém pagasse para comer o que cozinhava. Na realidade, quase tinha que pagar a Craig e a Molly para que comessem suas refeições. Não conseguia imaginar ninguém desembolsando uma nota preta para ir a seu restaurante comer batatas fritas de saquinho e macarrão instantâneo — mesmo que oferecesse um serviço gratuito de resfriamento soprando em todos os pratos dos clientes antes de servi-los. E ainda permitisse que esfregassem os restos de comida no seu cabelo.

Quanto a habilidades manuais... preferia dar à luz a fazer cerâmica. E também não tinha a menor ideia de como montar um spa.

Não, pelo visto teria que encarar alguma maneira mais convencional de ganhar a vida. E era aí que Ashling entrava.

— Então pensei se você não poderia digitar meu currículo para mim — pediu Clodagh. — E, ouve só, não quero que Dylan saiba disso. Ainda não, pelo menos; ele poderia ficar com o orgulho ferido. Por não ser o único a pagar as contas, entende?

Ashling não ficou totalmente convencida, mas decidiu deixar passar.

— Tudo bem. Que hobbies eu ponho? Asa-delta? Sadomasoquismo?

— Canoagem em águas rápidas — Clodagh riu. — E sacrifícios humanos.

— Tem certeza de que é isso mesmo que você quer? — Ashling ainda sentia a necessidade de que Clodagh enfatizasse isso para ela.

— Sei lá. Mas, para ser franca, tenho andado muito deprimida já há algum tempo, e era uma coisa que estava começando realmente a me fazer mal.

Talvez Dylan não tivesse exagerado tanto assim, concluiu Ashling. Talvez tivesse algum motivo para se preocupar.

— Mas agora que sei o que fazer — disse Clodagh, animada —, tudo vai ficar bem... Ah! — lembrou-se de repente. — Dylan me disse que você vai ficar com as crianças para nós sábado à noite.

Com que então, a Operação Levanta-Astral-de-Clodagh ainda estava em andamento.

— Vamos ao L'Oeuf — disse Clodagh, com um frêmito deliciado. — Faz séculos que não saio.

— Escuta... e se o Ted fosse comigo? — Se Deus quisesse, Clodagh daria bola preta para a ideia.

— Ted? O moreno baixinho? — Clodagh refletiu. — Tá, por que não? Ele parece inofensivo.

CAPÍTULO 27

Ashling chegou cedo à redação para digitar o currículo de Clodagh. Em seguida, pediu a Gerry para dar uma caprichada no visual, deixá-lo bem bonitinho. Enquanto esperava que ele o imprimisse, levou um susto ao se flagrar rabiscando "Ashling Valentine" num papel. *Cresce!* Era melhor trabalhar um pouco. Mas, em vez disso, tratou de fazer uma coisa ainda mais desagradável: telefonar para os pais. Foi seu pai quem atendeu o telefone.

— Pai, é Ashling.

— Ah, oi! — Ele pareceu eufórico ao ouvir sua voz. — Como vão as coisas?

— Ah, bem, bem. E vocês, estão todos bem?

— Melhor, impossível. E então, quando é que vamos ver você? Alguma chance de vir passar um fim de semana aqui?

— Ainda não. — Sentiu-se culpada. — Sabe, ultimamente trabalho uma vez ou outra no fim de semana.

— Que pena. Não vai exagerar, hein? Mas o emprego está indo bem, não está?

— Muito bem.

— Espera aí, sua mãe quer dar uma palavrinha rápida com você.

— Pai, ouve só, não posso mesmo falar. Estou no trabalho. Ligo para vocês uma noite dessas. Fico feliz por estarem todos bem.

E desligou, sentindo-se um pouquinho melhor, um pouquinho pior. Aliviada por ter ligado e se livrado da obrigação durante duas semanas, e culpada por não poder dar a eles o que queriam. Acendeu um cigarro e tirou uma tragada funda.

* * *

Lisa chegou atrasada.

— Por onde você andou? — perguntou Trix. — Todo mundo está atrás de você.

— Você é minha AP — disse Lisa, impaciente. — Tem a obrigação de saber. Olha na minha agenda.

— Ah, sua *agenda* — disse Trix. — *É claro!* — Folheou-a até a página do dia e leu em voz alta: — "Entrevista com a maluca da Frieda Kiely." Era lá que ela estava, rapaziada.

— É isso mesmo — anunciou Lisa, num tom de voz alto o bastante para que todos ouvissem, principalmente Mercedes. — Visitei Frieda Kiely no seu ateliê hoje de manhã. Ela é uma gracinha. Uma verdadeira gracinha.

Na verdade, ela fora um pesadelo. Um pesadelo grotesco. Antipática, porra-louca em último grau e tão cheia de si, que no dia em que furasse o dedo voariam pedaços seus por todo o céu do condado. O que não seria mau, pensou Lisa.

Quando Lisa chegou, Frieda estava estirada numa chaise longue, usando um de seus vestidos estrambóticos, com os longos cabelos brancos caindo-lhe até a cintura. Recostava-se sobre peças de tecidos, atacando um café da manhã do McDonald's. Embora Lisa tivesse confirmado a entrevista com a assistente de Frieda naquela mesma manhã, Frieda teimava que o compromisso não existia.

— Mas sua assistente...

— Minha assistente — Frieda a ignorou, aos berros — é uma debiloide imprestável. Vou despedi-la. Julie, Elaine, seja lá qual for o seu nome, ESTÁ DESPEDIDA!... Mas, já que você está aqui... — concedeu. Estava a fim de se divertir um pouquinho.

— Pode me falar um pouco sobre você? — Lisa tentou tomar as rédeas da entrevista. — Onde você nasceu?

— No planeta Zog, meu bem — respondeu Frieda, com voz arrastada.

Lisa a encarou. Sentia-se inclinada a acreditar nela.

— Se prefere falar sobre suas roupas...

— Roupas! — Frieda cuspiu a palavra. — Não são roupas!

Não eram? Mas, se não eram roupas, então o que eram?, perguntou-se Lisa.

— Obras de arte, sua debiloide!

Lisa não reagia bem quando era chamada de debiloide. Estava achando tudo isso muito, muito difícil. Mas tinha que pensar no bem da *Garota*.

— Talvez... — Engoliu a raiva. — ...talvez você possa me dizer por que faz tanto sucesso.

— Por quê? Por quê? — Frieda arregalou os olhos, chocada. — Porque sou um gênio, eis por quê. Escuto vozes na minha cabeça.

— Talvez você devesse ir ao médico. — Lisa não conseguiu se conter.

— Estou falando dos meus guias, sua idiota! São eles que me dizem o que criar.

Um Yorkshire terrier parecendo um rato com uma cartola em miniatura entrou correndo no aposento, soltando latidos horrivelmente estridentes.

— Ooooh, vem com a mamãe! — Frieda o arrastou por cima de metros e metros de tweed e um McMuffin de ovo, estreitando-o contra a peitaria. — Este é Schiaparelli. Meu muso. Sem ele, minha genialidade simplesmente se evaporaria.

Lisa começou a desejar que o cachorro sofresse algum acidente horrível. E esse sentimento se intensificou ainda mais quando Schiaparelli se apresentou cravando os dentes afiados na sua mão.

Frieda ficou horrorizada.

— Ooooh, a jornalista má pôs a mão suja na sua boca? — Olhou para Lisa com ódio. — Se Schiaparelli ficar doente, vou processar você. Você e o jornal de quinta categoria que você representa.

— Não é um jornal. É a revista *Garota*. Fomos a Donegal fotografar suas...

Mas Frieda não estava escutando. Recostou-se sobre o cotovelo e berrou pela porta para a assistente:

— Garota! Alguém neste prédio está cheirando a nabo! Descubra quem é e mande embora! Já disse a você que não vou tolerar isso.

A assistente apareceu, vinda do escritório ao lado, e disse, com toda a calma:

— Você está imaginando coisas, não tem ninguém cheirando a nabo.

— Estou sentindo o cheiro. Está despedida! — gritou Frieda.

Lisa olhou para a mão, onde o calhordinha deixara a marca de seus dentes. Para ela, já bastava. Não havia a mais remota possibilidade de fazerem uma matéria com essa louca.

No escritório ao lado, a assistente — cujo nome era Flora — passou no ferimento de Lisa um pouco de unguento de arnica, que obviamente estava lá com essa finalidade.

— Quantas vezes por dia ela despede você? — perguntou Lisa.

— Inúmeras. Ela pode ser bem difícil — disse Flora, apaziguadora —, mas é só porque é um gênio.

— Ela é uma filha da puta louca, isso sim.

Flora inclinou a cabeça para o lado, refletindo.

— É — concordou, pensativa. — Também.

Lisa tomou um táxi para a redação. Sob nenhuma circunstância daria a Mercedes o gostinho de saber que estava certa, que Frieda Kiely era mesmo uma louca.

— Frieda é uma mulher encantadora — contou à equipe da *Garota*. — Ficamos muito amigas.

Observou a reação de Mercedes, mas seus olhos escuros não traíram nada.

Meia hora depois, Jack saiu do escritório, dirigiu-se resolutamente para Lisa e disse:

— Londres ligou.

Ela voltou para ele seus olhos cinza habilmente pintados, com um nó de ansiedade na garganta apertado demais para conseguir falar. Santo Deus, que manhã!

Jack se calou para causar impacto, antes de dizer, lentamente, com empostação teatral:

— A L'Oréal... pôs... um anúncio de quatro páginas... em todas as edições... durante os primeiros... seis... meses!

Esperou um momento para que Lisa assimilasse a novidade. Então sorriu, a alegria estampada em seu rosto sempre tenso. Seus lábios se curvaram para cima, deixando à mostra o dente quebrado, e seus olhos brilharam, encantados.

— Que tipo de desconto? — murmurou Lisa, por entre os lábios dormentes.

— Nenhum. Vão pagar a tabela cheia. Porque nós valemos, ha, ha.

Lisa permaneceu imóvel, observando seu rosto com uma espécie de assombro. Só agora que as coisas entravam nos eixos permitia-se avaliar as dimensões do terror com que convivera durante a semana anterior. Jack não precisava lhe dizer que o voto de confiança da L'Oréal provavelmente seria o bastante para convencer outras empresas de cosméticos a comprar espaço.

— Que bom — ela conseguiu dizer.

Por que tivera que contar a ela na frente de todo mundo? Se estivessem trancados no seu escritório, ela poderia ter se atirado nos seus braços e lhe dado um abraço.

— Bom...? — ele arregalou os olhos, brincalhão.

— Devíamos comemorar. — Lisa começou a se recompor, permitindo-se experimentar uma sensação de alívio. — Almoçar.

E sua felicidade aumentou ainda mais quando Jack concordou:

— Devíamos mesmo.

Encararam-se, vivendo um momento de zonza euforia.

— Vou reservar uma mesa. Trix — chamou Lisa —, cancela minha hora no cabeleireiro durante o almoço!

Era quase como nos velhos tempos.

— Já que você está aqui, Jack, dá uma olhada nisso. — Lisa acenou com alguma coisa para ele.

Três mesas adiante, Ashling — que acompanhara toda a cena *só por acompanhar* — viu que Lisa mostrava a Jack seu artigo sobre o clube de salsa.

— Eu disse a você que ia fazer dessa revista uma coisa fabulosa. — Lisa sorriu para ele.

— E fez, mesmo — ele concordou, passando os olhos pelo artigo e balançando a cabeça em sinal de aprovação. — Excelente material.

Ashling a tudo assistia, impotente. De algum modo Lisa se apropriara de todo o crédito por *seu* trabalho. Não era justo. Mas o que podia fazer? Nada. Morria de medo de um confronto. De repente, ouviu sua própria voz se elevando:

— Fico feliz que o senhor tenha gostado!

Surpreso, Jack voltou de um golpe a cabeça para Ashling.

— Fui eu que escrevi a matéria — disse ela, como que se desculpando. — Fico feliz que o senhor tenha gostado dela — acrescentou, inconvicta.

— E foi Gerry que diagramou — Lisa chamou sua atenção. — E eu que tive a ideia. Você vai ter que aprender o que é trabalho em equipe, Ashling. — Lisa dirigiu a repreensão a Ashling sem tirar os olhos de Jack.

Mas Jack estava estudando a foto sexy. Ato contínuo, seu olhar pulou várias vezes da mulher da foto para Ashling — um olhar atrevido e sugestivo. Ashling ficou toda encalorada e sem graça com esse escrutínio.

— Bem, bem. — Ele curvou os cantos dos lábios, como se estivesse contendo um largo sorriso. — E aí, Ashling, é isso que você faz nas horas vagas? Pratica *dirty dancing*?

— Não é... — Teve vontade de dar um bofete nele.

— Falando sério, é uma matéria notável. Você trabalhou muito bem — disse ele, deixando a malícia de lado. — Não é mesmo, Lisa?

A boca de Lisa experimentou vários formatos, mas não teve escapatória.

— É — foi obrigada a dizer. — É, sim.

Lisa reservou uma mesa no Halo para si mesma e Jack. Achou melhor assumir o controle da situação, pois algo lhe dizia que, se a deixasse a cargo de Jack, acabariam no Pizza Hut.

Meia hora antes de saírem, retirou-se para o banheiro, a fim de se certificar de que sua aparência estava nota mil. Que sorte a sua, estar usando justamente hoje o tailleur lilás Press and Bastyan. Se bem que, mesmo que não fosse o tailleur, seria alguma outra coisa igualmente glamourosa. A diretora de uma revista nunca sabe quando será preciso estar podre de chique. Sempre Pronta, esse era o lema de Lisa.

Não havia a mais remota possibilidade de suas frágeis sandálias de tiras de gorgorão sobreviverem à curta caminhada pelo cais do porto — pois se mal aguentavam sua movimentação pela redação da revista! Mas Lisa não se aborreceu com sua falta de praticidade — alguns sapatos existem apenas para viver um esplendoroso e efêmero apogeu de beleza. Para que mais Deus inventou os táxis?

Avaliando-se ao espelho, ficou muito satisfeita com o que viu. Seus olhos estavam brilhantes e largos (graças ao delineador branco na borda interior das pálpebras), sua pele acetinada (por cortesia da Máscara da Aveda) e sua testa lisa e sem rugas (efeito da injeção de Botox que aplicara pouco antes de ir embora de Londres). Escovou os cabelos até brilharem — o que não demorou nada, pois seus cabelos *sempre* brilhavam, graças a um condicionador leave-in, um spray antifrizz e uma escova feita por um profissional.

Às dez para a uma o táxi chegou e ela e Jack saíram juntos, sob os olhares ávidos da redação inteira. Lisa estava excitadíssima por ter Jack só para si, naquela proximidade toda, e planejava se valer do exíguo espaço do carro para esbarrar "sem querer" suas pernas esguias e nuas nas dele. No entanto, assim que entraram, o celular de Jack tocou e ele passou todo o trajeto discutindo com o advogado da estação de rádio sobre um mandado que estavam impetrando contra eles, a propósito de uma entrevista controvertida com um bispo que tivera um caso. E a oportunidade de esbarrar nele não se apresentou.

— Não entendo qual é o problema — reclamava Jack no bocal do aparelho. — Novidade, hoje em dia, é encontrar um bispo que *não* tenha tido um caso. Aliás, para que a gente vai perder tempo entrevistando esse cara?

— Como vai, Lisa? — perguntou o chofer do táxi. — Já encontrou um apartamento?

Lisa se inclinou para a frente. Quem era esse estranho que tinha um conhecimento tão profundo de sua vida? Então viu que era o mesmo chofer que a levara para ver os apartamentos durante sua primeira semana em Dublin.

— Ah, sim. Arranjei uma casinha perto da South Circular — disse, educada.

— A South Circular? — O chofer balançou a cabeça, em sinal de aprovação. — Uma das poucas partes de Dublin que ainda não foram dominadas pelos yuppies.

— Ah, mas mesmo assim é muito boa — defendeu-a Lisa.

Nesse momento, lembrou-se de uma coisa que ficara curiosa para saber.

— E aí, o que aconteceu depois que você enfrentou a gangue de garotas que estava intimidando sua filha de quatorze anos? Não deu tempo de você terminar de me contar, da última vez.

— Elas nunca mais encostaram um dedo nela — respondeu ele, com um sorriso. — Ela agora é uma outra garota.

Quando Lisa desceu do carro, ele disse:

— Meu nome é Liam. No futuro, se quiser, pode me chamar.

Jack ainda estava ao telefone quando foram conduzidos até a mesa no centro do salão lotado do belo restaurante. Lisa gostou disso. Jack podia estar usando um terno que parecia ter sido encontrado numa lata de lixo, mas estava falando ao celular, em tom autoritário. Não demorou muito para uma coisa compensar a outra: assim que viram Jack com o celular, alguns clientes mais próximos logo trataram de pegar os seus, nervosos, e fazer algumas ligações totalmente desnecessárias.

Depois de prometer que encontraria uma solução até as cinco da tarde, Jack fechou o celular.

— Desculpe, Lisa.

— Não tem problema. — Ela sorriu, simpática, exibindo seu novo batom da Source.

Mas o telefonema pusera por terra o alto-astral de Jack de horas atrás. Estava novamente agitado e sério, e nada o convenceria a flertar. Embora não houvesse nada que ela não pudesse dizer.

— A nós. — Com um sorriso sugestivo, encostou seu copo de vinho no de Jack. Em seguida acrescentou, apenas para confundi-lo e deixá-lo de sobreaviso: — Vida longa e próspera para a *Garota.*

— Tintim. — Ele ergueu o copo e esboçou um sorriso, mas sem conseguir esconder sua preocupação. Só queria falar de trabalho — o perfil do público leitor, os custos da gráfica, o quanto valia ter uma seção literária. Nem parecia estar muito à vontade no ambiente ultramoderno e chique do Halo. Lutava trabalhosamente com sua entrada, uma recalcitrante alface crespa cujos cachinhos ele tentava convencer a se aquietarem no seu garfo e ficarem na sua boca.

— Meu Deus — exclamou, de repente, quando outra porção saltou do cativeiro como uma mola. — Estou me sentindo uma girafa!

Lisa resolveu dançar conforme a música. Não via nenhum sentido em tentar recriar o clima do diálogo descontraído que haviam tido aquela noite em sua cozinha, porque ele não estava interessado e ponto final. Estava estressado e ocupado demais, e ela lisonjeada por ele ter aceito seu convite para almoçar. Com sua admirável capacidade de fazer com que quase tudo virasse a seu favor, concluiu que não havia nenhum inconveniente em lhe perguntar sobre a possibilidade de publicarem uma eventual coluna de Marcus Valentine em algumas das outras revistas do grupo.

— Ele chegou a dizer que faria uma coluna para nós? — perguntou Jack, quase entusiasmado.

— Não exatamente... ainda não. — Ela sorriu para ele, segura de si. — Mas vai.

— Vou apurar se a possibilidade existe. Você tem umas ideias geniais — reconheceu ele.

Foi só na hora de saírem do restaurante que Jack voltou a pertencer à raça humana.

— E aí, o timer do aquecedor está funcionando bem? — perguntou, os olhos brilhando.

— Show de bola — disse Lisa, radiante. — Posso tomar chuvei radas longas e quentes à hora que quiser. — Pronunciou as palavras "longas e quentes" de uma maneira longa e quente. Com a máxima lentidão, languidez e sensualidade.

— Que bom — disse ele, as pupilas se dilatando numa gratificante centelha de interesse. — Que bom.

Lisa já estava quase chegando em casa quando esbarrou numa mulher medonha, com os cabelos de um louro cor de mostarda, usando um training adornado por pompons e — num brutal contraste com sua figura — uma sacola da DKNY. A sacola da DKNY *de Lisa*. Pelo menos fora de Lisa, até ela passá-la para Francine, uma das meninas da rua. Algo lhe dizia que a dona daqueles cabelos que pareciam fritos — qual era mesmo o nome dela, Kathy? — era a mãe de Francine.

— Oi, Lisa — disse, com um sorriso de orelha a orelha. — Tudo bem?

— Tudo, obrigada — disse Lisa, fria. Como é que todo mundo por ali sabia seu nome?

— Estou de saída para o trabalho. Vaivém de bandeja no Harbison. Trinta paus na mão, mais o dinheiro do táxi. — Pelo que Lisa depreendeu, Kathy estava se referindo a um biscate como garçonete. Acenou para Lisa com a bolsa de duzentos dólares. — Não posso me atrasar. Até mais.

Subitamente, Lisa teve uma inspiração.

— Hum, Kathy — seu nome é Kathy, não é? —, você estaria interessada num emprego de arrumadeira?

— Pensei que você nunca fosse perguntar!

— Ah, é? Por quê?

— Ora, você é uma mulher ocupada, quando é que vai ter tempo de arrumar a casa? — O que Kathy realmente queria dizer era que Francine entrara na casa de Lisa sem ser convidada e contara para a mãe que era um autêntico chiqueiro: "Mil vezes pior que a nossa."

Ashling, por sua vez, passara a tarde de quarta com a mãe de Phelim, para quem levara uma sopeira da Portmeirion embrulhada para presente, a fim de completar seu jogo.

— Meu trabalho aqui acabou — disse, em tom de brincadeira.

Em seguida teve que se sentar por horas a fio na cozinha da Sra. Egan e escutar a ladainha de sempre.

— Phelim não sabia o que era bom para ele. Devia ter se casado com você, Ashling.

E esperou que Ashling concordasse, mas, pela primeira vez, isso não aconteceu.

Quando Ashling chegou em casa, não havia nenhum recado na secretária-eletrônica. Joy e seu Estatuto dos Homens que fossem para o inferno!

— Ainda são nove horas, sua pessimista — censurou-a Joy, quando chegou para lhe fazer companhia durante sua vigília. — Ainda tem muito tempo pela frente. Abre uma garrafa de vinho que eu te conto todas as coisas legais que Mick me disse ontem à noite.

Ashling mal conseguia acompanhar os altos e baixos de montanha-russa do namoro de Joy e Mick. Os dois eram quase como Jack Devine e sua amiguinha mordedora de dedos. Apanhou o saca-rolhas, serviu dois copos de vinho e se acomodou no sofá para analisar, sílaba por sílaba, tudo que Mick dissera a Joy.

— ...aí ele me disse que eu sou do tipo de mulher que gosta da madrugada. O que você acha que ele quis dizer com isso? Que eu sou do tipo de mulher com quem o cara se diverte mas não se casa, né?

— De repente, ele só quis dizer que você gosta da madrugada.

Joy sacudiu a cabeça, categórica:

— Não, sempre tem uma entrelinha...

— Ted diz que não. Que quando um homem diz uma coisa, ele quer dizer exatamente aquilo.

— E como é que ele pode saber?

Encontrar um sentido oculto em tudo era uma atividade tão envolvente que, quando o telefonema veio, às dez e sete, Ashling já quase se esquecera de que estava esperando por ele.

— Atende — ordenou Joy, meneando a cabeça em direção ao aparelho, que tocava. Mas Ashling estava quase com medo, pois havia o risco de não ser ele.

— Alô — disse, ressabiada.

— Alô, é Ashling, a santa padroeira dos humoristas? Aqui é Marcus. Marcus Valentine.

— Oi! *É ele* — disse a Joy por mímica labial, pontilhando o rosto com o dedo para indicar as sardas. — Do que foi mesmo que você me chamou? — Deu uma risadinha.

— De santa padroeira dos humoristas. No primeiro show do Ted Mullins, você deu uma mão para ele, lembra? E eu pensei comigo: essa garota é amiga de humoristas.

Ela refletiu. Gostava da ideia de ser a santa padroeira dos humoristas.

— E aí, como vai? — perguntou ele. Ashling decidiu que gostava da sua voz. Ninguém diria que pertencia a um homem sardento. — Tem ido a muitos shows humorísticos ultimamente?

Ela deu outra risadinha.

— Fui a um, sim, sábado à noite.

— Você precisa me contar tudo sobre esse show — disse Marcus, rindo, com sua voz destituída de sardas.

— Pode deixar. — Ela soltou mais uma risadinha em resposta. Em algum canto da consciência, perguntou-se que diabo de quiriquiqui era aquele. Estava parecendo uma débil mental.

— Que tal se a gente saísse sábado à noite? — convidou ele.

— Ah, não posso. — O tom de pesar em sua voz foi sincero. Cogitou de explicar que teria de tomar conta dos filhos de Clodagh, mas, sabe-se lá como, conseguiu se segurar. Não faria mal nenhum se ele pensasse que ela tinha uma vida.

— Vai viajar no feriadão? — Ele pareceu desapontado.

— Não, só tenho um compromisso na noite de sábado.

— E eu tenho um no domingo.

A conversa empacou, para logo em seguida irromper simultaneamente das duas partes:

— Vai fazer alguma coisa na segunda? — perguntou ele, ao mesmo tempo que ela sugeria: "Que tal segunda?"

Ela deu uma risadinha. De novo.

— Acho que a gente tem um compromisso — disse ele. — Que tal se eu te ligar segunda de manhã, não muito cedo, e aí a gente combina o resto?

— Te vejo na segunda, então!

— Vê mesmo — disse ele, com um tom romântico e promissor.

Ashling desligou o telefone.

— Ai, meu Deus, vou sair segunda-feira com Marcus Valentine e suas sardas. — Mal se aguentava de excitação e susto. — Há anos que eu não saio com um cara. Desde Phelim.

— Está satisfeita agora? — perguntou Joy.

Ashling assentiu, ressabiada. Agora que ele telefonara, sempre havia o medo de tornar a perder o interesse por ele.

— Muito bem — ordenou Joy. — Deixa eu treinar você. Repete comigo: "Ai, Marcus! Marcus!"

Na manhã seguinte, quando Ashling chegou à redação, Lisa a chamou.

— Adivinha quem me ligou ontem à noite?

Ashling olhou para sua expressão competitiva e guerreira, para o triunfo que acendia seus olhos cinzentos.

— Marcus Valentine? — Quem mais poderia ser?

— Acertou. Marcus Valentine.

— Ah, é? — Ashling pôs a mão no quadril, num gesto atrevido. — Porque ele me ligou também.

A boca de Lisa se entreabriu diante da inesperada notícia. Pensara que fosse a vencedora.

— Quando você vai se encontrar com ele? — perguntou Ashling.

— Lá para o meio da semana que vem.

— É mesmo? Bom, eu vou sair com ele na noite de segunda... Ou seja, antes de você — acrescentou, para o caso de Lisa não ter notado.

Ela e Lisa sustentaram um olhar tenso e feroz.

— Ou seja, ganhei! — Ashling não sabia que bicho a mordera.

Sobressaltada, Lisa fuzilou Ashling, cujo rosto meigo fazia o possível para adotar uma expressão desafiadora. Lisa fora posta à prova. E, para sua surpresa, achara a experiência divertida. Desatou a rir.

— Que bom para você — disse, às gargalhadas.

Ashling demorou um momento para se adaptar à mudança de clima e, por fim, também começou a rir. As duas estavam sendo ridículas!

— Caramba, Lisa, a gente nem quer a mesma coisa dele. — A coragem de Ashling ainda durou o bastante para lhe permitir dizer: — Por que você ficou chateada?

— Sei lá. — Lisa indicou sua ignorância fazendo uma careta de sapo, repuxando os cantos da boca para baixo. — Toda mulher precisa de um hobby.

CAPÍTULO 28

Reinava um clima de formatura nos escritórios da Randolph Media. Estavam na sexta-feira do feriadão de junho (coisa que desnorteara Lisa completamente, porque na Inglaterra o feriadão fora no mês anterior), tinham recebido aquela notícia sobre os anúncios da L'Oréal, Jack Devine havia saído e acabara de chegar um engradado de garrafas de champanhe destinadas a servir de prêmio para um concurso a ser promovido entre as leitoras. ("De que região da França vem o champanhe? Respostas no cupom para... A primeira a responder ganha uma dúzia de garrafas do melhor...")

Lisa olhou para o champanhe, olhou para o relógio — quinze para as quatro — e olhou para a equipe. Haviam se matado de trabalhar durante as últimas três semanas e, pelo jeito, a *Garota* não seria um completo desastre. Acabara de lembrar o quanto era importante manter o moral dos funcionários. Bem, se fosse ser honesta, teria de admitir que estava a fim de uma bebida, e desconfiava que teria um motim pela frente se servisse apenas uma dose para si mesma.

Soltou um pigarro teatral e disse, simpática:

— Alguém gostaria de tomar uma taça de champanhe?

Inclinou sugestivamente os cabelos brilhantes em direção ao engradado, e o pessoal não demorou mais que um segundo para compreender aonde ela estava querendo chegar.

— Mas e o concurso das leitoras? — perguntou Ashling, ansiosa.

— Cala essa porra de boca — ordenou Trix entre os dentes, para logo em seguida se voltar para Lisa: — Seria o máximo, Lisa — bajulou-a, em voz alta. — A gente pode comemorar o anúncio milionário da L'Oréal que você conseguiu.

Depois disso, ninguém se fez de rogado. As palavras "Lisa disse que a gente pode tomar o champanhe do concurso das leitoras" percorreram a redação como o sussurro de uma brisa. Canetas e mouses foram abandonados, e todos relaxaram. Até Mercedes parecia alegre.

— Mas a gente não tem taças — Lisa lembrou, nervosa.

— Não tem problema. — Antes que Lisa mudasse de ideia, Trix já levava para o banheiro uma bandeja cheia de canecas de café sujas. Era a primeira vez em seis meses que lavava as canecas. Voltou na metade do tempo e ninguém se importou a mínima que não tivesse enxaguado as canecas direito, porque qualquer excesso de espuma poderia ser atribuído ao champanhe.

— Desculpe, mas acho que não está muito gelada — disse Lisa, gentil, pondo entre as mãos cheias de anéis de Kelvin uma caneca lascada com o slogan "Os windsurfistas fazem aquilo de pé."

— E quem se importa! — disse Kelvin, eufórico, encantado por ser incluído, apesar de não trabalhar na *Garota*.

O pequeno grupo de escriturários esperava ansiosamente no seu canto, para ver se também iria ganhar. Um coro homérico de suspiros de alívio se elevou quando Lisa estourou a rolha de uma segunda garrafa e chegou-se até eles carregando canecas que tinham gravados os dizeres "Não dá para acreditar que não seja manteiga", "Kia-Ora, vou ser seu cachorro"* e duas com "Faz exatamente o que diz na lata".

— À sua saúde, Sra. Morley. — Lisa entregou a caneca do "Não dá para acreditar que não seja manteiga" para a superprotetora AP de Jack.

— Tim-tim — resmungou a Sra. Morley, desconfiada.

Quando todos já tinham ganho uma caneca, Lisa ergueu a sua e disse:

— A todos vocês. Parabéns pelo trabalho duro nessas últimas três semanas.

Ashling e Mercedes compartilharam um momento de incredulidade. Qualquer um juraria que Lisa já estava bêbada. Em seguida todos meteram a cara na bebida, menos Trix. Mas só porque a sua já

---

*Trecho mais popular do *jingle* do comercial de Kia-Ora, uma marca de suco de laranja, exibido no Reino Unido na década de 1980.

tinha acabado. E não demorou muito para que o mesmo acontecesse com as dos outros. O silêncio se prolongou, enquanto os olhares pulavam da espuma no fundo das canecas vazias (que continuavam a fazer um barulhinho borbulhante de gás, de uma maneira estranhamente radioativa) para as dez garrafas que haviam restado.

Lisa rompeu o silêncio:

— E aí, abrimos outra? — perguntou, com ar inocente, como se a ideia tivesse acabado de lhe ocorrer.

— Acho que a gente pode, sim. — Trix fez uma boa imitação de uma pessoa indiferente.

— Claro, por que não? — Uma caneca bastara para abrandar consideravelmente a Sra. Morley.

Porém, enquanto Lisa destorcia o casco de arame da segunda garrafa, a porta da redação se abriu e todos se retesaram. Merda!

Havia uma grande possibilidade de que Jack subisse nas tamancas se os apanhasse filando o champanhe do concurso das leitoras durante o expediente.

Mas não era Jack, era Mai, com seus saltos enormes e quadris minúsculos. Mas não tão pequenos quanto sua cintura. Ashling sentiu uma inveja e uma admiração mortais.

Mai pareceu um tanto desconcertada pelo completo silêncio que se fez na redação e pela maneira como todos olharam para ela com ar culpado.

— Jack está?

O silêncio se prolongou.

— Não — murmurou a Sra. Morley, limpando a boca para o caso de estar com um bigode de champanhe. — Foi ensinar boas maneiras ao pessoal do estúdio de tevê. — E cruzou os braços, vitoriosa, com isso indicando que, na verdade, era a Mai que Jack devia estar ensinando boas maneiras.

— Ah. — O rechonchudo lábio inferior de Mai se projetou num beicinho decepcionado. Deu as costas para ir embora, sua grossa cortina de cabelos sedosos balançando num ruge-ruge voluptuoso.

— Você pode esperar, se quiser — disse Ashling, sem pensar.

Mai se voltou.

— Isso seria permitido?

— Claro! Aliás, por que não toma um champanhe? — Mal concluiu a frase, preparou-se para enfrentar a ira de Lisa. A iniciativa de convidar a namorada do chefe para participar da festa não poderia ter sido mais infeliz. Ashling desconfiava que já estava meio alta.

Mas, em vez de ficar furiosa, Lisa concordou:

— É, toma um champanhe.

O fato era que Lisa tinha tanta curiosidade sobre Mai quanto os outros. Provavelmente mais, considerando seu interesse por Jack.

— Tintim! — Assim que Mai aceitou uma caneca de Lisa, Ashling disse, gentil: — Vem até minha mesa e puxa uma cadeira.

Trix e Lisa também gravitaram imediatamente para a mesa de Ashling, ávidas de curiosidade pela exótica Mai.

— Gostei da sua bolsa — disse Lisa a Mai. — É Lulu Guinness?

Mai soltou uma gargalhada surpreendentemente escandalosa:

— É da Dunnes.

— Dunnes?

— Uma loja de departamentos — explicou Ashling, corando com a própria franqueza. — Como a Marks & Spencer.

— Só que mais barata — acrescentou Mai, com outra risada. Apesar de seu rosto de botão de lótus, de repente pareceu uma mulher bastante comum.

Enquanto Lisa circulava, enchendo canecas, Mai comentou, irônica:

— Este lugar é ótimo para se trabalhar. Vocês fazem isso todo dia?

Seguiu-se um coro de gargalhadas ligeiramente histéricas.

— Todo dia? Imagina! Imagina! Em ocasiões especiais, feriados, datas desse tipo.

— Você não vai dedurar a gente para o Jack, vai? — perguntou Trix.

Mai piscou os olhos em sinal de desprezo cáustico:

— Só faltava essa!

— Onde você trabalha? O que você, hum, faz? — Trix se atreveu a perguntar.

Mai jogou para trás os cabelos grossos, com um olhar de soslaio altamente perspicaz e, no ato, voltou a ser a garota misteriosa e inescrutável de sempre.

— Sou uma dançarina exótica.

Sua resposta levou todos na redação a fazerem um curto silêncio desconcertado, para logo em seguida adotarem uma atitude excessivamente blasé:

— Não é o máximo? — perguntavam-se uns aos outros, enfáticos. — Que legal!

— Não está fazendo um dia lindo? — perguntou Bernard, o Xarope, que, para variar, ouvira o galo cantar e não sabia onde.

— Que bom para você — Lisa conseguiu dizer. Era capaz de apostar que a vida sexual de Jack e Mai era maravilhosa, e lançou-lhe um olhar venenoso de ódio.

— O que é uma dançarina exótica? — murmurou a Sra. Morley para Kelvin.

— Acho que implica certo grau de, hum, nudez — cochichou ele, diplomático, para não ferir sua sensibilidade de mulher mais velha.

— Ah, quer dizer então que ela é uma stripper. Deve ganhar uma nota preta. — A Sra. Morley estudou Mai com um súbito interesse que beirava o respeito.

— Não, que joça, não sou uma dançarina exótica — disse Mai, cheia de desdém, voltando de estalo a ser uma mulher comum. — Estou brincando. Trabalho vendendo celulares, mas, por causa da minha aparência, as pessoas esperam que eu seja alguma espécie de vamp.

— Mas isso não é um horror? — Outro coro indignado irrompeu. — Terrível! As pessoas são umas idiotas, não é mesmo?

— Eu entendi direito? Ela *não* é uma stripper? — perguntou a Sra. Morley discretamente a Kelvin, que sacudiu a cabeça oxigenada. Era difícil dizer qual dos dois ficara mais decepcionado.

— É um *tereóstipo* horrível — condenou Ashling. *Me embananei toda,* deu-se conta.

— É, sim — queixou-se Mai, animada pela segunda caneca de detergente e champanhe. — Eu nasci e me criei em Dublin, meu pai é irlandês, mas, como minha mãe é asiática, os homens me tratam como se eu conhecesse todas aquelas técnicas sexuais especiais do Oriente — bolas de pingue-pongue, esse tipo de coisa. Ou então gritam quando passo na rua: “Qué um platinho de aloz flito?” — Soltou um suspiro profundo. — E as duas coisas me deprimem.

Deu uma olhada na direção de Kelvin e Gerry, que a encaravam com um olhar lascivo, e tratou de se chegar para o lado de Ashling, Lisa e Trix.

— Não que eu queira dizer com isso que *nunca* experimentaria bolas de pingue-pongue — disse, com sinceridade. — É *claro* que eu faria alguma coisa especial se realmente me sentisse atraída pelo cara.

Você se refere a Jack?, todas tiveram vontade de perguntar. Mas nenhuma teve a coragem. Nem mesmo Trix. No entanto, à medida que o número de garrafas cheias continuou a diminuir e o de vazias a crescer, foram perdendo as papas na língua.

— Que idade você tem? — perguntou Trix.

— Vinte e nove.

— E há quanto tempo namora Jack?

— Quase seis meses.

— Às vezes ele é um mala sem alça — confessou Trix.

— E é a mim que você vem dizer? Desde que a *Garota* começou, ele está com a cachorra. Trabalha demais, se preocupa demais, e aí vai andar de barco para relaxar e não tem tempo para mim. Culpo todos vocês pelo mau humor dele!

— Que engraçado! — exclamou Trix. — Porque nós culpamos *você*.

Ao ouvir isso, Mai começou a se remexer e contorcer na cadeira.

— Desculpe, estamos te deixando sem graça? Vamos calar a boca — interveio Ashling. Mas em tom de decepção. Estava achando aquele diálogo fascinante.

— Não, tudo bem. — Mai sorriu, ainda se contorcendo. — A calcinha entrou na minha bunda, fico doida quando isso acontece.

Era tão bonita, desassombrada e insolente que Lisa engoliu em seco. Tinha certeza de que não imaginara o interesse de Jack por ela, mas agora podia ver o quanto ele achava Mai atraente.

Quando Jack voltou, todos já haviam relaxado a tal ponto, que nem se deram ao trabalho de dissimular.

— Estão se divertindo? — Ele esboçou um sorriso.

— É feriado — fuzilou-o a Sra. Morley, que raramente bebia e na última hora e meia já passara pelas fases da desconfiança, da descontração e do arrependimento sentimental, tendo chegado agora, como era de esperar, à da agressividade.

— Sem dúvida — concordou Jack.

— Oi, Jack. — Mai deu um sorriso de tubarão. — Eu estava passando e resolvi dar um pulo aqui para dizer oi.

Jack pareceu constrangido.

Mai o seguiu até seu escritório e fechou a porta com toda a firmeza.

Quando Trix encostou a caneca na porta e o ouvido na caneca, todos riram. Mas a caneca era desnecessária. A voz de Mai, alta e acusadora, chegava até as mesas mais afastadas.

— Como você se atreve a me ignorar quando te visito... Se pensa que vou tolerar...

Não se ouvia uma única palavra de Jack, mas ele devia estar dizendo alguma coisa, pois havia pausas entre as explosões acusatórias de Mai.

— Mantenham todas as saídas desobstruídas — disse Kelvin, como uma aeromoça.

Não demorou muito e a porta de Jack se abriu, Mai chispou furiosa para a porta e saiu, deixando um zunzum de vozes atrás de si. Não se despedira de ninguém.

— Agora que o espetáculo acabou, vou andando — anunciou Kelvin, jogando a mochila inflável laranja nas costas. — Ainda tenho setenta e duas horas de levantamento de copo pela frente.

— Vai ficar com um bíceps de Popeye — disse Trix.

— Por quê? Ele come muito espinafre? — perguntou Bernard, o Xarope, que novamente pegara o bonde andando.

Todos arrumaram suas coisas e trataram de sair de fininho, até que as únicas duas pessoas que restaram foram Jack e Ashling — ele porque estava esperando um telefonema de Nova York, ela porque ia se encontrar com Joy às seis e meia e achava que seria perda de tempo ir para casa. Enquanto esperava, continuava trabalhando, pois estava fazendo um banco de dados para Lisa e se atrasara muito, devido ao improviso etílico daquela tarde.

— Deixa isso aí, Senhorita Quebra-Galho — reclamou Jack. — É feriado. De mais a mais você está de porre, vai ter que fazer tudo de novo na terça-feira.

— Tem razão. — Ashling ainda estava sóbria o bastante para saber que estava bêbada. — Estou metendo os pés pelas mãos.

— Vai para casa — ordenou ele.

Já eram quase seis e meia, mesmo. Confusa, ela apanhou sua bolsa e arriscou:

— Vai fazer alguma coisa de bom no fim de semana, JD? — Só porque tomara um traguinho.

— JD? — indagou Jack, curioso.

— Quer dizer, Jack, Sr. Devine, o que for. — Ashling ficou constrangida por deixar escapar seu apelido pessoal para Jack. — Vai fazer alguma coisa de bom?

— Sei lá — disse ele, carrancudo. — Vou visitar meus pais no domingo. No mais, estou dependendo do tempo. Se não der para sair de barco, vou ficar em casa e assistir a uns vídeos de *Jornada nas Estrelas*.

— *Jornada nas Estrelas*? Bom, hum, nesse caso, "Vida longa e prosperidade" — incentivou-o Ashling, tentando fazer com os dedos abertos a saudação de Vulcano.

Jack a encarou, irritado:

— Ilógico, Capitão Quebra-Galho. Não vou prosperar nada esse fim de semana.

— Por que não?

Subitamente encabulado, ele confessou:

— Você não pode ter deixado de perceber que minha namorada está uma fera.

Ashling não pôde se conter. As palavras saíram antes que se desse conta. Era a bebida falando mais alto.

— Por que você sempre discute com ela? Mai é um amor de pessoa. Será que não dá para se esforçar um pouquinho mais? Ela diz que você nunca tem tempo para ela porque vive andando de barco. Quem sabe se saindo menos vezes...?

Compreendeu que passara dos limites, e o quanto, e esperou pela ira de Jack, mas, em seu lugar, recebeu uma risada, embora antipática.

Tarde demais, lembrou-se de que toda história sempre tem duas versões.

— Não é verdade?

Jack demorou a responder.

— Longe de mim falar mal de alguém que não está presente para se defender.

— Quer dizer que você sai para passear de barco?

— Saio.

— Mas... — Nesse momento, Ashling teve a impressão de que compreendera tudo. — Por acaso ela diz que não se importa se você for e depois se zanga?

Depois de uma pausa, Jack admitiu, a contragosto:

— É, é por aí.

— Mas — explicou Ashling —, mesmo quando ela diz que não se importa que você vá, é da boca para fora, entende? Vai lá, conversa com ela, trata ela com carinho. — Seus olhos se iluminaram. Problema resolvido.

— Senhorita Quebra-Galho — Jack sacudiu a cabeça, benevolente —, por que você tem sempre que resolver tudo para todo mundo?

— Mas eu só estou...

— Senhorita Quebra-Galho — repetiu ele, divertido. — Vou pensar no assunto. E você? Vai viajar no fim de semana?

— Não. — Ashling ficou envergonhada assim que se viu na berlinda. — Vou só me encontrar com uns amigos, fazer umas coisas... — Sair com Marcus Valentine, se Deus quisesse, mas isso ela não iria dizer a Jack.

— Bom feriado — disse ele.

Quando ela já se dirigia para a porta, Jack a chamou, subitamente curioso:

— Ei! Senhorita Quebra-Galho! Você assiste aos vídeos de *Jornada nas Estrelas*?

Ashling o olhou por cima do ombro e sacudiu a cabeça:

— Não.

— Foi o que eu imaginei — disse ele.

— Não tenho nada contra eles.

— É o que todas dizem — resmungou Jack.

— Mas, pessoalmente, prefiro os de *Doctor Who*.

CAPÍTULO 29

No sábado à noite, às quinze para as sete, Ashling e Ted chegaram na bicicleta de Ted para desempenhar suas funções de babás, *chez* Dylan e Clodagh.

— Essa casa é *deles*? — Ted analisou a casa de tijolos vermelhos, com seu frontão bipartido.

— Fantástica, não é? — Ashling se postou na soleira e tocou a campainha.

— A gente não vai ter que trocar fraldas, vai? — perguntou ele, subitamente apavorado.

— Não, eles já estão muito grandes para isso. A gente só tem que divertir os dois, brincar com eles.

— Bom, isso deve ser fácil. — Ted soltou um pigarro e alisou para trás uma mecha de cabelo, nervoso. — Ted Mullins, o homem mais engraçado de Dublin, se apresentando, sargento!

— Acho que talvez eles sejam um pouco pequenos demais para um tipo de humor pós-moderno e irônico — disse Ashling, desanimada. — Eu diria que *Os Três Porquinhos* é mais a praia deles.

— Veremos — disse Ted. — As pessoas subestimam a inteligência das crianças. Toco a campainha de novo?

Demoraram um pouco a atender. Dylan chegou, os braços cheios de sabão, a camiseta molhada e colada no peito.

— Como vão? — Parecia aéreo. Logo Ashling e Ted ouviram os uivos e gritos ecoando do andar de cima da casa.

— Estou dando banho no Craig — explicou Dylan.

— Ele não parece nada satisfeito.

— E o pior ainda está por vir. Ainda tenho que enxaguar o cabelo dele. — Dylan estremeceu. — Pelos gritos, vocês vão ter a impressão de que ele está sendo queimado vivo, mas não se assustem...

Acho bom eu voltar. — Já estava no meio das escadas. — Clodagh está na cozinha.

Clodagh estava sentada à mesa, tentando desesperadamente convencer Molly a comer alguma coisa. Alguma coisa que não fosse um biscoito, uma batata frita ou um bombom. Nas últimas duas semanas, Molly resolvera fazer greve de fome, só de curtição.

Ashling passou para Clodagh uma pasta com dez cópias de seu currículo.

— O que é is...? Ah, tá, obrigada. — Com um só gesto, Clodagh enfiou a pasta debaixo de uma pilha de livros infantis na mesa da cozinha.

— Você não vai se vestir? — Ashling observou os jeans e a camiseta de Clodagh. — Seu táxi já deve estar chegando.

— Só quero que ela coma alguma coisa antes.

— Quer que eu tente? — ofereceu-se Ted, galante, mas Molly esticou o lábio inferior e tremelicou-o teatralmente à sugestão.

— Obrigada, mas... — Exausta, Clodagh continuou a investir com a colher contra os poucos porém trincados dentes de Molly. Nada feito. Agora que tinha uma plateia, não havia a mais remota possibilidade de Molly comer nada.

— Come um pouquinho de ovo mexido, meu amor — Clodagh voltou à carga.

— Por quê?

— Porque é bom para você.

— Por quê?

— Porque tem proteína.

— Por quê?

Além de recusar-se a se alimentar direito, Molly começara o jogo do “Por quê?” recentemente. Horas antes, naquele mesmo dia, perguntara “Por quê?” vinte e nove vezes seguidas. Clodagh lhe dera corda, movida pela curiosidade fatalista de ver até onde aquilo iria, mas fraquejara antes de Molly.

— Seu cabelo está lindo — admirou Ashling, alisando as grossas madeixas de um louro cor de mel.

— Obrigada. Fiz uma escova para sair hoje à noite.

Então Ashling se lembrou da sala recém-empapelada e correu para dar uma olhada.

— Ficou fantástica! — elogiou, ao voltar. — Mudou totalmente o clima da sala. Você tem um olho clínico para cores.

— Acho que sim. — Clodagh já não estava mais tão interessada assim. Realmente andara muito empolgada com o papel de parede, mas, agora que fora instalado, sentira toda a satisfação e senso de realização lhe fugirem.

De súbito, todos levantaram os olhos para o teto, ao que irrompeu uma gritaria apavorante no cômodo acima. O cabelo de Craig sendo enxaguado.

— Pelos gritos, qualquer um pensa mesmo que ele está sendo queimado vivo. — Ashling riu. — Coitadinho.

Depois de algum tempo, os gritos estridentes se transformaram em soluços histéricos. De volta à alimentação na marra.

— Quem quer crescer e ficar uma moça forte tem que jantar. — Clodagh tornou a aproximar a colher de ovos mexidos.

— Por quê?

— Porque sim.

— Por quê?

— Porque sim.

— Por quê?

— Porque sim.

— Por quê?

— Porque sim, PORRA. — Clodagh bateu com a colher na mesa, espalhando pedacinhos amarelos de ovo mexido. — Isso é pura perda de tempo. Vou me vestir.

Assim que Clodagh saiu da sala, Ted arregalou os olhos numa expressão chocada para Ashling, como quem diz "Caramba!".

— Não é uma boa coisa deixar que os filhos vejam as nossas fraquezas — observou, do alto de sua sabedoria.

Clodagh enfiou a cabeça pela porta:

— Eu também pensava assim. Espera só até ter seus próprios filhos — disse, em tom de acusação. — Vai ter mil e uma regras, e nenhuma vai funcionar.

Ted não tivera a intenção de *criticar* Clodagh — apenas achara que suas ideias espartanas sobre educação infantil poderiam ajudá-la. Sentiu-se injustiçado e profundamente constrangido. Ainda mais quando Molly apontou a colher em sua direção e tripudiou dele, maldosa: "Mamãe te odeia."

Clodagh subiu as escadas correndo. Não havia a menor hipótese de tomar o longo e relaxante banho aromaterápico que planejara. Mal teve tempo para tomar uma chuveirada rápida antes de passar um pouco de maquiagem no rosto. Em seguida, cheia de reverência, vestiu o vestido de alcinhas rosa e branco que adquirira no dia em que fora fazer compras com Ashling. Ficara pendurado no guarda-roupa desde então, seu estado de novo em folha um lembrete de que Clodagh não tinha vida social.

Observou-se ansiosamente ao espelho. Que merda, era curto. Mais curto do que ela se lembrava. E transparente. Mas, quando vestiu uma anágua preta para cobrir a razão de ser de sua vergonha, não conseguiu nada além de ficar ridícula, de modo que tornou a despi-la. Lingerie à mostra ficava muito bem, disse a si mesma. Mais do que bem. Era *obrigatória*, na verdade, se a mulher quisesse se considerar bem-vestida. Seu problema é que vivia à base de jeans e camiseta há muito tempo. Por fim, enfiou os pés nas sandálias de saltos altos, disse a si mesma que estava genial e apareceu no alto das escadas como uma estrela de cinema entrando em cena.

— Que tal estou?

Todos se reuniram no andar de baixo, a encará-la. Houve uma espécie de pausa de perplexidade.

— Fabulosa — elogiou Ashling, um átimo de segundo tarde demais.

Ted estava boquiaberto de admiração ao observar as pernas bem torneadas de Clodagh descendo as escadas.

— Dylan? — indagou Clodagh.

— Fabulosa — ele fez coro a Ashling.

Ela não ficou convencida. Estava convicta de ter visto um tom de advertência nos seus olhos, mas ele teve a inteligência de não expressá-lo. Craig, no entanto, não teve a mesma reticência:

— Mamãe, seu vestido é curto demais e dá pra ver sua cueca.

— Não dá, não.

— Dá, sim! — insistiu ele.

— Não dá, não. Dá para ver minhas calcinhas — corrigiu-o Clodagh. — Os homens é que usam cuecas; as mulheres usam calcinhas... A menos que a mulher seja a amiga de Ashling, Joy — murmurou de si para si, a mordacidade brotando do nada.

Molly, ocupada em lavar as mãos com geleia de amora, era a única que parecia não se importar com o que Clodagh usasse ou deixasse de usar.

— Você também está muito bem — disse Ashling a Dylan. E estava, realmente, com seu terno desestruturado azul-marinho e sua camisa bege-escura.

— Você é uma gracinha. — Ele sorriu.

— Boiola — o sussurro chegou aos ouvidos de Ashling, num tom de desprezo tão baixo que ela quase achou que fosse sua imaginação. Parecera vir da direção de Ted.

— Não está na nossa hora? — Dylan olhou para o relógio de pulso.

— Só um minuto. — Clodagh anotava números de telefone, frenética. — Esse é o do celular de Dylan. E aqui está o do restaurante, para o caso de o celular estar fora de área...

— O que é bastante improvável no centro de Dublin — interveio Dylan.

— ...e esse é o endereço do restaurante, para o caso de vocês não conseguirem falar com a gente por telefone. Não vamos chegar tarde.

— *Cheguem* tarde — incentivou Ashling.

Clodagh puxou Molly e Craig, abraçando-os com força, e disse, embora sem muita convicção:

— Sejam bonzinhos com a Ashling.

— E com o Ted — acrescentou Ted, tentando fazer uma boquinha melíflua para Clodagh.

— E com o Ted — murmurou Clodagh.

Pouco antes de as crianças saírem da casa para se despedir dos pais, Molly chapou uma manetada firme de geleia de amora na bunda de Clodagh. Infelizmente — ou seria felizmente? —, ela não notou.

CAPÍTULO 30

Assim que Clodagh fechou a porta da sala, começaram os uivos patéticos de Molly e Craig do lado de dentro. Com um olhar de impotência para Dylan, Clodagh se virou para tornar a entrar.

— Não! — proibiu ele.

— Mas...

— Daqui a pouco eles param.

Sentindo-se como se estivesse sendo estraçalhada em duas, ela entrou no táxi e se deixou conduzir para a cidade. Porra de amor incondicional, pensou, amarga. Que peso terrível que era.

A mesa no L'Oeuf estava reservada para as sete e meia — eles haviam tido dois horários à sua escolha, o das sete e meia e o das nove, mas Clodagh achara que nove seria tarde demais. Em geral, a essa hora já estava na cama. Gostava de dormir algumas horinhas antes de ser obrigada a levantar às quatro da manhã para ficar cantando no escuro durante uma hora. Dylan e Clodagh foram os primeiros clientes a chegar. Avançaram em meio a um silêncio reverente pelo salão vazio, branco, com colunas gregas, e Clodagh se sentiu mais ansiosa ainda em relação ao vestido. Parecia arrancar olhares atônitos dos garçons sisudos. Tentando puxá-lo para baixo, no afã de deixá-lo mais comprido, apressou-se em direção à segurança da mesa. Passara muito tempo fora de circulação e não sabia mais qual era a roupa certa a se usar. Arriando-se na cadeira e enfiando as coxas sob o tampo amigo da mesa, onde o erro de suas calcinhas à mostra ficaria escondido, pediu um gim-tônica, aliviada.

Enquanto estudava o menu do tamanho de um jornal, doze ou treze garçons trajando preto-e-branco ficaram de prontidão em várias partes do salão silencioso. Assim que ela levantou os olhos do menu, todos trocaram de lugar, mas nem ela nem Dylan viram qualquer um deles se mexer.

— Parece coisa de filme de ficção científica — cochichou ela.

Dylan riu, o som de sua risada alto demais no salão vazio, e bruscamente Clodagh se sentiu tensa ao experimentar mais uma vez aquela curiosa sensação de não conhecê-lo. Mas esse era o homem que ela um dia achara que morreria se não fosse seu. Estimulada pelo eco desse amor intenso, subitamente emudeceu. Estava perplexa por não conseguir pensar em absolutamente nada para lhe dizer.

Mas apenas por um segundo. No momento seguinte, *é claro*, tinha coisas e mais coisas para lhe dizer. *Ora,* pensou, frouxa de alívio, *esse é Dylan.*

— Você acha que eu devia levar Molly ao médico?

Dylan não respondeu.

— Se ela não acabar logo com essa greve de fome — tagarelou Clodagh —, é o que vou ter que fazer. Aquele chocolate todo que ela come não alimenta nada e...

— O que você vai pedir de entrada? — Dylan a interrompeu bruscamente.

— Ah! Ah, não sei.

— O menu é espetacular — disse ele, numa indireta um pouco direta demais.

— Ah, tá.

— Não dá para esquecer as crianças só por umas horinhas?

— Desculpe. Estou chateando você?

— Até dizer chega — concordou ele, exasperado.

Ela começou a se acalmar. Afinal, estava num restaurante maravilhoso, em companhia de um marido maravilhoso. Estavam tomando gim-tônicas e comendo canapês de tomate. Logo, logo uma comida deliciosa e várias garrafas de vinho estariam a caminho, e seus filhos estavam seguros em casa, com duas pessoas que não eram nem pedófilos nem espancadores de crianças. O que poderia ser melhor?

— Desculpe — repetiu, e dessa vez realmente estudou o menu. — Dá para entender o que você quer dizer — concordou. — Ih, eles servem ostras. E suflê de queijo de cabra. Que merda! *Que é que eu vou comer?*

— Entrada ou sopa — disse Dylan, pensativo —, eis a questão.

— *Ou?* — desafiou-o Clodagh. — Que negócio é esse de "ou"? Acho que o que você quer dizer é "e".

Com o desespero dos que raramente saem de casa, Clodagh pediu de tudo e muito, louca para extrair o máximo de prazer possível daquele luxo raro. Entradas, *sorbets*, sopas e acompanhamentos. Pratos principais, vinho tinto, vinho branco e água mineral.

— Com gás ou sem gás? — perguntou o garçom, com a mão doendo. Agora sabia como Tolstói se sentira ao escrever *Guerra e Paz*.

Perplexa, Clodagh olhou para ele. Então não estava na cara?

— As duas!

— Muito bem.

— Tem mais alguma coisa que a gente possa pedir? — Clodagh estremeceu num frêmito deliciado, assim que o garçom se afastou.

— Por enquanto, não — riu Dylan, contagiado por seu entusiasmo. — Espera só a gente dar cabo dessa remessa.

— Vamos pedir sobremesa *e* queijo?

— É claro. *Irish coffees*?

— E vinho de sobremesa. E *petit fours*.

— Cafés à francesa?

— *Mais oui!* Sou capaz até de fumar um charuto.

— Essa é a minha garota.

Quando já haviam chegado quase ao meio da refeição, Clodagh estava num estado de espírito sonhador, inspirado pela comida e a bebida, mas ainda irritada com sua incapacidade de relaxar. De repente, deu-se conta de qual era o problema.

— Há tanto tempo que não faço uma refeição sem ser interrompida, que estou sentindo falta — disse. — Toda hora tenho ímpetos de saltar da cadeira e cortar em pedacinhos o jantar dos outros... Está vendo aquele cara ali? — indicou um rapaz que fazia o gênero garotão-de-loft-nova-iorquino, e que remexia a comida no prato. — Tenho vontade de espetar no garfo um pedaço do filé mignon que ele está comendo e dizer: "Olha o aviãozinho!" Aliás, acho que é isso mesmo que vou fazer.

Dylan ficou entre horrorizado e divertido quando Clodagh fingiu se levantar. De repente, ela parou e começou a se remexer, nervosa.

— Por quê...? Por que estou grudada na cadeira? — Abaixou a mão para investigar. — Estou com uma mancha de alguma coisa preta e viscosa na bunda. De alcatrão, talvez. Droga, logo no meu vestido novo, maravilhoso. Como é que eu fui arranjar essa mancha? — Um pouco hesitante, levou os dedos até o nariz, cheirou-os e começou a rir. — É geleia de amora. Aposto que foi a Molly, aquela pestinha. Ela é o máximo, não é?

— Genial — disse Dylan, também um tanto enternecido.

— Você acha que eles estão bem? — perguntou Clodagh, subitamente ansiosa.

— É claro! E Ashling e Ted estão com o número do celular. Se acontecer alguma coisa, eles ligam.

— Que tipo de coisa? O que poderia acontecer?

— Nada.

— Me dá o celular para eu dar uma ligadinha rápida.

Dylan lhe lançou um olhar suplicante.

— Não dá para tirar os dois da cabeça por uma noite? A gente não saiu de casa há mais de uma hora.

— Tem razão — concordou Clodagh. — Estou sendo ridícula.

Voltou sua atenção para a sopa de peixe.

— Não, não aguento — explodiu. — Me dá o celular.

Com um suspiro, Dylan entregou-o a ela.

— Oi, Ted, é Clodagh, só estou ligando para saber se está tudo bem.

— Estamos nos esbaldando — mentiu Ted, enquanto as mãos de Ashling tapavam as bocas escancaradas de Molly e Craig.

— E aí, posso dar uma palavra com eles?

— Eles estão, hum, ocupados. Brincando. É, é isso, brincando com a Ashling.

— Ah. Bom, então até mais tarde.

— É tão irritante — lamentou-se Clodagh, fechando o celular. — Eles me deixam doida a semana inteira, mal posso esperar para ter cinco minutos que seja longe dos dois, aí saio para passar uma noite fora e fico preocupada com eles!

— A gente pode ir para casa, se você quiser — disse Dylan, irritado. — E encarar biscoitos de micro-ondas e uma fieira de exigências que não tem mais fim.

— Quando você coloca a coisa desse jeito... Desculpe, Dylan Eu estou mesmo me divertindo. Me divertindo muito.

* * *

Não se podia dizer exatamente o mesmo de Ashling e Ted. Molly e Criag levaram séculos para parar de chorar depois que os pais saíram. Finalmente terminaram por se aquietar, mas só depois de se apropriarem da televisão para assistir a *A Pequena Sereia*, levando Ted a perder *Stars in Their Eyes*.

— E hoje é a noite das celebridades — queixou-se ele, amargo.

Para passar o tempo, pôs-se a vasculhar a enorme coleção de discos e CDs de Dylan, cheio de inveja e admiração, soltando exclamações toda vez que encontrava alguma raridade impressionante.

— Olha só para isso. O *Catch a Fire* de Bob Marley — *na capa original.* Como é que aquele sacana de sorte arranjou esse disco?

Ashling não conseguia se impressionar. Homens e suas coleções de discos! Com Phelim era exatamente a mesma coisa.

— Puta que pariu! — soltou Ted. — Os dois primeiros discos do Burning Spear no Studio One! Eu achava que era o tipo de coisa que a gente só encontrava na Jamaica.

— Dylan e Clodagh passaram a lua de mel na Jamaica — soltou Ashling, de propósito, com a cara mais impassível do mundo.

— Que sorte certas pessoas têm. — Ted conseguiu injetar nessas cinco palavras um mundo de tristeza. — A coleção completa de Billie Holiday no Verve! — Fez um tom de voz de quem está com vontade de vomitar. — Onde foi que ele arranjou? Estou há *anos* atrás deste disco!...

— Ah-ha! — fez ele, eufórico, dando um bote num disco. — Eis que os podres finalmente vêm à tona! O que faz um disco do Simply Red na coleção do bacana? Lá se vai sua fama de descolado por água abaixo.

— Me desculpe por decepcionar você, mas esse é da Clodagh.

— Clodagh gosta do Simply Red? — Ted fez uma expressão indescritível.

— Bom, pelo menos gostava.

— Gostei do "gostava". — Ted ficou fraco de alívio. Tinha Clodagh na conta de uma deusa, mas, se ela era fã de Mick Hucknall, ele teria que reconsiderar. Não podia haver um lapso tão imperdoável no gosto de uma deusa, não é mesmo?

Assim que *A Pequena Sereia* acabou, Craig e Molly exigiram aos gritos que as babás fizessem algo para diverti-los. Porém, quando

Ted experimentou contar para eles suas piadas de coruja, Molly lhe ordenou que fosse para casa *agora* e Craig começou a chorar. Ted ficou seriamente ofendido, ainda mais quando Ashling quase os matou de rir, escondendo o rosto atrás de um saco de papel e mostrando-o em seguida.

— Calhordinhas — resmungou ele. — Muita gente daria o braço direito por essa oportunidade.

— Mas são só crianças.

Craig começou a puxar as roupas de Ashling, querendo 7-Up. Como não aparecesse na mesma hora, as lágrimas recomeçaram.

— Fedelho mimado — disse Ted, venenoso.

— Não é, não.

— É, sim. Se vivesse em Bangladesh, trabalharia dezoito horas por dia numa daquelas fábricas que tiram o couro dos trabalhadores em troca de um salário de fome... Aí, sim, ele teria um motivo para chorar — acrescentou, sombrio.

Foi uma noite muito longa. Ashling e Ted tiveram que providenciar um suprimento ininterrupto de risadas, histórias, guloseimas, cócegas, refrigerantes, partidas de arremesso de caminhãozinho a distância, futebol com Barbie à guisa de bola e o tradicional favorito das crianças, Esconde-a-Mão-na-Manga.

— Para onde foi a mão da Molly? — perguntou Ted, cansado, enquanto Molly, eufórica, escondia a mão na manga pela milionésima vez. — Ah, meu Deus — disse ele, entediado. — Molly perdeu a mão. Alguém roubou a mão dela. — Por fim, quando Molly voltou a mostrar a mão, triunfante, Ted desfechou, azedo: — Ah, que surpresa! Olha ela aí de novo. Para onde foi a mão da Molly...?

Quando chegou a hora de dormir, fazer com que os dois fossem para a cama *e ficassem lá* foi como tentar pregar gelatina na parede.

— Se você não for dormir, o bicho-papão vai te pegar — ameaçou Ted.

— O bicho-papão não existe — tornou Craig, seguro de si. — Foi mamãe que disse.

Ted refletiu. Alguma coisa tinha que meter medo nele.

— Tudo bem, se você não for dormir, Mick Hucknall vai te pegar.

— O que é isso?

— Já te mostro. — Ted ventou pelas escadas abaixo, pegou o CD do Simply Red e voltou correndo. — *Isso* é Mick Hucknall.

No andar de baixo, Ashling, que curtia um momento de paz, ergueu os olhos, assustada, ao que uma terrível gritaria irrompeu no aposento acima. Segundos depois Ted reapareceu, com cara de cachorro que quebrou panela.

— Que é que está havendo? — perguntou ela.

— Nada.

— É melhor eu subir.

Ashling passou vários minutos tentando acalmar Craig, inutilmente.

— Que foi que você disse a ele? — perguntou a Ted, em tom de acusação, quando tornou a descer. — Ele está simplesmente inconsolável.

Dylan e Clodagh chegaram em casa envoltos naquela aura amorosa que faz com que todo mundo se sinta excluído e inferior. Cambalearam pela porta adentro, o braço de Clodagh a enlaçar a cintura de Dylan, a mão dele firme na sua bunda (do lado que não estava coberto de geleia de amora).

Assim que despacharam Ashling e Ted, Clodagh piscou o olho para Dylan e meneou a cabeça em direção à escada, dizendo "Vem". Fazia exatamente quatro semanas que haviam transado, mas sentia-se tão cheia de magnanimidade etílica que teria incluído no pacote uma transa extra de brinde, mesmo que ele não fizesse jus a ela.

— Vou só apagar as luzes e trancar as portas — disse ele.

— Não demora — disse ela, em tom coquete, sentindo-se segura por saber que ele demoraria.

Já haviam passado da fase de despir um ao outro demoradamente há muito tempo. Clodagh já estava nua sob o edredom quando Dylan veio para a cama. Com um ágil ruge-ruge de láicra e algodão, livrou-se de suas roupas em meio minuto. Clodagh deitou-se de costas, fechou os olhos e permitiu que ele a beijasse por alguns minutos, para, em seguida, como sempre, passar para seus mamilos. Quando se deu por satisfeito, houve uma luta muda e tácita. Porque esse era o ponto em que Dylan geralmente deslizava pelo corpo de Clodagh para uma sessão de sexo oral, o que ela não suportava. Era o tipo da coisa chata, que só fazia acrescentar vários minutos inúteis ao procedimento. Mas essa noite ela venceu, atalhando-o em cima do lance, e passou diretamente a brindá-lo com quatro ou cinco minutos de sexo oral, sendo sua interrupção a deixa para que ele embarcasse.

Como mimo especial — nos aniversários, tanto os deles quanto os de casamento —, Clodagh ficava por cima. Mas essa noite não seria a versão de luxo, apenas o papai-mamãe regulamentar. Puxou Dylan contra si, envolvendo-o num balé fácil de confortável familiaridade. Depois que começava, até que não era tão mau assim, concluiu. Era a expectativa que a fazia sentir-se tão angustiada. Como sempre, Dylan esperou que ela fingisse um orgasmo antes de ganhar velocidade, batendo estaca como se alguém segurasse um cronômetro acima de sua cabeça. *Já está na hora de reformar este quarto,* pensou Clodagh, enquanto ele ia e vinha como uma máquina, num frenesi resfolegante e gemebundo. *O carpete até pode ficar, o que eu gostaria mesmo é de pintar as paredes.*

— Meu Deus — implorava Dylan, enfiando as mãos sob suas nádegas e investindo contra ela com velocidade crescente. — Meu Deus. Meu Deus.

Como uma autômata, Clodagh soltou um gemido, distraída, para agradar a ele. Isso apressaria as coisas. *Paredes roxas e creme, de repente.* No momento seguinte Dylan estava gozando, em êxtase, e logo arriando o corpo com um gemido. A única variação na rotina ficou por conta do fato de não serem interrompidos por nenhuma das crianças gritando para participar.

Quinze minutos do começo ao fim, e estava tudo terminado por mais um mês. Clodagh suspirou, contente. Ainda bem que ele não era um desses homens que fazem questão de satisfazer a mulher a noite inteira. Ela já teria tido que se suicidar há muito tempo, se fosse o caso.

Ted e Ashling passavam zunindo pelas ruas ensombreadas, a caminho do Cigar Room, para “tomar um golinho”. Quando desmontaram da bicicleta, Ted deu um tapa na testa — um gesto que dava a vaga impressão de ter sido ensaiado.

— Que joça — exclamou, com uma irritação estranhamente desprovida de convicção. — Esqueci meu paletó na casa de Clodagh. Vou ter que dar um pulo lá durante a semana, para apanhar de volta.

Em uma casa situada numa zona deserta de Ringsend, de frente para o mar, Jack e Mai estavam prestes a concluir sua transa de reconciliação. Pouco antes, Mai ficara atônita quando Jack chegara ao seu apartamento, desculpando-se por não a ter cumprimentado no dia anterior, na redação, de maneira efusiva bastante para o seu gosto. Em seguida levou-a para sua casa, onde lhe serviu um jantar e generosas doses de vinho caro, para depois levá-la para a cama.

Comportou-se com uma doçura tão inesperada durante o amor que ela não fingiu olhar para o relógio de pulso, como tantas vezes fazia. Algumas vezes, nos últimos tempos, chegara mesmo a usar o controle remoto para ligar a tevê durante as manobras de Jack, coisa que o deixava fora de si. "É mais interessante do que o que você está fazendo comigo", era a explicação dela, embora insincera. Mas fazia com que ele se sentisse inseguro, e a mantinha no controle da situação.

Embora fosse muito difícil para ela, é preciso que se diga.

Ficaram deitados, no êxtase que se segue ao sexo.

— Você é maravilhosa — disse ele, de chofre.

— Sou? — Ela se recostou sobre um cotovelo e lhe deu um sorriso provocante, maldoso. — Só que tenho um gosto horrível em matéria de homens, não é mesmo? — E se preparou para receber uma resposta mordaz de Jack, mas ele apenas se ocupou em enrolar os dedos nos longos cabelos dela. — Você está bem? — perguntou, surpresa.

— Melhor, impossível. Por quê?

— Por nada.

Mai estava extremamente confusa. Por que Jack não estava lhe pagando na mesma moeda? Em geral, pagava numa moeda ainda *mais alta* do que a que recebia.

— Amanhã à tarde vou visitar meus pais — disse ele.

Mai revirou os olhos.

— Que ótimo! E eu? Danço?

Essa era uma das brigas favoritas dos dois — a falta de tempo de Jack para Mai. Mas Jack atalhou o incipiente destampatório de Mai ao perguntar:

— Gostaria de vir?

— Aonde? — Ela ficou atônita. — Conhecer seus pais?

Quando Jack assentiu, ela se lamuriou:

— Mas o que vou vestir? Vou ter que passar em casa e trocar de roupa primeiro.

— Não tem problema.

Mai lhe lançou outro olhar confuso. Era tudo muito estranho. Talvez... quem sabe... será que todas aquelas encenações manipuladoras tinham de fato dado certo? Será que ela finalmente pusera Jack no seu devido lugar?

CAPÍTULO 31

Lisa acordou na manhã de domingo e se arrependeu na mesma hora. Alguma coisa na natureza da calmaria para além da janela de seu quarto lhe dizia que ainda era muito, muito cedo. E ela não queria que fosse muito, muito cedo. Gostaria que fosse muito tarde. De preferência, por volta das três. O ideal, na verdade, seria que já fosse a manhã do dia seguinte.

Permaneceu imóvel, os ouvidos se esforçando por captar gritos maternos, brigas infantis, cabeças de Barbies sendo arrancadas, qualquer coisa que pudesse indicar que o mundo lá fora estava em movimento. Mas, com exceção de um bando de passarinhos acampados em seu jardim, chilreando e cantando como se tivessem ganho na loteria, não ouviu nada.

Quando não aguentou mais ficar sem saber, virou-se na cama desarrumada e, receosa, enfrentou o despertador. Sete-que-saco-e-meia. Da manhã.

O feriadão estava demorando toda a vida para passar. Uma sensação exacerbada, sem dúvida, pelo fato de ela estar inteiramente sozinha.

Por algum motivo, não esperara ter que suportar isso sozinha. Durante a semana, em algum canto de sua mente, ficara a ideia de que Ashling a convidaria para tomar um drinque, ir a uma festa, encontrar-se com aquela maluca da Joy, conhecer Ted, enfim, *alguma coisa*. A verdade pura e simples era que Ashling parecia estar eternamente convidando Lisa para ir a algum lugar. Mas, na noite de sexta, zonza e risonha depois da orgia de champanhe, foi só quando chegou em casa e ficou sóbria o bastante que se deu conta de que Ashling não lhe fizera nenhum convite. O topete daquela vaca. Bombardeá-la com convites quando ela não os queria, e depois se recusar a fazê-los quando ela bem que estava precisada de um!

Acendeu um cigarro, mal-humorada, transgredindo a própria determinação de não fumar na cama.

Como era viver em Dublin? Em Londres nunca tinha tempo livre. Havia uma interminável pilha de compromissos à espera de sua recusa. E, mesmo nas raras ocasiões em que, sem aviso, surgiam algumas horas vagas, sempre conseguia preenchê-las trabalhando.

Mas não ali. Fora impossível marcar qualquer compromisso para o fim de semana. Todos aqueles filhos-da-mãe preguiçosos, jornalistas, cabeleireiros e estilistas, estavam de viagem marcada e, mesmo que não estivessem, já haviam entrado no clima relax do feriadão e estavam pouco inclinados a recebê-la.

O pior era que não poderia ir trabalhar na segunda, pois o prédio não estaria aberto. Assim que tomara conhecimento disso na sexta de manhã, fora reta para o escritório de Jack e chutara o pau da barraca.

— Será que o porteiro, como é o nome dele... Bill?, não pode dar um pulo aqui para abrir a porta para mim e depois voltar para casa?

— Num feriado? — Jack pareceu sinceramente divertido. — Bill? Nem em sonho.

Imbecil preguiçoso e vagabundo, pensou Lisa, cheia de ódio impotente. Em Londres, os porteiros sempre iam abrir a porta para ela.

— Por que não dá um tempo? — aconselhou Jack. — Você realizou tanto em tão pouco tempo, merece um descanso.

Mas ela não queria saber de descansar, estava a mil por hora. Três dias inteiros! Como iria preenchê-los? E por que *ele* não sugerira que fizessem alguma coisa juntos?, perguntou-se ela, frustrada. Sabia que ele estava interessado nela, já vira isso em sua expressão mais de uma vez.

— Sai da cidade. Toma uns drinques — incentivou ele.

Com quem?

Cogitara da hipótese de ir passar o fim de semana em Londres, mas tinha muita vergonha. Onde se hospedaria? Seu apartamento estava alugado, e ela deixara todas as suas amizades morrerem — a maioria soltara seus estertores durante os últimos dois anos, durante os quais ela se dedicara à construção frenética de um império, e a

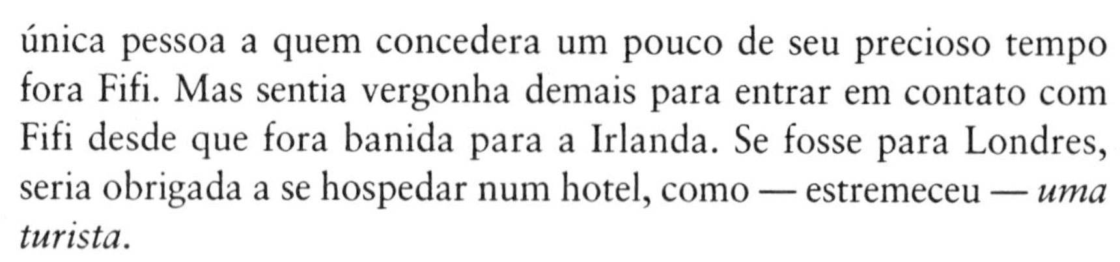

única pessoa a quem concedera um pouco de seu precioso tempo fora Fifi. Mas sentia vergonha demais para entrar em contato com Fifi desde que fora banida para a Irlanda. Se fosse para Londres, seria obrigada a se hospedar num hotel, como — estremeceu — *uma turista.*

Porém, na noite de sexta, quando compreendeu que teria tanto tempo para matar no fim de semana que seria um verdadeiro banho de sangue, decidiu que até poderia suportar ser uma turista em Londres. E foi então que descobriu que todos os voos para fora de Dublin estavam lotados. Todo mundo estava louco para fugir desse paisinho chinfrim. Quem poderia tirar sua razão?

Por acaso, o sábado não foi tão mau assim. Ela cortou o cabelo, tingiu os cílios, fez uma sauna facial e também as unhas — todas as vinte. Tudo de graça. Em seguida, foi fazer as compras da semana. Durante os próximos sete dias só comeria alimentos que começassem com a letra A — abacates, alcachofras, anchovas e absinto.

Como estava se sentindo muito frágil, interpretou a lei com certa liberalidade para que um bolinho de abricó pudesse entrar na cesta. Bolinho este que seria extremamente bem-vindo, porque a desagradável consciência de que teria de passar a noite de sábado em casa, sozinha, era muito, muito chocante.

E ei-la na manhã de domingo, ainda tendo dois dias inteiros pela frente.

Volta a dormir, implorou a si mesma. *Volta a dormir, para massacrar mais umas horas.*

Mas não conseguiu. Embora isso não fosse de surpreender, pensou, cheia de amargura, levando-se em conta que às dez da noite anterior já estava fazendo sua naninha.

Levantou-se da cama, tomou um banho de chuveiro e, embora tivesse se demorado muito mais do que de costume, esfregando-se até quase ficar em carne viva, deu-se conta de que já estava vestida e pronta às quinze para as nove. Mas pronta para o quê? Cheia de energia e sem ter para onde canalizá-la, perguntou-se o que as pessoas faziam. Iam à academia, supôs, lançando um olhar para os Céus (e desejando que houvesse alguém lá para ver seu olhar). Lisa se orgulhava de nunca ir à academia, principalmente em Dublin. Coisa mais cafona impossível, todos aqueles aparelhos, step, cross-country.

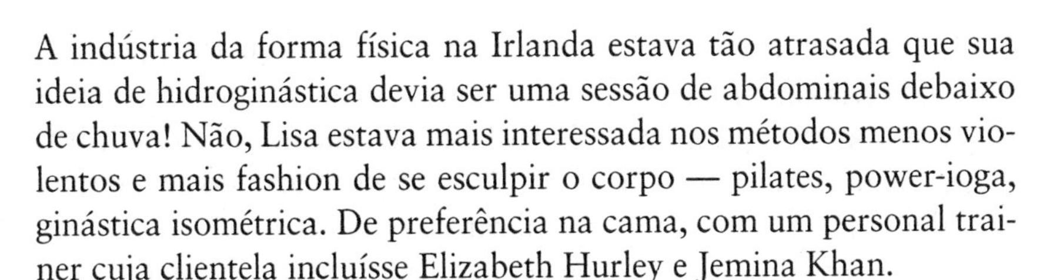

A indústria da forma física na Irlanda estava tão atrasada que sua ideia de hidroginástica devia ser uma sessão de abdominais debaixo de chuva! Não, Lisa estava mais interessada nos métodos menos violentos e mais fashion de se esculpir o corpo — pilates, power-ioga, ginástica isométrica. De preferência na cama, com um personal trainer cuja clientela incluísse Elizabeth Hurley e Jemina Khan.

O único problema com o pilates era que, como não acelerava o metabolismo, precisava ser combinado com uma dieta de fome para produzir bons resultados. E era aí que entravam recursos como a Dieta da letra A. Se fosse a da letra B, as coisas teriam sido muito diferentes: bacon, bombons, Bacardi, brie, batatinhas, biscoitos... E, se por acaso algum dia precisasse apertar o cinto, passaria uma semana fazendo a da letra H. Hadoque, e olhe lá. Temperado com hortelã, no máximo. Ah, e hambúrgueres, já ia quase se esquecendo deles. Talvez a do X fosse mais segura.

Depois de um café da manhã composto por uma avelã, um abricó e um copo de Aqua Libra, conseguiu chegar às dez da manhã. Mas, quando sentiu que corria o risco de acabar puxando conversa com as paredes, tomou uma decisão. Iria fazer compras. E também não se tratava de algum tipo de terapia de consumo aleatório — ela tinha um objetivo. Bem, mais ou menos... Planejava mandar fazer persianas de madeira para seu quarto, compridas até o chão, de parede a parede, para contrabalançar aquele clima de chalé no campo e dar um ar mais clean, mais urbano ao cômodo. Então publicaria uma matéria sobre elas na revista e a loja seria obrigada a rachar a conta com ela.

Mas, quando chegou a Grafton Street, ficou chocada ao descobrir que nenhuma das lojas estava aberta, e que as únicas pessoas por ali eram turistas com ar atordoado.

Porra de país, pensou, pela centésima vez. Onde é que estava todo mundo? Provavelmente na igreja, concluiu, com desprezo.

Uma da tarde, disse-lhe o homem na loja de revistas. As lojas abriam à uma da tarde. Então ela se sentou num café, de pernas cruzadas, tomando cálices de Amarula e lendo um jornal. Só a maneira frenética como batia com o pé no chão, apressada para que o tempo passasse logo, denunciava sua histeria interior.

E que condições climáticas esdrúxulas eram aquelas?, perguntou-se. Havia uma total ausência de chuva torrencial ou ventania — o que era inédito para um feriadão! Em seu lugar, saíra o sol, brilhando com coragem e galhardia no esperançoso azul do céu, o que, por algum motivo, fez Lisa se lembrar de outros tempos, e isso, por sua vez, a entristeceu, coisa que ela não iria suportar. Ah, não!

Rapidamente se relembrou de sua teoria: não estava triste, era apenas sua vida que caíra abaixo do nível mínimo de Glamour. Não havia nenhuma emoção negativa que não pudesse ser curada com a aplicação de um pouco de glamour, e era muito importante que ela se lembrasse disso durante essa época turbulenta. Tinha de admitir que andara se esquecendo dela nos últimos tempos — no domingo anterior, por exemplo, quando passara o dia isolada e desesperada.

Quando as lojas de persianas finalmente escancararam suas portas, Lisa pensou que não precisavam ter se dado a esse trabalho. Nenhuma das patéticas lojas de decoração daria conta de uma encomenda de persianas tão grandes. Recomendaram que ela tentasse uma loja de departamentos. E, muito embora não fosse do tipo de mulher que frequenta lojas de departamentos, compreendeu que não estava em condições de escolher.

No quarto andar da loja, no departamento de cortinas, pescou um homenzinho que passava, afobado, com uma fita métrica em volta do pescoço.

— Preciso de persianas sob medida.

— É comigo mesmo — garantiu-lhe ele, seguro de si.

Mas, quando ela lhe deu as dimensões e especificou as lâminas de madeira que queria, ele mudou de cor. Passando para uma muito mais pálida.

— Dois metros e oitenta de altura? — exclamou. — Por seis de largura?

— Isso mesmo — concordou Lisa.

— Mas vai custar uma fortuna, freguesa! — protestou.

— Tudo bem — disse Lisa.

— Mas a freguesa tem ideia do quanto vai custar?

— Me diz.

Ele fez uma série de cálculos rápidos num pedaço de papel pardo, para logo em seguida sacudir a cabeça, nervoso.

— Quanto?

Mas ele se recusou a lhe dizer. Fosse quanto fosse, decidira que era muito.

— Espera aí, espera aí, estou pensando. Que tal mandar fazer num material mais barato? — sugeriu, correndo as prateleiras com seu olho experiente. — Esquece a madeira. A gente podia fazer elas em plástico, que tal? Ou lona?

— Não, obrigada. Faço questão absoluta de que sejam de madeira.

— Ou pode também comprar persianas prontas. — Ele mudou de tática. — Sei que não seriam exatamente do tamanho certo e o material não seria tão bom, mas sairiam muito mais em conta. Vem cá dar uma olhada. — E, segurando-a pela mão, arrastou-a para inspecionar uma hedionda persiana vertical, dessas de janelas de escritório.

Ela soltou bruscamente sua mão.

— Mas eu não quero essa! Quero a de madeira e juro por Deus que posso pagar por ela!

— Desculpe — pediu o homem, humilde. — Eu só não queria que a freguesa tivesse que gastar essa dinheirama toda, mas, se está tão certa assim...

Lisa soltou um suspiro entrecortado. Porra de país.

— Eu economizei para comprar essa persiana — decidiu tranquilizá-lo. — Está tudo bem.

— Economizou? — No ato ele recobrou seu ânimo. — Bom, nesse caso, são outros quinhentos.

Enquanto lhe dava os detalhes, sua irritação cedeu. Quando ele se inclinou para a frente e lhe confidenciou que achava os preços da loja exorbitantes, e que ele e a mulher esperavam até entrar em liquidação, ela quase se comoveu com seu interesse. *Estou perdendo a razão,* pensou, de repente. Agora é oficial: estou ficando louquinha de pedra. Comovida por causa de um vendedor de cortinas que não quer me vender o que eu quero comprar.

Passava um pouco das seis quando chegou em casa. Raspando o fundo do tacho em busca do que fazer, telefonou para a mãe e lhe deu seu novo número de telefone. Mas não sem se perguntar a razão de fazê-lo, já que sua mãe nunca lhe telefonava. Vivia preocupada demais com a conta telefônica. Mesmo que acontecesse alguma des graça, pensou Lisa, azeda, como, por exemplo, seu pai morrer, provavelmente sua mãe esperaria que ela lhe telefonasse.

Depois das perguntas de rotina sobre a saúde uma da outra, Pauline deu uma boa notícia para a filha:

— Seu pai disse que aquele seu casamento esquisito não é válido aqui, e que provavelmente você não vai precisar se divorciar.

A palavra "divorciar" apunhalou Lisa com força abrupta. Era uma palavra tão pesada, tão definitiva. Recompôs-se rapidamente e disse à mãe, ríspida:

— Bom, é aí que você se engana.

Pauline engoliu em seco ao ouvir a já esperada censura. É claro que estava enganada. Sempre estava enganada em relação a Lisa.

— Oliver fez o registro quando nós voltamos.

— Bom, então é o fim da linha.

— É, é o fim da linha, sim.

Durante o silêncio que se seguiu, Lisa se pegou recordando a manhã de sexta-feira em que ela e Oliver, ainda na cama, haviam decidido, num capricho do tipo Somos-londrinos-jovens-e-maravilhosos, passar o fim de semana em Las Vegas e se casar.

— A gente nunca vai conseguir um voo — disse Oliver, rindo, extremamente entusiasmado com a ideia.

— É claro que vai. — Lisa tinha a autoconfiança dos que sempre conseguem o que querem. E é claro que conseguiram — ainda era o tempo em que as coisas davam certo para ela. Naquela mesma tarde, zonza de excitação e medo do que estavam fazendo, tomaram um avião para Las Vegas. Onde, desnorteados com a diferença de fuso horário e o azul apavorante do céu do deserto, descobriram que se casar era uma coisa assustadoramente fácil.

— Vamos? — Lisa deu uma risadinha, já quase perdendo a coragem.

— É para isso que a gente está aqui.

— Eu sei, mas... É uma coisa meio extrema, não é?

Os olhos exasperados de Oliver se chocaram com os dela. Lisa conhecia aquele olhar. Com Oliver não se começava nada que não se pretendesse terminar.

— Vamos nessa, então! — A euforia e o terror deram um toque estridente à sua gargalhada.

Trocaram votos no templo vinte e quatro horas Capela do Amor, tendo por testemunhas um sósia de Elvis Presley e um atendente da Starbucks. A noiva estava de preto.

— Pode beijar a noooooiva.

— Estamos casados. — Lisa estava histérica, quando foram postos para fora, a fim de dar lugar ao próximo casal. — Isso é irreal.

— Eu te amo, paixão — disse Oliver.

— Eu também te amo.

E amava, realmente. Mas, principalmente, estava louca para voltar e deixar todo mundo roxo de inveja com o glamour kitsch de seu casamento. As cerimônias na praia de Santa Lucia não chegavam aos pés dele — era um verdadeiro furo de reportagem! Mal podia *esperar* para voltar ao trabalho na segunda, para que alguém perguntasse: "Fez alguma coisa de bom no fim de semana?", e ela pudesse responder, em tom casual: "Tomei um avião para Las Vegas e me casei."

— Nesse caso, você precisa de um bom advogado. — A voz de Pauline a trouxe de volta ao presente. — Para garantir que você receba tudo a que tem direito.

— É claro — disse Lisa, irritada.

Na realidade, não fazia a menor ideia das implicações de um divórcio. Para uma mulher tão pragmática e dinâmica, foi bastante atípico que remanchasse tanto nos últimos tempos de seu casamento. Talvez sua mãe tivesse razão, e ela realmente *devesse* arranjar um advogado.

Mas, depois de desligar o telefone, Lisa não conseguiu parar de pensar em Oliver. Sentimentos incômodos estouravam na superfície como bolhas e, do nada, numa espécie de impulso louco, viu-se prestes a levantar o fone do gancho. A ideia de ouvir sua voz e fazer as pazes com ele encheu-a de esperança.

Já tivera ímpetos de lhe ligar antes, mas, até agora, o desse momento era o pior de todos, e ela só conseguiu se demover da ideia ao relembrar que fora ele quem a deixara. Mesmo ele tendo dito que ela não lhe deixara opção.

Afastou-se do telefone, sofrendo sintomas físicos concretos do esforço. As chances frustradas faziam seu coração palpitar. Apenas alguns momentos antes a reconciliação parecera possível, e a depressão que se seguiu à euforia deixou-a zonza. Acendendo um cigarro com as mãos trêmulas, exortou-se a esquecer Oliver. *Abaixo o velho, viva o novo. Pense em Jack.* Mas Jack provavelmente estava transando uma vez atrás da outra com a desabusada Mai.

Meu Deus, pensou ela, sentindo o anseio bater forte, como gostaria de fazer sexo... Com Jack. Ou com Oliver. Com qualquer um dos dois. Com os dois... Sua mente foi ocupada por uma imagem do corpo musculoso de Oliver, parecendo ter sido entalhado em ébano, e a lembrança fez com que ela literalmente gemesse em voz alta.

Olhou para o relógio de pulso. De novo. Sete e meia. Por que o dia não se apressava e acabava *de uma vez por todas*?

Nesse momento a campainha tocou, e ela ficou com o coração na boca. Talvez fosse Jack fazendo uma de suas visitas inesperadas! Enfiando a cara no espelho para ver se estava apresentável, tratou de remover rapidamente as manchas de rímel debaixo dos olhos. Alisando os cabelos, correu para a porta.

Em sua soleira, com a cara virada para ela, estava um garoto pequeno com uma camiseta do Manchester United e um corte de cabelo complicado, composto por uma parte da cabeça raspada e uma franja comprida. Todos os garotos pequenos da rua usavam cortes de cabelo do gênero.

— Como é que VAI, Lisa? — perguntou ele, num tom de voz incrivelmente alto. Encostou-se no batente da porta sem a menor cerimônia. — Que é que você tá FAZENDO? Quer BRINCAR?

— Brincar?

— A gente tá precisando de um JUIZ.

Outras crianças apareceram às suas costas.

— É, Lisa — secundaram-no. — Vem!

Ela sabia que era absurdo, mas não pôde deixar de se sentir envaidecida. Era bom se sentir necessária. Bloqueando as lembranças de outros feriadões em que viajara de helicóptero para Champneys, ou de primeira classe para Nice, ou se enfurnara num hotel cinco estrelas na Cornualha, foi buscar um blazer e passou o resto do domingo sentada no degrau da porta, mantendo o placar, enquanto as crianças de sua rua jogavam uma variedade bastante agressiva de tênis.

* * *

Jack Devine telefonara para a mãe na manhã de sábado.

— Vou dar um pulo aí mais tarde — disse. — Posso levar uma pessoa?

Sua mãe perguntou, com a voz entrecortada de excitação:

— Uma amiga?

— Uma amiga.

Lulu Devine tentou com todas as suas forças ficar de boca fechada, mas fracassou.

— É Dee?

— Não, mãe — Jack suspirou. — Não é Dee.

— Ah, sei. Você a tem visto ultimamente? — Lulu sentia-se dividida entre as saudades da mulher que dera um fora no seu amado filho e um ódio feroz dela.

— Para ser franco, sim — admitiu Jack. — Esbarrei com ela no estacionamento de Drury Street. Ela mandou lembranças.

— Como vai ela?

— Está de casamento marcado.

A eterna esperança deu um salto:

— Com você?

— Não.

— Cachorra!

— Ah, não — disse Jack, conciliador. Na ocasião não fora a melhor notícia que ele poderia ter recebido, mas também não fora a pior. — Ela estava certa em não se casar comigo. Nossa relação já estava desgastada. Ela apenas percebeu isso antes de mim.

— E essa moça que você vai trazer aqui hoje?

— O nome dela é Mai. É uma ótima pessoa, mas está um pouco nervosa.

— Vamos tratá-la bem.

Usando um recatado chemisier no estilo da década de cinquenta que comprara numa loja em Oxfam quase por brincadeira e sandálias cujos saltos tinham a ínfima altura de dez centímetros, Mai sentou-se ao lado de Jack para o trajeto de carro até Raheny.

— Será que eles vão se importar com o fato de eu ser descendente de vietnamitas? São racistas?

Jack sacudiu a cabeça, alarmado.

— De jeito nenhum. — Apertou sua mão em sinal de apoio. — Não se preocupe, Mai, eles são boas pessoas.

— Você disse que os dois são professores?

— Agora já estão aposentados, mas eram.

Lulu e Geoffrey se desdobraram em amabilidades — receberam Mai apertando suas duas mãos, empurraram todos os jornais do sofá para que ela pudesse sentar, mostraram-lhe fotos de quando Jack era pequeno.

— Ele era *lindo*. — Lulu suspirou, derretida, mostrando a Mai um retrato de Jack aos quatro anos, um bonito menino em seu primeiro dia na escola. — E olha só esta aqui. — Era uma foto colorida de um adolescente desengonçado ao lado de uma mesinha.

— Fui eu que fiz essa mesa — disse Jack, orgulhoso.

— Ele tem uma habilidade manual fora de série — confidenciou Lulu.

Eu sei, concordou Mai e, por um segundo de horror, ficou em dúvida se pensara em voz alta.

Os dois continuaram a minar o nervosismo de Mai com gentilezas a tarde inteira, e as coisas iam muito bem até ela notar uma foto sobre a cornija da lareira. Jack, mais jovem, mais magro e menos preocupado, passava o braço ao redor de uma garota alta, de cabelos castanhos, que sorria, empertigada e segura de si. Lulu percebeu no exato momento, e os olhos das duas se esbarraram, horrorizados. Por que não escondera aquela foto?

— Quem é a sua amiga? — perguntou Mai a Jack, quase sentindo prazer em se atormentar. Sabia tudo sobre Dee, que ela e Jack haviam vivido juntos desde os tempos de faculdade, até que, depois de nove anos juntos, quando decidiram se casar, Dee dera no pé. E sempre morrera de vontade de dar uma olhada nela.

O clima de constrangimento iminente foi abortado pela chegada de Karen, a irmã mais velha de Jack, acompanhada por seu marido e três filhos. E, mal sua efusiva recepção chegou ao fim, Jenny, a irmã mais nova de Jack, deu as caras, também com o marido e os filhos a reboque.

— Vem, vamos embora — disse Jack, assim que Mai começou a dar mostras de estar se sentindo sufocada.

Lulu e Geoffrey ficaram olhando o carro se afastar.

— Um encanto de moça — disse Lulu.
— Com um emprego bastante incomum — comentou Geoffrey.
— Vendedora de celulares?
Geoffrey se virou e a encarou, surpreso:
— Vendedora de celulares? Não foi isso que ela me disse!

CAPÍTULO 32

Pelos. Nas pernas. Muitos. Ashling estava num dilema depilatório. Depilara as pernas a cera duas semanas atrás, durante o Verão-Fantasma, de modo que os pelos estavam curtos demais para serem arrancados de novo, mas compridos demais, ah, sim, *demais*, para que ela pudesse ir para a cama com alguém.

Ah-ha! Quer dizer então que ela estava planejando dormir com Marcus Valentine? Bom, quem sabe?, pensou. E não queria que suas pernas peludas fossem um empecilho.

Poderia raspá-las, pensou. Mas não: depois que se começa a depilar as pernas a cera, é expressamente *proibido* raspá-las, deixando-as ásperas e espetadiças e pondo a perder todo o trabalho que se teve. Julie, a moça que depilava suas pernas, iria matá-la.

Teria que ser na base do creme depilatório, mesmo, mas, por algum lapso terrível, Ashling se esquecera de comprá-lo. E Ted foi despachado para a drogaria mais próxima, carregando um papelzinho com o nome do produto.

— Por que você não pode ir? — resmungou, constrangido.

Ashling apontou o papel laminado que envolvia sua cabeça:

— Estou fazendo touca. Se sair assim na rua, todo mundo vai pensar que os alienígenas aterrissaram.

— Tás brincando? Todo mundo sabe que os alienígenas não conseguiriam encontrar uma vaga nessa cidade. Ah, Ashling — queixou-se —, tenho mesmo que dar esse papelzinho para a vendedora? Não posso só pegar na prateleira?

— Não. O Immac tem muitas variações e você é homem. Eu quero o creme sem perfume e você acabaria trazendo o gel com perfume de limão. Ou pior, poderia até trazer o que vem com uma espátula. Agora, vai logo, por favor!

Por incrível que pareça, a missão teve sucesso e Ashling se retirou para o banheiro, onde ficou de pé dentro da banheira, as pernas pinicando sob o efeito daquela nojenta melequeira branca enquanto esperava os pelos se derreterem. Suspirou. Às vezes é duro ser mulher.

Acabara de dar o pontapé inicial no frenesi embelezador quando Marcus telefonara, na tarde de segunda.

— Que tal? — sugeriu ele.

— Que tal o quê?

— Qualquer coisa. Um drinque. Um saco de batatas fritas. Sexo tórrido.

— Um drinque parece ótima ideia. Um saco de batatas fritas também.

Ele fez uma pausa e perguntou, com voz de menininho fofo:

— E o sexo tórrido?

Ashling engoliu em seco e tentou dar à voz um tom brincalhão:

— Quanto a esse, a gente vai ter que ver.

— Se eu me comportar bem?

— Se você se comportar bem.

Em seguida, Ashling partiu para a ação *a mil por hora*, um caos de braços passando ou removendo produtos da pele. Ao longo da tarde lavou o cabelo e deu-lhe um banho de condicionador, exfoliou o corpo inteiro, removeu o esmalte descascado das unhas dos pés e tornou a pintá-las, lambrecou-se toda com o hidratante Gucci Envy, que só saía do armário em ocasiões especiais, espremeu um quarto de tubo de creme alisador nos cabelos e o espalhou com um pente, tacou ficha na maquiagem — não era hora para sutilezas — e tomou um banho de Envy *eau de parfum*.

Ted voltara para supervisionar os preparativos finais. Estava louco para que Marcus e Ashling engrenassem, pois assim sua carreira de humorista deslancharia, graças à sua intimidade com Marcus.

— Fica bem sexy — incentivou-a, refestelado na sua cama, observando-a aplicar a terceira e última camada de rímel.

— TÔ TENTANDO! — gritou ela, sem sentir. Era óbvio que estava mais nervosa do que se dera conta. Olha só o que a esperança fazia com essa mulher! Levava sua necessidade de amor e segurança a vandalizar seu sistema nervoso, deixando-a uma pilha! Às vezes, como agora, ela achava que talvez *sentisse* demais. Será que isso era normal?, perguntava-se. E se não fosse? Bom, ela passara uma infância de privações, pensou, irônica.

Tá bem, tá bem, talvez não de *privações*, no duro. Mas de privação de uma rotina, privação de normalidade. Depois do primeiro surto depressivo de sua mãe, jamais retomaram de fato sua vida normal. A vida, como fora até então, estava acabada. Para sempre — embora, na ocasião, ainda não soubessem disso.

A ironia disso foi que, no começo, Ashling chegou a ficar entusiasmada quando o horário das refeições deixou de ser observado. Quando sujava o casaco de terra, ficava feliz por não levar uma bronca. Mas, à medida que os dias passavam, até ela mesma começou a perceber que as roupas que vestia estavam imundas. O alívio deu lugar à ansiedade. *Isso não está certo.*

— Uso esse, hoje? — Apareceu diante da mãe com um vestidinho de verão imundo. *Me nota, me nota!*

O olhar mortiço de sua mãe voltou-se para ela, perdido no rosto flácido de dor.

— Se quiser.

Janet e Owen não se vestiam melhor. E nem sua mãe — sempre fora tão bonita e bem-vestida, e agora nem notava quando aparecia em público usando uma blusa suja de ovo.

Naquele verão, foram muitas vezes ao parque da região. Monica costumava exclamar: "Não aguento mais ficar nessa casa!", e os tocava para fora, apressada. Mas, mesmo no parque, raramente parava de chorar, e nunca tinha um lenço. Como não achava certo que sua mãe secasse as lágrimas na manga, Ashling passou a sair de casa com um lenço de papel dobrado no bolso do casaco.

Quando chegavam ao parque, Ashling tentava tomar as rédeas da situação, para que pelo menos Janet e Owen se divertissem. Quando queriam sorvete, Ashling ficava muito ansiosa para que ganhassem, por temer que, se ficassem aborrecidos, o castelo de cartas ruísse. Mas, como sua mãe nunca se lembrava de trazer dinheiro, Ashling passou a trazer sua bolsinha de plástico rosa e marrom, em feitio de carinha de cachorro.

O verão foi passando, e Monica criando mais um hábito preocupante: sentada num banco, apática, ficava descascando um corte no braço, só se dando por satisfeita quando começava a sangrar. Foi por volta dessa época que Ashling passou a carregar consigo um punhado de Band-Aids.

Alguma coisa tinha que acontecer. Alguém tinha que notar!

Começou a rezar para que sua mãe ficasse boa e seu pai não viajasse toda segunda-feira de manhã para só voltar na sexta. Mas, como as orações não surtiram o efeito desejado, passou a alimentar a bizarra convicção de que se desse descarga na privada três vezes sempre que a usava, tudo ficaria bem. Em seguida encasquetou que quando descia a escada tinha que fazer uma pirueta ao chegar ao último degrau. Simplesmente *tinha* que fazer a pirueta e, se por acaso se esquecesse de fazê-la, era obrigada a voltar para o alto da escada e realizar todo o ritual outra vez.

As superstições passaram a ter grande importância para ela. Quando via uma única pega — sinal de tristeza —, esquadrinhava o céu, nervosa, à procura de outra — sinal de alegria. Um dia entornou sal sem querer e, para evitar outro derramamento de lágrimas, entornou mais um pouco por cima do ombro esquerdo. O sal caiu sobre a torta de gelatina. Sua mãe contemplou com ar aparvalhado os grãos de sal se dissolvendo na cobertura de chantilly, pousou a cabeça na mesa da cozinha e chorou. Nada mudara.

Os berros de Ted a fizeram sintonizar o presente de novo.

— Ashling, fala comigo! O que as cartas do tarô disseram sobre hoje à noite?

Ela se recompôs rapidamente, muito, muito feliz por estar no presente, não no passado.

— Até que não foi mau. Tirei as quatro taças. — Escusado dizer que primeiro tirara, e desprezara, os aziagos dez gládios. — E meu horóscopo em dois jornais dominicais estava bom. — E não tão bom assim em outros dois, mas e daí? — E a carta do oráculo dos anjos que tirei foi o Milagre do Amor. — Por último, depois da Maturidade, da Saúde, da Criatividade e da Sabedoria.

— É isso que você vai usar? — Ele indicou com a cabeça a calça capri preta e a camisa amarrada na cintura.

— Por quê? — perguntou Ashling, defensiva. Vestira-se com todo o esmero, e estava muito satisfeita com a camisa, porque, devido a algum efeito da luz, dava a ilusão de que ela tinha uma cintura.

— Você não tem nenhuma saia curta?

— Nunca uso saias curtas — ela resmungou, perguntando-se, ansiosa, se não teria carregado demais no blush. — Odeio minhas pernas. Você acha que passei blush demais?

— Qual deles é o blush? O negócio vermelho nas suas bochechas? Não, passa mais um pouco.

Imediatamente Ashling esfregou o excesso. Os motivos de Ted eram suspeitos.

— Onde você vai se encontrar com ele? No Kehoe's? Eu te acompanho até lá.

— Aqui que acompanha! — disse Ashling, categórica.

— Mas eu só...

— Não!

A última coisa que Ashling queria era Ted segurando vela para os dois, infernizando Marcus com sua tietagem explícita, pedindo para ser seu novo melhor amigo.

— Bom, então boa sorte — disse ele, em tom lamurioso, ao que Ashling jogava o seixo da sorte na bolsa bordada nova, enfiava os pés nos sapatos com saltos Luís XV e se preparava para sair. — Estou torcendo para que seja um romance abençoado pelo Céu.

— Eu também — confessou Ashling. Em seguida, dirigindo-se a Deus, ou quem quer que fosse o Ministro Celeste dos Romances, acrescentou, da boca para fora: — Se estiver escrito.

— Que babaquice — debochou Ted.

Depois de uma rápida mas frenética esfregada no Buda da sorte, Ashling saiu.

Vou gostar de Marcus Valentine e ele vai gostar de mim, vou gostar de Marcus Valentine e ele vai gostar de mim... Enquanto repetia o mantra pela calçada de Grafton Street afora, no alto das sandálias que a faziam requebrar, seu cantochão no estilo de Louise L. Hay foi interrompido por um assobio. Marcus Valentine, *já*? Caramba, aquela Louise L. Hay era mesmo fogo!

Mas não era Marcus Valentine. Do outro lado da rua, sem o cobertor laranja, estava Boo, acompanhado por dois outros rapazes cujos rostos barbudos e roupas estranhas — do tipo que ninguém compra nem a muque — identificavam-nos como sendo sem-teto também. Estavam comendo sanduíches.

Algum impulso de boa educação obrigou-a a atravessar a rua em direção a eles.

— E aí, Ashling — Boo abriu seu sorriso feliz —, não viajou durante o feriadão?

Ashling sacudiu a cabeça.

— Nem eu — tornou ele, com ar digno. Em seguida bateu na testa, repreendendo-se por sua grosseria, e girou o braço para indicar os dois rapazes que estavam em sua companhia. Um era jovem, desgrenhado e esquelético, o elástico de suas calças de ginástica mal se segurando na cintura desnutrida. O outro era mais velho, com o rosto enterrado numa vasta barba e uma cabeleira insana, como se tivessem colado gatos selvagens com durex no contorno de seu rosto. Usava um par de tênis que um dia haviam sido brancos e um terno indubitavelmente feito para um homem muito mais baixo.

Em comparação com os dois, Boo parecia quase normal.

— Desculpe! Ashling, esse é JohnJohn — disse, indicando o rapaz mais jovem. — E esse é Dave Cabelão. Rapazes, essa é Ashling, minha vizinha bissexta e um ser humano da melhor qualidade.

Sentindo-se um pouco constrangida, Ashling trocou um aperto de mão com ambos os rapazes. Imagine se Clodagh a visse agora — teria um ataque! Chewbacca,* em particular, tinha uma aparência imunda e, quando sua mão coberta por uma crosta de sujeira segurou a de Ashling, ela resistiu ao instinto de estremecer.

Um transeunte quase desatarraxou a cabeça, de tal modo a torceu para dar uma olhada no heterogêneo quarteto — Ashling tão limpa e perfumada, os outros três tudo, menos isso.

— Você está um arraso — comentou Boo, sem esconder sua admiração. — Deve estar indo se encontrar com algum cara.

— E estou, mesmo — disse ela. Então, atiçada por seu súbito carinho por Boo, confessou: — Você nunca adivinharia quem é.

— *Quem?* — Os três soltaram uma exclamação e se inclinaram para mais perto. Ashling teve que prender o fôlego.

— Marcus Valentine — disse, arrematando a confissão com um suspiro.

*O copiloto simiesco de Han Solo, na trilogia *Guerra nas Estrelas*.

Boo caiu na gargalhada, com um olhar divertido.

— É o humorista? — perguntou Dave Cabelão, num grunhido grosso e arrastado.

Ashling fez que sim.

— O que conta as piadas de coruja? — JohnJohn ficou entusiasmadíssimo.

Santo Deus! Será que a fama de Ted chegara tão longe que até cidadãos marginalizados o conheciam? *Espera só até eu contar isso a ele!*

— Esse em que você está pensando é Ted Mullins — explicou Boo a JohnJohn. — Marcus Valentine é o que conta a piada da manteiga e a dos flocos de neve.

— Não conheço. — JohnJohn ficou decepcionado.

— Ele é animal. Que notícia sinistra, Ashling! Bom, espero que você se divirta.

— Obrigada. Vou deixar vocês jantarem em paz. — Ashling indicou os sanduíches que eles tinham parado de comer quando ela aparecera.

— Marks & Spencer — disse Boo. — Eles dão para a gente tudo que não vendem. Sei que as roupas deles andam meio caídas de uns tempos para cá, mas os sandubas são deliciosos!

Subitamente, os três homens se retesaram, como se pressentissem algum perigo. Ashling olhou. Pelo visto, o problema eram os dois policiais no começo da rua.

— Estão com cara de tédio. — A voz de JohnJohn parecia preocupada.

— Vam'bora! — convocou-os Boo, e logo trataram de sair dali de fininho. — Tchau, Ashling.

Quando ela chegou ao bar, Marcus já estava lá, sentado, usando um par de calças militares e uma camiseta, com uma garrafa de Guinness à sua frente. Ashling sentiu um frêmito ao vê-lo. Ele fora. Isso estava mesmo acontecendo.

A ambiguidade lutava dentro dela — como se sentia em relação a ele? Era o idiota sardento e entusiasmado para quem ela se recusara a bellar? Ou o profissional seguro de si, por cujo telefonema tanto ansiara? A figura dele não contribuiu em nada para esclarecer sua confusão: não era nem extremamente bonito nem ridiculamente feio. Não havia como tapar o sol com a peneira — ele tinha um rosto comum. Seu cabelo era bem curto, de um tom castanho-avermelhado, seus olhos não eram de nenhuma cor óbvia e, é claro, havia a pequena questão das sardas. Mas ela gostava de homens comuns. Merecia homens comuns. Não fazia sentido voar perto demais do sol.

E, embora ele fosse comum, pelo menos sua altura o incluía na categoria dos comuns de luxo. E tinha um corpo bem-feito.

Quando ela o viu, ele se levantou e lhe fez um sinal para que se aproximasse. Havia um espaço vago ao lado dele no banco, e ela se espremeu para sentar ali.

— Oi — disse ele, com ar solene, quando ela já tinha se acomodado.

— Oi — respondeu ela, com o mesmo ar solene.

Em seguida, os dois começaram a rir. Agora era *ele* quem estava fazendo isso.

— Posso buscar uma bebida para você? — perguntou ele.

— Pode, obrigada. Uma vodca-tônica.

Quando ele voltou com a bebida, ela abriu um sorriso relaxado para ele. Ele tinha uma cara tão simpática que era difícil levar esse encontro a sério. O que fez com que uma onda de abatimento e decepção quebrasse sobre ela. Aquela ansiedade toda à espera do telefonema dele, *para nada*. Resolveu analisar um pouco mais a fundo seus sentimentos, pulando deles para as sardas de Marcus e de volta. Não, sem a menor sombra de dúvida, não se sentia atraída por ele. Os pelos de suas pernas podiam ter ficado onde estavam. Ted podia ter sido poupado daquela humilhante ida à drogaria. Mas, enfim, talvez ficassem amigos. Na verdade, ele provavelmente poderia ajudar Ted em sua carreira de humorista.

Ela sorriu para ele, sem um pingo de acanhamento, e indagou:

— E aí, o que tem feito ultimamente?

De repente, lembrou-se de que esse era o homem que estava prestes, segundo as palavras de Lisa, "a se tornar uma estrela" e, no ato, seu divertido desprezo se evaporou. Apenas alguns segundos antes ela teria lhe contado jovialmente até sobre seus momentos mais constrangedores, mas agora, para sua perplexidade, seu cérebro deletara todos os assuntos sobre os quais poderiam conversar.

— Um pouco disso, um pouco daquilo — retrucou ele.

Era a vez dela. O que devia dizer? A última coisa, a *última,* que deveria mencionar era sua carreira de humorista. Seria ingênuo e, como ele era extremamente bem-sucedido, já devia estar cheio de receber elogios.

Por esse motivo, foi uma verdadeira surpresa quando, rompendo o silêncio amarrado, ele perguntou:

— Quer dizer então que você gostou do show no sábado?

— Gostei — disse ela. — Todo mundo estava muito engraçado.

Sentindo a expectativa dele, ela prosseguiu, cautelosa:

— Achei você fantástico.

— Ah, não foi dos meus melhores shows. — Ele piscou os olhos, dando ao gesto um toque da vulnerabilidade do pateta que encarnava no palco. Seu ar de alívio era inegável.

Era a vez de Ashling novamente.

— Você tem algum emprego... sabe como, além de, hum, ser engraçado?

— Eu desenvolvo softwares para a Cablelink, para passar o sistema para fibra óptica.

— Hum, é mesmo?

— É fascinante — tornou ele, com um sorriso triste. — Não admira que eu tenha que fazer shows humorísticos. E você, o que faz?

Opa.

— Trabalho numa revista feminina.

— Qual é o nome?

— Hum, bem, *Garota.*

— *Garota?* — A expressão dele mudou. — Estão atrás de mim para escrever uma coluna. Uma tal de Lisa não sei de quê.

— Edwards. Lisa Edwards. É minha chefe — admitiu Ashling. sentindo-se culpada, mesmo sem razão.

A suspeita alterou o rosto dele, fazendo com que adquirisse uma expressão dura e fria.

— Foi por isso que você saiu comigo? Para me convencer a escrever uma coluna?

— Não! De jeito nenhum. — Ashling tinha horror a que a considerassem prepotente. — Não tenho nada a ver com isso e não me importo se você não escrever a coluna.

Não era exatamente verdade. Se ele concordasse em escrever a coluna, seria um ponto a favor de Ashling, mas não iria pressioná-lo. Ainda assim, ficou comovida com sua insegurança e, do nada, sentiu brotar em si um laivo de instinto protetor.

— Sinceramente — acrescentou, com brandura. — Só estou aqui com você porque quero. Não tem nada a ver com o que quer que seja.

— Tá — ele assentiu, pensativo e, logo em seguida, começou a rir. — Acredito em você, você tem uma cara honesta.

— Meu Deus, que coisa horrível para se ter — rebateu Ashling, franzindo o nariz. Indicou o copo de cerveja vazio. — Mais chá, vigário?

— Hã? Não. Ashling, posso te fazer uma pergunta? — Seu tom era de desculpas. — Você se importaria se a gente desse um pulo num show humorístico? Só por meia horinha? Tem um cara lá em quem eu gostaria muito de dar uma olhada.

O show era num outro bar que ficava a apenas algumas ruas dali. Marcus foi saudado na porta como se fosse um membro da realeza e, para divertimento de Ashling, fizeram sinais para que os dois entrassem sem pagar. No aposento apinhado de gente, as pessoas — na sua maioria, humoristas — não paravam de abordá-lo, e Marcus apresentou Ashling a todas elas. *Eu bem que me habituaria a isso,* pensou ela.

O show era parecido com outros a que ela já assistira. Uma multidão de gente espremida numa sala pequena e escura, com um palco minúsculo num canto. O humorista em que Marcus estava interessado se inspirava nos maníacos-depressivos e se intitulava Homem Lítio.

Quando ele terminou seu show de dez minutos, Marcus tocou Ashling de leve.

— A gente já pode ir.

— Mas não me importo de ficar...

— Não — disse ele, sacudindo a cabeça. — Não. Quero conversar com *você.*

Sorriu na penumbra e, de súbito, Ashling notou que, embora ele fosse banal, sua banalidade pecava por estar longe de ser feia.

* * *

Quando já estavam instalados em outro bar, Marcus perguntou:

— E aí, o que achou do Homem Lítio?

Ashling fez uma pausa.

— Para ser franca, não gostei muito dele.

— É? Por quê? — Marcus parecia muito interessado na sua opinião, o que a envaideceu.

— Não acho inteligente fazer graça de doenças mentais — confessou ela. — A menos que o humorista seja muito engraçado, o que não é o caso.

— E quem você acha engraçado? — perguntou ele, atento.

— Bom, você, obviamente. — Ela deu uma risada um pouco estridente ao dizer isso, mas, pelo visto, ele não se importou. — E você, de quem gosta?

— Bom, de mim mesmo, obviamente. — Os dois trocaram uma risadinha conivente. — E de Samuel Beckett.

Ashling riu às gargalhadas, até compreender que ele falara sério. *Merda.*

— Acho que ele é o maior autor cômico do século — elogiou Marcus.

— Uma vez assisti a *Esperando Godot* — arriscou Ashling. Não precisava mencionar que fora numa excursão escolar e que não entendera patavina da peça. Mas, excetuando-se a gafe em relação a Beckett, a noite transcorreu sem acidentes. Os drinques se sucederam, e Marcus se mostrou encantador e interessado por ela. Por causa de suas sardas, ela se sentia relaxada diante dele e lhe fez inúmeras confidências. Sobre suas aulas de salsa — era obrigada a admitir que estava encantada por ter começado a frequentá-las, pois isso devia fazer com que ela parecesse uma pessoa com “interesses” —, sua paixão por bolsas e como, a maior parte do tempo, gostava de seu emprego na *Garota.*

— Mas isso não é uma indireta — disse, subitamente ansiosa.

— Eu sei. Mas pode ser franca, estão pressionando você para levar para eles a cabeça de Marcus Valentine?

— N-não — gaguejou ela.

— Não estão pressionando você no trabalho por causa disso? — ele tornou a perguntar.

— De jeito nenhum. — Ashling foi categórica. — Nem tocaram no assunto, para ser franca.

— Ah. — Depois de algum tempo, ele acrescentou: — Sei... sei.

Lançando-lhe um olhar por sob as pestanas, esboçou um sorriso para ela e, sentindo vibrar um calor no plexo solar, Ashling se deu conta de que o achava atraente. Ele devia ser desse tipo de pessoa cujo poder de atração cresce com o convívio. E não tinha o menor vestígio de sua persona humorística. Antes assim — patetas não costumam render muito na horizontal.

Ele se virou, encostou a cabeça na de Ashling e perguntou, em voz baixa e insinuante:

— Quer um saco de batatas fritas?

— Não, obrigada.

— Bom, a gente já tomou uns drinques, você não quer batatas fritas, o único item que sobrou na agenda é... — *O sexo tórrido!*

Embora ela já tivesse perdido a conta de quantos drinques tomara, a ideia a deixou súbita e inexplicavelmente paralisada. Não era exatamente medo, mas também *não* deixava de ser. Ela simpatizava muito com ele e o achava atraente, mas...

— Hum, será que você se importaria...? Eu hoje não tinha planejado voltar tarde para casa, entende? Tenho que trabalhar amanhã, e coisa e tal.

— Ah, tá. Claro — disse ele, em tom neutro, mas evitando olhá-la nos olhos. — Nesse caso, é melhor a gente ir embora.

Ao deixá-la em casa, ele a beijou, mas, por algum motivo, o beijo não a convenceu.

CAPÍTULO 33

Mãos fofinhas e rechonchudas alisando seu rosto... Entre o sono e a vigília, Clodagh fruía, sonhadora, do calor das mãos de Molly tocando a pele sensível e molinha de seu rosto. Deitada sem cerimônia sobre o peito de Clodagh, Molly respirava com força, enquanto seus dedos tenros e pegajosos avançavam pelo queixo de Clodagh, suas faces, contornavam o nariz, a testa e... AI! *Aiii!!!* Clodagh viu estrelas.

— Você me deu um soco no olho, Molly! — gritou, chocada com o violento despertar.

— Mamãe acordou — disse Molly, fingindo-se surpresa.

— É claro que mamãe acordou. — Clodagh levou a mão em concha ao olho cego, de onde jorrava água como de uma represa cujas comportas tivessem rebentado. — Geralmente é o que acontece quando a pessoa leva uma porrada no olho.

Desvencilhando-se de Molly, cambaleou até o espelho para avaliar a extensão do dano. Precisava estar nos trinques aquele dia, porque tinha uma entrevista numa agência de empregos.

Um olho estava normal, o outro lacrimejante e injetado. Droga. De repente, ela percebeu a pilha de roupas na poltrona e entrou no frenesi pré-Flor habitual, arrumando o quarto e pendurando as roupas.

— Se veste, Craig — ordenou-lhe a distância. — Molly, anda, veste suas roupas, Flor vem aí.

Desembestando pelas escadas abaixo, o café da manhã foi a guerra de sempre.

— Não quero o All-Bran — Craig gritava e chorava. — Quero os Coco Pops.

— Você não pode comer os Coco Pops até comer todo o All-Bran — disse Clodagh, fingindo por um momento que havia a possibilidade de ser obedecida.

Sua compra semanal incluía um kit de seis caixas sortidas de cereais, das quais os Sugar Puffs e os Coco Pops não esquentavam na prateleira, enquanto as marcas tediosas, como o All-Bran, iam se amontoando numa pilha abandonada. Até serem consumidos, ela procurava resistir às tentativas das crianças de forçá-la a abrir uma caixa de outra marca. E sempre fracassava. Ainda mais hoje, em que o tempo era precioso. Rasgando o celofane de um novo kit, chapou os Coco Pops diante de Craig. Em seguida, ainda de camisola, correu para o carro, resgatando várias sacolas de compras de seu esconderijo no porta-malas. Sempre fazia isso quando comprava alguma roupa nova. Embora Dylan nunca se queixasse por ela gastar dinheiro com roupas, isso não a impedia de se sentir culpada.

Mas dessa vez era diferente. Enquanto Dylan trabalhara no feriadão, ela jogara as crianças nas costas da mãe artrítica e embarcara numa miniorgia de compras. As sacolas que trouxe estabanadamente para dentro de casa continham roupas de noite, jovens e descoladas, roupas que ela ainda não tinha muita certeza de onde usaria. Também comprara um tailleur em homenagem à sua visita a uma agência de empregos — sobre a qual Dylan nada ficara sabendo. Ela ignorava a razão por que não lhe contara, mas tinha uma vaga e inexplicável suspeita de que ele não a aprovaria.

De volta ao quarto, arrancou freneticamente as etiquetas e tarjas de preços da saia e do paletó cinza e se vestiu. O tailleur fora caro. Carésimo, mas ela argumentara consigo mesma que o bateria muito, quando conseguisse um emprego. A meia-calça de seda finíssima, o par de sapatos pretos de salto alto e a camisa branca vieram em seguida. Depois de passar batom e prender os cabelos num coque bem-feito, achou que estava com boa aparência.

Isto é, fora o olho injetado.

Mas não teve tempo de escapar de Flor essa manhã. Ela vinha se arrastando pelo portão justamente quando Clodagh tocava Craig e Molly porta afora.

— Como vai, Flor?

— Estive no Frawley sexta-feira — retrucou Flor. Frawley era seu médico. Embora Clodagh nunca o tivesse visto na vida, sentia-se como se o conhecesse intimamente.

— E o que ele disse?

Que tem que sair.

— O que é que tem que sair?

— Meu útero, que mais haveria de ser? — Flor elevou a voz, surpresa.

— Droga, que notícia horrível. — Clodagh cobrou forças para lhe prestar solidariedade e compreensão de mulher para mulher.

— Não é, não!

— Você não ficou chateada?

— E por que ficaria?

— Você não tem medo de se sentir... — Clodagh se interrompeu. Estava prestes a dizer “menos mulher”, mas isso seria uma tremenda falta de tato. Assim sendo, optou por perguntar: — Não tem medo de se ressentir da perda?

— Nem um pouco — disse Flor, toda pimpona. — Tem mais é que tirar logo. Claro, é um peso morto. Nunca saiu nada de bom dele. O que você quer que eu faça hoje?

— Ah. — Clodagh estava morta de vergonha. — Passar umas roupinhas, se você estiver em condições. E lavar o banheiro, de repente. Só o que você realmente estiver em condições de fazer...

Ao empurrar a porta da agência de empregos no centro da cidade, as mãos trêmulas de Clodagh traíam seu medo e excitação. Deteve-se diante de uma garota com um coque louro, cuja pele viçosa como um botão de flor de damasco estava soterrada de pancake.

— Tenho hora marcada com Yvonne Hughes.

A garota se levantou.

— Oi — disse, tranquila, com uma segurança surpreendente. — Eu sou Yvonne Hughes.

— Ah. — Clodagh esperara uma pessoa muito mais velha.

Ato contínuo, Yvonne brindou-a com o aperto de mão mais firme da História, como se estivesse treinando para ser um político homem.

— Sente-se.

Clodagh entregou-lhe seu currículo, que havia se amassado um pouco na bolsa.

— Vamos dar uma olhada. — Yvonne tinha gestos delicados e muito calculados. Não parava de alisar o currículo de Clodagh com as pontas dos dedos infantis espraiados, esticando-o, endireitando-o, realinhando-o com a ponta da régua. Antes de virar a página, demorou-se um momento para segurar a pontinha entre o polegar e o indicador, num breve frenesi para desamassá-la, apenas para ter certeza de que não havia pego duas folhas de uma vez. Por algum motivo, isso deixou Clodagh extremamente irritada.

— Você está fora do mercado de trabalho há muito tempo? — começou Yvonne. — Faz... quantos... mais de *cinco* anos.

— É que eu tive dois filhos. Não tinha a menor intenção de ficar afastada durante tanto tempo, mas a oportunidade só apareceu agora — Clodagh se defendeu de um jorro.

— Seeeeeei... — Yvonne continuou a brincar com os nervos de Clodagh, enquanto estudava seus pormenores curriculares. — Desde que você concluiu os estudos, já trabalhou como encarregada de reservas num hotel, recepcionista num estúdio de gravação, caixa num restaurante, arquivista num escritório de advocacia, fiscal de mercadorias numa confecção de roupas, bilheteira no Zoológico de Dublin, recepcionista numa firma de arquitetura e encarregada de reservas numa agência de viagens? — Clodagh fizera Ashling colocar tudo que ela já fizera, apenas para mostrar o quanto era versátil. — Você ficou... *três dias* no Zoológico de Dublin?

— Foi o cheiro — confessou Clodagh. — Para onde quer que eu fosse, sentia o cheiro da casa dos elefantes. Nunca vou me esquecer. Até meus sanduíches ficavam com o gosto...

— Sua experiência mais longa foi na agência de viagens — interrompeu-a Yvonne. — Você ficou lá durante dois anos?

— Exatamente — disse Clodagh, ansiosa. Sem sentir, avançara na cadeira até se sentar na beirinha.

— Você foi promovida durante esse espaço de tempo?

— Para ser franca, não. — Clodagh ficou desconcertada. Como poderia lhe explicar que o máximo a que alguém podia ser promovido lá dentro era ao cargo de supervisor, e que todo mundo sentia pena e desprezo pelos supervisores?

— Você fez as provas de habilitação para agente de viagens?

Clodagh quase riu. Que ideia! É para isso que a pessoa sai da escola, não é? Para não ter mais que fazer provas?

Yvonne entrelaçou as mãos e ficou girando os polegares ao redor um do outro, até que os separou e abaixou, para alisar a página outra vez, com gestos conscientes, hipnóticos.

— Que editor de textos você usava lá?

— Era... — Clodagh não se lembrava.

— Você sabe digitar e taquigrafar?

— Sei.

— Quantas palavras por minuto?

— Ah, isso eu não sei. Só digito com os dois indicadores, mas sou muito rápida — tratou de acrescentar. — Tão rápida quanto algumas pessoas que fizeram curso.

Yvonne franziu seus olhos de criança. Estava entediada, mas não tanto quanto queria que Clodagh pensasse. Só estava se divertindo, brincando com o poder que tinha.

— Devo entender então que na realidade você não sabe taquigrafar?

— Bom, acho que deve, mas eu poderia... Não, não sei — confessou Clodagh, já sem forças.

— Tem noções básicas de editoração de textos?

— Hum, não.

E, mesmo já sabendo a resposta, Yvonne perguntou:

— E não é formada?

— Não — admitiu Clodagh, encarando Yvonne com um olho normal e outro injetado.

— Tudo bem. — Yvonne soltou um suspiro resignado, lambeu o dedo e alisou um cantinho rasgado do currículo com ele. — Me diga o que você lê.

— Como assim?

Houve uma pausa tão minúscula que quase não existiu, mas Yvonne criou-a para mostrar a perfeita idiota que Clodagh era.

— *FT? Time?* — sugeriu. Não chegou propriamente a suspirar, mas não fez diferença. — *Bella? Hello!?*

Clodagh não lia mais nada além de revistas de decoração. E os livros da coleção *Gato no Chapéu*. E, uma vez ou outra, best-sellers sobre mulheres que montavam suas próprias empresas e não tinham que aturar entrevistas humilhantes como essa quando queriam um emprego.

— E estou vendo aqui que você incluiu o tênis entre os seus interesses. Onde você joga?

— Ah, eu não jogo. — Clodagh deu uma risadinha de pré-adolescente. — Eu quis dizer que gosto de assistir.

Wimbledon estava prestes a começar, a tevê anunciava toda hora a transmissão dos jogos.

— E você frequenta uma academia — Yvonne leu. — Ou será que também só gosta de assistir?

— Não, eu frequento, mesmo — disse Clodagh, pisando em terreno muito mais firme.

— Se bem que isso não pode ser contado como hobby, pode? — perguntou Yvonne. — É o mesmo que dizer que dormir é um hobby. Ou comer.

Esse comentário enfureceu Clodagh.

— E você costuma ir ao teatro?

Clodagh hesitou, mas terminou por admitir:

— Não, não costumo. Mas a gente tem que botar alguma coisa, não tem? — (Quando Clodagh e Ashling finalmente pararam de inventar hobbies cômicos, como ralis e demonolatria, e tentaram organizar uma lista de hobbies *de verdade*, não conseguiram encontrar praticamente nada.)

— Então quais são *de fato* seus interesses?

— Hummm... — Quais eram *de fato* seus interesses?

— Hobbies, paixões, esse tipo de coisa — disse Yvonne, impaciente.

A mente de Clodagh tinha sofrido uma pane. A única coisa de que conseguiu se lembrar foi que gostava de brincar com suas pontas duplas, puxando-as por todo o comprimento do fio, para ver até onde iriam. Podia passar horas se divertindo assim. Mas algo a impediu de contar isso a Yvonne.

— Sabe, eu tenho dois filhos — disse, sem forças. — Eles tomam todo o meu tempo.

Yvonne lançou-lhe um olhar do gênero “Se você diz...”.

— O quanto você é ambiciosa?

Clodagh estremeceu. Não era nada ambiciosa. As pessoas ambiciosas eram esquisitas.

— Quando você trabalhava na agência de viagens, o que lhe dava maior satisfação profissional?

Chegar ao fim do dia, até onde Clodagh se lembrava. O trabalho consistia basicamente (e isso valia para todas as garotas com quem trabalhava) em entrar, suspender a vida real durante oito horas e dedicar todas as suas forças a aguentar a espera.

— Lidar com o público? — sugeriu Yvonne. — Resolver problemas técnicos? Fechar uma venda?

— Receber meu salário — disse Clodagh, e logo se deu conta de que não devia. O problema era que fazia muito tempo que não tinha qualquer tipo de entrevista. Já se esquecera de quais eram os lugares-comuns corretos. E, até onde se lembrava, sempre fora entrevistada por homens, que eram muito mais agradáveis de se olhar do que aquela mocreiazinha.

— Não tenho o menor interesse em voltar a trabalhar numa agência de viagens — disse Clodagh. — O que eu gostaria mesmo é que você me arranjasse um emprego numa... revista.

— Você gostaria de trabalhar numa revista? — Yvonne fingiu estar tendo dificuldade para conter um sorriso.

Clodagh assentiu, ressabiada.

— E quem não gostaria, querida? — tornou Yvonne, com uma vozinha cantarolada.

Clodagh chegou à conclusão de que odiava essa criança poderosa e inclemente. Chamando-a de "querida", quando tinha metade da sua idade.

— Qual era o salário que você tinha em mente? — perguntou Yvonne, dando outra volta no parafuso.

— Eu não... hum... eu não tinha pensado... O que *você* acha? — Clodagh rendeu de uma vez a Yvonne os últimos vestígios de poder que lhe restavam.

— É difícil dizer. Não tenho muito em que me basear. Se você estiver disposta a fazer novamente um curso de treinamento...

— Talvez — mentiu Clodagh.

— Se surgir alguma coisa, eu lhe telefono.

As duas sabiam que não telefonaria.

Yvonne acompanhou-a até a porta. Clodagh sentiu um prazer brutal ao ver que suas pernas eram ligeiramente tortas.

Já na rua, em seu tailleur odioso, ridículo, caro, caminhou lentamente em direção ao carro. Sua autoconfiança fora estilhaçada. Essa manhã fora uma lição aterradora de como era velha e inútil. Depositara todas as suas esperanças num emprego, mas era inegável que o mercado de trabalho era um mundo rápido demais, ao qual ela não tinha mais qualificações para pertencer.

E agora, o que iria fazer?

CAPÍTULO 34

Na terça-feira de manhã, Lisa raspava o sapato no chão, como um cavalo indócil, diante do prédio da Randolph Media, desesperada para entrar. Nunca mais aguentaria um fim de semana como o que acabara de passar. Na segunda-feira feriado, seu tédio chegara a um tal ponto que ela fora ao cinema sozinha. Mas os ingressos para o filme que queria ver estavam esgotados, de modo que acabou sendo obrigada a assistir a uma porcaria intitulada *Rugrats Dois*, dividindo o cinema com algo em torno de um bilhão de crianças hiperexcitadas de menos de sete anos de idade. Até então não se dera conta de que havia tantas crianças no mundo. E que irônico que as pessoas com quem passasse boa parte de seu tempo ultimamente fossem justamente crianças...

Lançou um olhar furibundo para Bill, o porteiro, ao que ele tilintava as chaves por trás da porta de vidro, para deixá-la entrar. A culpa era toda dele, daquele filho da mãe velho, preguiçoso, vagabundo. Se a tivesse deixado vir trabalhar no fim de semana, ela jamais teria descoberto o quanto sua vida era vazia.

— Nossa, você chegou cedo — murmurou ele, alarmado.

— Teve um bom fim de semana? — perguntou Lisa, ácida.

— Demais da conta — disse Bill, expansivo, e soltou o verbo sobre as visitas que recebera dos netos, as visitas que fizera aos netos...

— Sim, porque eu não tive — interrompeu-o Lisa.

— Que pena — disse ele, em tom de comiseração, perguntando-se o que isso tinha a ver com ele.

Mas, por outro lado, pensou Lisa, enquanto subia no elevador, tomara algumas decisões. Já que iria continuar presa naquela merda de país horroroso, construiria uma vasta rede de amigos. Bem, talvez não de amigos *ao pé da letra*, mas de gente que pudesse chamar de "meu bem" e com quem pudesse falar mal dos outros.

E iria fazer sexo com alguém. Um *homem*, apressou-se em especificar. Que se danasse a Nova Bissexualidade, cujo perfil ela traçara na edição de março da *Femme* — não conseguira ir além de trocar, morta de vergonha, alguns amassos com uma modelo no Met Bar. Assim como a tribo das Sensible Chic, transar com mulheres simplesmente não era a sua praia.

Aquele ímpeto terrível de ligar para Oliver no fim de semana fora um sinal claro de que precisava de um homem. Jack, se possível. Mas, redobrando sua determinação, decidira que, já que Jack queria brincar de Burton e Taylor com Mai, ela trataria de encontrar outro homem. Talvez isso o chamasse à razão. De uma maneira ou de outra, as coisas não podiam continuar como estavam.

Claro, talvez ela não conseguisse encontrar um namorado adequado imediatamente. Mas jurou para si mesma que *no mínimo* até o fim da semana iria dormir com alguém.

Quem, por exemplo? Havia Jasper Ffrench, o célebre chef, que sem dúvida se mostrara disposto. Mas era chato demais. Havia Dylan, que ela vira com Ashling. Era um gato. Mas um gato casado, infelizmente, o que tornava bastante improvável que esbarrasse com ele numa boate. Talvez se passasse o fim de semana flanando em alguma loja de conveniência, suas chances de encontrá-lo fossem maiores.

— Meu Deus do Céu — disse ela, em voz alta, detendo-se ao entrar na redação. Havia garrafas de champanhe, canecas, pedaços de papel laminado e arame espalhados por toda parte, e o lugar fedia como um bar. Obviamente, a faxineira não achara que fazia parte de suas atribuições limpar os restos da folia de sexta-feira. Bom, Lisa é que não iria lavar nada, pois, afinal, tinha unhas a zelar. Ashling que se encarregasse disso.

Para inveja e desprezo de Lisa, todos os outros membros da equipe chegaram tarde, sem exceção. Todos haviam chupado os três dias até o bagaço. Até a Sra. Morley, que, depois de algumas canecas na sexta, passara o fim de semana enchendo a caveira.

Pois era chegada a hora do ajuste de contas: todo mundo gemendo, deprimido, principalmente Kelvin, que furara sua mochila inflável laranja com o anel do polegar num trágico acidente, na noite de domingo, à procura de uma caneta.

Enquanto todos os olhares evitavam conscientemente as canecas sujas, choviam comparações entre as bebedeiras.

— Sempre mexe mais com o meu estômago do que com a minha cabeça — confidenciou Dervla O'Donnell para o grande público. — E não tem nada que corte o enjoo, só dois sanduíches de salame.

— Que nada, é a paranoia que acaba comigo — disse Kelvin, estremecendo ao lhe lançar um olhar furtivo, para ato contínuo tornar a abaixar a cabeça.

Até a Sra. Morley confessou, envergonhada:

— Já eu fico com a sensação de que tem alguém apunhalando meu olho direito sem parar.

Lisa sentia vontade de participar, mas não podia. A gota d'água que fez sua raiva transbordar foi a entrada altiva de Mercedes na redação, carregada de sacolas cobertas de adesivos de uma companhia de aviação. Pelo visto, fora passar o fim de semana em Nova York, logo onde! Filha da puta mimada, pensou Lisa, amarga. Filha da puta *de sorte*. E como é que todo mundo ali parecia estar sabendo disso, menos ela?

Mercedes recebera várias encomendas: calças Levi's brancas para Ashling — constava que fossem a metade do preço por lá; um chapéu Stussy para Kelvin, que não estava à venda na Europa; e um carregamento de barras de chocolate Babe Ruth para a Sra. Morley, que estivera em Chicago na década de sessenta e nunca mais se conformara com as da Cadbury's. Os felizes destinatários caíram em cima de suas encomendas com gritos de alegria, e o dinheiro trocou de mãos em questão de segundos.

— Eu estava pensando em me matar — disse Kelvin, exibindo seu novo chapéu, animado —, mas acho que agora não vou mais fazer isso.

Lisa a tudo assistia, azeda. Poderia ter pedido a Mercedes para lhe trazer um pote de manteiga corporal da Kiehl's. Não teria pedido, é claro. Mas teria gostado de *se recusar* a lhe pedir.

Além dos itens solicitados, Mercedes trouxera generosos presentes para a redação — quarenta sabores de jelly beans, sacos de bombons da Hershey's e braçadas de forminhas de chocolate da Reece's.

Mas, quando ofereceu a Lisa um saco de bombons da Hershey's, ela estremeceu.

— Ah, não. Sempre achei que o chocolate americano tem um gostinho de vômito.

A Sra. Morley — cuja boca estava cheia de Babe Ruth — soltou uma exclamação ao ouvir tal sacrilégio e, por um momento, os olhos de Mercedes, negros como os de um tubarão, se cravaram nos de Lisa, profundos e penetrantes. E Lisa viu neles desprezo, talvez até divertimento.

— Você é quem sabe — disse, impassível. E Lisa quase explodiu. Mercedes passara dois dias em Nova York — dois dias! —, e já estava com sotaque de lá!

A última pessoa de fora da diretoria a chegar foi Trix, dando uma considerável contribuição para a forte mistura aromática.

— Truta que pariu — exclamou a Sra. Morley, demonstrando uma insólita tendência a representar para o público. — Será que é isso que chamam de *guelra* química?

— Ha, ha — fez Trix, desdenhosa.

Foi o bastante para detonar um dilúvio de trocadilhos de peixe.

— Você precisa dar uma pas-sardinha em casa para tomar banho, Trix! — exclamou Kelvin.

— Que falta de edu-cação — censurou-o Ashling.

— Ora, poraquê? — Mercedes surpreendeu a todos. — Esse fedor deixa mesmo a gente um peixe de nervos.

Kelvin provou ter um verdadeiro talento para trocadilhos.

— "Sob a carpa da inocência, ela esconde um pescado mortal..." — cantou ele, com os braços abertos.

— Mais uma para vocês! — Para variar, Bernard, o Xarope, conseguira pegar o espírito da coisa. Ignorando a camiseta vermelha sem mangas e a calça de terno, levantou o colarinho da camisa e arriscou uma imitação de Elvis Presley. — Oh, peixe-me, Trix, peixe-me, Trix!

Nesse momento Jack entrou, com passos largos e mãos nos bolsos. Era todo sorrisos.

— Bom-dia, pessoal — disse, no melhor dos humores. — Caramba, este lugar está uma bagunça!

Trix se voltou para ele.

— Jack — tá, já sei, para mim é Sr. Devine —, está todo mundo zoando de mim porque estou com cheiro de peixe. Estão cantando um monte de músicas.

— Que tipo?

— Vai nessa — ordenou Trix ao desconcertado Kelvin. — Canta para o nosso glorioso líder.

Muito a contragosto, Kelvin obedeceu.

Jack sorriu.

— Você também — disse Trix a Bernard.

Bernard fez uma reprise bastante desanimada do show de minutos antes.

— Não está muito bom, não — disse Jack.

Trix assentiu, toda prosa.

— Tenho uma melhor — disse Jack, para surpresa de todos. Em seguida, com ar vaidoso, dirigiu-se ao escritório com graça surpreendente, cantando alto: — "Sou um MERO homem. Bobabopbabop. Sou um MERO homeeeem."

E, mesmo depois de fechar a porta do escritório, ainda se podia ouvir sua voz abafada imitando sons de trompete do lado de dentro.

— Que piaba! — Trix mal conseguia falar. — Ele estava cantando...? — Interrompeu-se, assustada. — Merda, agora até eu estou fazendo.

O ânimo abandonara o rosto de Ashling. Acabara de se lembrar dos conselhos que dera a Jack sobre seu namoro, quando estava bêbada na tarde de sexta.

— Ah, meu Deus — gemeu, cobrindo com as mãos as faces afogueadas.

— Estou fedendo tanto assim? — Trix fez um ar magoado. Já esperava pelo deboche de quase todos, mas não pelo de Ashling.

Ashling sacudiu a cabeça. Já não estava sentindo mais cheiro de nada, fora totalmente levado pela onda de vergonha. Tinha que se desculpar.

— Essa redação está uma coisa. — Lisa, a desmancha-prazeres, começou a pôr ordem na casa. — Kelvin, será que dava para recolher as garrafas vazias? E você, Ashling, será que podia lavar as xícaras?

— E por que eu deveria fazer isso? Sou sempre eu que lavo — rebateu Ashling, fora do ar, horrorizada com o que dissera a Jack Devi... Santo Deus, ela até o chamara de JD!

Essa resposta deixou Lisa muda e apatetada. Fuzilou Ashling com um olhar ameaçador, mas ela estava a quilômetros dali, de modo que Lisa caiu em cima de Trix, venenosa:

— Tá certo, peixeira, lava *você* as xícaras.

Assombrada ao ouvir Lisa se dirigindo a ela daquele jeito, justamente Lisa, que até então a tratara como se fosse sua favorita, Trix chapou com estardalhaço as canecas na bandeja, birrenta e ressentida, deu um banho de meio segundo em cada uma debaixo da torneira do banheiro feminino e decretou-as lavadas.

Ashling esperou que todo mundo voltasse a trabalhar, antes de atravessar a redação a passos trêmulos em direção ao escritório de Jack Devine, os nervos de seus joelhos contraindo-se involuntariamente.

— Bom-dia, Senhorita Quebra-Galho. — Jack ficou quase nervoso ao cumprimentá-la, quando ela entrou. — O que você quer, cigarros? Porque aquele pacote da semana passada era para ser o primeiro e último. Mas, se fizer muita questão...

— Não, não! Não é por isso que estou aqui. — Então ela se calou, subitamente perplexa com sua gravata. Era estampada com Bart Simpsons de um amarelo berrante. Ele não costumava usar aquelas gravatas frívolas, costumava?

— Então por que está aqui? — Seus olhos escuros piscaram para ela, alegres. Engraçado. Seu escritório já não estava mais imerso na atmosfera deprimente e soturna de sempre.

— Eu queria pedir mil desculpas por ter dado aqueles conselhos sobre seu namoro, na sexta. Eu tinha, hum... — Arriscou um sorriso despreocupado, mas o que apareceu em seu rosto foi um ricto sem vida. — ...eu tinha bebido com o pessoal.

— Não tem problema — disse Jack.

— Bom, se o senhor diz...

— Você tinha razão, sabia? Mai é uma mulher maravilhosa. Eu não devia brigar com ela.

— Bom, hum, que ótimo.

Por incrível que pareça, Ashling saiu de lá se sentindo quase pior do que quando entrara. Quando apareceu, Lisa lhe lançou um olhar duro.

Pouco depois chegou um courier trazendo as fotos das roupas de Frieda Kiely. Mercedes tentou se apoderar delas, mas Lisa as interceptou. Rasgou o envelope acolchoado, de cujo interior caiu uma pilha mole e pesada de fotos em papel brilhoso das modelos com manchas de terra no rosto e chumaços de palha nos cabelos, tendo o pântano ao fundo.

Lisa vistoriou-as em meio a um silêncio sinistro, separando-as em duas pilhas desiguais.

A pilha menor continha uma foto de uma mulher suja e desgrenhada usando um vestido de noite justo, em contraponto com um par de botas de borracha enlameadas, suas pernas nuas zebradas de lama. A mesma garota envergando um tailleur de corte impecável, sentada num balde virado ao contrário, fingindo ordenhar uma vaca. E outra modelo num vestido prateado curto e colante, pretensamente dirigindo um trator. A pilha maior continha fotos etéreas e feéricas de mulheres etéreas e feéricas com vestidos etéreos e feéricos dançando numa paisagem etérea e feérica.

Lisa segurou a pilha muito menor.

— Estas aqui talvez dê para usar — disse em tom gélido a Mercedes. — As outras são uó. Pensei que você fosse uma jornalista de moda.

— Que é que há de errado com elas? — perguntou Mercedes, num tom de calma ameaçadora.

— Não têm ironia. Não têm contraste. Estas... — indicou as fotos dos vestidos vaporosos — ...deveriam ter sido feitas num cenário urbano. As mesmas mulheres com as mesmas caras sujas e vestidos loucos, mas dessa vez subindo num ônibus, tirando dinheiro de um caixa eletrônico ou usando um computador. Telefona para a assessoria de imprensa de Frieda Kiely. Vamos refazer estas fotos.

— Mas... — Mercedes estava tinindo de ódio.

— Anda — disse Lisa, impaciente.

De repente, todos na redação tinham passado a achar as pontas de seus sapatos muito, muito interessantes. Ninguém conseguia assistir ao episódio de humilhação, era horrível demais.

— Mas... — Mercedes tornou a tentar.

— *Anda!*

Mercedes a encarou, em seguida agarrou as fotos e saiu pisando duro em direção à sua mesa. Ao passar, Ashling ouviu-a soltar um "filha da puta" entre os dentes.

Ashling foi obrigada a concordar. Afinal, Lisa era *o quê*?

A atmosfera estava envenenada de tensão. Ashling teve que abrir uma janela, embora o dia não estivesse quente. Precisava de um pouco de ar fresco para aliviar a barra-pesada.

A única pessoa de bom humor era Jack. Por acaso, saiu do escritório, na mais completa e feliz ignorância da tensão vigente, fez o que tinha de fazer, distribuiu sorrisos a torto e a direito e tornou a desaparecer. Lentamente o veneno se dissipou, até que todos, com exceção de Mercedes, já tinham praticamente voltado ao normal.

Ao meio-dia e meia, Mai chegou. Deu um cumprimento geral para todos e pediu para ver Jack.

— Pode entrar. — A Sra. Morley assentiu como uma autômata.

Todo mundo se empertigou, animado, quando a porta se fechou atrás de Mai.

— Isso vai tirar aquele sorriso do rosto dele — observou Kelvin.

Trix estava quase saindo pela redação afora para vender cachorros-quentes, tão festivo e circense era o clima.

Mas não saiu nenhuma briga, e os dois deixaram o escritório tranquilamente, juntinhos, Mai sorrindo ao lado da alta figura de Jack, enquanto deixavam a redação.

Todos trocaram olhares sobressaltados:

— Que foi *isso*?

Lisa, já prestes a sair para avaliar a "sexydade" dos quartos do Hotel Morrison, foi subitamente tomada por uma sensação de perda. Teve que se sentar e engolir em seco para tentar se livrar daquela fria e dura sensação de vazio. Mas qual era o problema? Sabia que ele tinha uma namorada. A questão era que, depois daquele bate-papo que haviam tido na cozinha, ela nunca mais levara esse fato totalmente a sério.

Ashling também estava um pouco desconcertada. *Que foi que eu fiz?*

Quando Lisa reservou um táxi para levá-la ao Morrison, pedira — um pouco constrangida — que mandassem Liam. Dera para fazer isso ultimamente. Só podia supor que gostasse de Liam, apesar de toda aquela sua tagarelice sal da terra de Dublin.

Até chegar ao hotel, já conseguira reduzir o aborrecimento causado por Jack e Mai a proporções suportáveis. Afinal, não prometera a si mesma naquela manhã que iria fisgar um cara? E que esse cara não tinha que ser Jack? Ainda não, pelo menos.

— Onde você quer que eu te deixe, Lisa? — Liam interrompeu seus pensamentos.

— Aqui está bom, diante do edifício com janelas pretas.

Havia um jovem flanando diante da portaria do hotel, envergando um belo terno cinza estruturado.

— Ah, olha lá, Lisa. — A voz de Liam se abrandou. — Seu namorado está te esperando. Todo paramentado, de apito e gravata. É seu aniversário? Que esta data se repita por muitos e muitos anos. Ou é aniversário de namoro?

— Aquele é o porteiro — murmurou Lisa.

— Ah, é? — A decepção deixou a voz de Liam muito estridente. — Pensei que fosse seu namorado. Bom...! Quer que eu fique te esperando?

— Quero, por favor. Só vou demorar uns quinze minutos.

Sem maiores delongas, Lisa verificou a elasticidade do colchão do Morrison, a limpeza dos lençóis, o tamanho da banheira — era grande o bastante para dois —, a quantidade de champanhe no frigobar, os pratos afrodisíacos no cardápio do serviço de quarto, os CDs disponíveis e, finalmente, as oportunidades para se usar algemas. E concluiu que, no cômputo geral, podiam-se passar ótimas horas ali. A única coisa que estava faltando era o homem certo.

Na volta para o trabalho, um enorme outdoor anunciando um novo sorvete chamado Truffle chamou sua atenção. Ela ia ao lançamento naquela mesma noite. Nesse momento, notou o homem magnífico no cartaz, sua boca deslumbrante envolvendo um Truffle, seus olhos vidrados com o que pretendia se passar por luxúria, mas também podia muito bem ter sido obtido com dois comprimidos de Mogadon.

Eu adoraria ir para a cama com ele.

Santo Deus, caiu em si, estou me tornando uma solteirona velha e triste. Tendo fantasias com uma foto. Quanto antes transar, melhor.

CAPÍTULO 35

A festa de lançamento do novo sorvete Truffle começou às seis da tarde. Por se tratar basicamente de um sorvete de chocolate, não teria nenhum ponto de venda exclusivo, num mercado saturado por produtos que alardeiam pontos de venda exclusivos. Por essa razão, os fabricantes haviam gasto os tubos com o lançamento, dando a festa no Clarence e atraindo os jornalistas com promessas de champanhe. Prometia ser um evento um tanto glamouroso.

— Quer vir? — Lisa perguntara a Ashling.

Ashling, ainda pouco à vontade pela maneira como Lisa tratara Mercedes, esteve a pique de recusar, quando então decidiu matar uma horinha antes da aula de salsa.

— Tudo bem — disse, de pé atrás.

Antes de saírem, Lisa foi ao banheiro para a vistoria que fazia de hora em hora na sua aparência. Com um olhar cruelmente crítico, percorreu sua imagem esguia e bronzeada num vestido branco da Ghost e aprovou o que viu. Não se tratava de arrogância injustificada: até mesmo sua pior inimiga (e a competição pelo posto era acirrada) teria reconhecido que ela estava linda.

E ela não negaria que era o que desejava. Esforçava-se ao máximo para isso. Era sua própria obra-prima, a obra de toda uma vida. Não que alguma vez fosse complacente em relação à sua aparência; também era sua crítica mais impiedosa. Sabia quando precisava retocar as raízes dos cabelos muito antes de se tornarem visíveis a olho nu. Podia *sentir* seus cabelos crescendo. E sempre sabia — mesmo quando a balança e a fita métrica discordavam — quando engordava um grama que fosse, chegando ao cúmulo de fantasiar que ouvia a pele se distendendo para acomodá-lo.

Interrompeu-se, franzindo os olhos. O que era aquilo na sua testa, uma ruga? A menor sombra do esboço do indício de uma ruga? Era! Hora de aplicar mais uma injeção de Botox. Era adepta da escola de cosmiatria A-defesa-é-o-melhor-ataque: pegue o inimigo antes que ele pegue você.

Retocando o gloss já perfeito, Lisa se considerou finalmente pronta. Se não transasse essa noite, não seria por sua culpa.

Por acaso, tanto Kelvin quanto Jack também iriam ao agito. Como o Truffle estava patrocinando a nova minissérie do Canal 9, Jack, muito a contragosto, estava fazendo o jogo corporativista.

— E qual é a sua desculpa? — Lisa perguntou a Kelvin, sarcástica.

— Nenhuma. Mas estou a fim de molhar o bico, e fiquei duro depois do feriadão.

Lisa estremeceu à menção daquele feriadão medonho e interminável. Nunca mais!

Assim que chegaram, Lisa desapareceu em meio ao burburinho da turba bem-vestida, Kelvin rumou direto para o bar e Ashling se pôs a circular pelo salão, ressabiada. Não conhecia ninguém e não podia ficar bêbada demais, por causa da aula de salsa. E *tinha* que ir à aula de salsa, era apenas a segunda, ainda estava muito cedo para começar a matá-las. Por acaso, localizou Jack Devine em meio à multidão, pouco à vontade, tentando uma jovialidade forçada com tapinhas nos ombros de uns e outros e fracassando retumbantemente. Falta de prática, deduziu ela.

— Oi — disse ela, nervosa. — Como vai?

— Com dor de cabeça de tanto sorrir — soltou ele, mal-humorado. — Odeio esses troços. — E mais não disse.

— Eu também vou muito bem — tornou Ashling, irônica. — Obrigada por perguntar.

Jack fez uma expressão surpresa, logo se voltando para uma garçonete que passava:

— Enfermeira — agitou seu copo vazio —, alguma coisa para a dor.

A garçonete, uma jovem atraente, entregou-lhe uma flûte de champanhe:

— Uma dessas de meia em meia hora deve resolver o problema.

Abriu um simpático sorriso de covinhas para Jack, que ele retribuiu. Azeda, Ashling observou a troca.

Assim que a "enfermeira" se foi, Ashling tentou pensar em algo para dizer a Jack, qualquer coisa que servisse para entabular uma conversa, mas não conseguiu. E Jack não se saiu melhor do que ela. Continuou lá, calado, pulando de um pé para o outro, tomando seu champanhe depressa demais.

Outra garçonete passou, dessa vez carregando uma bandeja contendo uma pilha alta de Truffles, que Ashling aceitou com avidez. Não tanto por adorar sorvete — embora fosse o caso —, mas porque daria à sua boca outra coisa para fazer além de conversar com Jack Devine. Dedicou-se à tarefa com prazer, contornando a ponta do sorvete com a língua. De repente, sentiu que estava sendo observada, ergueu os olhos e viu Jack Devine com um ar divertido e malicioso. Um rubor pruriginoso se alastrou por seu pescoço acima. Ainda sustentando o olhar dele, cravou uma dentada violenta na ponta do sorvete, arrancando-a com um *Crau!*. Jack estremeceu, e ela riu com um olhar cruel, como quem diz "Bem feito".

— Já vou indo — arrematou.

— Você não pode me abandonar assim — queixou-se ele. — Com quem vou conversar?

— Bom, até agora, comigo é que não foi! — exclamou ela, apanhando a bolsa.

— Ei! Senhorita Quebra-Galho, aonde é que você vai? — Sua voz era de pânico.

— Para minha aula de salsa.

— Ah, seu *dirty dancing*. Qualquer hora dessas você tem que me levar lá — provocou ele. — Vai, me abandona aqui em favor dos proletários.

Depois que passou Dan "Novidade é Comigo Mesmo" Heigel, que fazia sua própria versão de vaca-preta enfiando bocados de sorvete na flûte de champanhe, Ashling foi embora.

Mal acabara de sair, Kelvin se chegou até Jack, carregando duas flûtes de champanhe, ambas para si mesmo.

— Dá uma olhada na Lisa. Ela está de calcinha ou não? — perguntou Kelvin, estudando a bunda arrebitada de Lisa através do vestido branco. — Não estou vendo nenhuma linha, mas...

Jack não lhe deu corda.

— Sei o que você está pensando — disse Kelvin.

— Duvido.

— Está pensando que talvez ela esteja usando um fio dental. Pode até ser, é claro — admitiu Kelvin, a contragosto —, mas eu gostaria de acreditar que não.

Lisa circulava sistematicamente pelo salão à procura do homem mais bonito no recinto, mas já perfizera o mesmo circuito duas vezes e nada.

Primeiro encontrara um homem misterioso, quase mudo, vestindo azul. Parecia bastante descolado e tinha uma boca maravilhosa, esperta, um sorriso malicioso, cabelos lindos e roupas fantásticas. Até tirar os óculos. Lisa ficou horripilada. De repente, ele se metamorfoseara num homem horrendo. Seus olhos eram minúsculos, quase juntos, e tinham um ar aturdido e perplexo. Pertenciam a outra pessoa totalmente diferente, uma pessoa com dificuldades de aprendizado.

Ao recuar, esbarrou em Fionn O'Malley, um solteirão muito cobiçado, segundo ele próprio. Considerava-se um dos homens mais sexy da Irlanda por causa de suas sobrancelhas pontudas de Jack Nicholson.

— Olá. — Sorriu para Lisa, maligno, levantando as sobrancelhas com intenções demoníacas. — Você está mais sedutora do que nunca esta noite. — O elogio foi acompanhado por outro sobe e desce de sobrancelhas, cujo objetivo era deixar Lisa morta de vergonha e desejo.

Entediada, ela lhe deu as costas.

Foi então que o viu. O modelo que estava nos outdoors espalhados pela Irlanda de norte a sul. Era de uma beleza estereotípica: lábios carnudos, mandíbula larga e forte, pele sedosa, uma mecha dos brilhantes cabelos negro-azulados caindo-lhe sobre a testa bronzeada. Um rosto tão perfeito, que ficava a um centímetro de ser tedioso.

Bingo! Ela encontrara o homem certo.

Mais baixo do que considerava o ideal, mas, quanto a isso, não se podia fazer nada.

O bom dos modelos era que, pela sua experiência, eram galinhas em último grau. Como seu emprego pressupunha uma sequência quase ininterrupta de viagens, sempre encaravam o sexo com aquela atitude de "férias". Se por um lado isso indicava que ele provavelmente cairia numa cantada, por outro tinha o inconveniente de não permitir que jamais chegasse a ser mais do que um Homem Milky Way, mero objeto sexual para uma noitada.

Não havia problema, decidiu Lisa, analisando de alto a baixo o longo contorno da sua coxa e a depressão musculosa na lateral de sua bunda. Só sexo já estava de bom tamanho.

Já fazia um bom tempo que não convidava um homem para ir para a cama. E só havia uma única maneira de fazer isso. Não adiantava nada ficar de rodeios, bancando a tímida, na esperança de que ele a notasse. Não mesmo: a mulher precisava se dirigir resoluta para o homem que queria e deslumbrá-lo com sua autoconfiança. Era como estar entre cachorros — não se pode demonstrar medo.

Respirando fundo e relembrando a si mesma que era fabulosa, alargou sua boca brilhante com um sorriso cegante e avançou em direção a ele.

— Oi, sou Lisa Edwards, diretora da revista *Garota.*

Ele apertou sua mão.

— Wayne Baker, o rosto do Truffle. — Disse isso com a maior seriedade. Ah, meu Deus, ironia deficitária! Mas tudo bem, ela não precisava *gostar* do cara. Na realidade, provavelmente era até melhor que não gostasse. O objetivo de sua missão era sexo, e muitas vezes gostar da pessoa só atrapalhava.

Ela se muniu de cada reserva de autoconfiança de que dispunha, pois as próximas palavras que diria precisavam ser pronunciadas com convicção. Nunca se deve deixar o homem pensar que tem qualquer poder de decisão sobre o assunto. Ele não podia rejeitá-la. Essa hipótese simplesmente estava fora de cogitação.

Fixando os olhos nele, disse, com voz sensual:

— Quero o meu bem grande.

— O que você vai beber? — Ele inclinou a cabeça em direção ao bar.

— Não estou falando de bebida — disse ela, com um tom altamente sugestivo.

Músculo por músculo, uma expressão de compreensão se instalou no rosto dele.

— Ah. — Engoliu em seco. — Entendi. O q...?

— Jantar. Primeiro.

— Tudo bem — disse ele, obediente. — Agora?

— Agora.

Ela se permitiu soltar um pequeno suspiro de alívio. Ele caíra. Ela achara provável que caísse, mas nunca se sabe...

Quando saíram, ela procurou Jack com o olhar. Ele estava olhando para ela, com a cara fechada. "Até mais", disse-lhe ela, por mímica labial, ao que ele respondeu com um pequeno e forçado aceno de cabeça.

Ótimo.

No restaurante do Clarence, Lisa e Wayne competiam para ver quem comia menos. De olho um no outro, cautelosos, deslizavam a comida de um lado para o outro do prato. Por um excitante momento de suspense, Wayne fez menção de pôr um pedaço de peixe na boca e, se isso acontecesse, Lisa se permitiria comer uma pontinha de sua alcachofra. Mas, na última hora, ele mudou de ideia e, muito a contragosto, Lisa também recolocou seu garfo no prato.

Wayne Baker nascera em Hastings e era jovem — embora provavelmente não tão jovem quanto alegava. Dizia ter vinte anos, mas Lisa calculou que era mais provável que tivesse vinte e dois ou vinte e três. Levava sua carreira de modelo muito, muito a sério.

— Mas está longe de ser engenharia espacial, não é, querido? — Lisa o provocou.

Ele fez uma expressão magoada.

— Para seu governo, não pretendo ser modelo a vida inteira.

— Me deixa adivinhar — disse Lisa. — Mais tarde, você quer seguir a carreira de ator.

A surpresa se estampou em seu rosto quase risivelmente perfeito:

— Como é que você *sabe*?

Lisa conteve um suspiro. Embora achasse um tédio engolir clichês, o fato de ele não ser nenhum gênio amenizava a contundência de sua aturdente beleza. Ela não tinha nada contra gente com baixa ou mesmo nenhuma escolaridade — pois se mal sabia escrever seu nome na areia com um graveto quando saíra da escola! Mas não havia nenhum motivo para não se saber com quem Meg Matthews era casada.

— Onde é que você mora, lindo? — perguntou Lisa, dando uma entonação pejorativa ao “lindo”, como se ele fosse um pedaço de carne. Que engraçado, pensou Wayne. Em geral, era assim que ele falava com as mulheres.

— Tenho um apartamento em Londres, mas quase nunca estou lá. — Não conseguiu esconder o orgulho que sentia disso.

— E quanto tempo vai ficar em Dublin?

— Vou embora amanhã.

— Onde você está hospedado?

— Aqui, no Clarence.

— Maravilha. — Lisa não queria levá-lo para o Chalé dos Pinhos. Tinha medo de que todo aquele pinheiral o levasse a perder o tesão por ela. Mas o fato é que havia uma chance ainda maior de *ela* perder o tesão por ele até o fim do trajeto de táxi.

Assim que o garçom levou os pratos superficialmente remexidos, Lisa decidiu que já adiara seu prazer por tempo bastante. Com uma cara safada, disse a Wayne:

— Pra caminha.

— Caraca. — Ele se sobressaltou com seu descaramento e se levantou, obediente.

Subindo no elevador do hotel, Lisa fervilhava de expectativa. Sentia-se devassa e sibarítica — às vezes, tudo de que uma mulher realmente precisa é sexo sísmico e sazonal com um completo desconhecido. E de que adianta ter um corpo fabuloso, esculpido a fome, se não houver ninguém a quem mostrá-lo de vez em quando?

A mão lisa e bronzeada de Wayne tremeu um pouco ao pôr a chave na fechadura e, embora Lisa estivesse apenas desempenhando um papel, sentia-se fascinada com seu próprio poder.

Já no quarto, sua efervescente expectativa aumentou ainda mais. Era como estar num set de filmagens: o quarto moderno e estiloso, o homem jovem, sarado, definido e forte. Não havia como negar — ele era lindo.

— Fecha a porta e tira a roupa — disse Lisa, entrando cada vez mais no seu papel de dominatrix.

Wayne estava ansioso por sua admiração.

— Você vai adorar isso. — Sorriu, desabotoando lentamente a camisa. — Faço duzentos abdominais por dia.

Seu abdômen era uma maravilha rija de seis montículos enxutos, cercado pelas costelas e encimado por um peito definido e bronzeado. Era tão perfeito que a segurança de Lisa balançou. Ele devia estar acostumado a dormir com mulheres lindas e esguias. Ainda bem que ela nunca comia.

— Agora você — disse ele.

Com um sorriso seguro e sugestivo — a atitude era importante —, ela puxou o vestido branco pela cabeça num só gesto fluido. Kelvin tinha razão — não estava usando calcinha.

— Segura essa! — Wayne riu, puxando o zíper das calças estruturadas e justas. Sua ereção se projetou para fora, já semitumescente. Não estava usando cueca.

Lisa sentiu um frêmito percorrer seu corpo. Estava mais do que pronta para isso.

Ele não era a primeira pessoa com quem ela dormia depois de Oliver. Pouco depois de ele ir embora, ela levara um homem para casa, numa tentativa de tirá-lo da cabeça. Mas não fora um grande sucesso — provavelmente, tentara cedo demais. Isso era muito melhor.

— Você é linda — comentou Wayne, tocando um de seus mamilos com interesse profissional.

— Eu sei. Você também.

— Eu sei.

Riram às gargalhadas da beleza um do outro, após o que ele a beijou, não sem sensualidade.

— Vem. — Ele tentou levá-la para a cama.

— Não. No chão. — Ela queria uma coisa selvagem, pesada, intensa.

— Pervertidinha — disse ele.

— Que nada. — O tom dela foi desdenhoso. — Você é que levou uma vida superprotegida.

Ele não era dos piores. Também não era dos melhores. Esse era o problema dos homens muito bonitos. Achavam que bastava ficarem lá, deitados, para detonar uma onda de orgasmos. Felizmente, Lisa estava muito segura do que queria.

Ela o enxotou quando ele tentou ficar por cima. A festa era dela.

— Mais devagar — advertiu, quando ele começou a ficar arisco demais embaixo dela. Era um tédio ter que comandar os acontecimentos, mas, pelo menos, ele era dócil.

Algum tempo depois, ela enfiou as mãos por baixo de sua bunda.

— Mais depressa, mais depressa!

— Pensei que você gostasse devagar.

— Bom, agora gosto depressa — ela arquejou, e Wayne fez o que lhe fora ordenado, obediente. No auge do prazer, ela mordeu seu ombro.

— Não! — gritou ele. — Vou fotografar moda praia daqui a dois dias, não posso ficar com marcas de mordidas.

— Ai, meu Deus! — exclamou ela. — Mais fundo!

Wayne ganhou força e velocidade, projetando as coxas musculosas contra as dela.

— Acho que vou... — ele arquejou.

— Não se atreva! — disparou ela, ríspida. E ele ficou com tanto medo que seu iminente orgasmo recuou, obediente.

Por fim, ficaram deitados no chão, ofegantes, sem fôlego. Por ora saciada, Lisa contemplou as pernas de faia da cadeira diante de seus olhos. Fora maravilhoso, pensou. Exatamente do que estava precisando.

Continuaram deitados no carpete azul-acinzentado até sua respiração voltar ao normal e, em seguida, Wayne começou a dar sinais de vida. Acariciou meigamente os cabelos dela e refletiu, em tom sonhador:

— Nunca conheci ninguém como você. Você é tão... forte.

— Tem um frigobar? — tornou ela, curta e grossa. — Pega uma bebida para mim enquanto vou ao banheiro.

— Tá falado.

Tá falado!

Mal conseguiu se espremer para dentro do banheiro, tão atulhado estava de produtos para a pele, xampus, musses, loções fixadoras, colônias. Isso não granjeou para Wayne a estima de Lisa. *Que mulherzinha,* pensou ela, com um beicinho de desdém. Na bancada da pia havia algumas amostras maravilhosas de gel para banho e loção corporal, que ela prometeu a si mesma afanar antes de ir embora.

Quando saiu do banheiro, ele a levou para a cama e pôs uma flûte de champanhe gelado na sua mão. Subindo ao seu lado entre os lençóis fresquinhos de algodão, ele disse:

— Posso te perguntar uma coisa?

Seu tom sério e baixo fez com que ela ficasse na expectativa de uma dessas perguntas que os amantes se fazem: Você acredita em amor à primeira vista? Em que está pensando? Você me seria fiel?

— Manda — disse ela, brusca.

Ele se recostou sobre o cotovelo, apontou para a testa e disse:

— Você acha que isso é uma espinha?

Não havia nada na sua testa. Estava lisa como o bumbum de um bebê, como a pele de um pêssego, como as águas de um lago...

— Ah, acho, sim — respondeu ela, franzindo o cenho. — E é bem feia, hein? Acho que está infeccionada.

Ele soltou um gritinho de aflição e sacou do espelho com que obviamente andara se inspecionando, enquanto ela estava no banheiro.

Lisa gargalhou, esbaldando-se horrores.

— Que é que tem para ver no cine privê? — perguntou. Não queria ter que conversar com ele enquanto esperava que tornasse a erguer o florete.

Entre uma sessão e outra de sexo alucinado, viram filmes e beberam champanhe do frigobar. Por fim, exaustos e saciados, adormeceram. Lisa dormiu como uma pedra e acordou com um humor maravilhoso, insistindo em mais uma transa antes de se aprontar para ir embora.

Mas, no banheiro, enquanto escovava os dentes com o dedo coberto de pasta, deparou-se com algo que não notara na noite anterior. Rímel e lápis de sobrancelha. Bem que achara suas pestanas suspeitamente pontudas. E seria capaz de apostar que, além disso, ele provavelmente tingia o cabelo, passando de algum tom comum de castanho para o ébano atual. De repente, perdeu totalmente o tesão por ele.

Wayne, no entanto, estava bastante entusiasmado com Lisa. Era criativa na cama e não estava louca por ele.

— Vou ver você de novo? — perguntou ele, enquanto ela punha seu vestido branco. — Estou toda hora em Dublin.

— Onde foi que deixei minha bolsa?

— Ali. Vou ver você de novo?

— Claro. — Lisa enfiou na bolsa uma touca de banho, quatro sabonetes, duas garrafinhas de gel para banho e três de loção corporal.

— Quando?

— No fim de agosto. Minha foto vai estar acima da carta da diretora na *Garota*.

Cobrindo modestamente o peito com o lençol, Wayne pareceu tão vulnerável e confuso que Lisa capitulou.

— Eu te ligo.

— Liga? — perguntou ele, esperançoso.

— Vou providenciar para que você receba seus honorários. E não vou lhe perder o respeito por levar essa vida. — Lisa sorriu, passando um pente nos cabelos e inspecionando seu reflexo no espelho. — Não, é claro que não vou ligar.

— Mas... mas por que você disse que ligaria, se não pretendia fazer isso?

— E eu é que vou saber? — Ela revirou os olhos, gaiata. — Você é homem, foram vocês que inventaram a regra. Tchau!

Saltitando pelas escadas e ganhando a rua, com uma deliciosa ardência nos cotovelos e joelhos do atrito com o carpete, Lisa fez sinal para um táxi. Era o tempo exato de correr em casa e trocar de roupa antes de ir para o trabalho.

Estava se sentindo ótima. Radiante! Quem dizia que uma noitada com um completo desconhecido deixava a mulher se sentindo desvalorizada e deprimida, enganava-se redondamente. Ela não se sentia tão bem assim há séculos!

CAPÍTULO 36

Lisa entrou na redação depois de sua noite de sexo num estado de espírito dinâmico.

— Bom-dia, Jack — disse, jovial.

— Bom-dia, Lisa.

Ela fitou o rosto dele. Os olhos ainda opacos, a mesma expressão de sempre. Nenhum sinal óbvio de que se importara com o fato de ela sair da festa com Wayne Baker, mas ela vira sua cara na hora — ele ficara picado. Ela *sabia*.

Mãos à obra! Lisa estava a mil e decidiu que queria cada detalhe da *Garota* em ordem *já* — para tanto, começou por encomendar uma prova da revista, que chamou de "boneco". Pelo jeito, seria uma semana bastante tumultuada.

— Quero todas as seções fixas — filmes, vídeos, horóscopo, saúde, as colunas — passadas para o computador. Em seguida a gente dá uma olhada e vê o que ainda falta.

Exemplares de livros que deveriam sair em setembro chegavam aos magotes à redação para serem resenhados, e o mesmo acontecia com os vídeos e CDs. Em teoria, tudo que cai na rede é peixe, mas, na prática, de nada adiantava a rede estar cheia, se não era do tipo de coisa de que a pessoa em geral gostava. Houve uma breve porém acirrada disputa entre três pretendentes a um CD afrocelta, mas ninguém se interessou por nenhum dos outros.

— Gary Barlow, acho que não — bufou Trix, atirando-o de volta, o plástico duro da caixa chocando-se com o do alto da pilha. — Enya, nem em mil anos. — *Pleft.* — David Bowie, não. — *Pleft.* — E quem diabos são os "Woebegone"? É, até que não são feios, o vocalista é bonito. VOU FICAR COM ESTE — berrou para o resto da redação.

— Alguém se importa se eu ficar com este? — Ashling levantou um best-seller do gênero Os-matutos-também-amam.

— Nem um pouco — Lisa soltou uma risada desdenhosa.

Mas não era para Ashling, e sim para Boo, que vivia tão entediado, que lia qualquer coisa.

A encarniçada Guerra dos Tipos se prolongou por toda a semana. Lisa e Gerry estavam presos num impasse furioso a propósito do visual da seção literária.

— É tudo tipo, não tem nenhum conteúdo — argumentava Gerry, exaltado.

— Ninguém lê livros, porra! — gritava Lisa com ele. — É por isso que a gente tem que dar um visual sexy à seção!

As coisas continuaram dando errado. Lisa detestou a ilustração encomendada para a coluna de Trix sobre uma garota comum, alegando que não era “sexy” o bastante. Gerry deletou um documento por engano e perdeu o trabalho de uma manhã inteira. E uma matéria que Mercedes escrevera sobre uma esteticista foi para a cesta de lixo de uma hora para a outra, porque alguém no salão da mulher afinara demais as sobrancelhas de Lisa durante seu horário de almoço na quarta.

— Mas eu dei um duro louco nessa matéria — reclamou Mercedes. — Você não pode cortar ela assim.

— Não vou cortar — rebateu Lisa, agressiva. — Vou *derrubar*. Já que quer trabalhar numa revista, será que não pode pelo menos aprender o jargão?

A atmosfera estava tensa e o trabalho não parava de aumentar. Nenhum dos membros da equipe tinha menos de três projetos esperando sua atenção, a qualquer hora.

Ashling estava digitando o Horóscopo Esotérico quando Lisa chapou uma braçada de produtos para os cabelos na sua mesa, dizendo:

— Mil palavras. Faz uma coisa...

— Já sei, sexy.

Procurando um tema para a matéria, Ashling vistoriou os produtos amontoados sobre a mesa. Havia uma musse para dar volume, um spray que prometia “levantar” as raízes e um xampu “encorpante” — a parafernália para as mulheres que querem cabelos cheios.

Mas havia também uma máscara antifrizz, um complexo alisador e um condicionador leave-in — todos para as mulheres que querem o cabelo colado na cabeça. Como iria conciliar os dois grupos? Como sua matéria poderia ter um mínimo de coerência? Repassava mentalmente o assunto uma vez atrás da outra. Seria possível ter cabelo cheio *e* cabelo liso? Ou será que ela deveria tentar fingir que o cabelo precisa ser liso antes de poder ser cheio, assim inventando um novo conjunto de preocupações para as mulheres de cabelos cheios? Suspirou, partindo outro pedaço de seu muffin de chocolate branco. Nesse momento — talvez em consequência do pico de glicose —, teve uma ideia genial que, após o impasse, revestiu-se da grandiosi dade da descoberta da lei da gravidade.

— Eureca! — exclamou, zonza de alívio.

— O que foi? — perguntou Jack Devine, que estava ao lado da copiadora.

— Eu estava tão aflita! — Ashling fez um gesto indicando os tubos e latas. — Todos esses produtos, sem nenhum vínculo entre si. Mas todas as peças se encaixaram quando me dei conta de que mulheres diferentes querem coisas diferentes do cabelo.

— Mulheres diferentes querem coisas diferentes do cabelo — repetiu Jack, bem-humorado. — Profundo. Isso deve ficar pau a pau com a teoria da relatividade de Einstein... O tempo não é um absoluto — debochou —, pois depende do brilho do cabelo do observador no espaço. E o espaço não é um absoluto, pois depende do brilho do cabelo do observador no tempo. Que trabalho mais louvável, este que realizamos aqui!

Ashling hesitou, sem saber se devia se ofender ou não, mas Jack foi mais rápido:

— Desculpe — pediu, humilde. — Só estava brincando.

— É isso que é preocupante — Trix soprou no ouvido de Ashling.

— Já terminou de digitar a matéria de Jasper Ffrench? — perguntou Lisa a Trix, brusca.

— Já.

Lisa se aproximou e deu uma olhada por cima do ombro de Trix.

— "Afrodisíaco" *não* se escreve com z, "ostra" só tem um s e é "aspargo", não "aspárguio". Passa a usar o corretor ortográfico.

— Nunca precisei usar o corretor ortográfico.

— As coisas mudaram. A *Garota* é uma revista de classe.

— Pensei que a gente fosse sexy — rebateu Trix, birrenta.

— Dá para ser as duas coisas. Ei, Mercedes! Em que pé está sua matéria sobre aqueles sapatos Chanel "Uau"?

Não era propriamente um trabalho instigante, mas necessário. E exaustivo.

Ashling estava podre de cansada. Além dos dias longos e estressantes, roía-a também uma preocupação incessante em relação à maneira abrupta como as coisas haviam terminado na noite de segunda. Por que ela não fora para a cama com ele? Não era exatamente uma virgem se resguardando para a noite de núpcias, admitiu, abatida. Mas sempre resistira às mudanças, e já fazia muito tempo que dormira com outro homem que não Phelim.

Soltando um sonoro "ai, ai!", aceitou o fato de que a vida era difícil para as mulheres modernas. Antigamente, a regra era evitar dormir com o homem o máximo possível. Mas hoje a regra parecia ser a de que, se a mulher queria segurá-lo, o melhor era entregar a mercadoria o quanto antes.

Marcus não ligou nem na noite de terça nem na de quarta e, apesar de Joy encher os ouvidos de Ashling com sua "regra dos três dias", Ashling disse:

— Mas e se ele nunca mais ligar?

— Vamos ser realistas: a hipótese existe, sim — os desígnios dos homens são insondáveis. Mas você com certeza não vai ter notícias dele hoje à noite. Faz alguma outra coisa, usa seu tempo de maneira construtiva — precisa lavar alguma coisa? Precisa ficar de olho na tinta de alguma coisa que pintou? Porque hoje é a grande noite.

Ashling prometeu a si mesma que, se Marcus tornasse a ligar, dormiria com ele *de qualquer maneira*.

Durante sua pausa no trabalho para comer o muffin de chocolate, ao folhear o jornal, sem muito ânimo, o nome dele subitamente saltara da folha, mencionado a propósito do sucesso dos humoristas irlandeses no Reino Unido. As letras dançavam vertiginosas diante de seus olhos — MaRcUs. *Ele é meu namorado.* Ashling olhava fixamente as pequenas letras negras, arrebatada por um portentoso e inefável ímpeto de orgulho. Que desapareceu um segundo depois. *Ou não?*

A súbita aceleração no ritmo de Lisa teve como consequência o fato de que por volta da quinta-feira já estava todo mundo com o pavio muito curto. Lisa estava brigando com a Sra. Morley quando Jack, parecendo transtornado, saiu como um bólido do escritório.

— Sra. Morley, será que a senhora se importaria de reservar para mim hoje uma mesa em algum restaurante? Para duas pessoas.

— No de sempre? — Toda vez que vinham contadores do escritório de Londres, Jack os levava, muito a contragosto, para comer carne malpassada e beber vinho tinto vermelho-sangue num clube com paredes forradas em carvalho e poltronas estofadas em couro.

— Não, pelo amor de Deus! Em algum lugar decente, de que uma mulher gostaria. — Seu ar desamparado era encantador. Cheio de timidez, admitiu: — Mai e eu estamos completando seis meses de namoro.

Lisa não conseguiu ocultar sua decepção. Por que ele estava tratando Mai tão bem? Por que não haviam tido uma briga quando Mai aparecera na redação no começo da semana? Horrorizada, compreendeu que talvez esses episódios estivessem se tornando sistemáticos, e toda a despreocupação e confiança que a vinham sustentando desde que dormira com Wayne se evaporaram sem deixar vestígios.

— Graças a Deus me lembrei do aniversário! — Jack sorriu.

— Como foi que conseguiu? — perguntou a Sra. Morley.

— Para ser franco, ela praticamente me disse — respondeu Jack, distraído. — Ah...! Como é mesmo o nome daquele restaurante a que você me levou, Lisa? Provavelmente ela gostaria de lá.

— Halo — disse Lisa, mas sua voz saiu tão estrangulada que Jack disse:

— Como? Diz de novo.

— Halo — repetiu ela, quase imperceptivelmente mais alto.

— Exatamente! — Jack exultou. — Cheio de babacas! Comida metida a besta por preços exorbitantes, ela vai adorar. Será que você pode me dar o número de lá, para eu reservar uma mesa?

— Não, senhor. — A Sra. Morley se tornou mais buldoguesca do que nunca: — Esse é o meu trabalho.

Literalmente trêmula de ódio, Lisa se retirou, torcendo para que estivesse muito em cima da hora para arranjar uma mesa.

Meia hora depois Mai chegou, parecendo a Barbie Asiática. Quando Lisa a viu, sua raiva se transformou em profunda depressão.

— Tailleur bonito. — Trix puxou o saco de Mai.

— Obrigada.

— Dunnes?

— Hum, é.

Mai passara a guardar uma reserva que não demonstrara na tarde da champanhota. Por algum motivo, a dedicação de Jack mudara as coisas. Comportava-se de maneira gentil e simpática, mas deixando muito claro que era a namorada do chefe.

A Sra. Morley fez o aceno de sempre com a cabeça para Mai e ela rebolou seus quadris inexistentes em direção ao escritório de Jack. A porta se fechou com firmeza às suas costas e todos na redação suspenderam suas atividades, espichando as orelhas na esperança, no desejo, na *ânsia* de um bate-boca. Porém, segundos depois Jack e Mai saíram de mãos dadas, com ar vaidoso e, sob o cemicírculo de olhares ávidos, rumaram para a porta e saíram. Mesmo depois que ficou claro que nada iria acontecer, reinou o silêncio.

— Eu gostava mais de como era antes — lamuriou-se Trix, expressando os sentimentos de todos os presentes.

Lisa, já de saída para seu almoço de adulação com Marcus Valentine, tentou engolir o ciúme, a mágoa e... a confusão. Tinha certeza de que não imaginara o interesse de Jack por ela. Então, *qual* era a dele? Não podia compreender. Uma hora era uma série ininterrupta de discussões aos berros com Mai, outra hora os pombinhos estavam no Céu. Por quê? *Por quê?* As perguntas vãs e irrespondíveis deram voltas em sua cabeça durante todo o percurso até o Mao.

Apenas dez minutos depois, Marcus chegou. Alto, de corpo bem-feito, mas... ugh, não! Como é que Ashling *conseguia*? Lisa sapecou um sorriso acolhedor no rosto, mas, ao contrário do que sempre acontecia, achou extremamente difícil esbanjar seu charme.

— Só almoço, tá legal? — disse Marcus, quase agressivo, ao se jogar no assento em frente a ela. — Ou seja, vamos aproveitar a comida, sem você ficar no meu pé para fazer a coluna.

— Tudo bem. — Lisa tratou rapidamente de curvar os lábios para cima, mas, de repente, sentiu seu moral se arrastar pelo fundo do mar. Esse emprego podia ser muito humilhante. A pessoa tinha que ser de uma agressividade indigna e ter um couro de rinoceronte.

De repente, deixou de se importar que ele não fizesse a coluna. Que diferença isso fazia? Era só para uma revista feminina burra. Com exceção de um ou outro comentário superficial sobre seu gosto por temperos fortes, deixou um hiato soturno se abrir na conversa.

Ironicamente, quão mais apática se mostrava, mais ele ia ficando comunicativo e, no meio do prato principal, a ficha finalmente caiu. A partir daí, ela começou a explorar sua reticência.

— E aí, que tipo de artigo você tem em mente para mim? — perguntou Marcus.

Ela sacudiu a cabeça, agitando o garfo:

— Aproveita o seu almoço.

— Tudo bem. — Mas ele voltou ao assunto momentos depois: — Quantas palavras você tem em mente?

— Por volta de mil, mas esquece.

— E você apurou sobre as chances de ser publicado em outras revistas do grupo?

— Uma de nossas publicações na Austrália adoraria publicá-lo, e também a *Cara*, nossa revista masculina na Inglaterra. — E, desfechando o golpe final: — Mas, se você não quer fazer a coluna, Marcus, então não quer e acabou-se. — Sorriu com ar de lástima para ele. — Nós arranjamos outra pessoa. Não vai chegar nem aos seus pés, mas...

— Me diz o quanto eu sou fantástico e eu faço — pediu ele, com um sorriso.

Sem pestanejar, Lisa soltou:

— Você é o cara mais engraçado que eu vi nesses últimos três anos. Seu humor é uma mescla única de inocência e consciência. Seu vínculo com a plateia é firme como uma rocha e seu timing é impecável. Assina aqui. — Puxou um contrato da bolsa e o empurrou pela mesa para ele.

— Mais um pouco — pediu ele.

— Embora seu número tenha traços de Tony Hancock e... — Droga! Não conseguia se lembrar de mais ninguém.

— Woody Allen? — ajudou ele. — Peter Cook?

— Woody Allen, Peter Cook *e* Groucho Marx — deu um sorriso cúmplice para ele. Era capaz de apostar que ele sabia de cor todas as resenhas que haviam escrito sobre seu número —, seu estilo é inegavelmente vanguardista.

E esperou que fosse o bastante. Porque, se ele pedisse mais uma justificativa para sua graça, a única que ela seria capaz de dar era "Você tem cara de pateta".

Ao voltar, correu para a mesa de Ashling e disse, com euforia cruel:

— Adivinha! Marcus Valentine concordou em escrever uma coluna mensal.

— É mesmo? — gaguejou Ashling. Ele parecera tão contrário à ideia na noite de segunda.

— É — disse Lisa, cheia de si. — Concordou.

Quarenta minutos depois, fumegando, Ashling finalmente atinou qual deveria ter sido sua resposta para Lisa. Deveria ter dito tranquilamente: "Marcus vai fazer a coluna? Só pode ser por causa da chupada celestial que eu dei nele ontem à noite."

Por que nunca conseguia pensar nessas coisas na hora? Por que sempre tinha que ser séculos depois?

CAPÍTULO 37

Para euforia e alívio de Ashling, Marcus lhe ligou na quinta-feira, e já abriu a conversa perguntando:

— Vai estar ocupada sábado à noite?

Ela sabia que devia provocá-lo, torturá-lo, enrolá-lo durante séculos, bancar a difícil, fazê-lo suar a camisa.

— Não — respondeu.

— Está certo, então, vou te levar para jantar fora.

Jantar. Numa noite de sábado — que combinação expressiva. Significava que ele não estava puto da vida por ela não ter dormido com ele. E também, é claro, que dessa vez era melhor mesmo dormir com ele. Estava louca de expectativa. E um pouco de nervosismo, também, mas nesse ela daria um basta em dois tempos.

Cautelosa, Ashling reconhecia que as coisas estavam indo bem. Marcus a tratava bem e, embora ela fosse atormentada pelo medo, como não poderia deixar de ser, não era por causa de nada que *ele* houvesse feito. Desde que pela primeira vez vira Marcus atuando, um lento processo de regeneração começara a modificar a paisagem interior de Ashling. Depois de Phelim, ela se tornara avessa aos romances, mais interessada em se recuperar dele do que em substituí-lo.

Mas sempre pretendera voltar à ativa assim que se sentisse pronta. E o telefonema de Marcus fizera aflorarem pequenos brotos de esperança que lhe diziam que talvez a hora houvesse chegado. Finalmente ela despertava de seu estado de hibernação.

O curioso era que a hibernação tinha suas vantagens. Uma vez desperta, Ashling fora subitamente tomada pela urgência inspirada por sua idade, o tique-taque de seu relógio biológico e toda a indefectível angústia das mulheres solteiras de trinta e tantos anos. A síndrome do Merda!-tenho-trinta-e-um-anos-e-ainda-não-me-casei!.

Quando Joy lhe perguntou o que iria fazer no sábado à noite, Ashling decidiu dar uma experimentadinha na sua nova vida, para ver se cabia.

— Meu namorado vai me levar para jantar fora.

— Seu *namorado*? Ah, você quer dizer Marcus Valentine? E ele vai te levar para jantar fora? — Joy parecia ter ficado com inveja. — A única coisa que os homens querem é ficar bêbados comigo. Nunca me levam para comer fora. — Calou-se, e Ashling soube que vinha baixaria por aí. Não deu outra: — No único lugar para onde meu namorado me leva quem me come é ele, e a única coisa que entra na minha boca é o pinto dele — disse, sombria. — Você não entende que se Marcus vai te levar para jantar fora num sábado à noite é porque as intenções dele são sérias? *Sérias* — repetiu, enfática. — Chega de desculpas como da última vez, dizendo que tinha que trabalhar no dia seguinte.

— Eu sei. E os pelos já começaram a crescer nas minhas pernas.

Ashling já sabia exatamente o que iria vestir. Cada detalhe, até sua melhor lingerie. Estava tudo inteiramente sob controle. De repente, tomou um ódio mortal de seu batom. Sentia-se como se usasse a mesma cor há anos, comprando a mesma quando o batom acabava. E tudo porque ficava bem nela! Que cretinice!

Uma jornalista de revista feminina que se prezasse trocava de batom como quem troca de homem — rápido. Precisava de um novo batom para redefini-la. Era imperioso que encontrasse o batom certo e, enquanto isso não aconteceu, teve a sensação de que estava tudo fora dos eixos.

Passou a manhã de sábado numa busca obsessiva, mas nada lhe ficava bem. Ou o batom era rosa-shocking demais, ou laranja demais, ou glacé demais, ou brilhante demais, ou escuro demais, ou claro demais, ou cintilante demais. Tentando fingir que era outra pessoa, experimentou um vermelho-escuro vamp e se olhou no espelho. Não! Ficou parecendo alguém que tivesse passado dezesseis horas na gandaia, bebendo vinho tinto, que se congelara nos lábios. Arriscou um sorriso e ficou parecida com Drácula. A vendedora voltou correndo:

— Esse ficou fabuloso em você!

Ashling conseguiu se esquivar, e a busca prosseguiu. As costas de sua mão, todas riscadas de listras vermelhas, pareciam uma ferida aberta. E então, justamente quando começava a perder as esperanças, ela o encontrou. O batom perfeito. Foi amor à primeira vista e Ashling soube, com uma convicção profunda e exultante, que agora tudo ficaria bem.

Como Marcus a apanharia às oito, ela se serviu de um copo de vinho e deu início aos preparativos. Fazia muito tempo que não jantava com um homem. Ela e Phelim tinham uma rotina preguiçosa, acomodada de comer comida pronta, e só iam a restaurantes quando se cansavam de pizzas e curries em domicílio. Comer fora era um exercício estritamente utilitário de nutrição, não de sedução — quando um queria levar o outro para a cama, os métodos empregados eram outros. Quando Phelim estava a fim, dizia: "Tchaca-tchaca na butchaca, alguém está servido?" E, quando era a vez de Ashling instigá-lo, ela ordenava: "Violenta-me!"

E como seria o sexo com Marcus? Um frêmito de terror e excitação acendeu seus terminais nervosos, e ela tateou às cegas seu maço de cigarros. Joy não poderia ter escolhido melhor hora para chegar.

Elogiou as roupas de Ashling, puxou o cós de sua calça jeans, admirou o fio-dental que escolhera e perguntou:

— Lembrou de passar condicionador nos pelos pubianos?

Ashling estremeceu e Joy fez uma expressão magoada.

— Essas coisas importam! E aí, lembrou?

Ashling fez que sim.

— Boa menina. Há quanto tempo você não transa? Desde que Phelim foi para Oz?

— Desde que voltou para o casamento do irmão.

— E você vai mesmo para a cama com o Sr. Marcus Valentine?

— Por que outro motivo eu passaria condicionador nos pelos pubianos? — A expectativa deixava Ashling irascível.

— Excelente! Quer dizer então que gosta dele?

Ashling refletiu.

— Existe uma grande probabilidade de eu vir a gostar dele. Nós nos damos bem e ele é boa-pinta, mas não boa-pinta demais. Gente como eu nunca pesca modelos, atores ou o tipo de homem de quem as pessoas dizem "Caramba, aquele cara é muito bonito", sabe como?

— Você está me assustando. Que mais?

— Nós gostamos dos mesmos filmes.

— Que são...?

— Os falados em inglês.

Phelim demonstrava uma irritante tendência a se considerar um intelectual, e vivia falando em ir ver filmes estrangeiros legendados. Nunca chegava de fato a ir, mas aborrecia Ashling lendo resenhas em voz alta e sugerindo a *hipótese* de irem.

— Marcus é só um cara comum — explicou Ashling. — Ele não pratica bungee jumping, nem protesta contra as rodovias ou qualquer coisa doida desse tipo. Não tem nenhum hábito insano, e eu gosto disso num homem.

— Que mais?

— Eu gosto... — De repente, Ashling se voltou para Joy e disse, feroz: — Se algum dia você contar isso para alguém, eu te mato.

— Juro que não conto — mentiu Joy.

— Eu gosto do fato de ele ser meio famoso. De ser mencionado nos jornais e de as pessoas conhecerem ele. Tá, já sei, isso faz de mim uma pessoa superficial, mas estou sendo honesta com você.

— Como vão as sardas dele?

— Sardentas. — Seguiu-se uma pausa. — Olha, eu mesma tenho uma ou duas — defendeu-se Ashling. — Não é nenhuma vergonha ter sardas.

— Só perguntei...

— Olha o Ted na porta. Abre lá para mim, tá?

Ted entrou no quarto, obviamente empolgado.

— Olhem só para isso — gritou, desenrolando um pôster.

— É você! — declarou Ashling.

Era uma foto do rosto de Ted montada no corpo de uma coruja, com as palavras "Ted Mullins, o Encorujado" atravessadas no alto.

— Uau, ficou fantástico!

— Vou mandar imprimir, mas o que vocês acham... — Desenrolou outro pôster e exibiu os dois suspensos entre os dedos: — Fundo vermelho ou fundo azul?

— Vermelho! — disse Joy.

— Azul! — disse Ashling.

— Não sei — cismou Ted. Clodagh disse...

— Que Clodagh? — atalhou-o Ashling, brusca. — Clodagh de quê? *Minha* amiga Clodagh?

— É, dei um pulo na casa dela...

— Para quê?

— Para apanhar meu paletó — defendeu-se Ted. — Por que o drama? Esqueci meu paletó lá quando a gente ficou com as crianças, isso não é nenhum crime.

Ashling não sabia explicar seu ressentimento. Não teve opção senão murmurar:

— Tá. Desculpe.

Fez-se um silêncio tenso.

— Me passa meu batom novo, por favor — pediu Ashling, brusca.

Retirou-o da caixa e torceu-lhe a base, projetando para fora seu dedo ceroso, brilhante e novo. Lindo! Mas, enquanto o admirava, foi subitamente atingida por uma consciência muito desagradável.

— Não acredito — arquejou. Correu a inspecionar a base do batom, pôs-se a revirar atabalhoadamente a nécessaire de maquiagem, desencavou outro batom e verificou sua base também. — Porra, não acredito! — exclamou, desesperada.

— O quê?!

— Comprei o mesmo batom. Passei a manhã inteira procurando um batom novo e acabei comprando exatamente o que já tinha.

Num rompante exaltado de *Sou um fracasso completo*, já estava pronta para se atirar na cama, quando a campainha tocou. O despertador na penteadeira marcava oito e meia — o que significava que eram oito e vinte.

— Acho bom não ser Marcus Valentine — disse, em tom ameaçador.

— Que tipo de homem chega cedo? — perguntou Joy.

— Um cavalheiro — rebateu Ashling, sem a menor convicção.

— Um maluco — disse Joy, mais alto do que pretendera.

— Já para fora, os dois.

— Não deixa de usar preservativo — sussurrou Joy, para em seguida sair com Ted. Segundos depois Marcus apareceu no alto da escada, todo sorrisos.

— Oi — disse Ashling. — Estou quase pronta. Quer tomar uma cerveja ou alguma outra coisa?

— Uma xícara de chá. Mas eu mesmo faço, não se preocupa comigo.

Enquanto ela terminava de se arrumar, apressada, ouviu-o abrindo armários e gavetas na cozinha.

— Apartamento bonitinho — disse-lhe ele, de longe.

Ashling teria preferido que ficasse quieto. Dar respostas espirituosas enquanto passava batom não era seu forte.

— Pequeno, mas perfeito.

— Como a dona.

Estava longe de ser verdade, pensou Ashling, mas fora muita gentileza da parte dele dizer aquilo.

E o galanteio levantou seu astral. Animou-se, perdeu a vergonha do batom, escovou os cabelos e foi em frente para receber a admiração dele.

Antes de saírem, Marcus fez questão de lavar sua xícara.

— Deixa aí — disse Ashling, quando ele a enfiou debaixo da água corrente.

— Ah, não. — Pôs a xícara no escorredor de pratos e se virou para ela com um sorriso: — Minha mãe me treinou bem.

E ela voltou a experimentar a mesma sensação. Mais brotos pondo suas cabecinhas de fora.

O lugar aonde ele a levou era aconchegante, imerso numa penumbra rosada. Sentados a uma mesa de canto, com os joelhos se encostando de vez em quando, beberam um vinho branco tão seco que ficaram com a sensação de estarem com ventosas nos dentes, enquanto admiravam um ao outro, sua pele viçosa e perfeita à luz de velas.

— Taí, gostei da sua... — Ele fez um gesto indicando sua regata. — Nunca sei os nomes certos das roupas das mulheres. Camiseta? Algo me diz que seria um delito grave chamar essa peça de camiseta. Como é que se deve chamar? De top? De blusa? De camisa? Seja lá qual for o nome, eu gostei.

— O nome é regata.

— Então o que é uma blusa?

Ashling o apresentou às várias opções.

— Você nunca, jamais, em tempo algum deve dizer "blusa" para qualquer mulher com menos de sessenta anos — disse, séria. — Até pode dizer a uma mulher que a camiseta dela é bonita, mas só se estiver se referindo a um top de malha, não se for uma camisa de meia, daquelas de estivador. Para ser franca, se for uma camisa de meia de estivador, aconselho você a ir embora imediatamente.

— Entendi. — Marcus assentiu. — Caramba, é um campo minado.

— Espera aí. — A ideia acabara de lhe ocorrer. — Você estava colhendo material para o seu número?

— Eu faria isso? — Ele sorriu.

A comida era boa, a conversa rolava espontânea, mas Ashling tinha a sensação de que tudo não passava de uma espécie de prelúdio. Um trailer. Com a atração principal ainda por vir.

Quando a conta chegou, ela fez menção, sem muito ânimo, de rachá-la com ele.

— Não — insistiu Marcus. — Não aceito.

Porque pretende aceitar outra coisa mais tarde?

Já na rua, ele perguntou:

— E agora?

Ashling deu de ombros, sem conseguir conter uma risadinha. Estava na cara, não estava?

— No meu apartamento? — ele sugeriu, baixinho.

Beijou Ashling no táxi. E de novo no vestíbulo de seu apartamento. Foi muito bom, mas, quando se separaram, ela não pôde deixar de olhar ao redor, vistoriando o lugar. Sentia-se atraída por ele, mas também estava interessada em ver onde ele morava, em descobrir mais sobre ele.

Era um quarto e sala situado numa quadra moderna, e o fator grunge era surpreendentemente baixo.

— Ué, seu apartamento não tem um cheiro esquisito!

— Já te disse, minha mãe me treinou bem.

Ela se voltou em direção à sala.

— Olha só quantos vídeos você tem! — exclamou, admirada. Parecia haver centenas deles nas estantes que recobriam as paredes.

— A gente pode assistir a alguma coisa, se você quiser — propôs ele.

Ela quis. Dividida entre a atração por ele e o nervosismo infantil, ficou feliz pelo adiamento.

— Escolhe um — ele a deixou à vontade.

Porém, quando ela se pôs a vistoriar as estantes, aos poucos foi se dando conta de algo estranho: Monty Python, Blackadder, Lenny Bruce, o Gordo e o Magro, Padre Ted, Mr. Bean, os Irmãos Marx, Eddie Murphy — *todos* os vídeos eram de comédias.

Ficou confusa. No seu primeiro encontro, haviam tido uma animada discussão sobre seus filmes favoritos. Ele alegara apreciar uma grande variedade de gêneros, mas ninguém diria, olhando para suas estantes. Por fim, ela se decidiu por *A Vida de Brian.*

— Uma excelente escolha, madame, se me permite dizê-lo! — Buscou na cozinha uma garrafa de vinho branco para ela e uma lata de cerveja para si mesmo, e arriscaram aconchegar-se um contra o outro em frente à tevê.

Dez minutos depois de começado o filme, Marcus encostou o indicador no ombro nu de Ashling, pondo-se a alisá-lo lentamente.

— Asssh-liiing — entoou, com uma intensidade que fez o estômago dela dar um salto. Quase com medo, olhou depressa para ele. Ele tinha os olhos fixos na tela. — Presta atenção agora — pediu, no mesmo tom de voz baixo. — Está chegando uma das melhores cenas de comédia de todos os tempos.

Obediente, embora um pouco decepcionada, ela prestou atenção e, quando Marcus se acabou de rir, ela não pôde deixar de rir também. Em seguida ele girou o corpo em direção a ela e perguntou, com voz de menininho:

— Você se importa, Ashling?

— De quê?! — *De dormir com você?*

— Se a gente vir essa cena de novo.

— Ah! Claro que não.

Quando seu pulso voltou ao normal, ela percebeu que ficara comovida por ele querer repartir com ela as coisas que considerava importantes.

— E aí, eles ficaram satisfeitos por eu fazer a coluna? — perguntou ele, algum tempo depois.

— Ah, eufóricos!

— Aquela Lisa é dura na queda, hein?

— Muito persuasiva. — Ashling não sabia até que ponto seria inteligente começar a baixar o pau em Lisa.

— Mas o mérito por isso é todo seu.

— Mas eu não fiz nada...

Marcus lançou-lhe um olhar sugestivo:

— Você pode dizer a eles que me convenceu quando a gente estava na cama.

A intenção explícita no olhar dele fez com que ela sentisse um aperto na garganta. Engoliu em seco, como se estivesse deglutindo uma ostra.

— Mas isso não seria verdade — disse, por fim.

Seguiu-se uma longa pausa, sem que ele tirasse um segundo os olhos dela.

— A gente poderia fazer com que se tornasse verdade.

O alto astral de Ashling arrefecera. Desaparecera, na verdade. Parecia cedo demais para ir para a cama com ele, mas, por outro lado, resistir pareceria antiquado. Simplesmente não conseguia entender a timidez ridícula que a paralisava — afinal, tinha trinta e um anos de idade, já dormira com um monte de homens.

— Vem. — Ele se levantou e puxou-a pela mão com delicadeza. Algo dizia a Ashling que ele não aceitaria um não como resposta.

— Mas o filme...

— Já vi antes.

Não brinca.

A timidez lutava com a curiosidade, a atração duelava com o medo da intimidade. Queria e não queria dormir com ele, mas a necessidade urgente dele era instigante. Quando viu, já estava de pé. O beijo que se seguiu ajudou a convencê-la e, pouco depois, estava no quarto dele. Não foi uma dança fluida, em que a falta de jeito desaparece e as roupas vão caindo como se os amantes houvessem ensaiado. Ele não conseguira decifrar o segredo do fecho de seu sutiã e, quando ela viu como sua ereção parecia enorme em meio à estreiteza dos quadris, foi obrigada a desviar os olhos. Tremia como uma virgem aterrorizada.

— Que foi?

— Estou com vergonha.

— Então não é por minha causa?

— Ah, não. — A vulnerabilidade dele impeliu-a a se empenhar mais. Puxou-o contra si, o que surtiu o duplo efeito de agradar a ele e de permitir que ela não tivesse mais de ver a ereção brotando-lhe do ninho de pelos.

Os lençóis eram limpos, as velas um toque romântico inesperado, ele se mostrou solícito e atencioso, sem fazer qualquer menção à sua ausência de cintura, mas ela foi obrigada a admitir que não, não se sentira inteiramente transportada. No entanto, ele foi pródigo em elogios, o que agradou a ela. Certamente não fora a pior experiência sexual que já tivera. E o melhor sexo sempre fora algo levemente irreal, geralmente acontecendo nas ocasiões em que fazia as pazes com Phelim, quando a felicidade da reconciliação acrescentava um tempero extra a uma experiência já harmoniosa.

Ela já estava bem crescidinha para dar corda à expectativa fantasiosa de que a Terra tremeria. De mais a mais, da primeira vez que fizera sexo com Phelim, o mundo também não pegara fogo.

CAPÍTULO 38

Na manhã de domingo, Clodagh acordou precariamente empoleirada nos vinte centímetros da beira da cama. Fora Craig quem a empurrara para o confim do móvel, mas também poderia muito bem ter sido Molly, ou os dois. Já nem se lembrava da última vez em que ela e Dylan haviam dormido sem companhia, e a essa altura já adquirira tanta prática em dormir encarapitada naquela borda que estava convicta de que poderia passar uma ótima noite de sono à beira de um precipício.

Algo lhe dizia que ainda era muito cedo. Cedo tipo cinco da manhã. O sol já nascera, e a fresta entre as cortinas de linho cru brilhava, formando uma linha de luz num tom cítrico de branco, mas ela sabia que era cedo demais para estar acordada. As gaivotas invisíveis do lado de lá da janela soltavam seus gritos agudos e chorosos, parecendo bebês de um filme de terror. Ao lado de Craig, Dylan dormia a sono solto, seus braços e pernas espalhados por toda a cama numa barafunda aleatória, seu nariz silvando ritmicamente ao que o ar entrava e saía, cada hausto soprando em pé os cabelos da testa.

Ela estava profundamente abatida. Tivera uma semana ruim. Depois do desastre na agência de empregos, Ashling a incentivara a ouvir uma segunda opinião. Ela tornou a vestir seu tailleur caro e fez outra tentativa. E foi tratada na segunda agência de empregos quase com o mesmo desprezo com que fora tratada na primeira. No entanto, para sua enorme surpresa, a terceira se propôs a enviá-la para um teste de dois dias, fazendo chá e atendendo o telefone numa revenda de radiadores.

— O salário é... modesto — admitira o agenciador —, mas, para alguém como você, que está fora do mercado há tanto tempo, é um bom começo. Tenho certeza de que eles vão gostar de você, portanto, vai nessa. Boa sorte!

— Ah. Obrigada. — Assim que Clodagh viu que poderia ter um emprego, deixou de querê-lo. Que graça tinha fazer chá e atender o telefone? Fazia isso em casa o tempo todo. E numa revenda de radiadores? A coisa tinha um ar tão sacal. Por algum estranho motivo, conseguir um emprego e então descobrir que não o queria era quase pior do que ouvir que não estava à altura de nenhum. Embora não fosse muito dada a momentos de introspecção, teve a vaga consciência de que não estava de fato à procura de um emprego — certamente não precisava do dinheiro —, e sim de glamour e excitação. E a realidade era que não iria encontrá-los numa revenda de radiadores.

Assim sendo, ligou para o Sr. Agenciador e inventou que não poderia começar, porque Craig estava com sarampo. As crianças tinham suas utilidades, refletiu. Quando surgia alguma coisa que a mãe não quisesse fazer, podia dizer que estavam com febre e que ela tinha medo de que fosse meningite. Isso já a eximira de ter que comparecer à festa de Natal na firma de Dylan no ano passado. E no ano retrasado. E tinha a séria intenção de usar a mesma desculpa neste ano também.

Remexeu-se, desconfortável. Alguma coisa pontuda espetava suas costas. Uma investigação revelou tratar-se do boneco Buzz Lightyear. Do lado de lá da janela as gaivotas voltaram a ulular, seus feios gritos de abandono ecoando dentro dela. Sentia-se presa, encurralada, bloqueada. Como se estivesse trancada dentro de uma pequena caixa escura, sem ar, que se tornava cada vez mais estreita — algo que não conseguia entender. Sempre fora feliz com o que tinha. Sua vida se desenrolara exatamente como deveria e seu progresso sempre fora positivo. Então, sem aviso, parecera ter se detido. Não ia mais a parte alguma, não havia mais nada pelo que ansiar. Uma ideia horrível se insinuou em sua mente: será que iria ser assim para sempre?

De repente, percebeu que os silvos de Dylan haviam se tornado muito altos. Sucumbindo a um ímpeto de intolerância, explodiu:

— Pára de *ressonar*! — Deu um tranco na cabeça do marido, mudando o ângulo de sua traqueia.

— Desculpe — murmurou ele, ainda dormindo. Ela invejava seu sono descomplicado. Prostrada no colchão, ficou entreouvindo o som das gaivotas, até Molly subir na cama ao seu lado e lhe dar uma bifa na cara. Hora de acordar.

Uma apendicectomia de emergência, pensou, sonhadora. *Ou um pequeno derrame.* Nada sério demais, mas que implicasse uma longa estada num hospital com um horário de visitas muito restrito.

Depois do banho de chuveiro, enxugou-se e se dirigiu bruscamente a Dylan, que se sentava, bocejando, na beira da cama:

— Não dá Frosties para o Craig, não, que ele passou a semana inteira pedindo e agora não quer nem olhar para eles. Hoje vão inaugurar um novo grupo de atividades no fim da rua, fomos todos convidados. Não sei se devo ou não traumatizar a Molly com uma mudança, mas a popularidade dela com a bruxa velha do atual anda tão em baixa, que talvez fosse uma boa ideia...

— Antigamente a gente falava de outras coisas, além das crianças — disse Dylan, com um tom de voz estranho.

— Que tipo? — perguntou Clodagh, na defensiva.

— Sei lá. Nada... qualquer coisa. Músicas, filmes, gente...

— E o que é que você queria? — rebateu ela, zangada. — As crianças são as únicas pessoas que vejo, não tenho escolha. Mas, já que estamos falando em interesses paralelos, andei pensando em fazer uma reforma.

— Uma reforma onde? — perguntou ele, tenso.

— Aqui, no quarto. — Jogou na pele um pouco de loção corporal e massageou-a, apressada.

— Mas só tem um ano que a gente reformou este quarto.

— Tem no mínimo um ano e meio.

— Mas...

Clodagh se pôs a vestir sua lingerie.

— Você esqueceu de passar aqui. — Dylan estendeu a mão para massagear uma bolota de creme na parte de trás de sua coxa.

— Tira a mão! — ordenou ela, feroz, dando um safanão em seu braço. O toque da mão de Dylan em sua pele a enfurecera.

— Quer se acalmar? — gritou ele. — Que é que há com você?

Tarde demais, a reação dele a assustou. Não devia ter feito o que fizera. A expressão de Dylan a assustou mais ainda — raiva e transtorno mesclados com mágoa.

— Desculpe, só estou cansada — ela conseguiu dizer. — Desculpe. Será que dá para começar a vestir a Molly?

Tentar vestir Molly quando ela não queria ser vestida era o mesmo que enfiar um polvo se debatendo numa bolsa de malha-arrastão.

— Não! — gritava, contorcendo-se de raiva.

— Clodagh, dá uma mão aqui para a gente — chamou Dylan, tentando agarrar um braço que se agitava, para enfiá-lo dentro da respectiva manga.

— Mamãe, nããããããão!

Enquanto Clodagh imobilizava Molly, Dylan se dirigia a ela com uma vozinha cantada e paciente. Bobagens paliativas sobre como Molly ficaria linda quando vestisse seu short e sua camiseta e como as cores eram bonitas.

Quando o último sapato foi calçado no pé que distribuía chutes a esmo, Dylan deu um sorriso vitorioso para Clodagh:

— Missão cumprida. Obrigado.

Quando Dylan lhe dissera que eles só conversavam sobre as crianças, ela entrara em pânico. Mas, se fosse ser honesta, teria de admitir que, em parte, era verdade. Serviam juntos como dois soldados, lado a lado, operários em prol do bem-estar infantil — quase colegas. E o que havia de errado nisso?, pensou, tentando justificar a situação. Tinham dois filhos, o que mais se poderia esperar que fizessem?

A inauguração do grupo de atividades foi bastante concorrida. Assim que Clodagh empurrou — não sem um leve frêmito de desagrado — as portas de vaivém com um polichinelo pintado em cores berrantes, a primeira pessoa com quem topou foi Deirdre Bullock, que era faixa-preta em Maternidade. Sua filha, Solas Bullock, era a maior criança prodígio do mundo.

— Você não vai acreditar! — exclamou Deirdre. — Solas agora está falando em frases completas. — Fez uma pequena pausa nefasta antes de indagar: — Molly também? — Solas era três meses mais nova do que Molly.

— Não — respondeu Clodagh, para em seguida acrescentar, displicente: — Molly prefere se comunicar conosco por escrito.

Provavelmente nunca mais seria convidada para uma festa beneficente, mas valera a pena, pela cara horrorizada de Deirdre.

Na segunda-feira, Clodagh teve uma ótima ideia para fugir da depressão: sair à noite com Ashling. Encheriam a cara como nos velhos tempos, talvez até mesmo fossem a um clube, e ela teria uma oportunidade de usar algumas de suas roupas novas maravilhosas. Talvez as pantalonas e a túnica — mas com que sapatos se usava esse tipo de conjunto?, perguntou-se. Desconfiava que talvez o complemento obrigatório fossem os saltos plataforma pesados, mas será que conseguiria usá-los sem se sentir uma perfeita idiota? Era difícil saber. Fazia muito tempo que não usava as roupas da moda.

Telefonou para Ashling no trabalho, toda excitada.

— Aqui é Ashling Kennedy.

— Sou eu, Clodagh. Ah... — Acabara de se lembrar: — ...o Ted apareceu aqui na sexta, para apanhar o paletó.

— Ele falou.

— Ele é legal, não é? Sempre achei que fosse meio bobo, mas depois que a gente conhece ele melhor, até que não é tão mau assim, não é mesmo?

— Hum.

— Ele me contou que é humorista. Me mostrou os pôsteres do show.

— Ah.

— Eu adoraria ver o show dele. Ele disse que me avisaria da próxima vez que desse um, mas será que você podia me dar um toque?

— Hum, tudo bem.

— Mas e aí, que tal a gente sair hoje à noite e tomar uns drinques? Encher a cara, ir dançar, de repente. Dylan pode ficar com as crianças.

— Não posso — escusou-se Ashling. — Vou sair com Marcus. Meu novo namorado — explicou.

— Seu o quê?

— Namorado. — A vaidade na voz de Ashling sobressaltou Clodagh. — A gente só se viu duas vezes, mas ontem passou o dia inteiro na cama, e ele quer me ver de novo hoje à noite.

Abriu-se uma lacuna no tempo, lançando uma onda de nostalgia sobre Clodagh. Reviveu a euforia vertiginosa do primeiro amor com uma nitidez surpreendente. Então, da mesma maneira súbita como viera, a sensação se foi, deixando no seu rastro uma ânsia inexplicavel.

— Não dá para cancelar? — tentou.

— Não — disse Ashling, constrangida. — Eu prometi que daria uma mão no seu número. Ele é humorista, entende...

— Outro!

— E precisa de mim para testar umas piadas novas.

— E que tal amanhã à noite?

— Tenho aula de salsa.

— E quarta à noite?

— Tenho que ir à inauguração de um novo restaurante.

— Você é que tem sorte. — O contraste entre Clodagh comparecendo à inauguração de um novo grupo de atividades e Ashling comparecendo à inauguração de um novo restaurante não lhe passou despercebido.

— Como é que vai Dylan?

Clodagh soltou um muxoxo de desdém:

— Trabalhando dia e noite. Vai viajar quinta à noite. De novo! Para ir a mais uma merda de reunião. Não quer dar um pulo aqui? A gente podia tomar um vinhozinho e comer alguma coisa, que tal?

— Claro. Uma noite em casa, tipo Clube da Luluzinha.

— Pelo visto, é o único tipo de noite que eu tenho. Mas, e aí, não vai se esquecer de me avisar do show do Ted?

CAPÍTULO 39

Uma semana se passou. E outra, e mais outra. O ritmo de trabalho continuava frenético. Embora todos estivessem trabalhando furiosamente na edição de setembro, Lisa já tinha começado a traçar as diretrizes para as edições de outubro, novembro e até mesmo dezembro.

— Mas ainda é junho — reclamou Trix.

— Três de junho, e no mundo real as revistas têm um prazo de seis meses para fechar a edição — tornou Lisa, altiva.

Havia uma montanha de obstáculos. Embora tivesse dado literalmente centenas de telefonemas para dezenas de agentes, Lisa não conseguira fisgar uma só celebridade para dar o depoimento que tinha em mente. Era enlouquecedor de tão frustrante. Tinha a amarga consciência de que isso não aconteceria se ainda trabalhasse na *Femme*. E, como se já não fosse o bastante, um hotel em Galway ficara sabendo que seu nome seria incluído na matéria sobre quartos sexy e ameaçara entrar na justiça.

Seu moral levantou brevemente quando a colaboradora Corina conseguiu uma longa entrevista com Conal Devlin, o belo ator irlandês, com suas marcantes maçãs do rosto e barba por fazer. Em seguida seu moral tornou a despencar quando ele apareceu na edição de julho da *Irish Tatler* abrindo o jogo sobre os abusos que sofrera na infância — uma informação que deveria ter dado a Corina em caráter exclusivo.

— Perdemos esse furo! — Lisa ficou uma fera. — Aquele cachorro! Ninguém trata minha revista como se fosse uma qualquer! — Não apenas teria que derrubar a matéria, como mandar reescrever a seção de cinema, pois trazia uma resenha altamente elogiosa sobre seu novo filme. — O negócio é arrasar com ele — decretou Lisa. — Dizer para todo mundo que é uó. Você, Ashling, reescreve você a resenha.

— Mas eu nem vi o filme!

— E daí?

Tudo era conseguido a duras penas. Havia uma coisa — provavelmente a única — em relação à qual todos concordavam: trabalhar com Lisa era um verdadeiro pesadelo. Tinha sempre certeza absoluta do que queria. De repente, três horas depois, quando metade da matéria já estava escrita, decretava, com a mesma certeza absoluta, que não a queria mais. Até um dia depois, quando então insistia, irredutível, que a queria de novo. Os artigos eram feitos com todo o capricho, jogados na lata de lixo, regados a lágrimas pelos autores, aprovados, derrubados outra vez, cortados pela metade e restituídos ao seu formato original. O excelente artigo de Ashling, "Não importa o que você quer do seu cabelo", fora derrubado, editado, reescrito e aprovado tantas vezes, que ela chegou a chorar quando Lisa o derrubou de novo.

— Quer reescrever para mim? — pediu a Mercedes, soluçando. — Se eu tiver que olhar para ele mais uma vez, vou atear fogo às vestes.

— Claro. Se você ligar para aquela demente da Frieda Kiely para combinar a sessão de sábado.

Lisa estava decidida a cumprir a ameaça de refazer a maioria das fotos da matéria sobre Frieda Kiely.

— Ashling, Trix e Mercedes, cancelem todos os compromissos que tiverem para sexta à noite, vamos todas trabalhar no sábado anunciou Lisa. — Preciso de braços para carregar as roupas, comprar café, essas coisas.

No ato irrompeu um coro chocado de queixas, mas de nada adiantou.

— Ela é uma filha da puta escravocrata — lamuriou-se Ashling aquela noite durante seu jantar com Marcus no Mao. — A maior déspota que já conheci na minha vida.

— Não prende a raiva, não — incentivou-a Marcus, enchendo seu copo de vinho. — Vai, bota para fora.

— Ah, não. — Ashling passou a mão estressada pelos cabelos em neurótico desalinho. — É que ela é uma filha da puta prepotente, parece não se importar se alguma de nós tem uma vida fora da sua preciosa revista. Quando é que a gente vai dormir? Ou comer? Ou lavar a roupa?

Quando Ashling finalmente terminou de falar, já havia bebido quase toda a garrafa de vinho e estava se sentindo muito melhor.

— Olha só eu falando, pareço uma doida! — exclamou, as faces rosadas. — Não, não, já bebi bastante! — Tentou impedir Marcus de despejar o resto do vinho no seu copo.

— Vai nessa — insistiu ele. — Bota esse vinho para dentro, você precisa manter suas forças.

— Obrigada. *Meu Deus*, como estou me sentindo melhor — gemeu, recostando-se com alívio no encosto do banco. — Surto psicótico superado, de volta à programação normal.

Depois do café, demoraram-se algum tempo fazendo especulações sobre os outros fregueses. Era um jogo que costumavam fazer, atribuindo histórias ou, mais exatamente, vidas inteiras às pessoas ao seu redor.

— E aquele? — Marcus indicou um homem de idade, com o rosto curtido, calçando sandálias sobre meias, que havia acabado de entrar.

Ashling refletiu longamente.

— Um padre recém-chegado das missões passando as férias no seu país natal — desfechou, por fim.

Marcus achou muita graça.

— Hummm, você é uma garota engraçada, não? — A admiração tornara sua voz suave. Fez um sinal com a cabeça indicando dois jovens do outro lado do restaurante, tomando chocolate quente e comendo torta de queijo. — E aquela dupla?

Ashling hesitou em dar sua opinião. Talvez não devesse dá-la, mas o vinho falou mais alto e ela terminou por dizer:

— Tudo bem, talvez não seja politicamente correto dizer isso, mas acho que são gays.

— Por quê?

— Porque... bom, por vários motivos. Heteros não saem juntos para comer, saem juntos para tomar cerveja. E não se sentam de frente um para o outro, e sim lado a lado, evitando se olhar nos olhos. E, quanto a comer torta, os machões morrem de medo de que pareça frescura. Os gays são muito mais desencanados.

Marcus franziu os olhos, pensativo.

— Mas olha lá, Ashling, eles estão usando roupas de couro e têm capacetes, que puseram no chão ao lado da mesa. E se eu te dissesse: "Turistas holandeses ou alemães excursionando pela Irlanda?"

— É claro! — Na hora ficou tudo muito claro para ela. — São *estrangeiros*. Os homens estrangeiros comem torta sem medo do que os outros possam pensar. — Alguns anos atrás ela tivera um caso de uma semana com um rapaz suíço que comera em público uma minitorta de amora com a mais encantadora naturalidade.

— É meio triste para os homens irlandeses — comentou Marcus.

— É mesmo. — Ambos riram, a quentura no plexo solar de Ashling rimando com o calor nos olhos de Marcus.

Neste exato momento, até que a vida não é tão má assim, reconheceu Ashling.

Às oito e meia da manhã de sábado Ashling apareceu no estúdio, arrastando duas enormes malas de roupas que apanhara na assessoria de imprensa de Frieda Kiely na noite anterior. Nunca assistira a uma sessão de fotos na vida, de modo que, apesar do ressentimento, mal cabia em si de entusiasmo e curiosidade.

Niall, o fotógrafo, e seu assistente já haviam chegado. A maquiadora também. Até Dani, a modelo, já estava lá. O que levou o rosto de Lisa a se contrair numa expressão de desprezo — modelos que se prezassem sempre se atrasavam no mínimo doze horas.

— Quem vai fazer a produção? — perguntou Niall.

— Eu — disse Lisa.

Mercedes teve vontade de matar Lisa. Era *ela* a editora de moda, e portanto era *ela* quem deveria produzir a sessão.

Lisa, Niall e a maquiadora rodearam Dani, enquanto Lisa expunha por alto suas ideias. Embora Niall tivesse declarado que eram "geniais", Ashling e Trix trocaram olhares perplexos quando Dani finalmente ficou pronta. Vestia uma das criações loucas e vaporosas de Frieda, estava maquiada com manchas de lama no rosto e penteada com chumaços de palha nos longos cabelos negros, jogada num sofá de cromo e couro branco, com um pedaço de pizza meio comida ao seu lado e um controle remoto cromado que alguém pusera em sua mão. Pelo visto, a ideia a ser transmitida era a de que estava vendo tevê. Falava-se muito em “ironia” e “contraste”.

— Parece uma puta babaquice — cochichou Trix para Ashling.

— É, também não entendi nada.

Os preparativos demoraram uma eternidade — o equipamento, a iluminação, o ângulo em que Dani devia ficar jogada no sofá, o caimento das dobras do vestido.

— Dani, querida, o controle remoto está tapando os detalhes do corpete. Abaixa um pouco. Não, mais um pouco. Não, um pouquinho mais alto...

Finalmente, *finalmente* ficaram prontos.

— Faz uma cara chateada — ordenou Niall a Dani.

— Eu *estou* chateada.

Ashling e Trix também. Não faziam a menor ideia do quanto isso seria tedioso.

Depois de verificar algo chamado “o nível” outras tantas vezes, Niall finalmente declarou a cena satisfatória. Mas, quando estava prestes a começar, Mercedes correu em direção a Dani e torceu um beliscão na sua saia.

— Estava um pouco embolada — mentiu. Estava tão ressentida por Lisa lhe ter roubado a sessão, que não parava de inventar o que fazer para fingir interesse.

Niall demorou mais quinze minutos para se aprontar e, justo quando todos pensaram que iria apertar o botão da câmera e *finalmente fazer uma foto*, ele se deteve e saiu de trás do tripé para afastar um fio de cabelo invisível do rosto de Dani. Ashling conteve um grito. Será que algum dia, *qualquer dia*, faria aquela porcaria de foto?

— Estou pouco a pouco perdendo a vontade de viver — disse Trix, entre os dentes.

Por fim, Niall fez uma foto. Em seguida trocou as lentes e fez mais algumas. Ato contínuo trocou o filme por outro em preto e branco. Logo depois resolveu mudar de câmera. E então a produção inteira se transferiu de armas e bagagens para um supermercado, a fim de fazer mais fotos. Onde os fregueses empurrando seus carrinhos cheios de mercadorias tinham frouxos de riso ao ver aquela varapau com a cara suja de lama sendo fotografada debruçada sobre os frangos congelados. Ashling estava extremamente constrangida — e preocupada. *Essas fotos vão ficar ridículas, nunca vamos poder usá-las.*

Já eram quatro da tarde quando Niall e Lisa resolveram se dar por satisfeitos com as fotos do supermercado.

— Fizemos algumas fotos boas — admitiu Niall. — Tremenda justaposição, tremenda ironia.

— Por favor, será que agora podemos ir para casa? — murmurou Trix, desesperada. Ashling concordava. Seus braços doíam de carregar as roupas hediondas de Kiely, estava cansada de atender o celular de Dani, que não parava de tocar, e cheia de ser tratada como uma criadinha: "Corre lá e compra umas baterias para o flash do Niall, vai buscar uns cafés para o pessoal, procura a mala com a palha."

— A cena de rua — Lisa relembrou Niall.

— Acho que ainda não é agora que a gente vai para casa — sibilou Ashling, furiosa.

Abatidos, despencaram-se em peso para South William Street, onde, na calçada em frente a um restaurante indiano, Niall montou sua parafernália pelo que parecia ser a milionésima vez aquele dia.

— Que tal se a gente pusesse Dani revirando uma lata de lixo como uma sem-teto? — sugeriu Lisa.

Niall adorou a ideia.

— Não! — Dani ficou à beira das lágrimas. — Nem morta!

— Mas é urbano — insistiu Lisa. — Precisamos de imagens urbanas fortes para contrastar com essas roupas.

— Não estou nem aí, não faço e pronto. Pode me despedir, se quiser.

Lisa cravou um olhar duro nela. O clima ficou tenso. Se Boo não tivesse resolvido passar por ali naquele exato momento, Ashling não queria nem pensar o que poderia ter acontecido.

— Oi, Ashling! — ele a cumprimentou, alegre.

— Hum, oi. — Ela ficou um pouco sem graça. Boo, com seu cobertor laranja sujo em volta dos ombros e Dave Cabelão a tiracolo, era um inequívoco sem-teto.

— Acabei de ler *A Mulher do Ferreiro* — disse ele a Ashling. — É desses que a gente não consegue largar, mas o final é meio frustrante. Não acreditei em nenhum momento que aquele cara fosse irmão dela

— Que ótimo! — disse Ashling, tensa, na esperança de que os rapazes seguissem caminho. Foi quando, para sua grande surpresa, percebeu que Lisa estudava Boo com enorme interesse.

— Lisa Edwards. — Com um largo sorriso, estendeu a mão e — ponto para ela — mal estremeceu quando, um após outro, Boo e Dave Cabelão a apertaram. Lisa correu os olhos pelo semicírculo de gente esperando ao seu redor.

— Tudo bem — disse, com um sorriso reptíleo. — Esqueçam a cena da lata de lixo, tenho uma ideia melhor. — E, voltando-se para Boo e Dave Cabelão: — O que acham de serem fotografados com essa linda mulher, rapazes? — Empurrou a mal-humorada Dani para a frente.

O choque petrificou Ashling. Isso não estava certo, cheirava a... cheirava a exploração.

Abriu a boca para objetar, mas Boo parecia quase incrédulo de encanto:

— É uma sessão de fotos de moda? E você quer que a gente apareça? Animal!

— Mas... — tentou Dani.

— É isso ou a lata de lixo — disse Lisa, com voz de aço.

Dani hesitou por um segundo de raiva. Em seguida, postou-se entre Boo e Dave Cabelão.

— Genial! — declarou Niall. — Amei! Não precisa sorrir, hã, Dave, seja você mesmo. E você, hum, Boo, será que poderia emprestar seu, eh, cobertor para Dani? Fantástico! Dani, meu bem, dá para enrolar o cobertor nos ombros? Finge que é uma pashmina, amor, se isso torna a coisa mais fácil. Precisamos de um copo de isopor! Trix, corre lá no McDonald's e pega uns copos...

Ashling se voltou para Mercedes e perguntou, atônita:

— Essas fotos vão para o lixo, não vão?

— Não — admitiu Mercedes, os olhos escuros cheios de mágoa. — São inspiradas. Provavelmente vão ganhar uma merda de prêmio!

Eram oito da noite quando terminaram. Ashling voou para casa a fim de se aprontar e, quando atravessou ventando a porta, o telefone estava tocando — era Clodagh, que passara o dia inteiro cortando e tingindo o cabelo, reformando seu look de um modo tão radical que agora Dylan se recusava a lhe dirigir a palavra. Em seguida comprara um par de shorts brancos e apertados, no exíguo manequim trinta e oito — um número que não vestia desde antes de engravidar de Craig. O problema dos sapatos fora finalmente resolvido (mules de saltinhos baixos), e ela estava louca para sair.

Mas, antes que conseguisse contar tudo isso, Ashling sussurrou:

— Nunca me senti tão cansada na vida. Passei o dia inteiro numa sessão de fotos.

Clodagh fez uma pausa, toda a exuberância morrendo em seus lábios, e sentiu-se invadir pelo mais negro rancor. Ashling era uma filha da puta de sorte. Uma glamourosa filha da puta de sorte. Estava dizendo aquilo de propósito, só para lembrar a Clodagh o quanto sua vida era tediosa.

— Não posso mesmo falar agora — desculpou-se Ashling. — Preciso me aprontar, já era para eu ter chegado à casa de Marcus cinco minutos atrás.

Clodagh estava arrasada. Teria que passar a noite em casa, sentada, com seu novo corte de cabelo e roupas, e ver televisão. Sentiu-se tão idiota que demorou vários segundos até conseguir dizer:

— Como é que vão as coisas com ele?

Ashling não percebera a amarga decepção de Clodagh. Só pensava em Marcus, em dúvida se devia desafiar o destino.

— Ótimas — respondeu. — Fantásticas, na verdade.

— A coisa parece séria — alfinetou-a Clodagh.

Ashling tornou a hesitar.

— Talvez. — Sentiu-se impelida a acrescentar: — Mas nosso namoro ainda está muito no começo.

Só que não se parecia com um namoro muito no começo. Os dois se viam pelo menos três vezes por semana e se tratavam com a sem-cerimônia e a intimidade características dos relacionamentos mais antigos. E o sexo melhorara muito... Agora, ela já não consultava suas cartas de tarô, e o Buda caíra no mais triste ostracismo.

— Ah, Ted ligou. Vai se apresentar sábado que vem — disse Clodagh.

Ashling manteve-se calada, tentando conter a erupção de emoções negativas. *Não* queria incentivar Clodagh a ficar amiga demais de Ted.

— Pois é. — Tentou dar à voz um tom casual. — Vai abrir o show para Marcus.

— Me liga durante a semana para a gente combinar o horário, essas coisas.

— Pode deixar. Tenho que ir.

Assim que chegou à casa de Marcus, soube que algo acontecera. Em vez de beijá-la, como geralmente fazia, ele estava sério e mal-humorado.

— O que foi? — perguntou ela. — Me desculpe pelo atraso, eu estava trabalhando...

— Dá uma olhada nisso. — Atirou o jornal para ela.

Ela leu, ansiosa. E ficou sabendo que Billy Bicicleta assinara contrato com uma editora. Descrito como "Um dos maiores humoristas da Irlanda", iria publicar dois livros, pelos quais recebera um "adiantamento de seis dígitos". Um porta-voz da editora descrevia o primeiro como sendo "Muito sombrio, muito sério, totalmente diferente de seu trabalho humorístico".

— Mas você não escreveu nenhum livro — argumentou Ashling, tentando pôr água na fervura.

— Ele é descrito como um dos maiores humoristas da Irlanda.

— Mas você é muito melhor do que ele. É, sim — insistiu ela. — Todo mundo sabe disso.

— Então por que não está no jornal?

— Porque você não escreveu um livro.

— Vai, me espicaça — disse ele, frio.

— Mas... — Ela não sabia mais o que dizer. Já tivera vislumbres de sua insegurança antes, mas nada nessas dimensões. Não compreendia o motivo, mas estava ansiosa para contornar a situação. — Você deve saber disso. Por que outro motivo Lisa iria querer que você fizesse a coluna? Ela nem chegou a mencionar qualquer outro humorista. Olha só como as pessoas te adoram.

Ele deu de ombros, emburrado, e Ashling soube que estava conseguindo dobrá-lo.

— Nunca vi devoção igual nos shows de nenhum outro humorista — prosseguiu.

— A Lisa estava mesmo com medo de que eu não fizesse a coluna? — perguntou ele, rabugento.

— Fora de si!

Ele não disse nada.

— Ela disse que você estava prestes a se tornar uma estrela.

Ele então segurou sua mão e a beijou.

— Desculpe. A culpa não é sua. É que esse ramo é um pega pra capar — você vale o quanto pesa seu último show. Às vezes me bate um medo...

A sessão de fotos deu uma superturbinada no moral de Lisa. Sua intuição — sempre confiável — estava lhe dizendo que essas fotos eram muito especiais, e que provavelmente causariam sensação.

Conseguira se manter sobre-humanamente ocupada durante o último mês, e os insólitos surtos depressivos que a haviam atormentado durante suas semanas iniciais em Dublin pareciam ter passado. Toda vez que o desalento começava insidiosamente a querer se instalar, ela pensava em algum novo artigo para a revista, ou em mais alguém para entrevistar, ou em outro produto para promover. Não tinha *tempo* para ficar deprimida, e experimentara pequenos períodos de satisfação com o fato de a *Garota* estar criando corpo. Ainda não haviam chegado lá em termos de publicidade, mas ela desconfiava que as fotos de hoje dobrariam as últimas empresas de comésticos que ainda estavam fazendo jogo duro. Jack ficaria satisfeito.

De repente, seu alto-astral se anuviou. Jack e Mai continuavam a se comportar como o casal perfeito. Não tinham uma briga em público há um mês e, da noite para o dia, as centelhas de tensão sexual entre Jack e Lisa haviam desaparecido totalmente. Pelo menos, da parte dele. Não que houvesse *muita* tensão sexual, admitiu Lisa, sempre realista. Mas havia o bastante para lhe dar esperanças. Quando tentara recuperar o terreno perdido com algumas pitadas de flerte, estas não provocaram nenhuma reação por parte de Jack. Ele continuava se comportando com educação e profissionalismo, e Lisa compreendeu que tinha de permitir que o caso com Mai seguisse seu curso. E, se Deus quisesse, *seguiria* o seu curso — direto para o beleléu.

Nesse meio tempo, estava à procura de um homem razoável. Aquela noite iria tomar uns drinques com Nick Searight, um artista mais famoso por sua beleza do que pelo mérito artístico de suas telas. Lisa desconfiava que fazia mais o gênero homem Milky Way do que homem com H, mas sexo é sexo e, naquele exato momento, teria que bastar.

Quando Lisa chegou em casa, Kathy acabava de sair. Seu cabelo estava tão eriçado, que parecia ter sido frito em azeite.

— Oi, Lisa, está tudo pronto, as roupas passadas e tudo o mais. Hum, e obrigada pelo esmalte de unha. — Não havia muito lugar na vida de Kathy para esmalte de unha amarelo com glitter, mas Francine gostaria dele. — Quer que eu venha semana que vem, como sempre?

— Quero, por favor.

Por volta do sábado seguinte já estaria tudo imundo de novo, pensou Francine, voltando para casa. Cascas de maçã apodrecendo embaixo da cama, o banheiro todo respingado de todos os tipos de *gelecas*, a pia atravancada com a louça suja de uma semana. Verdadeiramente incrível. Para uma mulher tão bem-sucedida, a casa de Lisa era muito suja.

Numa casa situada numa zona deserta de Ringsend, de frente para o mar, diante de embalagens metalizadas contendo restos de comida indiana, Mai se voltou para Jack e finalmente disse o indizível:

— Você não gosta mais de mim o bastante para brigar comigo.

Jack fixou nela seus olhos sombrios, e esperou um bom tempo antes de dizer a inegável verdade:

— Mas, quando as pessoas se gostam, não devem viver apertando o pescoço uma da outra.

— Conversa fiada — disse Mai, veemente. — Se as pessoas não brigam, não fazem as pazes. Todos aqueles gritos e portas batidas mantêm a nossa paixão acesa.

Jack escolheu com todo o cuidado as palavras que diria em seguida. Com uma delicadeza insuportável, aventou:

— Ou talvez apenas disfarcem o fato de que o sentimento não é tão grande assim.

Os olhos de Mai se encheram de lágrimas de raiva.

— Vai à merda, Jack... Vai à merda. — Mas era da boca para fora.

Ele a envolveu nos braços e ela soluçou um pouco em seu peito, mas descobriu que não conseguia de fato ficar transtornada.

— Seu filho da mãe — disse, sem fôlego.

— Sou, sim — concordou ele, triste.

— Acabou? — perguntou ela, por fim.

Ele se afastou para poder fitá-la. Esboçou um meneio afirmativo.

— Você sabe que sim.

Ela soluçou mais um pouco.

— Acho que sim — admitiu. — Nunca tive tantos quebra-paus com ninguém — disse, dando à frase uma entonação elogiosa.

— E nós tivemos mais voltas do que Frank Sinatra — concordou ele, embora jamais tivesse gostado das discussões.

Trocaram risos trêmulos, suas cabeças encostadas.

— Você é uma mulher extraordinária, Mai — disse ele, seus olhos escuros cheios de carinho.

— Você também não é tão mau assim — ela soluçou. — Ainda vai fazer alguma boa moça muito infeliz. A Lisa, talvez.

— Lisa?

— A que é dura e brilhante, conhece? — Desandou a soltar risadas inconvenientes. — Desse jeito, quem ouve pensa que a mulher é uma barra de M&M. Ela deve servir para você. Ou, se não a Lisa, a outra.

— Que outra?

— A guria latina.

— Ah, Mercedes. Para começo de conversa, ela é casada.

— Hum. — Mai ocultava seu abalo sob a máscara da rabugice. — Você é tão espírito de porco, que provavelmente vai escolher a própria. Quer me levar para casa?

— Ah, fica mais um pouco.

— Não. Já perdi tempo demais com você. — Deu-lhe um lacrimoso sorriso de consolação.

Sem se falarem, fizeram o trajeto de carro pelas ruas noturnas, Mai reduzindo as dimensões de sua perda até transformá-la em algo suportável. Jack era um homem especial: alto, durão, inteligente e instigante. No começo, ela adorara o jogo. Mas terminara por se apaixonar perdidamente por ele, e desconfiava que Jack teria passado sebo nas canelas se soubesse disso.

Sua única maneira de se sentir no controle da situação era mantendo-o num estado de perpétua insegurança. Nunca se sentira à vontade, com exceção do curto período que se seguira ao dia em que ele lhe pedira desculpas por qualquer coisa e passara a se comportar com uma devoção servil. Mas era tudo muito trabalhoso — e estava se tornando ainda mais trabalhoso. Já que ele não queria mais discutir, o único curinga que restara a Mai era sua mística exótica. E estava *exausta* de ser exótica e misteriosa.

Chegaram depressa demais ao apartamento dela. Jack parou o carro diante do prédio e desligou o motor, em vez de mantê-lo em ponto morto. Mas Mai não queria continuar em sua companhia.

— Tchau — disse ela, engolindo em seco e girando as pernas para fora do carro.

— Eu te ligo — prometeu ele.

— Não ligue.

Sentindo seu estômago doer, Jack a viu se afastar dele, aquela pequena e durona menina-mulher, em seus saltos ridiculamente altos. Enfiando desajeitadamente a chave na fechadura da portaria, ela entrou.

Sem olhar para trás.

CAPÍTULO 40

Quando Lisa saiu do elevador, de volta do almoço, passou por Trix, que se dirigia ao banheiro para aplicar mais uma camada de maquiagem.

— Oi — saudou-a Trix. — Tem um cara aí esperando para ver você.

Um cara aí, pensou Lisa, irritada. Será que não podia ter apurado quem era e o que queria?

Natasha, sua AP na *Femme*, teria feito questão de saber o nome de solteira da avó de qualquer visita antes de permitir que Lisa a recebesse.

E foi então que aconteceu.

Ela se virou para atravessar a recepção rumo à redação, quando encontrou, sentado no sofá, o último ser humano no mundo que esperava ver.

Oliver.

Deu com o nariz numa parede invisível. O choque virou sua mente ao avesso e um zumbido ensurdeceu seus ouvidos. A última vez que o vira fora no réveillon — e agora estavam em treze de julho. Todos aqueles meses separados sofreram um efeito-sanfona, que os condensou em menos de um segundo.

— Oi, paixão. — Ele levantou o rosto para ela, muito tranquilo, muito à vontade.

Lisa começou a tremer. Várias ideias lhe ocorreram ao mesmo tempo. O que estava vestindo? Estava bonita? Magra? Por que ele tinha que aparecer no seu trabalho? Será que tinha consciência do projetinho de meia-tigela que ela estava encabeçando?

— Que é que você está fazendo aqui? — ouviu sua própria voz indagar.

Não conseguia deixar de encará-lo, incapaz de decifrar a razão pela qual ele lhe parecia a um tempo conhecido e estranho. Sua linguagem corporal era de uma pessoa assustada e sem jeito, todo o seu corpo congelado no passo que ia dando quando o vira. Tarde demais, juntou as pernas e jogou os ombros para trás — o que não foi sem esforço.

— Precisamos conversar. — Ele sorriu, e tudo em si cintilou: os dentes, o brinco, a pesada pulseira de prata do relógio de pulso. Tirou o calcanhar que até então equilibrara no joelho oposto e se endireitou. Cada movimento sublinhava com graça sua força física.

— Sobre o quê? — murmurou ela.

Ele riu. Uma de suas gargalhadas homéricas, cuja sonoridade quase estilhaçava as vidraças.

— "Sobre o quê"? — exclamou, sorrindo sem achar graça. — O que você acha?

D-I-V-Ó-R-C-I-O...

— Estou ocupada, Oliver.

— Ainda se matando de trabalhar, garota?

— Estou no meu trabalho, Oliver. Se quiser conversar comigo, me procura em casa.

— Um número seria bem-vindo.

— Eu te encontro depois do expediente. — Era melhor acabar com isso de uma vez.

— Que bondade, a sua... Estou hospedado no Clarence.

— É um pouco ostentoso.

— Estou aqui a trabalho.

Por algum motivo, essas palavras magoaram Lisa.

— Quer dizer então que não veio para me ver?

— Digamos apenas que tenho senso de oportunidade.

Trêmula, Lisa tentou trabalhar, mas era-lhe quase impossível se concentrar. Tinha esquecido o efeito que Oliver surtia sobre ela.

— Encomenda para você!

Lisa levou um susto quando Trix atirou um envelope acolchoado em sua mesa. Eram as fotos da sessão de sábado, e a intuição de Lisa fora na mosca: haviam ficado fantásticas, mas ela mal conseguiu lhes prestar atenção. Era como se as laterais de sua visão estivessem embaçadas e cinzentas. Não conseguia pensar em mais nada além de Oliver. Haviam se separado de forma tão violenta, com tanta amargura. Ele fora tão cruel. Dissera coisas tão terríveis.

— Ashling! — chamou, esforçando-se por recobrar o autocontrole. — Leva esta foto aqui... não, esta aqui... — Escolheu a melhor fotografia, uma em estilo jornalístico, com a beleza carrancuda de Dani ladeada por Boo e Dave Cabelão. — Pede vinte cópias ao Niall e despacha para todas as grifes principais. Cola uma etiqueta nelas dizendo "Coleção de outono de Frieda Kiely. Edição de setembro da *Garota*"... Isso deve causar furor — murmurou, sem se dar a menor conta da expressão horrorizada de Ashling.

Segundos depois, percebeu que Ashling ainda se postava diante de sua mesa.

— Que é?!

— Será que nós podemos... Andei pensando... Boo e Dave Cabelão...

— Quem?!

— Os caras sem-teto. Da foto — prosseguiu, quando ficou claro que Lisa não fazia a menor ideia do que ela estava falando. — Será que nós podemos dar alguma coisa para eles?

— Que tipo?

— Um presente, ou... alguma outra coisa. Por aparecerem na foto, fazendo com que ficasse tão boa.

Sob circunstâncias normais, Lisa teria simplesmente dito a Ashling para ir à merda e cair na real, mas estava transtornada demais.

— Pede ao Jack — tornou, ríspida. — Estou ocupada.

Crispando a fotografia entre os dedos, Ashling bateu nervosamente à porta de Jack Devine. Quando ele berrou "Entra!", ela obedeceu, relutante, para em seguida lhe explicar sua missão, morta de vergonha.

— Eles fizeram o trabalho sem uma reclamação e sem pedir nada, e eu achei que nós devíamos demonstrar nosso agradecimento de alguma maneira...

— Ótimo — interrompeu-a Jack.

— Sério? — perguntou ela, de pé atrás. Pensara que ele zombaria de seu pedido.

— Seriíssimo. São eles que fazem a foto. Do que você acha que eles gostariam?

— De um lugar para morar — disse ela, meio brincando.

— Não tenho o orçamento — retrucou Jack. A julgar por seu tom de voz, parecia lamentar o fato. — Alguma outra ideia?

Ashling refletiu.

— Dinheiro, provavelmente.

— Trinta paus para cada um? Lamento muito, mas é o máximo que posso dar.

— Hum, fantástico. — Não era muito, mas era mais do que ela esperara. Pelo menos Boo e Dave Cabelão poderiam pagar algumas refeições com essa quantia.

— Toma aqui. — Jack assinou um vale de dinheiro trocado. — Entrega isso para o Bernard.

— Obrigada.

Ele permitiu que seus olhos escuros se demorassem no rosto de Ashling durante dois ou três longos segundos.

— Não há de quê.

Às sete da noite, conforme combinado, Lisa foi para o bar do Clarence. Oliver se levantou ao vê-la.

— O que você vai beber? Vinho branco?

Vinho branco era a bebida de Lisa, ou pelo menos costumava ser, quando eles estavam juntos. Ele se lembrara.

— Não — disse ela, na esperança de feri-lo. — Um Cosmopolitan.

— Eu já devia saber.

Ela o observou, alto e corpulento, extrovertido e direto, trocando piadas animadamente com os empregados do bar. Por que será que o espaço que ocupava sempre parecia muito maior do que seu corpo? Sentiu um nó na cabeça — ele lhe era tão familiar, que era quase como se não o conhecesse.

Após voltar com o drinque de Lisa, ele foi direto ao ponto:

— Você tem um advogado, paixão?

— Olha só...

— Nós dois precisamos de advogados — explicou ele, paciente.

— Para o divórcio? — Ela tentou dar à voz um tom blasé, mas essa era a primeira vez que de fato articulava a palavra como se fosse uma hipótese real.

— Exatamente. — Seu tom era seco, prático, profissional. — Bom, você sabe como a coisa funciona.

Não, para ser sincera, ela não sabia.

— Nosso casamento está irreversivelmente desfeito, mas isso não basta para nós conseguirmos o divórcio. Precisamos dar uma razão. Se já estivéssemos separados há dois anos, não seria necessário. Mas, antes desse prazo, um de nós tem que processar o outro. Por abandono do lar, comportamento desarrazoado ou adultério.

— Adultério! — Lisa se encrespou. Fora totalmente fiel a ele durante o tempo em que haviam vivido juntos. — Eu nunca...

— E nem eu. — Oliver foi igualmente enfático. — Quanto ao abandono do lar...

— É, *você* me abandonou. — Estava louca para acusá-lo.

— Você não me deixou escolha, paixão. Mas pode me processar por isso. O único porém é que teríamos que já estar separados há dois anos antes de podermos usar o abandono do lar como justificativa, e queremos resolver esse assunto logo, não é? — Lançou-lhe um olhar interrogativo, esperando seu assentimento.

— É — disse ela, ríspida. — Quanto antes, melhor.

— O que só nos deixa o comportamento desarrazoado. Precisamos de cinco exemplos.

— Comportamento desarrazoado? O que é isso? — Ela estava quase aos risos, esquecendo-se por um momento de que tinha algo a ver com ela. — Alguma coisa do tipo passar o aspirador de pó na casa às três da madrugada?

— Ou trabalhar todos os fins de semana e feriados. — O tom dele era amargurado. — Ou fingir que quer engravidar, enquanto continua a tomar a pílula.

— Chega, já entendi. — Ela fez uma expressão hostil.

— Temos uma escolha. Ou eu processo você, ou você me processa.

— Quer dizer que você reconhece que também se comportava de maneira desarrazoada?

Ele soltou um longo suspiro.

— É só uma formalidade, Lees, não um ajuste de contas. A parte processada não recebe qualquer tipo de punição. E aí, o que vai ser? Você me processa?

— Decide você, já que entende tanto do assunto — disse Lisa, antipática.

Ele a fitou longamente, como que tentando compreendê-la, e em seguida se remexeu.

— Se prefere assim... Bom, quanto às custas. Cada um paga o próprio advogado, mas rachamos as custas do processo, está bem?

— Por que precisamos de advogados? Se voamos para Las Vegas para fazer um casamento relâmpago, será que não podemos voar para Reno para fazer um divórcio relâmpago?

— Não é tão simples assim, paixão. Pensa bem: nós temos um imóvel.

— Sim, mas tanto eu quanto você sabemos o quanto cada um contribuiu para... Tudo bem, vou arranjar um advogado. — Como não aguentaria mais um segundo daquela conversa, trocou de posição na cadeira e perguntou, com falsa jovialidade: — Como tem ido de trabalho?

— Coisa de louco. Acabei de voltar da França, e antes estive em Bali.

Filho da mãe de sorte.

— Depois das fotos aqui, vou ter um pouco de sossego até os desfiles. — Indicou com um meneio de cabeça o tailleur estruturado de Lisa. — Nunca tinha visto esse tailleur.

Ela se inspecionou.

— Nicole Fahri. — Afanado de uma sessão de fotos em janeiro passado, e depois ela tentara jogar a culpa em Kate Moss.

— Não gostei — disse Oliver.

— Que é que há de errado com ele? — Ela sempre valorizara a opinião dele sobre suas roupas e cabelos.

— Nada. Quis dizer que não gostei do fato de nunca ter visto antes.

Ela sabia o que isso significava. Sentiu-se dolorosamente afrontada pelo fato de os cabelos dele estarem mais compridos, de seu relógio ser novo, de ele ter viajado meio mundo desde a última vez em que se viram, sem que ela ficasse sabendo absolutamente nada a respeito.

— Você está diferente — disse ele.

— Estou?

— Não. — Ele sacudiu a cabeça e soltou uma risada ofegante, estranha. — Sei lá, porra.

Ela sabia exatamente o que isso significava. A familiaridade extrema e o vazio da distância postos lado a lado, numa estranha coexistência. Como ambos estavam igualmente presentes, a sensação era a de que duas realidades diferentes haviam sido fatiadas e remontadas errado.

— Com licença! — Ele se interrompeu para segurar o pulso de Lisa e, com a mão livre, voltar seus dedos em direção a si. Havia algo que queria ver. Ele foi bruto, virando sua mão em um ângulo doloroso. — Você não usa mais sua aliança? — acusou-a, seus olhos castanhos cheios de desprezo.

Ela arrancou a mão, com um olhar fulminante. Esfregando o pulso dolorido, acusou-o:

— Você me machucou!

— E você me magoou.

— E daí que eu não uso a aliança? — Seu rosto estava vermelho e feroz. — É você quem está falando em divórcio!

— Mas foi você quem teve a ideia!

— Só porque você me abandonou!

— Só porque você não me deixou escolha!

Encararam-se, ferozes, ofegantes, após a emoção transbordar.

— Quer subir para o meu quarto? — perguntou ele, com uma expressão exaltada, os olhos sem deixarem um segundo os de Lisa.

— Vamos. — Ela já estava de pé.

O primeiro beijo foi frenético, um choque de dentes contra dentes. Tentando fazer coisas demais de uma só vez, ele puxou os cabelos dela, puxou seu spencer, beijou-a com força excessiva e, logo em seguida, arrancou a própria camisa.

— Peraí, peraí, peraí. — Parecendo exausto, encostou as costas nuas na porta.

— Que foi? — murmurou ela, embotada à vista de seu peito musculoso e brunido.

— Vamos começar de novo. — Ele a puxou contra si com toda a delicadeza. Ela escondeu o rosto em seu peito. O cheiro especial de Oliver. Até então esquecido, mas logo relembrado por seu olfato com um impacto estupidificante, imperioso. Apimentado, a um tempo doce e picante, algo único e indescritível que não vinha de nenhum sabonete, colônia ou roupa. Um cheiro que era simplesmente *ele*.

A sensação de familiaridade trouxe-lhe lágrimas aos olhos.

Com uma fragilidade intolerável, ele depôs um beijo no canto de sua boca. Como se fosse pela primeira vez. Em seguida, outro beijo, enquanto roçava o nariz em sua face. E mais outro. Avançando lentamente para o centro, criando um prazer que era quase indistinguível de dor.

Sem se mover, quase sem respirar, ela o deixava aplicar seus beijos.

Os momentos em que fazia sexo com Oliver eram os únicos na vida de Lisa em que ela fazia o papel passivo. Quando não estava no controle, quando não era uma ave de rapina, hiperativa ou voraz. Sempre deixava que ele assumisse o comando, e ele adorava isso.

— Olho nos seus olhos e você nem está neles — ele costumava observar. — É só uma menininha frágil e indefesa.

Ela sabia que o excitava o contraste entre sua rebeldia habitual e tamanha passividade sexual, mas não era esse o motivo que a levava a adotar tal postura. Com Oliver, não era preciso assumir o comando da situação. Ele sabia exatamente o que fazer. E ninguém fazia melhor.

Os beijos passaram da boca para o pescoço e a raiz dos cabelos. Com os olhos fechados, ela gemia de prazer. Poderia morrer agora — sim, poderia, sem a menor dúvida. Ela o ouviu sussurrar, o hálito quente em seu ouvido:

— Já não é mais você, paixão.

Como uma sonâmbula, deixou-se conduzir para a cama. Estendeu os braços obedientemente para que ele despisse seu spencer, em seguida alteou os quadris para que puxasse sua saia. Os lençóis lisos e frescos estenderam-se sob a pele nua de suas costas. Todo o seu corpo tremia, mas ela se manteve como estava, deitada, imóvel. Quando ele roçou seu mamilo com a boca, ela teve um sobressalto, como se levasse um choque elétrico. Como podia ter esquecido o quanto era sensacional?

Os beijos foram descendo cada vez mais. Ele depôs um beijo levíssimo sobre seu ventre, tão suave que mal arrepiou a penugem, mas que a deixou à beira de um orgasmo.

— Oliver, acho que vou...

— Peraí!

O preservativo foi a nota destoante da noite, o único detalhe a relembrá-la de que as coisas não eram mais como antigamente. Mas recusou-se a pensar nisso. Com que então, ele provavelmente andava dormindo com outras mulheres? Pois bem, ela também andava dormindo com outros homens.

Quando ele a penetrou, ela experimentou uma grande sensação de paz. Soltou um longo e sincero suspiro, toda a tensão abandonando seu corpo. Por um momento fruiu a ausência de agitação, até que ele se pôs a avançar dentro dela com golpes compridos e lentos. Ela pretendia desfrutar isso. E sabia que iria.

Quando terminaram, ela chorou.

— Por que você está chorando, meu amor? — Ele a aconchegou em seus braços.

— É só uma reação fisiológica — disse ela, já recobrando o controle de quem realmente era. Bastava de passividade. — É comum as pessoas chorarem depois do orgasmo.

A raiva e o constrangimento iniciais haviam sido incinerados pela paixão. Agora jaziam na cama, conversando sem pressa, aninhados nos braços um do outro, com um afeto estranhamente confortável. Era como se jamais houvessem se separado, jamais houvessem discutido ferozmente, jamais houvessem se lembrado um do outro com ressentimento. Não que qualquer um dos dois tivesse a ingenuidade de achar que o sexo indicava uma iminente reconciliação. Mesmo nos piores momentos de sua crise, haviam feito sexo. Sexo fantástico. Parecera proporcionar-lhes uma válvula de escape para todo aquele excesso de emoção.

Alheia, ela passou as mãos pela ondulação de seu bíceps.

— Ainda malha, pelo visto. Quantos peitorais faz hoje em dia?

— Cento e trinta.

— Caramba!

A conversa ainda se prolongou por horas depois da meia-noite, até que, por fim, ele bocejou.

— Vamos dormir, paixão.

— Tá — disse ela, sonolenta. Não havia dúvidas de que ela iria embora, ambos sabiam disso. — Vou só dar um pulo no banheiro.

Depois de lavar o rosto, usou a escova de dentes dele. Foi algo que fez sem pensar, e foi só quando terminou que se deu conta disso.

Quando voltou do banheiro, enfiou os pés frios entre as coxas dele para aquecê-los, como sempre fizera. Então dormiram como haviam dormido quase todas as noites durante quatro anos, aconchegados na posição das colherinhas: ela enroscada num C, e ele enroscado num C ainda maior por trás dela, envolvendo-a dos pés à cabeça, a palma da mão quente pousada sobre sua barriga.

— Boa-noite.

— Boa-noite.

Na escuridão, Oliver comentou:

— Que coisa mais esquisita. — Ela sentiu o sofrimento e a confusão em sua voz. — Estou tendo um caso com a minha própria mulher.

Ela fechou os olhos, comprimindo a coluna contra a barriga dele. A tensão que mantinha seus dentes permanentemente trincados foi cedendo aos poucos, até finalmente passar. Ela dormiu melhor do que dormia há muito, muito tempo.

Pela manhã, retomaram com naturalidade quase chocante a antiga rotina. O padrão de vida doméstica que haviam partilhado todas as manhãs durante quatro anos. Oliver se levantou primeiro e foi providenciar o café. Em seguida Lisa acampou no banheiro, enquanto ele fumegava do lado de fora, tentando apressá-la. Quando esmurrou a porta, aos berros de "Anda, paixão, ou eu vou me atrasar!", a sensação de *déjà vu* foi tão intensa que, por um longo segundo de atordoamento, ela não conseguiu se lembrar de quem era. Não estava em casa, mas...

Quando finalmente saiu, envolta em toalhas, abriu um sorriso, pedindo-lhe desculpas.

— Acho bom você ter deixado algumas toalhas secas para mim — disse ele, em tom de advertência.

— Claro que deixei. — Ela atravessou o quarto correndo para tomar um gole de café. E ficou esperando.

Ouviu o chuveiro sendo ligado e, algum tempo depois, a súbita interrupção do jato d'água. A qualquer momento...

— Ah, Lisa! — A queixa de Oliver ecoou entre as paredes do banheiro, como já era de esperar. — Paixão! Você só deixou para mim uma porcaria de uma toalhinha de rosto! Você sempre faz isso.

— Não é uma toalha de rosto. — Dobrando-se em duas de tanto rir, Lisa entrou no banheiro. — É *muito* maior.

Oliver desprezou a toalha de mão que Lisa exibia:

— Isso não dá para secar nem o meu pau!

— Desculpe — ela o provocou, carinhosa, desenrolando uma de suas próprias toalhas. — Está vendo só? Vou te dar a roupa do corpo!

— Sua meretriz — resmungou ele.

— Eu sei — ela assentiu.

— Você é mesmo in-super-crível.

— Ah, eu *sei* — ela concordou, com toda a sinceridade.

Entre brincalhona e conciliadora, Lisa enxugou seu corpo musculoso e reluzente. Era uma atividade que ela sempre adorara, embora algumas partes de seu corpo recebessem mais atenção do que outras.

— Ei, Lees — chamou ele, por fim.

— Hummm?

— Acho que a esta altura minhas coxas já devem estar secas.

— Ah... tá. — Trocaram um olhar malicioso.

Enquanto se vestiam, de repente ela percebeu do outro lado do quarto algo que lhe era tão familiar quanto sua própria pessoa. Antes que pudesse se conter, já havia exclamado:

— Ei, aquela é a minha sacola Louis Vuitton!

E era, mesmo. Ele a usara para guardar alguns de seus pertences no dia em que fora embora.

No ato a atmosfera do quarto ficou carregada das emoções negativas daquele dia. Oliver furioso — *de novo*. Lisa zangada e na defensiva — *de novo*. Oliver argumentando que o casamento dos dois já não era mais um casamento. Lisa sugerindo a ele, sarcástica, que se divorciasse dela.

— Eu te devolvo. — Oliver estendeu-lhe a sacola, esperançoso, mas de nada adiantou. O clima era sombrio e, em silêncio, terminaram de se vestir para ir trabalhar.

Quando Lisa não aguentou mais ficar calada, disse:

— Bom, até mais.

— Até mais — respondeu ele. Ela ficou surpresa ao sentir lágrimas nos olhos.

— Ah, não chora. — Ele a aninhou nos braços. — Que é isso, Dona Diretora, assim a senhora vai borrar a maquiagem.

Ela conseguiu rir por entre as lágrimas, mas sua garganta doía como se estivesse entalada com um pedregulho.

— Me desculpe pelo fato de as coisas não terem dado certo para nós — pediu, em voz baixa.

— Ora... — Ele deu de ombros. — São coisas da vida. Sabia que...

— ... dois em três casamentos terminam em divórcio? — disseram em uníssono.

Com esforço, conseguiram rir. Em seguida, se separaram.

— E, pelo menos, agora a coisa é amigável — disse ele, pouco à vontade. — Quer dizer, nós estamos, sabe como é, falando um com o outro.

— Exatamente — ela concordou, jovial. Estava transtornada com o brilho de sua camisa lilás de linho contrastando com a sedosa pele cor de chocolate do pescoço. Caramba, aquele cara sabia se vestir bem!

Quando ela fechou a porta, ele disse:

— Ei, paixão, não vai se esquecer!

Cheia de esperança, ela tornou a abrir a porta. *Esquecer o quê? Que você ainda me ama?*

— Arranja um advogado! — Ele brandiu o dedo, sorrindo.

Fazia uma linda manhã de sol. Ela caminhou pelas ruas banhadas de luz em direção ao trabalho. Sentindo-se uma merda.

CAPÍTULO 41

De repente, Lisa se deu conta de que ninguém dera uma palavra sobre os desfiles. Ou, para ser mais exata, os Desfiles!!! Jamais conseguia pensar neles sem ver seu nome brilhando aceso em néon. Esse era o ponto alto na vida da diretora de uma revista: duas vezes por ano, voar para Milão ou Paris, as duas mecas da moda. (Para os outros lugares ela viajava de avião, mesmo, mas os desfiles eram tão glamourosos que, naturalmente, todo mundo "voava" para eles.) E se hospedar no George V ou no Principe di Savoia, ser tratada como um membro da realeza, conseguir lugares na primeira fila para assistir aos desfiles de Versace, Dior, Dolce & Gabbana, Chanel, ganhar flores e presentes simplesmente por dar o ar de sua graça. O circo de quatro dias pululando de estilistas egomaníacos, modelos neuróticas, astros do rock, ídolos do cinema, milionárias sinistras com suas jóias de ouro maciço e, é claro, diretoras de revistas — fulminando umas às outras com olhares de ódio mortal, conferindo milímetro por milímetro sua estatura na hierarquia vigente. Uma festa atrás da outra em galerias de arte, armazéns, abatedouros (alguns estilistas da vanguarda mais radical não tinham a menor noção de limite)... Enfim, uma circunstância em que você não poderia estar mais no centro do universo nem que *tentasse*, queridinha.

E, é claro, não podiam faltar as sessões de cobras e lagartos sobre as roupas, uns disparates que ninguém jamais usaria desenhados por palhaços misóginos, os presentes ganhos depois dos desfiles, que não haviam sido tão generosos quanto os dos anos anteriores, o fato de o melhor quarto do hotel ser sempre abiscoitado por Lily Headley-Smythe e a grande chatice que era ter de viajar para um lugarzinho a quase dois quilômetros do centro da cidade para ver algum garoto prodígio exibindo sua coleção revolucionária numa fábrica abandonada de latas de feijão, mas, ainda assim, não ir era impensável. E a consciência de que ninguém sequer mencionara os desfiles na *Garota* atingiu Lisa como uma avalanche de mocassins de Kurt Gieger.

Provavelmente já tinha sido tudo providenciado, ela pensou, procurando se acalmar. Era provável que houvesse uma verba para que ela e Mercedes fossem. Mas e se não houvesse? A verba para os colaboradores posta à sua disposição não cobriria as despesas. Não chegaria nem perto disso. Mal pagaria um croissant no George V.

Com pânico crescente, Lisa bateu à porta de Jack e não esperou que ele respondesse antes de entrar.

— Os desfiles — disse, fungando, sem sentir.

Surpreso, Jack levantou o rosto, petrificando-se na posição em que se encontrava, curvado sobre o que parecia ser uma tonelada de documentos.

— Que desfiles?

— Os desfiles de moda. Em Milão. E Paris. Em setembro. Eu vou? — Seu coração palpitava, grande demais para o peito.

— Senta, Lisa — convidou Jack, com delicadeza, e no ato ela soube que suas palavras prenunciavam uma má notícia.

— Eu sempre ia, quando era diretora da *Femme*. É importante para o perfil da revista que marquemos presença lá. Publicidade, enfim... — soltou, num jorro confuso. — Nunca vamos ser levados a sério se não formos vistos...

Jack a fitava, esperando que terminasse. A simpatia em seus olhos dizia a Lisa que estava perdendo tempo, mas a esperança é a última que morre.

Soltou um profundo suspiro, recompondo-se.

— Eu vou?

— Desculpe — disse ele, fino como papel de seda. — Não dispomos da verba. Pelo menos, não este ano. Talvez, quando a revista já tiver se aprumado, quando tivermos mais anunciantes...

— Mas é claro que eu...?

Ele sacudiu a cabeça, triste:

— Não temos dinheiro.

Foi a conjunção da piedade de seu olhar com suas palavras que finalmente a fez cair em si. A medonha realidade esmagou sua consciência. Todo mundo estaria lá. Todo mundo, dos quatro cantos da

Terra. E notariam sua ausência, ela seria a bola da vez. Nesse momento, uma ideia ainda mais horrível lhe ocorreu. Talvez *não* notassem.

Jack pôs água na fervura feito um louco, prometendo comprar fotos de várias agências de notícias e argumentando que a *Garota* poderia fazer uma matéria fantástica com elas, as leitoras nunca saberiam que sua diretora não chegara a ir...

Foi então que Lisa se deu conta de que estava chorando. Não lágrimas de ódio ou chilique, mas de mágoa pura, sincera, que ela se sentia impotente para conter. Cada soluço arrancava de seu peito convulso uma tristeza infinita.

São só alguns desfilezinhos de moda bobos, dizia sua cabeça.

Mas não conseguia parar de chorar e, do nada, a lembrança voltou, sem a menor relação com coisa alguma. De si mesma, por volta dos quinze anos, fumando e batendo pernas pelo centro da cidade, em Hemel, com duas outras garotas, reclamando da merda que aquele fim de mundo era.

— Cheia de escrotos. — A boca estilosa de Carol se contorceu num esgar de nojo e tédio, ao inspecionar a rua principal.

— E babacas com roupas de merda e vidas de merda — Lisa concordou, antipática.

— Olha lá, aquela é sua mãe, não é? — Os olhos de Andrea, com seus cílios cobertos de rímel azul, ficaram ferinos e divertidos, e ela meneou a cabeça, com seus cabelos penteados para trás, indicando uma mulher que atravessava a rua.

Com um sobressalto desagradável, Lisa viu sua mãe, brega, ridícula, envergando seu "melhor" sobretudo.

— Aquela? — debochou, soltando uma longa baforada de fumaça. — Aquela não é minha mãe.

Quando se viu de volta ao escritório de Jack, estava falando alguma coisa. A mesma coisa, uma vez atrás da outra, com voz abafada.

— Dei muito duro — insistia, o rosto escondido nas mãos. — Dei muito duro.

Mal tinha consciência da presença de Jack, que tateava os bolsos. Seguiram-se os ruídos do maço sendo compulsado, o risco da pedra do isqueiro, o cheiro acre da nicotina.

— Posso fumar um? — Ela ergueu brevemente o rosto lavado de lágrimas.

— É para você. — Ele lhe passou o cigarro aceso, que ela aceitou mansamente e tragou como se fosse salvar sua vida. Deu cabo dele em seis tragadas ávidas.

Jack continuava a tatear os bolsos. Entre a passividade e o desinteresse, ela o observou retirar uma raspadinha de um bolso, um recibo de outro. Por fim, na gaveta da mesa, encontrou o que procurava — uma maçaroca de guardanapos de papel com o logotipo da Supermac, que empurrou na mão de Lisa.

— Gostaria de ser um daqueles homens que carregam um lenço branco grande para esse tipo de eventualidade — disse, com brandura.

— Não tem problema. — Ela esfregou o papel lustroso nas faces molhadas. A cada tragada de nicotina seu choro diminuía, até que o único som que produzia era uma ou outra fungada esporádica.

— Desculpe — disse, por fim. Tudo nela se tornara lento: seu pulso, suas reações, seu raciocínio. Poderia ficar sentada naquele escritório para sempre, estuporada demais para se constranger, sonolenta demais para indagar o que estava acontecendo consigo.

— Aceita outro? — perguntou Jack, ao vê-la apagar a guimba. Ela assentiu. — Você sabe que eles só te escolheram para esse emprego porque você é a melhor — disse ele, passando-lhe um cigarro aceso, em seguida acendendo outro para si mesmo. — Ninguém mais conseguiria criar uma revista do nada.

— Que maneira mais estranha de me recompensar — disse ela, ao que outro soluço escapou de seu peito.

— Você é fantástica — disse ele, com toda a sinceridade. — Sua energia, sua visão, sua capacidade de motivar a equipe. Você não perde uma. Gostaria que entendesse o quanto te valorizamos. Você vai aos desfiles. Talvez não este ano, mas em breve.

— Não é só pelo emprego ou pelos desfiles. — As palavras se derramaram de sua boca.

— Ah, não...? — Os olhos escuros de Jack pareceram interessados.

— Eu vi meu marido...

— Seu... hum? — O espetáculo à parte das emoções estampadas no rosto de Jack a interessou. Ele ficara aborrecido. Embora ela ainda não pudesse sentir isso, sabia que era uma boa coisa. — Não sabia que você era casada — ele optou por dizer.

— E não sou. Bom, sou, mas nós nos separamos. — Magoada, acrescentou: Vamos nos divorciar.

Jack pareceu profundamente constrangido.

— Meu Deus! Nunca passei por isso, de modo que não vou bancar o paternal e encher você de conselhos... Quer dizer, já tive alguns rompimentos, e é brabo, mas não a mesma coisa, imagino. Mas, enfim, bom, parece... — Procurou a palavra apropriada e não conseguiu encontrar nenhuma que fosse dramática o suficiente. — ...brabo, parece brabo.

Ela assentiu.

— É, sim. Nem sei por que estou te contando isso. — Numa súbita mostra de autocontrole e eficiência, assoou o nariz, vasculhou a bolsa e abriu um espelhinho. — Estou um espanto — disse, em tom prático.

— Eu acho que está ótima...

Depois de rápidos retoques com Beauty Flash e All About Eyes, disse:

— É melhor eu voltar. Ashlings para escrachar, Gerrys com quem discutir...

— Não precisa...

Detendo-se, ela despiu por um momento sua persona profissional.

— Você foi muito bom comigo — admitiu. — Obrigada.

CAPÍTULO 42

— Aquele cara alto ali. — Ashling apontou por entre a multidão no River Club.

— Aquele é seu namorado? — perguntou Clodagh, incrédula. — Ele é maravilhoso, lembra um pouco Dennis Leary.

— Ah, que nada — protestou Ashling, *eletrizada*.

Subitamente, quase se sentiu à altura de Clodagh. Está certo, Clodagh precisava de óculos, mas e daí? E quando visse Marcus atuando, então...!

Era noite de sábado, e um elenco multiestelar iria se apresentar no River Club. Além de Marcus e Ted, Billy Bicicleta, Mark Dignam e Jimmy Bond também estavam no programa.

— Depressa, usa a bolsa e o blazer para reservar o maior número possível de assentos. — Ashling se precipitou em direção a uma mesa vaga. Os humoristas iriam lhes dar a grande honra de se sentar à sua mesa, e Joy e Lisa também viriam. Até mesmo Jack Devine dissera que seria capaz de aparecer.

Do outro lado do salão, Ted localizou Clodagh e se aproximou correndo.

— Oi! — exclamou, com uma euforia patética. — Obrigado por vir.

— Estou ansiosa para ver seu show — disse Clodagh, gentil.

Ted puxou uma cadeira e sentou-se ao lado de Clodagh, de uma maneira que deixava bem claro que os dois eram amigos "especiais".

Ashling observou o gesto, ansiosa. A humanidade inteira sabia que Ted se sentia atraído por Clodagh. Mas e quanto a Clodagh? Ela *fizera questão* de vir sem Dylan.

Ted falou pelos cotovelos, no auge da animação, até subitamente se dar conta de que iria vomitar. Seu nervosismo habitual fora altamente exacerbado pela presença de Clodagh. Pálido como um susto, deu uma desculpa e saiu a passos trôpegos para o banheiro.

Ashling a tudo observara. O olhar de Clodagh não seguira o zigue-zague de Ted. Tratou de brecar sua ansiedade ridícula. Clodagh e Ted, imagina!

— Oi. — Joy chegou, cumprimentando Clodagh com um aceno de cabeça desconfiado.

— Oi. — Nervosa, Clodagh arriscou um sorriso. Joy fazia com que se sentisse ainda mais inferiorizada do que o habitual. Mas, segundo Ashling, Joy levara um fora do namorado há pouco tempo, devendo, portando, ser tratada com delicadeza.

Em seguida, o olhar de Clodagh foi atraído por alguém que se aproximava da mesa. Uma mulher tão linda e reluzente, com um visual tão estiloso e transado, que Clodagh se sentiu mais inepta do que nunca. Torturara-se durante horas em relação às roupas que usaria aquela noite, uma noite pela qual ansiara desesperadamente, e ficara bastante satisfeita com o resultado, mas bastou um único olhar em direção às roupas fabulosas e acessórios transadíssimos da criatura para fazer com que Clodagh se sentisse patética, como se sua produção fosse simplória e equivocada. Pelo visto, a mulher iria se sentar à sua mesa — estava tirando o blazer e cumprimentando Ashling... Merda! Devia ser...

— Lisa, minha chefe — apresentou-a Ashling.

O máximo que Clodagh conseguiu fazer foi acenar com a cabeça, calada. Em seguida, enciumada, observou Lisa cumprimentar Joy, como se fosse uma velha amiga.

— Michael Winner, o príncipe Edward e Andrew Lloyd Weber, e você *tem* que dormir com um deles!

— Acho que o príncipe Edward. — Joy estava um tanto apática. — David Copperfield, Robin Cook ou Wurzel Gummidge?

— Eca. — Lisa franziu o cenho. — Wurzel Gummidge — *por favor!* Robin Co... não. David Copperf... não, não dá. Acho que vai ter que ser Wurzel Gummidge. Ugh!

Louca para participar, Clodagh se voltou para Ashling e a desafiou em voz alta:

— Brad Pitt, Joseph Fiennes e Tom Cruise, e você *tem* que dormir com um deles!

Lisa e Joy se entreolharam. Clodagh não tinha pego o espírito da coisa, tinha?

Tarde demais, Clodagh compreendeu que dissera algo errado.

— Ah — fez ela, morta de vergonha com a própria burrice. — É para eles serem feios, não é? Quem quer uma bebida?

— Clodagh, deixa eu te apresentar ao... — começou Ashling. Marcus acabara de chegar à mesa. — Marcus, essa é Clodagh, minha melhor amiga.

Quando Marcus trocou um aperto de mão com Clodagh, ela se sentiu um pouquinho melhor. Era simpático e gentil, ao contrário daquelas duas filhas da puta, Joy e Lisa.

— Vou pedir uma rodada — disse Clodagh, sorrindo para Marcus. — Quer beber alguma coisa?

— Só um Red Bull. Não bebo antes de me apresentar — explicou ele, educado.

— Tudo bem, depois eu peço um drinque decente para você. — Cerimoniosa, perguntou a Joy: — O que você vai beber?

— Um Red Square.

— Um Red... o quê? — Clodagh jamais ouvira falar em tal drinque.

— É vodca com Red Bull — explicou Ashling. — Também vou querer um.

— Eu também — secundou-a Lisa.

E eu também, decidiu Clodagh. Em Roma, faça como os romanos... Opa! Quem era *aquele*? Chegara um homem alto e despenteado, que se postara no canto do grupo, com ar constrangido. Lindo! Não fazia bem o tipo de Clodagh — um pouco mal-ajambrado *demais* —, mas, mesmo assim... Foi quando ela notou que Lisa grudara no sujeito como se tivesse ventosas.

— Será que, hum, o namorado da Lisa gostaria de beber alguma coisa? — perguntou Clodagh a Ashling.

— Quem? Ah, Jack Ele não é namorado da Lisa, é nosso chefe.

— Bom, será que seu chefe gostaria de beber alguma coisa?

Ashling conteve um suspiro e perguntou a Jack, de má vontade:

— Sr. Devine, essa é minha amiga Clodagh, ela vai dar um pulo no bar.

Jack sorriu para Clodagh, apertando sua mão.

— Pode me chamar de Jack. — E *fez questão* de pagar a rodada.

Ashling não conseguiu controlar uma crise de ciúmes. Por que ele não podia ser amável com *ela*? Decidiu, então, concentrar-se em Marcus, e imediatamente se sentiu melhor. Antes de o show começar, ele foi assediado por uma fila interminável de fãs. Do sexo feminino, na maioria. Observando as mulheres a abordá-lo, Ashling se encheu de orgulho pelo fato de ele ser seu namorado. Não conseguiu deixar de se sentir valorizada por ter ganho Marcus. *Ele poderia ter tido qualquer uma,* pensou, *mas escolheu a mim.*

Era a noite de Clodagh, não restava a menor dúvida. Os humoristas — intimidados por Lisa, cheios da cara de Joy e respeitosos com Ashling, pelo fato de ser a namorada de Marcus — aglomeravam-se ao redor de Clodagh, com seu novo corte de cabelo cheio de balanço, seu lindo rosto e suas calças brancas. O rostinho moreno de Ted era o retrato da infelicidade, mas ele não tinha como sobrepujar a vantagem numérica dos rivais.

Clodagh se esbaldava, virando um Red Square atrás do outro. Durante um dos intervalos, Ashling a ouviu dizer a um bando de homens: "Eu era virgem antes de me casar." Piscando o olho, acrescentou: "Quer dizer, muito antes."

Os homens se acabaram de rir, e Ashling não pôde conter um pensamentozinho vergonhoso: *Não é tão engraçado assim.* Mas tratou de reprimi-lo — Clodagh não tinha culpa por ser linda. E era realmente muito bom vê-la se divertindo tanto.

Quando Clodagh cruzou as pernas, todos os olhos brilharam, acompanhando o movimento. Totalmente distraída, deixou que a mule bordada lhe escorregasse até a ponta do pé, e ficou a balançá-la suspensa do dedão. Ashling viu vários pares de olhos — todos masculinos — movendo-se para cima e para baixo, em sincronia com o balanço, parecendo levemente hipnotizados.

O número de Ted bombou e, quando ele voltou para a mesa, na euforia do triunfo, Ashling observou Clodagh esfregar seu ombro e dizer: "Você estava genial!"

Passado algum tempo, Ashling viu Clodagh sorrir para Jack Devine, a ponta da língua projetando-se safadamente por entre os dentes. Em seguida foi a vez de Billy Bicicleta receber o mesmo tratamento. Ah, não! Era seu sorriso Sou-linda-e-sei-disso — ou, pelo menos, era o que ela pensava. Na verdade, como dizia Phelim a esse respeito, era seu sorriso de bode velho safado, ao estilo de Benny Hill.

Da próxima vez que Ashling olhou, o comportamento de Clodagh se deteriorara acentuadamente. Com o jeito dengoso de um gatinho meigo, esfregava o rosto nos ombros de todos os homens e lhes explicava, com a encantadora cara de sono dos bêbados: "Eu tenho dois fígios, de modo que quage não chaio de casa." Abraçou Lisa e disse, com toda a sinceridade: "Tô bebinha, bebinha! Eu quage não chaio de caja, entenge?" Nesse momento viu Ashling olhando para ela e exclamou: "Ah, Ashling, tô bebinha, bebinha! Tá jangada comigo?"

Mas, antes que Ashling pudesse dizer que não, Clodagh já lhe dera as costas e, com voz enrolada, explicava a Mark Dignam: "Tenho dois fígios, de modo que quage não chaio de caja."

Marcus foi o último do programa e, quando subiu ao palco, Clodagh estava aos risinhos e cochichos com Jack Devine. Ashling ficou aborrecida, pois esperara ansiosamente por esse momento para mostrar a todo mundo o quanto seu namorado era talentoso.

— Shhhh! — Deu um cutucão em Clodagh, indicando o palco.

— Gisculpe! — pediu Clodagh em voz alta — alta demais. Depois disso passou a soltar as gargalhadas mais escandalosas toda vez que Marcus dizia algo. Quando, em meio a uma clamorosa salva de palmas, ele voltou para a mesa, Clodagh se atirou nos seus braços, dizendo com a máxima ênfase: "Vochê tava HILÁRIO!"

Marcus desvencilhou-se delicadamente dela e a conduziu de volta à sua cadeira, ao lado de Ashling. Ao se sentar, apertou a mão de Ashling e lhe deu um sorriso cúmplice.

— Ela tem razão — murmurou Ashling. — Você estava mesmo hilário.

— Obrigado — disse ele, por mímica labial, e os dois compartilharam um momento de apreciação recíproca e intensa que durou muito mais do que manda a decência.

— Quer diger então que acabou? — perguntou Clodagh. — Não tem mais piadas? A gente tem que ir pra caja?

— Não, imagina! — Jimmy Bond fez um ar horrorizado. — O bar fica aberto até as duas.

— Genial! — exclamou Clodagh, logo se encarregando de derrubar a bebida de alguém. O copo chocou-se com estrépito na mesa e um rio de cerveja correu pela superfície, indo despencar nas coxas de Billy Bicicleta.

— Gisculpegisculpegisculpegisculpegisculpe — pediu Clodagh, atordoada. — Putchz, giscuuuuulpe meshmo.

Mark Dignam voltara para a companhia do grupo em tempo de assistir à cena, Billy Bicicleta esfregando as coxas ensopadas com a manga do paletó e Clodagh se desculpando, confusa. Antes que qualquer um se pusesse a recriminá-la, Mark contou-lhes a novidade, em tom de confidência, franzindo o cenho para granjear compaixão:

— Ela tem dois filhos, de modo que quase não sai de casa!

Ato contínuo, Clodagh entabulou um longo *tête-a-tête* com uma mulher sentada a outra mesa. As duas pareciam estar resolvendo os problemas do mundo, mas, quando Ashling ouviu um trecho da conversa, tudo que pareciam estar dizendo uma para a outra era:

— Quando a pechoa não tem fígios, não entenge echas coijas.

— É icho aí. Quando a pechoa não tem fígios, não entenge echas coijas.

Em seguida Clodagh foi ao banheiro e, como ainda não tivesse voltado dez minutos depois, Ashling se pôs a perscrutar nervosamente o salão, até localizá-la tendo uma conversa íntima com um trio de mulheres. Quando tornou a olhar, Clodagh estava às gargalhadas em companhia de um homem. Pouco depois Ashling a viu batendo papo com dois rapazes, fazendo gestos complicados, que, ao que tudo indicava, ilustravam o processo de extração do leite materno. Mas, como parecesse alegre — e os dois rapazes também —, Ashling decidiu deixá-la em paz. Não muito tempo depois, Ashling foi ao bar e, mal fez o pedido, viu Clodagh trocando as pernas por entre as mesas, para logo esbarrar numa delas, fazendo doze copos cambalearem.

— Opa! — exclamou em voz alta.

Dois homens encostados no bar também observavam Clodagh.

— Essa foi por pouco — comentou um deles, ao que os copos conseguiram recuperar seu equilíbrio após o bamboleio.

— É mesmo — respondeu o outro. — Mas é que ela tem dois filhos, de modo que quase não sai de casa.

— Desculpe, será que dava para você trocar um desses Red Squares por um Red Bull? — pediu Ashling, num impulso, ao barman. Clodagh já bebera demais.

Mas, por incrível que pareça, embora bêbada, Clodagh percebeu que a haviam engrupido com uma bebida não alcoólica, e ficou um pouco azeda.

— Devem eshtar achando que chou alguma imbechil — reclamou. — Chó poge chêr, eshtão achando que chou uma grangechíchima imbechil.

— Você acha que a gente devia levar ela para a casa? — murmurou Marcus.

Ashling assentiu, extremamente agradecida.

— Não chaio até me chervirem um drinque dechente — teimou Clodagh, agressiva.

Marcus foi compreensivo e paciente, como se explicasse a situação a uma criança:

— É que a Ashling e eu queremos ir para casa, entende, e seria uma boa ideia a gente te deixar em casa antes.

— Então vão pra caja, ué — ordenou Clodagh.

— Mas nós gostaríamos muito que você viesse no táxi com a gente.

— É... Até poge chêr — disse Clodagh, emburrada. — Mas icho é chó porque eu goshto de vochês.

— Precisam de ajuda? — perguntou Ted, esperançoso.

— Não — disse Ashling, firme. — A gente vai só levar ela de volta *para o marido*.

Clodagh envolveu Ted num grande abraço, franziu os lábios num biquinho — Ashling quase pôs um ovo — e deu-lhe um beijo na testa.

— Vochê é uma gracha — disse, carinhosa. — Não esqueche de vir me vigitar.

— Não esqueço!

— Vamos indo. — Ashling a segurou pelo braço, mas Clodagh girou o tronco, tentando ir atrás de alguma outra pessoa.

— Tchau, Jack — disse, com vozinha cantada.

— Tchau, Clodagh, foi um prazer te conhecer — disse ele, sorrindo.

— O prager foi todo meu. — A voz de Clodagh estava pastosa como creme. — Eshpero que a gente che reveja em breve. Ai, Ashling! Chê tá arrancando meu bracho!

Com a cara fechada, Ashling a rebocou até a saída.

No banco traseiro do táxi, Clodagh desfechou uma longa e amarga queixa sobre como Ashling e Marcus eram dois desmancha-prazeres, como ela não queria voltar para casa, como estava se divertindo, como tinha dois filhos e quase não saía de casa... Então, bruscamente, no meio do ramerrão, fez-se silêncio. Com o queixo descaído sobre o peito, ela emborcou tranquilamente.

Quando Dylan abriu a porta da sala, Marcus disse, bem-humorado:

— Encomenda de uma mulher bêbada para você. Assina aqui.

Aos trancos e barrancos, Marcus e Ashling ajudaram Clodagh a entrar em casa. Em seguida, voltaram ao táxi, a fim de ir para casa.

— Tem uma caneta? — perguntou Marcus a Ashling, enquanto o carro voava pelas ruas, rumo ao apartamento de Ashling.

— Tenho.

— E um papel?

Ashling já revirava a bolsa.

Com o canto do olho, viu Marcus anotar alguma coisa. Podia jurar que era "Encomenda de uma mulher bêbada para você. Assina aqui". Mas, antes que pudesse ter certeza, ele já dobrara e guardara o papel.

No dia seguinte, o telefone de Ashling tocou às oito e meia da manhã. Pelo adiantado da hora, devia ser Clodagh, de ressaca. E era a própria.

— Estou acordada desde as seis horas — disse, humilde. — Só queria me desculpar por ontem à noite. Me desculpe, me desculpe de coração. Eu fiz um papelão muito grande? Acho que o problema é que tenho dois filhos e quase não saio de casa.

— Você se portou muito bem — disse Ashling, sonolenta — Todo mundo achou você o máximo.

É Clodagh?, Marcus perguntou a Ashling por mímica labial. Ela assentiu.

— Você estava maravilhosa — ele elevou a voz, de seu travesseiro. — Uma gracinha.

— Quem é? É Marcus? É muita gentileza da parte dele. Diz a ele que achei o show dele genial.

— Ela achou o seu show genial — Ashling transmitiu o recado, voltando-se para Marcus.

Mas o alívio de Clodagh não durou mais do que um momento.

— Não posso te dar uma ideia do quanto estava louca para sair e de como me diverti, mas agora você nunca mais vai me deixar sair com vocês de novo. Foi a melhor noite que tive em anos, e estraguei tudo.

— Deixa de ser boba, você pode sair com a gente quando quiser!

— Hum, Ashling, você tem ideia de como cheguei em casa?

— Marcus e eu te levamos de táxi.

— Ah, sim — disse Clodagh, segura. — Eu me lembro... Para ser franca, não me lembro, não — fraquejou. — Lembro dos humoristas durante o show, mas de quase nada depois disso. Fiquei com a sensação horrível de ter derrubado a cerveja de alguém, mas acho que deve ser minha imaginação.

— Hum, deve ser.

— Mas é muito desagradável não lembrar como cheguei em casa — Clodagh recomeçou a se martirizar. — Ah, meu bom Deus — sua voz despencou várias oitavas, até se tornar um gemido incrédulo. Subitamente se lembrara de algo horrível demais. — Estou com uma sensação horrível... Ah, não, não posso ter feito isso.

— O quê?

— Uma daquelas mulheres com quem eu estava conversando no banheiro estava grávida. Acho que me ofereci para mostrar a ela como os pontos da minha episiotomia cicatrizaram bem. Ah, que droga, diz que eu não fiz isso — gemeu baixinho. — É minha imaginação. Só pode ser.

— Só pode — mentiu Ashling, categórica.

— Bom, mesmo que não seja minha imaginação, vou fingir que é. A culpa é daquele Red Bull! — exclamou. — Nunca mais quero ver um copo daquilo na minha frente!

Quando Clodagh desligou, Marcus beijou Ashling e perguntou baixinho:

— Fui bem ontem à noite?

— Bom... não. — Ashling ficou surpresa. Eles não tinham feito amor ao chegar em casa.

— Não? — A voz dele ficou aguda de angústia. *Ah, meu Deus!* Tarde demais, Ashling compreendeu do que ele estava falando.

— No show? Pensei que você estivesse querendo dizer na cama. Você foi fantástico no show, eu te disse isso ontem.

— Melhor do que Billy Bicicleta, "um dos maiores humoristas da Irlanda"?

— Você sabe que sim.

— Se soubesse, não teria que perguntar.

— Melhor do que Billy, melhor do que Ted, melhor do que Mark, melhor do que Jimmy, melhor do que todo mundo. — Ashling queria voltar a dormir.

— Tem certeza?

— Absoluta.

— Mas aquela piada do Jimmy sobre os torcedores de futebol foi ótima.

— Foi razoável — disse Ashling, cautelosa.

— Quão razoável? — Marcus caiu em cima dela. — Numa escala de um a dez?

— Um — bocejou Ashling. — Foi uma merda. Agora vamos voltar a dormir.

CAPÍTULO 43

A visita de Oliver estilhaçara o frágil equilíbrio emocional de Lisa. No trabalho, sua cabeça estava nas nuvens, e seu estoque de comentários venenosos, bastante desfalcado. Para piorar ainda mais as coisas, ele não lhe telefonara. Ela tinha a esperança de que o fizesse, pelo menos para deixar alguma piada na secretária-eletrônica, do tipo "Muito grato pela trepada". Ainda mais agora, que tinha o número de seu telefone. Mas os dias foram passando e, com eles, suas esperanças.

No quinto dia, a ansiedade tornou-se insuportável e ela lhe telefonou, mas caiu direto na caixa-postal. Ele estava viajando, deduziu ela, se divertindo, levando a vida que ela um dia levara. Entre a desolação e o exaspero, desligou, ferida demais para deixar um recado.

Já devia saber que ele não manteria contato com ela. Estava tudo acabado, ambos sabiam disso e, no momento em que ele tomava uma decisão, era incapaz de voltar atrás. Apática e aérea, não conseguia deixar de repassar as questões sobre as quais devia ter refletido seis meses, nove meses, um ano antes. O que acontecera com seu casamento? O que dera errado? Como acontece com tantos outros relacionamentos, o seu afundara por causa de filhos. Mas, no caso dos dois, os papéis estavam invertidos: era ele quem queria tê-los, não ela.

Ela *pensara* que queria tê-los. Tinha havido uma temporada em que todo mundo que era alguém estava esperando a visita da cegonha: várias Spice Girls; uma pletora de modelos; diversas atrizes. Um barrigão era uma declaração de estilo, tanto quanto uma pashmina ou uma bolsa de Gucci; a gravidez passava por um apogeu fashion. Ela chegara a incluí-la numa lista — Gravidez era "Uau" e Gargantilha era "Uó".

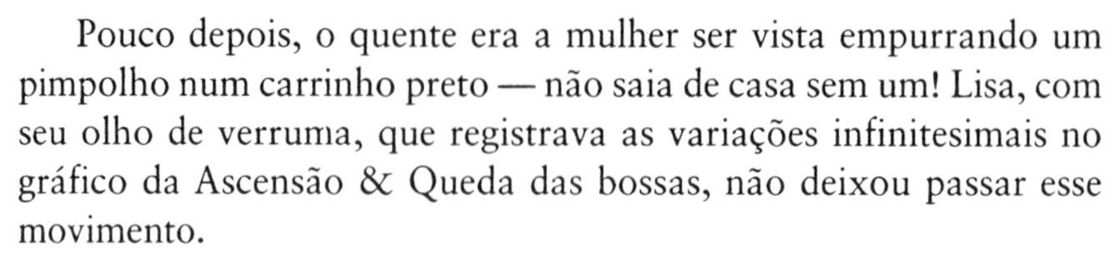

Pouco depois, o quente era a mulher ser vista empurrando um pimpolho num carrinho preto — não saia de casa sem um! Lisa, com seu olho de verruma, que registrava as variações infinitesimais no gráfico da Ascensão & Queda das bossas, não deixou passar esse movimento.

— Quero ter um filho — disse a Oliver.

Oliver não mostrou o mesmo entusiasmo. Gostava da vida social intensa e estilosa que levavam, e sabia que um bebê poria um freio nela. Seria o fim das festas varando a madrugada, o fim dos sofás brancos, o fim das viagens de última hora para Milão. Ou Las Vegas. Ou mesmo Brighton. Suas noites de insônia não mais o seriam por cortesia de cocaína de alta qualidade, e sim de uma criança aos berros. Toda a renda disponível seria desviada dos jeans Dolce & Gabbana e aplicada em montanhas de fraldas descartáveis.

Mas Lisa pôs-se a minar sua resistência e, de grão em grão, terminou por convencê-lo. Chegou até a apelar para seu orgulho de macho:

— Você não quer passar seus genes adiante?

— Não.

Até que um dia, deitados na cama, ele disse:

— Tá.

— Tá o quê?

— Tá, vamos ter um filho. — E, antes mesmo que Lisa tivesse tempo de soltar uma exclamação de prazer, ele já pegara sua cartela de pílulas na mesa de cabeceira e as jogara no vaso, arrematando o cerimonial com uma descarga.

— Agora é sem rede de proteção, paixão.

Em suas fantasias, Lisa já se via exibindo um delicioso bebezinho cor de café ao quadril esguio.

— Bebês não são bonecos — observou Fifi. — São seres humanos e dão uma trabalheira danada.

— Eu sei disso — soltou Lisa, ríspida. Mas a verdade era que não sabia.

Até que uma colega na revista engravidou — Arabella, uma mulher atilada e um pouco perigosa, rápida, ferina e sempre impecavelmente bem-vestida. Pois da noite para o dia passou a ser vítima de náuseas atrozes. Uma vez chegou mesmo a vomitar na cesta de lixo.

Quando não estava no banheiro urinando ou vomitando, estava sentada à mesa, com o tronco arriado, morta de enjoo, roendo raiz de gengibre, exausta demais para trabalhar. E a comida? Apesar da náusea onipresente, comia horrores.

— A única coisa que acalma meu estômago é comida — murmurava, enfiando outra empada de carne pela goela abaixo. Em pouco tempo parecia alguém que foi enterrado até o pescoço num buraco na areia. Seu cabelo, outrora brilhante, ficou crespo e feio, e, do nada, ela se tornou propensa a surtos de herpes labial. Sua pele tornou-se flácida e escamosa nas zonas tomadas pela psoríase, e suas unhas lascavam e se quebravam. Aos olhos supercríticos de Lisa, ela se parecia mais com a vítima de alguma peste do que com uma grávida.

O mais chocante de tudo foi a perda total de sua capacidade de concentração. No meio de uma entrevista com Nicole Kidman, esqueceu-se do nome da atriz, e só o que lhe ocorria era o apelido pelo qual a chamavam na redação, Encolhe Kidman. Não conseguia se lembrar se sua saia traspassada de velcro John Rocha era da última estação ou da penúltima. E essas coisas eram *elementares*, notou Lisa, com inquietação crescente. Finalmente, um belo dia, Arabella viu-se incapaz sequer de se decidir entre um Magnum Branco e um Magnum Clássico.

— O Bran... Não, o Clássi... Não, não, espera aí. O Branco. O Branco e não se fala mais nisso. Não, o Clássico... — Ela poderia representar a Inglaterra num campeonato mundial de indecisão. — Meu cérebro virou uma gelatina de limão — lamuriou-se.

Totalmente apavorada, Lisa foi visitar outra mulher que tivera um bebê — Eloïse, editora de variedades da *Chiquésima*.

— Como vai indo? — perguntou Lisa.

— Psicótica das noites passadas em claro — respondeu Eloïse.

Era pior do que isso. Embora já fizesse seis meses que Eloïse tivera seu bebê, ainda estava parecendo alguém que foi enterrado até o pescoço num buraco na areia.

E havia outra coisa. Tornara-se uma pessoa passiva, perdera toda a dureza. Essa era a editora que um dia fora conhecida como Átila. Demitia sem pestanejar — no passado, pelo menos. Agora, era uma mulher marcada por um vago porém inequívoco ar sentimental.

Lisa engatou uma marcha a ré desesperada. Não queria mais saber de bebês, eles destruíam a vida da mulher. Era fácil para as modelos e Spice Girls, que tinham equipes de babás para garantir seu sono, personal trainers para ficar no seu pé até recuperarem a silhueta e cabeleireiros particulares para pentear seus cabelos quando não tinham forças.

A essa altura, porém, Oliver já estava entusiasmado com a ideia. E o problema de Oliver era que, no momento em que tomava uma decisão, era muito difícil fazê-lo mudar de ideia.

Em segredo, ela recomeçou a tomar a pílula. Nem morta iria des truir sua preciosa carreira!

Ah, sim, a carreira de Lisa. Oliver também fazia objeções a ela, não?

— Você é uma workaholic — vivia a acusá-la, com frustração e raiva crescentes.

— Os homens sempre dizem isso das mulheres bem-sucedidas.

— Não, não estou só querendo dizer que você trabalha demais, embora seja o caso. Paixão, você é *obsessiva*. Não fala em outra coisa além da política da empresa, dos números de circulação, do pé em que está a competição entre as revistas... "Pelo menos nós ganhamos mais com a publicidade... Fizemos esse artigo há seis meses... Ally Ben quer me ver pelas costas."

— E quer, mesmo.

— Não quer, não.

Louca de irritação por não ser compreendida, Lisa lhe lançou um olhar feroz:

— Você não tem noção de como é, *todas elas* querem ser eu, todas aquelas garotas de vinte anos de idade. Elas me trairiam e apunhalariam pelas costas na primeira oportunidade.

— Só porque você pensa assim, não quer dizer que todo mundo pense. Você está paranoica.

— Não estou, não, estou te dizendo como a coisa é. Elas só são leais consigo mesmas.

— Exatamente como você, paixão. Você se tornou uma pessoa tão dura, despediu tanta gente. Não devia ter despedido Kelly, era um amor de garota e apoiava você.

A vergonha tremeluziu por um átimo de segundo.

— Ela não aguentou o rojão, não era dura bastante. Preciso de uma redatora de variedades que não tenha medo de disparar sua metralhadora-giratória. Pessoas legais como Kelly empatam a revista. — Voltando-se contra Oliver: — Não senti nenhum prazer em despedir Kelly, se é isso que você pensa. Achava que ela era uma boa pessoa, mas não tive escolha.

— Lisa, acho você o máximo, sempre achei. Eu... — Calou-se, à procura da palavra certa. — ...admiro você, respeito você...

— Mas? — desafiou Lisa, ríspida.

— Mas existem outras coisas na vida além de ser a melhor.

Uma risada de deboche:

— Não existem, não.

— Mas você *é* a melhor. Tão jovem, tão bem-sucedida, por que isso não basta?

— Esse é o problema do sucesso — murmurou Lisa. — Você tem que estar sempre se superando.

Como podia lhe explicar que, quanto mais conseguia, mais queria? Cada cartada brilhante trazia na sua esteira uma sensação de vazio, e ela se atirava à busca da próxima cartada, na esperança de que então, sim, teria a sensação de que chegara aonde queria. A satisfação era fugaz e esquiva, e o sucesso simplesmente a deixava com fome de mais, mais, mais.

— Por que importa tanto? — perguntou Oliver, em desespero. — É só um emprego.

Lisa se horrorizou ao ouvir isso. Ah, o quanto ele estava enganado...!

— Não é, não. É... tudo.

— Você vai mudar de ideia quando engravidar.

No ato, o terror lhe deu um banho de suor. Ela não iria engravidar. Tinha de dizer isso a ele. Mas tentara, e ele não quisera ouvi-la.

— Vamos viajar este fim de semana, paixão — sugeriu ele, com uma animação que não estava sentindo. — Só você e eu, juntinhos, como no passado.

— Tenho que dar um pulo no escritório, no sábado. Devo ficar umas duas horas por lá. Preciso checar o layout antes de ir para a gráfica...

— Ally poderia fazer isso.

— Nem pensar! Ela ferraria tudo de propósito para me expor.

— Está vendo o que quero dizer? — tornou ele, ressentido. — Você é obsessiva e quase nunca tem tempo para mim, só em lançamentos e inaugurações... E sua companhia já não é mais o que era antigamente.

E por aí foi a infindável e amarga sucessão de frustrações e desilusões, uma litania crescente de ressentimentos e acusações, de separação e isolamento um do outro. Duas pessoas que gradualmente haviam se fundido numa só, novamente voltavam a ser duas, nitidamente definidas e distintas.

No dia do ano-novo, Oliver encontrou uma cartela de pílulas na bolsa de Lisa. Depois de uma longa e violenta discussão, não trocaram mais uma palavra. Oliver fez suas sacolas (inclusive uma de Lisa) e foi embora.

CAPÍTULO 44

— Quem vai comprar o almoço hoje? — perguntou Lisa.

— Eu — Trix respondeu depressa. Depressa demais.

Trix adorava ir buscar as encomendas do almoço, não porque desejasse ser útil aos colegas, mas porque isso lhe garantia duas horas de almoço. Levava quatro minutos para caminhar até a lanchonete e mais seis para encomendar, pagar e receber os sanduíches, o que lhe deixava quarenta e cinco minutos para bater pernas e olhar vitrines em Temple Bar, antes de voltar para a redação e acusar aos brados a multidão de indecisos à sua frente na fila dos sanduíches, os babacas que trabalhavam lá e eram incapazes de distinguir uma galinha de um abacate, o sujeito que sofrera um ataque do coração, e ela ainda tivera que afrouxar suas roupas e esperar com ele a chegada da ambulância...

Embora estivessem todos até aqui de trabalho, a pouco mais de um mês do lançamento da *Garota*, ainda assim mal podiam esperar pelas desculpas de Trix, cada vez mais descaradas.

Em seguida, ela se sentava e levava quinze minutos para comer seu sanduíche, antes de olhar para o relógio e anunciar:

— Uma e cinquenta e sete, vou buscar as encomendas do almoço, vejo vocês às duas e cinquenta e sete.

— Hoje vou querer uma coisa um pouquinho diferente para o almoço — disse Lisa a Trix.

— Ah, hambúrguer — compreendeu Trix.

— Não.

— *Não?*

— Nem só de sanduíches e hambúrgueres se faz um almoço.

Trix fez uma expressão perplexa.

— É alguma fruta que você quer? — Sua testa carregada de maquiagem franziu-se, confusa. Ela sabia que Lisa às vezes comia maçãs, uvas, esse tipo de coisas. Trix jamais comia frutas. Nunca, jamais, em tempo algum. E se orgulhava muito disso.

— Gostaria de comer sushi.

A sugestão era tão repugnante que deixou Trix sem fala.

— *Sushi?* — disparou, por fim, horrorizada. — Quer dizer, peixe cru?

Lisa lera no fim de semana que um empório de sushi havia aberto uma filial em Dublin, e tinha a esperança de que, experimentando seus produtos, conseguisse sair da depressão provocada por Oliver. Mas também tivera a mesma esperança em relação ao show humorístico de sábado à noite, e dera em nada, apesar de Jack ter *de fato* aparecido e conversado com ela durante boa parte da noite — isto é, quando não estava conversando com aquela chata de galochas da Clodagh.

— Alguns dos seus melhores amigos são peixes — argumentou Lisa, com ar entediado.

— Quantas vezes vou ter que dizer a vocês que nunca tem peixe na van quando ando nela?!

— Toma aqui, desenhei um mapinha para você — disse Lisa. — Basta pedir uma caixa bento.

— Uma caixa bento? Você está inventando isso? — rosnou Trix, horrorizada à hipótese de bancar a palhaça.

— Não, é assim que embalam o sushi para viagem. Na loja eles vão saber do que você está falando.

— Uma caixa bento — repetiu Trix, desconfiada.

— Quem é que encomendou uma caixa bento? — Jack aparecera na redação.

— Ela — lamuriou-se Trix, ao mesmo tempo que Lisa dizia "Eu".

Trix encetou uma acusação em voz alta contra Lisa, queixando-se de estar sendo obrigada a comprar e transportar pela cidade afora um asqueroso peixe cru, e como a simples ideia já a deixava com vontade de vomitar...

— Outra pessoa pode ir buscar as encomendas do almoço, se você preferir — sugeriu Jack, mansamente.

— Não, tudo bem — disse Trix, emburrada, mas depressa.

Então, para surpresa de todos, Jack disse:

— Toma aqui, traz uma para mim também.

Boquiaberta, Lisa o viu vasculhar o bolso da calça atrás de dinheiro, o ombro encostando no queixo enquanto a mão trabalhava. Por algum motivo, acreditara que Jack fizesse o tipo feijão com arroz, aquele sujeito que diz: "Se não consigo dizer o nome, não como." Mas ele havia vivido nos Estados Unidos...

A mão de Jack saiu do bolso segurando um tíquete de estacionamento, para o qual ele lançou um olhar de tristeza: "Assim não dá." Recomeçou a busca, dessa vez localizando uma nota de cinco que já vira dias melhores, e entregando-a a Trix.

— É capaz de não aceitarem — reclamou Trix. — Que foi que você fez com ela? Parece que saiu da boca de um cachorro.

— Deve ser a que foi para a tinturaria — disse Jack. — Esqueci no bolso da camisa.

Trix ficou indignada. Como alguém podia esquecer dinheiro num bolso? Sabia exatamente de quanto dinheiro vivo dispunha em qualquer momento de sua vida, até a última moedinha de dez *pence*. Era precioso demais para ser esquecido no bolso de uma camisa.

Jack voltou para seu escritório, e Kelvin chegou, pela primeira vez naquele dia. Acabava de voltar de uma conferência de imprensa.

— Adivinhem o que aconteceu? — perguntou, sem fôlego.

— Que foi?

— Está tudo acabado entre Jack e Mai.

— Não brinca, Sherlock — disse Trix, num tom de desprezo corrosivo.

— Não, é sério. Acabaram mesmo, no duro. Não foi um rompimento do gênero *Quem Tem Medo de Virginia Woolf*. Acabaram para valer, de não brigarem mais e não se verem há mais de uma semana.

— Como é que você sabe?

— Eu, hum, encontrei a Mai no fim de semana. No Globe. *Podem crer* — correu um meneio de cabeça enfático pela redação —, está tudo acabado entre os dois.

— Meu Deus, você é patético — debochou Trix. — Tentando dar a entender que dormiu com ela.

— Não, eu... Tá, confesso, estava, sim. Mas, mesmo assim, os dois acabaram.

— Por quê? — perguntou Ashling.

— Chegou ao fim — disse Kelvin, dando de ombros.

Lisa ficou surpresa com a transformação que a novidade operou nela. De repente, as coisas já não pareciam mais tão negras. Jack estava disponível, e ela *sabia* que tinha uma chance. Ele sempre se sentira fisicamente atraído por ela, mas algo mudara naquele dia da semana passada em que ela chorara no seu escritório: a vulnerabilidade dela e a brandura dele os haviam aproximado.

E se deu conta de uma coisa. Gostava dele. Não da mesma maneira de quando chegara a Dublin, naquele estilo duro, agressivo, Sempre-consigo-o-que-quero. Na época, sentira-se atraída por sua aparência e por seu emprego, e persegui-lo fora apenas um projeto para esquecer a infelicidade que estava sentindo.

Quando ele saiu do escritório para usar a copiadora, ela se chegou até ele e comentou:

— Quem diria...

— Quem diria o quê?

— Você, um *sushialista* — provocou, balançando os cabelos.

As pupilas dele se dilataram, imediatamente tornando seus olhos quase negros, e uma centelha brilhou nos olhares dos dois.

Cinquenta minutos depois, Trix entrou pisando duro no escritório, balançando o saco de sushi suspenso do dedo mindinho, mantendo-o o mais longe possível do corpo.

— Que foi que aconteceu com você hoje? — perguntou Jack. — Foi tomada como refém durante um assalto a um banco? Raptada por alienígenas?

— Não — reclamou Trix. — Tive que parar no O'Neill's para vomitar as tripas. Toma aqui. — Praticamente atirou a sacola em Lisa, logo tratando de tomar o máximo de distância possível dela. — Ugh! — Estremeceu com exagero.

Lisa nutria a esperança de que Jack sugerisse que eles comessem o sushi a portas fechadas, no seu escritório. Tinha visões ambiciosas dos dois dando sushi na boca um do outro, e também fazendo algo mais do que almoçar. Em vez disso, porém, ele arrastou uma cadeira até a mesa de Lisa, e ela observou suas mãos grandes e seguras retirarem os pauzinhos, guardanapos e embalagens de plástico do interior do saco de papel. Colocando uma caixa bento diante de Lisa, ele abriu a tampa de plástico, apresentando-lhe as fileiras de belos sushis com um gesto elegante.

— O almoço de madame — disse, bem-humorado. — Cuidado para não vomitar!

Ela não conseguia identificar exatamente as emoções provocadas por seus atos, pois lhe escapuliam assim que tentava classificá-las. Mas eram boas: sentia-se segura, especial, num círculo de intimidade. Sob os olhares da redação em peso, Lisa e Jack comeram seu sushi como gente grande.

Ashling, em particular, estava horrorizada, mas não conseguia tirar os dois da cabeça. Passava o tempo todo a espiá-los furtivamente, do jeito como fazem os transeuntes com os acidentes de trânsito graves, e estremecia toda vez que via algo que preferia não ter visto.

Pelo que pôde constatar, não se tratava apenas de peixe cru. Havia pequenas trouxinhas de arroz com o peixe cru no centro, cuja ingestão era acompanhada por um ritual sofisticado: dissolvia-se uma pasta verde em algo que devia ser molho de soja, para em seguida molhar nela o lado de baixo do sushi. Fascinada, Ashling contemplou Jack levantando delicadamente com os dois pauzinhos uma fatia rosada e transparente e depositando-a com destreza sobre a trouxinha de arroz com peixe.

As palavras saíram antes que ela se desse conta:

— O que é isso?

— Gengibre em conserva.

— Por quê?

— Porque é gostoso.

Ashling assistiu durante mais alguns segundos, intrigada, antes de disparar:

— Qual é o gosto? Do conjunto?

— Delicioso. Você tem o sabor picante do gengibre, o gostinho ardido da raiz-forte, este negócio verde aqui, e a doçura do peixe — explicou Jack. — É um gosto sem igual, e vicia.

Ashling estava louca de curiosidade. Uma parte de si ansiava por sentir aquele gosto, experimentá-lo, mas, vamos combinar, *peixe cru*... Não, fala sério: *peixe*! E *cru*, ainda por cima!

— Dá uma provadinha. — Jack estendeu os pauzinhos em sua direção, equilibrando entre eles o sushi que preparara.

Ashling desviou o corpo imediatamente, uma onda quente de rubor espalhando-se por seu rosto:

— Hum, não. Não, obrigada.

— Por que não? — Os olhos escuros de Jack estavam rindo dela. De novo.

— Porque é peixe cru.

— Você não come salmão defumado? — perguntou ele, incapaz de esconder seu divertimento.

— *Eu* não — intrometeu-se Trix, emburrada, sentindo-se segura no outro extremo da redação. — Prefiro enfiar agulhas nos olhos.

— Última chamada! Tem certeza de que não quer experimentar um pouquinho? — Jack mansamente analisava Ashling, seus olhos recusando-se a abandonar os dela. Empertigada e cerimoniosa, Ashling sacudiu a cabeça e voltou ao seu misto-quente, com alívio, mas também com uma curiosa sensação de perda.

Lisa adorou que Ashling saísse de campo. Estava simplesmente adorando esse momento de intimidade com Jack, além de impressionada com a maneira como ele manipulava os pauzinhos. Um misto de habilidade e estilo, como se tivesse nascido para isso. Se algum amigo o levasse a Nobu, não o envergonharia, pedindo garfo e faca. Ela também era bastante desenvolta no manuseio dos pauzinhos. Tinha que ser. Passara noites e noites treinando na privacidade de seu apartamento, sob as gargalhadas de Oliver: "Quem é que você está tentando impressionar, paixão?"

A lembrança de Oliver provocou-lhe uma dor profunda, mas haveria de passar. Jack ajudaria.

— Troco meu sushi de enguia por um maki da Califórnia — propôs ela.

— As enguias são heavy metal demais para você? — perguntou Jack.

Lisa já ia protestar, mas admitiu, com um sorriso:

— São, sim.

Conforme previsto, Jack ficou muito satisfeito em comer a parte de enguia crua de seu sushi. Enguia crua já era ir um pouco longe demais, até para uma apreciadora da boa mesa como ela. Os homens, no entanto, comem qualquer coisa, quanto mais nojenta, melhor: coelho, emu, jacaré, canguru...

— Precisamos repetir a dose — sugeriu Lisa.

— Hum-hum. — Jack recostou-se em sua cadeira e assentiu, pensativo. — Precisamos mesmo.

CAPÍTULO 45

— Você não vai acreditar!

Era noite de quinta e Marcus acabara de chegar ao apartamento de Ashling, com uma fita de vídeo debaixo do braço e os olhos acesos de excitação.

— Vou abrir o show para Eddie Izzard sábado à noite!

— C-como?

— Estava combinado que seria Steve Brennan, mas ele foi hospitalizado com suspeita de doença de Creutzfeldt-Jakobi. Quem imaginaria? Vai ser um megashow.

O rosto de Ashling ficou abatido de decepção.

— Não vou poder ir.

— Quê? — soltou Marcus, ríspido.

— Não lembra que eu te disse que tenho que visitar minha família em Cork este fim de semana?

— Desmarca.

— Não posso — protestou ela. — Já adiei essa visita tantas vezes, que agora não dá mais para desmarcar.

Os pais dela haviam ficado tão entusiasmados quando ela confirmara que finalmente os visitaria, que a simples ideia de dizer-lhes que não iria mais fez com que suasse frio.

— Vai no outro fim de semana.

— Não posso. Tenho que trabalhar. Mais uma sessão de fotos.

— Sua presença é muito importante para mim — disse Marcus, sem alterar a voz. — É um grande show e vou apresentar um número novo, preciso de você lá.

Ashling se contorcia, presa entre emoções conflitantes.

— Desculpe. Mas é que eu me preparei psicologicamente para visitar meus pais, e faz tanto tempo... Até já comprei a passagem de trem — acrescentou.

À medida que a expressão dele se tornava magoada e fechada, ela sentia as entranhas darem um nó cego. Tinha ódio de si mesma por deixá-lo na mão, mas alguém necessariamente teria que se decepcionar, ele ou seus pais. Gostava de fazer a vontade das pessoas, e essa era a pior situação em que podia se encontrar — um beco sem saída em que, não importa para que lado fosse, desagradaria a alguém.

— Me desculpe mesmo — disse, com toda a sinceridade. — Mas as coisas com meus pais estão para lá de complicadas. Se eu não for, vou prejudicar ainda mais nosso relacionamento.

Esperou que ele perguntasse exatamente em que sentido as coisas estavam complicadas com seus pais, decidida a lhe contar tudo. Mas ele se limitou a encará-la com um olhar ferido.

— Me desculpe — repetiu ela.

— Tudo bem.

Mas nada estava bem. Embora tivessem aberto uma garrafa de vinho e se acomodado para assistir à fita de vídeo que ele trouxera, o clima estava pesado. Era como se o vinho não contivesse uma molécula de álcool, e Ardal O'Hanlon vivesse o momento mais infeliz de sua carreira. Subjugada pelo sentimento de culpa, Ashling não conseguia pensar em um único assunto para entabular uma conversa. Pela primeira vez desde que começara a namorar Marcus, não lhe ocorria nada para dizer.

Depois de duas horas arrastadas, quando deu dez da noite, ele se levantou, fingindo se espreguiçar.

— É melhor eu ir para casa.

O terror fez com que um pedregulho despencasse no estômago de Ashling. Ele sempre passava a noite no apartamento dela.

Uma perspectiva nova e aterradora descortinou-se aos seus olhos: talvez não fosse apenas um desentendimento, talvez fosse O Fim. Ao ver Marcus avançando em direção à porta numa velocidade apavorante, sucumbiu ao instinto e reavaliou freneticamente suas opções. Talvez pudesse marcar uma nova visita a Cork. Que diferença fariam mais algumas semanas? Seu namoro com Marcus era infinitamente mais importante.

— Marcus, me deixa pensar um pouco. — Sua voz estava trêmula de pânico. — De repente, posso até visitar meus pais daqui a mais algumas semanas...

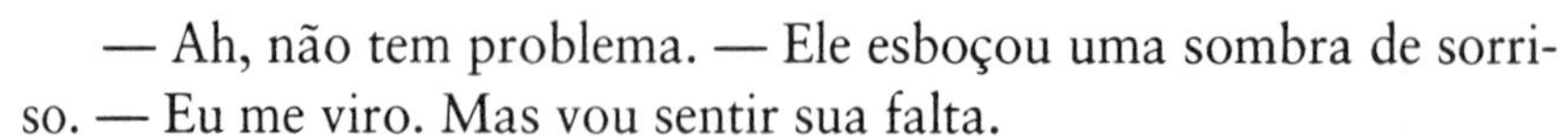

— Ah, não tem problema. — Ele esboçou uma sombra de sorriso. — Eu me viro. Mas vou sentir sua falta.

O alívio só durou um instante. Talvez ainda não estivesse tudo acabado, mas, mesmo assim, ele estava prestes a ir embora de seu apartamento.

— A gente poderia se ver amanhã à noite — sugeriu ela, ansiosa por uma chance de remediar as coisas. — Só vou viajar no sábado de manhã.

— Ah, não. — Ele deu de ombros. — Vamos deixar para quando você voltar.

— Tudo bem — cedeu ela, a contragosto, com medo de insistir e acabar provocando uma ruptura maior ainda. — Volto no domingo à noite.

— Me liga, quando chegar.

— Pode deixar. O trem deve chegar por volta das oito, quer dizer, se não quebrar, e também tem sempre a fila do táxi, de modo que não sei a que horas vou chegar em casa, mas, assim que chegar, ligo para você. — Sua vontade de agradar fazia dela uma pessoa volúvel.

Após um beijo rápido — nem longo nem apaixonado o bastante para acalmá-la —, ele foi embora.

Como um alcoólatra que volta a beber assim que sua vida entra numa fase turbulenta, a primeira coisa que Ashling fez foi passar a mão no tarô. Deixara-o às traças nos últimos tempos, e, não fosse pelas consultas constantes de Joy, na esteira da partida de Metade-homem-metade-texugo, estaria coberto de poeira. Mas o evasivo conjunto de cartas que tirou não lhe proporcionou nenhum conforto.

Nervosa e agitada, Ashling sentiu-se dominar pelo velho ressentimento contra sua família. Se pelo menos tivesse uma família normal, isso não teria acontecido. Pensou em Marcus por um momento. Não o culpava por se sentir inseguro. Como ele subia num palco e fazia o que fazia, era um mistério para ela.

O rancor e o remorso geraram a insônia. Precisava falar com alguém. Mas Joy não era a pessoa indicada, e não apenas porque seu único assunto atualmente fosse "Todos os metade-homens-metade-texugos são iguais". Teria que ser Clodagh ou Phelim, porque ambos sabiam tudo a respeito da família de Ashling. Eles a compreenderiam e lhe ofereceriam a solidariedade de que ela necessitava. No entanto, sua ligação para Phelim em Sydney foi atendida pela secretária-eletrônica, de modo que, apesar de já ser tarde da noite, Ashling não teve escolha, a não ser ligar para Clodagh. Depois de se desculpar por acordá-la, soltou o verbo sobre a triste história e concluiu exclamando:

— ... e eu não me importaria, mas tenho horror à ideia de visitar meus pais.

Clodagh, porém, não pronunciou as devidas palavras de conforto. Em vez disso, falou, sonolenta:

— Eu assisto ao show do Marcus, se você quiser.

— Não, não foi isso que...

— Posso ir com Ted! — A voz de Clodagh adquiriu um tom animado, quando a ideia se tornou uma possibilidade. — Ted e eu vamos no seu lugar, e damos apoio moral para Marcus.

Isso fez com que Ashling se sentisse muito pior. *Não* queria saber de Ted e Clodagh ficando amiguinhos.

— Mas e Dylan?

— Alguém tem que ficar com as crianças.

— Eu nem mesmo quero visitar meus pais — repetiu Ashling, esperando receber seu quinhão de solidariedade.

— Mas sua mãe está muito melhor agora. Vai ser ótimo!

Estamos à deriva, compreendeu Ashling um dia, aos nove anos de idade, antes do fim daquele terrível e estranho verão. Passou a se postar na esquina, no fim da rua, nas tardinhas de sexta, perscrutando a distância à procura do carro do pai, com uma sensação nauseante de sobe e desce no estômago. Enquanto esperava, entregava-se a vários jogos, para abafar o terror da ideia de que ele talvez jamais chegasse. *Se o próximo carro for vermelho, vai ficar tudo bem. Se a placa do segundo terminar com um algarismo par, vai dar tudo certo.*

Por fim, certa manhã de segunda-feira, ela pediu a seu pai para não sair.

— Eu tenho que ir — respondeu ele, seco. — Se perder meu emprego, não sei como vamos sobreviver. Faça uma fôrça para ficar de olho nela.

Ashling assentiu, séria, enquanto pensava consigo mesma: *Ele não devia ter dito isso pra mim, sou só uma menina.*

— ...pois é, Ashling é muito responsável. Só tem nove anos, mas é muito madura para a idade.

Os adultos murmuravam coisas. Vinham pessoas à sua casa, conversavam em voz baixa e se calavam toda vez que Ashling se aproximava. "...os pais já têm uma certa idade, não conseguiram dar conta de três crianças cheias de energia..." Palavras novas e estranhas passaram a ser mencionadas. Depressão. Nervosismo. Colapso. Falavam de sua mãe "ir para algum lugar".

Por fim, sua mãe "foi" para o tal lugar, e seu pai passou a ter que levar os filhos consigo em suas viagens a trabalho. Percorriam longas distâncias, cheios de tédio e náusea do sacolejo do automóvel, Janet e Owen juntos no banco traseiro, entre vários modelos de aspirador de pó. Ashling sentava-se na frente como um adulto, enquanto atravessavam o país de ponta a ponta, parando em pequenas revendas de peças de reposição, em cidadezinhas do interior. Desde a primeira visita, ela absorveu a ansiedade de Mike.

— Me deseje sorte — disse ele, apanhando a pasta de brochuras. — Esse sujeito tinha que resolver viajar logo no Natal...! *E não mexa em nada.*

Pela janela do carro, Ashling observou seu pai cumprimentar o cliente no pátio em frente à garagem da casa, e o viu passar de irascível e preocupado a descontraído e tagarelante. De uma hora para a outra, ele dispunha de todo o tempo do mundo para um bate-papo. Não se importava nem um pouco com o fato de ainda ter mais oito visitas a fazer e estar atrasadíssimo, por ter saído de casa tarde: lá foi ele admirar o carro novo do sujeito. Tronco inclinado para trás, inspecionando o carro de todos os ângulos possíveis, distribundo tapinhas de parabéns no ombro do outro. Enquanto conversava com o cliente, animado, todo sorrisos e piadinhas bem-humoradas, Ashling foi assaltada pela consciência de algo que era pequena demais para compreender: *Isso é difícil para ele.*

Assim que Mike voltou para o carro, o sorriso se desfez, e ele retomou a brusquidão de antes.

— Ele encomendou um aspirador, pai?

— Não — respondeu ele, com os lábios apertados, apressando-se em dar marcha a ré, o carro cantando pneu enquanto era manobrado novamente em direção à estrada, rumo à próxima visita.

Às vezes as pessoas encomendavam aspiradores, mas nunca na quantidade em que ele esperava, e, cada vez que tornava a entrar no carro e dava a partida, ele parecia mais humilhado.

Quando a semana chegava ao fim, Janet e Owen já choravam e vociferavam praticamente o tempo todo, querendo voltar para casa. E Ashling ainda por cima arranjara uma otite — um mal que continuaria a acometê-la durante toda a sua vida, em épocas de tensão.

Depois de três semanas de encarceramento, Monica voltou para casa sem dar quaisquer sinais óbvios de melhora. Como os antidepressivos que lhe receitaram surtiram o irritante efeito extrapiramidal de deixá-la sonolenta e lerda, o médico os substituiu por drogas de outro tipo, que tampouco lhe fizeram bem.

E, apesar da entrada dos medicamentos em sua vida e dos rituais cada vez mais complexos de Ashling, as coisas jamais chegaram de fato a melhorar. A tristeza de Monica podia ser deflagrada por *qualquer coisa*, de algum desastre natural a um pequeno ato de crueldade aleatório. Um colegial truculento extorquindo o dinheiro de um colega mais fraco podia deflagrar a mesma torrente de lágrimas que um terremoto no Irã com milhares de mortos. Mas os dias de pranto silencioso, quase todos passados na cama, eram pontuados por episódios de gritaria e ódio violento, dirigidos contra o marido, os filhos e, principalmente, ela própria.

— Não quero me sentir assim! — gritava. — Quem haveria de querer se sentir assim? Você tem sorte, Ashling, nunca vai sofrer como eu, porque não tem imaginação.

Ashling aferrou-se a esse fato como se fosse um escudo. A falta de imaginação era um grande trunfo, pois impedia que a pessoa enlouquecesse.

Monica era tão volúvel, que Ashling passou longos períodos de sua adolescência praticamente morando na casa de Clodagh.

Ocasionalmente, em meio ao torpor e à histeria, havia momentos de normalidade. Que, no fundo, nada tinham de normais. A cada camisa que Monica passava à perfeição, a cada refeição que servia pontualmente às seis da tarde, os nervos de Ashling esticavam-se um pouco mais, à espera do momento em que tudo descambaria novamente. E, quando acontecia, era quase um alívio.

Aos dezessete anos, Ashling saiu de casa e foi morar num apartamento. Três anos depois, Mike arranjou um emprego a quase duzentos quilômetros de distância, em Cork, e, com a decorrente mudança dos pais, Ashling passou a vê-los muito raramente. Durante os últimos sete anos, o estado de Monica se estabilizara: a depressão e a fúria passaram tão inesperadamente quanto haviam chegado. Seu médico disse que estavam relacionadas com o fim da menopausa.

— Agora ela não está mais tão mal assim. — A voz de Clodagh trouxe-a de volta ao presente.

— Eu sei. — Ashling soltou um suspiro cansado. — Mas, mesmo assim, não tenho nenhuma vontade de me aproximar dela. Sei que é uma coisa horrível de se dizer. Amo minha mãe, mas não me sinto bem na companhia dela.

CAPÍTULO 46

Ashling deveria chegar a Cork no sábado por volta da hora do almoço, e voltaria na tarde de domingo, no trem das cinco. Ou, por outra, o "fim de semana" duraria apenas vinte e oito horas. E, dessas vinte e oito, ela passaria oito dormindo. O que deixava um total de apenas vinte horas para conversar com seus pais. Dava para tirar de letra.

Vinte horas! Numa súbita crise de pânico, perguntou-se se trouxera cigarros bastantes. E revistas? E seu celular? Devia estar fora de si no momento em que dissera que viria.

Enquanto contemplava a paisagem rural que ia passando na sacolejante janela, torceu para que o trem fizesse a gentileza de quebrar. Mas, não. É claro que não. É o tipo de coisa que só acontece quando a pessoa está morta de pressa. *Aí, sim,* o trem sem mais nem menos toma várias horas suas, parando de meia em meia hora nos ramais da linha ferroviária. *Aí, sim,* todos os passageiros têm que trocar de trem, *aí, sim,* têm que descer desse segundo trem e embarcar num ônibus estacionado em cujo interior faz um frio de rachar, e a viagem originalmente prevista para levar três horas termina levando oito.

Em vez disso, o trem de Ashling chegou a Cork dez minutos adiantado — dez mortificantes minutos. Naturalmente, seus pais já estavam lá, à sua espera, se esforçando ao máximo para parecerem normais. Sua mãe poderia ter se passado por qualquer mãe irlandesa de certa idade: a permanente malfeita, o sorriso nervoso de boas-vindas, o cardigã de lã acrílica jogado sobre os ombros.

— Que alegria ver você. — Monica estava prestes a romper em lágrimas de orgulho.

— Para mim também. — Ashling não conseguiu deixar de se sentir culpada.

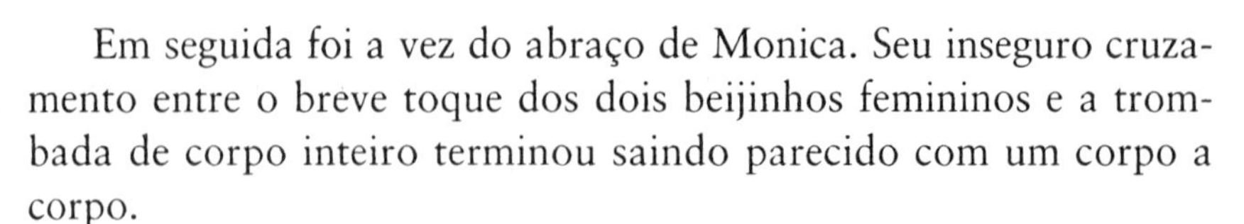

Em seguida foi a vez do abraço de Monica. Seu inseguro cruzamento entre o breve toque dos dois beijinhos femininos e a trombada de corpo inteiro terminou saindo parecido com um corpo a corpo.

— Oi, pai.

— Hum, bem-vinda, bem-vinda, bem-vinda! — Mike parecia desconfortável — afinal, também não fazia parte do roteiro que ele externasse seu afeto? Felizmente, ele tratou de apanhar a sacola de Ashling, com isso ocupando todas as mãos disponíveis.

O trajeto rumo à casa de seus pais, a discussão sobre o que ela comera no trem e o debate sobre o que preferia, uma xícara de chá com um sanduíche ou só uma xícara de chá, durou bem uns quarenta minutos.

— Só uma xícara de chá está ótimo.

— Tenho bombons — tentou-a Monica. — E borboletinhas. Fui eu mesma que fiz.

— Não, eu... ah... — A menção aos biscoitos em feitio de borboleta deixou Ashling num abatimento mortal. Monica abriu uma lata de biscoitos, exibindo pequeninos biscoitos deformados, cada um com duas "asinhas" porosas, terminando com um pingo de chantilly no alto. O chantilly fora todo polvilhado de confeitos e, ao engolir um pedaço de biscoito — uma asinha, para ser mais específica —, Ashling se deu conta de que também engolia o nó em sua garganta.

— Tenho que ir à cidade — anunciou Mike.

— Vou com você. — Ashling se levantou como se arremessada por uma catapulta.

— Ah, vai? — Monica pareceu decepcionada. — Bom, mas não se atrasem para o jantar.

— O que vamos comer?

— Costeletas de porco.

Costeletas de porco! Ashling quase soltou uma risada de deboche — não sabia que esse tipo de prato ainda existia.

— Por que estamos indo à cidade? — perguntou ela ao pai, enquanto ele dava marcha a ré no carro em direção à rua.

— Para comprar um cobertor elétrico.

— Em julho?

— Logo, logo, vamos estar no inverno.

— E um homem prevenido vale por dois.

Trocaram um sorriso. No momento seguinte, Mike pisou no tomate:

— Nós não vemos você com muita frequência, Ashling.

Puta merda.

— Sua mãe está eufórica de ver você.

Como a afirmação exigisse uma resposta, Ashling optou por perguntar:

— Como, hum, ela está?

— Maravilhosa. Você devia vir nos visitar mais vezes. Ela voltou a ser a mulher com quem me casei.

Outro silêncio. Em seguida, quase sem sentir, Ashling fez uma pergunta que não se lembrava de jamais ter feito antes:

— Qual foi a razão de ser daquilo tudo, daquela época horrível? O que fez com que acontecesse?

Mike desviou os olhos da rua para fitá-la, sua expressão um misto feroz de defesa, determinação e inocência — ele *não* fora um mau pai.

— Não aconteceu nada. — A jovialidade com que ele respondeu foi mais comovente do que teria sido sua tristeza. — A depressão é uma doença, você sabe disso.

Em pequenos, Ashling e os irmãos ouviram a explicação de que não tinham culpa pelo fato de sua mãe ser um caso perdido. Naturalmente, nenhum deles acreditou.

— Sim, mas como a pessoa cai em depressão? — Ela lutava por compreender.

— Às vezes o processo é deflagrado por alguma perda, ou um... como é mesmo que chamam aquele negócio... trauma — murmurou ele, a atmosfera no interior do automóvel carregada de constrangimento. — Mas não necessariamente — prosseguiu. — Dizem que pode ser hereditário.

Essa animadora perspectiva deixou Ashling completamente muda. Vasculhou a bolsa atrás de seu celular.

— Para quem você está ligando?

— Para ninguém.

Ele observou que Ashling continuava a apertar teclas no aparelho.

— Pensa que eu sou cego? — indagou, afrontado.

— Não estou ligando para ninguém, estou só colhendo meus recados.

Marcus não ligara para ela desde que saíra de seu apartamento na noite de quinta. Nesses dois meses de namoro (não que ela os estivesse contando), a rotina dos dois era a de se telefonarem todos os dias. Ela estava se ressentindo agudamente da falta de contato. Prendendo o fôlego, desejou desesperadamente que houvesse algum recado dele, porém, mais uma vez, não havia nenhum. Decepcionada, fechou o aparelho e tornou a guardá-lo na bolsa.

Naquela noite, após o jantar saudosista — costeletas de porco, purê de batatas e ervilhas em lata —, decidiu ligar para ele. Tinha um bom pretexto: desejar-lhe boa sorte no show de Eddie Izzard. Mas caiu na secretária-eletrônica — outra vez. Teve uma visão horrível de Marcus em seu apartamento, escutando o recado, mas recusando-se a atender o telefone. Incapaz de se conter, tentou seu celular — e caiu direto na caixa-postal. *Mercúrio está em retrógrado,* pensou ela. Para logo em seguida admitir, a contragosto: *Ou talvez meu namorado apenas esteja puto comigo.*

Obviamente, ele estava magoado por ela ter ido visitar os pais, mas qual seria a extensão do dano? Por um momento considerou a possibilidade de ser irreparável, e a sensação de terror que acompanhou essa admissão deixou-a fraca. Gostava muito, muito, *muito* de Marcus. Fazia séculos que não conhecia ninguém que se aproximasse tanto de seu ideal de homem. Estava louca para que a noite de domingo chegasse logo, porque ele lhe *pedira* para telefonar. Mas e se nem então atendesse o telefone...? Ai, meu Deus!

— Em geral nós assistimos a algum vídeo na noite de sábado — informou-lhe sua mãe.

A um Passo da Eternidade. Muito apropriado, pensou Ashling, enquanto a noite se esticava como um chiclete. Sofrendo por sentir-se excluída da vida em Dublin, desejava desesperadamente estar lá, com seu namorado. Enquanto Burt Lancaster saçaricava com Deborah Kerr, Ashling se perguntava como Marcus estaria se saindo no show, e se Clodagh e Ted haviam ido. Sentia vergonha por desejar que não, pois admitir o desejo faria com que se sentisse ainda mais excluída.

Seus pais fizeram o possível e o impossível para lhe agradar. Apareceram com um saco de doces sortidos, escolhidos especialmente para ela no supermercado, experimentaram oferecer-lhe um "drinque" enquanto tomavam chá e, quando ela foi se deitar — imperdoavelmente cedo, às dez da noite —, sua mãe fez questão de prepa rar um saco de água quente para ela.

— Mas estamos em julho, vou torrar de calor!

— Ah, mas as noites às vezes são frias. E daqui a dois dias vamos entrar em agosto, que é o início oficial do outono.

— Ah, não, já estamos quase em agosto! — Ashling fechou os olhos, apertando-os com força, o fôlego curto de medo. O lançamento da *Garota* estava previsto para o último dia de agosto, e ainda havia uma quantidade titânica de trabalho a ser realizado — tanto em relação à merda da festa de lançamento quanto à revista propriamente dita. Enquanto estavam em julho, ela conseguira manter a serenidade, repetindo para si mesma que ainda havia tempo bastante. Agora, no entanto, agosto parecia perto *demais* para que esse argumento fosse válido.

Retirou da estante um volume gasto de Agatha Christie, leu-o durante quinze minutos e, em seguida, apagou o abajur de cúpula cor de pêssego. Dormiu tão bem quanto se podia esperar sob um edredom cor de pêssego e, pela manhã, a primeira coisa que fez foi ligar seu celular, rezando para que houvesse algum recado de Marcus. Não havia — esse foi o momento mais difícil para ela. E o papel de parede listrado em branco e pêssego, que parecia fechar o cerco ao seu redor, não a ajudou em nada a superá-lo. Ao apanhar o maço de cigarros, derrubou uma tigelinha de pétalas secas aromáticas. O aroma era de pêssego. Quem teria adivinhado?

Não podia ligar para Marcus *de novo* — ele acharia que ela estava desesperada. E estava desesperada, é claro, mas não queria que ele soubesse que estava. Em vez disso, ligou para Clodagh, na vaga expectativa de obter alguma informação, mas também na vaga esperança de que Clodagh não estivesse em condições de oferecê-las.

— Você foi ver Marcus? — Fechou a mão livre num punho, desejando que a resposta fosse "Não".

— Fui...

— Foi com o Ted?

— Ora, se fui! — A confirmação fez com que o pavor de Ashling aumentasse ainda mais. Não achava que houvesse a mais remota hipótese de Clodagh dar bola para Ted; a questão era que...

Clodagh continuou falando pelos cotovelos:

— ...nos divertimos horrores. Marcus estava fantástico. Contou uma piada *hilária* sobre roupas de mulher — a diferença entre uma blusa, um top, uma camisa-de-meia, uma camiseta...

— Ele o *quê?* — Quem queria saber de Ted e Clodagh?! Ashling agora estava preocupada consigo mesma.

— Ele até sabia o que é uma regata! — exclamou Clodagh.

— Não duvido nada. — Ashling sabia que devia se sentir lisonjeada, mas, em vez disso, sentia-se como se tivesse sido usada. Marcus nem ao menos lhe dissera que estava pensando em incluir a conversa dos dois no seu número.

— Não faço a menor ideia de como ele bola essas coisas — confessou Clodagh.

E quem disse que bola?

— E depois? — perguntou Ashling, enciumada, sem saber se aguentaria ouvir mais alguma novidade desagradável. — Vocês foram para casa?

— Não, imagina! Fomos para os bastidores, conhecemos Eddie Izzard, tomamos um porre federal. Foi fantástico!

A despedida de seus pais, estressante mesmo nas melhores circunstâncias, foi pior do que de costume.

— Você não tem namorado? — perguntou Mike, jovial, involuntariamente pondo o dedo na ferida aberta de Ashling. — Traz ele aqui, da próxima vez.

Ai, não faz isso comigo.

Todos os vagões estavam lotados, e ela exausta, sob o efeito da típica depressão da noite de domingo, quando, três horas depois, o trem chegou a Dublin. Estava abrindo caminho aos empurrões em direção ao ponto de táxi, na esperança de que as filas não estivessem quilométricas, quando, por entre a multidão que circulava na esplanada, avistou alguém que conhecia...

— Marcus! — Sua pele se iluminou de alegria à vista dele próximo à saída, com um sorriso sem graça. — O que você está fazendo aqui?!

— Vim buscar minha namorada. Ouvi dizer que a fila do táxi costuma ser comprida.

Uma risada de encanto escapou dela. De repente, sentia-se louca de felicidade.

Ele apanhou sua sacola com uma das mãos e enlaçou sua cintura com o braço livre.

— Olha, desculpe pelo...

— Não, eu é que peço!

Nossa primeira discussão, pensou ela, sonhadora, ao que ele a conduzia até seu carro. Nossa primeira briga de verdade. Agora, somos *mesmo* um casal.

CAPÍTULO 47

A pilha de roupas jogadas sobre a cama de Clodagh continuava a crescer. O vestido preto justo? Sexy demais. As pantalonas com a túnica? Sofisticados demais. O vestido transparente? Transparente demais. E que tal as calças brancas? Mas ele já a vira com elas. O jogging com os tênis? Não, ela se sentia uma idiota com eles. De todas as roupas da moda que comprara nos últimos dois meses, haviam sido seu pior erro.

Por um momento, a nuvem de ansiedade indumentária se dissipou, para em seu lugar se impor uma súbita e desagradável consciência. *O que estou fazendo?*

Nada, pensou, na defensiva. Não estava fazendo nada. Ia apenas se encontrar com uma pessoa para tomar um café. Uma pessoa amiga. Uma pessoa amiga que, por acaso, vinha a ser um homem. Qual era o problema? Não estava em nenhum país muçulmano onde seria apedrejada por ser vista em companhia de um homem que não era seu marido ou irmão. De mais a mais, ele nem mesmo fazia o seu tipo. Ela só iria se distrair um pouco. E a distração era inofensiva.

Sacudiu os cabelos sedosos, experimentando uma sensação de euforia, excitação, nervosismo.

Por fim, decidiu-se por um par de calças pretas e uma camiseta rosa-shocking. Olhou-se no espelho como se fosse ele quem a olhasse. A óbvia admiração dele foi lisonjeira, e ela se sentiu linda, poderosa.

Café, relembrou a si mesma, enquanto punha os pés na rua. E só. Que mal havia nisso? E chutou para escanteio o sentimento de culpa e a expectativa que davam voltas nauseantes no seu estômago.

* * *

Ashling entrou correndo no bar. Estava atrasada. De novo.

— Marcus — disse, sem fôlego. — Me desculpe. A filha da puta da Lisa decidiu na última hora que eu tinha que digitar minha matéria sobre as aulas de equitação. Queria "tirar a temperatura" da edição de novembro. — Revirou os olhos em sinal de desprezo e, felizmente, Marcus a imitou. Era um sinal de que ele não podia estar tão furioso assim por ser deixado esperando no Thomas Reid por quase meia hora.

— Vou só tomar uma vodca-tônica quádrupla e depois a gente almoça, pode ser? Está pronto para outra cerveja?

Marcus se levantou.

— Senta aí, A Mais Trabalhadora de Todas as Jornalistas, que eu busco os drinques. Vai querer mesmo uma quádrupla?

Ashling se jogou numa cadeira, aliviada.

— Obrigada. Basta uma dupla.

Quando Marcus voltou com a bebida, tornou a se sentar e disse:

— Olha, eu queria te lembrar que vou para Edimburgo no dia dezesseis. Para o festival.

— Dezesseis de *agosto*? — Ashling ficou horrorizada. Tinha uma vaga lembrança de ele ter mencionado a viagem séculos atrás. — Mas é daqui a duas semanas... Olha — disse, frenética, morta de medo —, me desculpe mesmo, Marcus, mas não vou poder te acompanhar. Juro, você não acreditaria como as coisas estão lá na redação. Estamos a mil por hora, e *só* em relação à festa de lançamento ainda falta fazer um mundo de coisas, quanto à revista, então, nem se fala...

Marcus adquiriu uma expressão magoada.

— Eu poderia tentar descolar um fim de semana — propôs Ashling, sem fôlego. — Embora Lisa diga que vamos trabalhar todos os fins de semana, se eu pedir com jeitinho, é capaz de ela dizer...

— Não precisa.

Ela detestava quando ele ficava assim. Era ótimo a maior parte do tempo, mas, toda vez que se sentia inseguro ou desprezado, ficava frio e agressivo, e ela não suportava confrontos.

— Vou tentar — disse, desesperada. — Juro que vou.

— Não precisa.

— Olha só — sua voz tremia —, assim que agosto acabar, meu ritmo de trabalho vai ficar tranquilíssimo. De repente nós poderíamos viajar juntos, dar a sorte de arranjar passagens na alta temporada e passar uma semana na Grécia, ou algo assim. Ânimo! — tentou com brandura reavivar sua fisionomia de pedra. Não houve nenhuma reação. — Ah, vamos lá, Seu Hilário — bajulou-o. — Um dos maiores humoristas da Irlanda, conta uma piada para mim!

Marcus pulou de pé, quase como se tivesse sido catapultado da cadeira:

— Contar uma piada para você?! — indagou, com uma fúria tão mais chocante por ser inesperada. — É minha noite de folga, porra! Por acaso eu te peço para escrever um artigo sobre como fingir orgasmos nas *suas* noites de folga?

Ashling ficou petrificada.

Marcus apoiou a testa na mão.

— Putz, foi mal — disse, em tom cansado. — Foi mal mesmo.

— Entendo — disse Lisa, com fria educação. — Está bem, eu torno a ligar. — Bateu com o telefone e gritou: — Putos, putos, putos!

Bernard soltou um muxoxo e reclamou "Olha o linguajar", mas ninguém mais sequer pestanejou.

— O agente de Ronan Keating — berrou Lisa, para a desinteressada redação — está numa porra duma reunião. Pela zilionésima vez. Estamos a quase três semanas do Dia D e ainda não temos a coluna da celebridade!

Desesperada, cruzou os braços e deitou-se por cima do telefone, mas logo notou que Jack a estava observando. Ele levantou as sobrancelhas, numa expressão preocupada, do tipo "Você está bem?". Sempre fazia isso. Desde que ela chorara no seu escritório, sentia que ele lhe transmitia um apoio firme e silencioso — uma espécie de intimidade exclusiva de Lisa, que não dispensava a mais ninguém.

Mas, na prática, que proveito ela tirava daquelas sobrancelhas levantadas?, pensou, irritada. Era outra parte do corpo dele que queria que se levantasse para ela, muitíssimo obrigada! Bem, justiça fosse feita, ele acabara de sair de um relacionamento, e talvez precisasse de tempo para se recuperar. Mas, ora bolas, já havia tido pelo menos *duas semanas*! De quanto tempo mais iria precisar?

Sorriu para si mesma, triste. Também não andava se sentindo lá essas coisas, depois do episódio com Oliver. Tivera ímpetos de voltar voando para Londres e se enfiar na cama com ele, para nunca mais voltar. Ele ainda não lhe ligara, nem iria, obviamente, mas a vida precisava continuar...

— O excesso de trabalho está te deixando nervosa? — Jack se aproximou e sentou-se na beira de sua mesa.

Ela ficou mortalmente ofendida.

— Não, hum, é que... — Suspirou. — São essas celebridades filhas da puta, entende?

— Você nunca entrega os pontos. — A admiração estampada no rosto dele era digna de um retrato. — Está precisando dar um tempo? Que tal se comêssemos sushi no almoço? Comer bem ainda é uma das boas compensações da vida, não é?

— Prefiro ser bem comi... — Quando viu, as palavras já tinham saído de sua boca, provocadas pela visão de si mesma numa lauta transa com Jack.

— Hum, que foi que disse? — Ele soltou uma risada simpática, maliciosa.

— Nada. — Ela o encarou, mas sem conseguir conter um sorriso conivente. Os dois sustentaram um olhar demorado, para logo em seguida a tensão do flerte se desfazer simultaneamente em hilaridade.

— Você está me convidando para almoçar fora? — perguntou ela.

— Ah, não, me desculpe, não tenho tempo. Mas que tal um sushi para viagem, como da última vez?

— Pode ir arranjando outra pessoa para fazer o serviço sujo — foi logo disparando Trix.

— Eu vou — disse Jack, para surpresa geral da redação. — Alguém quer sushi? Quer, Ashling?

— Não, obrigada — disse Ashling, rabugenta, desconfiada de que ele estivesse apenas sendo condescendente com ela.

— Tem certeza?

— Absoluta.

— Nem se eu trouxer alguns dos mais mansinhos, e te apresentar pessoalmente a todos eles?

— Não.

— Está bem, então, já vou indo — anunciou Jack. — E fica calma — disse a Lisa. — Está tudo entrando nos eixos.

Embora ela dissesse a todos que seu trabalho era um cocô e que a revista estava "uma bela merda", Lisa não podia negar que estavam fazendo progresso. As seções de livros, filmes, música e Internet já estavam prontas, bem como a coluna de Trix sobre a vida de uma garota comum, o artigo sobre os quartos sexy de hotel, a matéria de Ashling sobre o clube de salsa, uma coluna espetacular de Jasper Ffrench, um perfil de uma atriz irlandesa que estrelara uma controvertida peça teatral erótica, uma coluna intimista da autora de best-sellers e o artigo "O Mundo É dos Homens", de Marcus, que todo mundo havia *adorado*. Além, é claro, daquela famigerada matéria de moda.

Oito páginas no começo da revista eram dedicadas a entrevistas com quatro astros irlandeses em início de carreira, todos na crista da onda — um designer de bolsas, um DJ, um personal trainer e um ecoguerreiro sexy e articulado que era o rei dos slogans. A coluna "O que é Uau e o que é Uó" de Lisa já estava quase pronta. Lisa fizera a maior parte em cinco minutos, e a passara a Ashling, para que a terminasse. De acordo com a lista de Lisa, saltos em altura eram "Uau" e saltos em acrílico eram "Uó".

— Os saltos em altura estão *mesmo* na moda? — indagou Ashling, surpresa.

— Não faço a menor ideia. — Lisa deu de ombros. — Mas combinou bem com os saltos em acrílico.

Além do conteúdo, o *visual* da revista estava um escândalo. As cores, as imagens e a diagramação eram um pouco diferentes das de outras revistas femininas, fazendo com que a *Garota* parecesse mais atual, mais descolada. Lisa infernizara Gerry ao limite da sua paciência, até encontrar um look que a satisfizesse.

— Onde você passeia de barco? — perguntou Lisa a Jack, enquanto ele arrumava o sushi sobre a mesa dela.

— Na marina de Dun Laoghaire.

— Dun Laoghaire — refletiu ela, com ar insinuante. — Nunca estive lá.

— Você gostaria.

— Preciso ir lá um dia desses.

— Precisa mesmo.

Pelo amor de Deus! Quantas deixas a mulher tem que dar neste país?

Talvez ele se sentisse intimidado diante de sua combinação de dinamismo e beleza, compreendeu ela. Não seria a primeira vez. E havia a complicação extra de trabalharem juntos. E de ela ser casada. E de ele estar saindo de um relacionamento...

Tudo bem! Ela compreendeu que não tinha escolha a não ser abrir a boca e dizer:

— Bem que você poderia me levar lá da próxima vez que for.

— Você gostaria de ir? — A avidez dele foi tão... bem... *ávida*, que Lisa soube na mesma hora que fizera bem em assumir o controle da situação. — Que tal sexta à noite? A gente pode dar uma caminhada pelo píer, e eu te mostro os barcos. É agradável, depois de um dia inteiro preso no escritório.

Hummmm. Dar uma caminhada pelo píer. Dar uma *caminhada* pelo píer. Lisa estava longe de ser uma mulher de caminhadas.

— Eu adoraria!

CAPÍTULO 48

Clodagh cravou os saltos dos sapatos nas nádegas dele, empurrando-o ainda mais fundo dentro de si. Cada vez que ele investia contra ela, duas palavras eram arrancadas de seu peito num sussurro rouco:

— Meu Deus!

Ele tornou a investir contra ela.

— Mais forte!

Outra investida.

O espaldar da cama batia ritmadamente na parede, e seus cabelos estavam desgrenhados, ensopados de suor. Estreitava-o cada vez mais contra si, enquanto as ondas de prazer cresciam e cresciam, elevando-a numa espiral até o vórtice. A cada espasmo, ela pensava que havia chegado ao fim, até que outro, ainda mais maravilhoso, vibrava dentro de si, espraiando-se por todo o seu corpo. E ela estremecia nesse paroxismo, sentindo-o nas pontas dos dedos, nos folículos pilosos, nas solas dos pés.

— Meu Deus — arquejou.

Provavelmente ele gozou também, porque, ofegante e encharcado de suor, ficou deitado em cima dela, seu peso imobilizando-a contra a cama. Ficaram imóveis, arfando, exaustos, até ela sentir o suor em seus corpos começar a perder o calor. Remexeu-se sob ele e o empurrou para o lado, brusca.

— Anda, se veste — ordenou. — Depressa, tenho que buscar Molly no grupo de atividades.

Esse era o terceiro encontro dos dois, e ela sempre se comportava com ele de maneira ríspida, quase fria, depois do sexo.

— Você se importa se eu tomar um banho?

— Não, mas não demora — respondeu ela, curta e grossa.

Quando ele saiu do banheiro, ela já estava vestida e se recusava a olhá-lo nos olhos. De repente ficou imóvel, farejou o ar e exclamou, incrédula:

— Esse cheiro é da loção pós-barba de Dylan?

— É — murmurou ele, furioso com o engano.

— Já não basta transar com a mulher dele na cama dele? Será que você não tem um pingo de respeito?

— Desculpe.

Com um silêncio contrito, vestiu as roupas que ela arrancara de seu corpo apenas uma hora antes.

— Quando posso ver você de novo? — Ficou com ódio de si mesmo por perguntar, mas não tinha escolha. Estava apaixonado.

— Eu te ligo.

— Posso faltar ao trabalho a hora que você quiser.

— Eu tenho vizinhos! — Ela estava irritada. — Eles vão acabar notando.

— Bom, você pode ir ao meu apartamento.

— Acho que não.

— Você age como se me odiasse — acusou ele.

— Sou casada! — ela levantou a voz. — Tenho filhos! Você está destruindo minha vida!

Na porta da frente, quando ele se inclinou para beijá-la, ela disse, furiosa:

— Pelo amor de Deus, alguém pode ver!

— Desculpe — ele murmurou.

Mas, quando já se virava para ir embora, ela o agarrou pela frente da camisa e o puxou de volta para si. Beijaram-se com uma avidez desesperada. Quando se separaram, a mão dele estava dentro da camisa dela, massageando um seio. Seus mamilos estavam inchados e firmes como cerejas, e ele novamente ereto.

— Anda logo — ela ordenou, as mãos desajeitadas na sua braguilha, puxando para fora e segurando na mão o pênis sedoso e ereto. Arriou-se no chão do vestíbulo, arrancando a calça jeans e puxando-o para cima de si.

— Depressa, a gente não tem muito tempo.

Flexionou as coxas, alteando os quadris ao seu encontro, desesperada por ele. Ele a penetrou, movendo-se em punhaladas curtas, intensas. Na hora as ondas começaram a inundá-la, crescendo em intensidade e espalhando-se por dentro e por fora de seu corpo, atingindo um patamar de prazer quase insuportável.

Depois de gozar, ele afundou o rosto nos cabelos louros dela e chorou.

CAPÍTULO 49

Na noite de sexta, vestindo tênis, calças cargo de seda e sua regata Prada em viscose, Lisa esperava diante da porta de casa. Tinha um encontro marcado com Jack, e experimentava uma sensação agradável e desconhecida vibrando dentro de si.

Um carro chegou, o homem em seu interior inclinou-se a fim de abrir a porta para ela e, sentindo-se um pouco como uma prostituta de rua sendo apanhada por um freguês motorizado, Lisa entrou. Fazendo-se de surda para o corinho de gritos de Francine e das outras garotas — "Uaaaaaaaau!", "Seck-*zee*!" e "Lisa arrumou um namorado!", ela deixou a rua para trás, ao lado de Jack.

— Ora, ora, não é que você veio? — Jack abriu um sorriso.

— Ao que tudo indica. — Ela espiou pela janela, mordendo os lábios para prender o riso. Ele estava nervoso. E, para dizer a verdade, talvez ela não lhe ficasse muito atrás.

Durante o percurso, o céu, até então claríssimo na cidade, adquiriu uma carregada coloração azul-acinzentada, típica de tempestade. Quando saíram do carro no píer de Dun Laoghaire, Jack apurou o olfato, inconvicto:

— É capaz de chover. Quer deixar o passeio para outro dia?

Mas Lisa resolvera ser otimista, por puro capricho. Não ousaria chover.

— Não, vamos lá. — E puseram-se a caminhar.

Os raios de sol excessivamente brilhantes filtrados por entre as nuvens túmidas conferiam a tudo uma aparência quase suprarreal. O verde das moitas esparsas de relva brilhava como se estivesse aceso, num efeito quase alucinatório. A pedra cinzenta do píer emanava um tom roxo aos olhos de Lisa. Qualquer idiota veria que estava prestes a desabar um toró daqueles, mas Lisa pusera na cabeça que não.

Então era isso que era caminhar, pensou ela, ao que avançavam. Até que não era tão mau assim. Mas o ar bem que tinha um cheirinho diferente...

— Cheiro de frescor. — Jack matou a charada para ela. — Está vendo aquele barco ali? — apontou, orgulhoso. — É o meu.

— *Aquele?* — Excitadíssima, Lisa fez um gesto em direção a um verdadeiro palacete, reluzente de tão branco, de design elegante.

— Não, aquele outro.

— Ah. — Foi só então que Lisa notou ao lado o barquinho caqueirado. Pensara que fosse um pedaço de pau à deriva. — Fabuloso! — encontrou forças para dizer. Afinal, se ele gostava do cacareco, por que não fingir? *Caramba,* pensou ela, *eu devo* mesmo *gostar deste cara.*

Antes de chegarem à metade do píer, a chuva começou a cair em pingos delicados. Lisa se vestira para muitas eventualidades, mas um pé-d'água não estava entre elas. Arrepios repuxaram a pele de seus braços nus.

— Toma aqui, veste isto. — Jack já estava despindo sua jaqueta de couro.

— Não, não posso aceitar. — É claro que podia (e iria), mas um pouco de cu-doce não faz mal a ninguém.

— Pode, sim. — Ele já ajeitava a jaqueta ao redor dos ombros dela, o calor de seu corpo a envolvê-la. Ela deslizou os braços pelas mangas ainda quentes, os punhos cobrindo suas mãos, os ombros a afogá-la. A jaqueta estava enorme nela, e a sensação era deliciosa.

— É melhor a gente voltar — disse ele. No momento em que a chuva apertou, puseram-se a correr. Pareceu-lhes a coisa mais natural do mundo fazê-lo de mãos dadas. — Você nunca mais vai voltar aqui comigo — disse ele, ofegante, durante a carreira.

Quando chegaram ao carro, Jack estava ensopado. Seu cabelo estava negro, brilhante, colado ao couro cabeludo, e sua camisa encharcada, semitransparente e colada ao corpo, deixando entrever, para tormento de Lisa, os pelos que lhe recobriam o peito. Ela não estava muito mais seca do que ele.

— Minha nossa! — Com uma estridente gargalhada de ultraje, ele vistoriou sua própria figura.

— Abre o carro, depressa! — ordenou Lisa, resfolegante, sentindo-se no melhor dos humores.

Mais tarde, ao relembrar aquele momento, não saberia dizer qual dos dois tomara a iniciativa. Ele? Ou ela? Só sabia que, subitamente, os dois se atiraram nos braços um do outro, o corpo dela sentindo a dureza muscular do dele, suas coxas molhadas contra as dela. O rosto dele estava pontilhado de gotas de chuva e seus cabelos divididos em pontas semelhantes a calhas, por onde a chuva escorria, indo pingar sobre seus olhos escuros. Então, ele abaixou a boca em direção à dela.

Lisa estava consciente de várias coisas: do cheiro salgado do mar fustigado pela tempestade, das frias gotas de chuva escorrendo por seu rosto, do calor da boca de Jack e da alta taxa de umidade em sua calcinha. Era tudo de uma sensualidade extrema. Ela se sentiu saída direto de um anúncio de Calvin Klein.

O beijo não foi longo, chegando ao fim antes mesmo de engrenar. Mais qualidade do que quantidade. Delicadamente descolando os lábios dos dela, Jack a conduziu ao carro e sussurrou: "Entra aí."

Voltaram para a cidade e foram para um café-bar, onde ela secou os cabelos sob o secador de mãos do banheiro. Em seguida refez sua maquiagem e voltou para o bar, com um largo sorriso.

— E aí, Marcus Valentine está mesmo namorando a nossa Ashling? — perguntou Jack.

— Hum-hum. E o que você acha de Kelvin e Trix?

— Não vai me dizer que os dois estão de caso! — Jack pareceu chocado à ideia. — Pensei que ela estivesse namorando o tal de... como é mesmo que ela chama o sujeito?... *Arraia-Miúda*.

— E está, mas algo me diz que ela e Kelvin são capazes de acabar juntos.

— Mas eles não são meio inimigos um do outro?... Ah, já entendi. — Jack assentiu. — Um daqueles casos.

— Você fala como se não aprovasse — comentou Lisa, extremamente curiosa.

Jack ficou constrangido.

— Gosto não se discute. Mas... — Estava se referindo a seus quebra-paus em público com Mai, e agora estava *muito* constrangido.

— ...não faz nem um pouco o meu gênero essa rotina de brigas entre namorados. Embora saiba que deva ser difícil de acreditar.

— Então por que você e Mai...?

Jack se remexeu.

— Não sei. Sinceramente. Por hábito, de repente. Era legal no começo, e, além disso, acho que nenhum de nós conhecia qualquer outro tipo de relacionamento. Enfim! — Não queria dissecar mais seu caso, pois ainda se sentia atado a Mai por uma espécie de lealdade, de modo que se voltou para Lisa com um sorriso: — Quer outro drinque?

— Não, acho que não...

Mas, quando ela estava prestes a pousar a mão significativamente sobre a coxa dele e perguntar "Quer voltar para tomar um café?", Jack disse "Muito bem, vou te levar para casa", e ela soube que essa era a sua única intenção. Mas, otimista como sempre, pensou: tudo bem — ele gostava dela. *Devia* gostar — afinal, a beijara. Não podia ter sido melhor com ela. E ela fechou a mente à vozinha que rebateu: *Ele podia ter sido melhor, sim, podia ter comido você.*

Com ar sonhador, Clodagh se deslocava pela cozinha afora, pensando no sexo que fizera horas antes. Fora inacreditável, o melhor que...

Enquanto punha o açúcar no micro-ondas e o leite na máquina de lavar, Dylan a observava. E pensava. Pensamentos horríveis. Pensamentos indizíveis.

— Não quero meu jantar. — Craig atirou a colher na mesa com estrépito. — Quero CHOCOLATE.

— Chocolate — disse Clodagh, com uma vozinha cantada, vasculhando o armário e retirando um saco de bombons. — O senhor é quem manda.

Parecia dançar ao som de uma música que só ela ouvia.

— Também quero chocolate — rosnou Molly.

— Também quero chocolate — Clodagh cantarolou com vozinha fina, localizando outro saco.

Dylan a tudo assistia, horrorizado.

Com um rapapé brincalhão, abriu o saco de bombons de Molly, extraindo um entre o polegar e o indicador.

— Para você? — perguntou a Molly, com ar radiante. — Não, para mim. — Ignorando os histéricos protestos de Molly, encostou o bombom nos lábios fechados, chupando-o de leve, e então aspirou-o lentamente para o interior da boca, onde o revirou com a língua de um lado para o outro de um modo que lhe proporcionava óbvio e imenso prazer.

— Clodagh? — A voz de Dylan falhou.

— Hummm?

— Clodagh?

No ato ela voltou a si, dando cabo do bombom com uma dentada brutal.

— Que é?

— Você está bem?

— Estou ótima.

— Você parece meio distraída.

— Pareço?

— No que estava pensando? — perguntou Dylan, sem sentir.

Rápida como um raio, ela respondeu:

— Estava pensando no quanto te amo.

— É mesmo? — tornou Dylan, desconfiado. Sentia-se dividido. Suspeitava que não devia acreditar nela, mas, por outro lado, queria tanto...

— É, eu te amo muito, muito. — Ela se forçou a passar os braços por ele.

— Sinceramente? — Ele conseguiu fazer com que seus olhos se encontrassem.

Ela enfrentou o olhar dele com toda a calma:

— Sinceramente.

CAPÍTULO 50

À medida que o mês de agosto ia passando, a carga de trabalho aumentava. Ainda havia lacunas na primeira edição, e todas as tentativas de preenchê-las foram inúteis. Tiveram que cancelar uma entrevista com Ben Affleck quando ele foi vítima de uma intoxicação alimentar, uma resenha sobre uma sapataria teve que ser derrubada depois de a loja fechar de uma hora para a outra, e uma matéria sobre freiras sexualmente ativas foi considerada arriscada demais do ponto de vista legal.

Houve um dia, especificamente, em que os obstáculos se acumularam de maneira tão frustrante, que Ashling e Mercedes choraram. Até Trix estava com um brilho suspeito nos olhos. (Saiu do escritório, enfiou-se numa lojinha ali por perto, roubou um par de brincos e voltou se sentindo muito melhor.)

O que aumentava a tristeza de todos era o fato de não poderem se dar ao luxo de dedicar seu tempo e atenção integrais à primeira edição. Porque também estavam trabalhando nas edições de outubro e novembro. Em meio ao pandemônio, Lisa convocou uma reunião para tratar da edição de dezembro.

Mas, apesar da amarga resistência, não estava sendo uma "filha da puta escravocrata". As resenhas dos filmes de dezembro eram feitas em agosto. Se o ator principal de um filme estivesse na cidade, a entrevista teria que ser feita lá, naquele exato momento, e não duas semanas depois, quando a carga de trabalho da *Garota* tivesse diminuído e o ator já tivesse se mandado há muito tempo para outro país.

E também havia a festa de lançamento, é claro, com a qual Lisa estava obcecada.

— Tem que passar alguma mensagem forte, causar sensação. Quero que as pessoas *chorem* se não forem convidadas. Quero uma lista de convidados espetacular, presentes deslumbrantes, drinques geniais e uma comida maravilhosa. Vamos ver — tamborilou com os dedos na mesa. — Que comida a gente deve servir?

— Que tal sushi? — sugeriu Trix, sarcástica.

— Perfeito! — Lisa suspirou, com os olhos brilhantes. — Claro, que outra coisa poderia ser?

Ashling ficou encarregada de organizar uma lista de mil bambambãs da imprensa irlandesa.

— Não sei se a Irlanda tem tanto bambambã assim, não — disse, em tom de dúvida. — E você ainda quer dar presentes para todos eles... Onde vai conseguir a verba?

— A gente arranja algum patrocinador, de repente uma empresa de cosméticos — soltou Lisa, ríspida.

Lisa estava ainda mais azeda do que de costume. Três dias depois do minibeijo, Jack fora para New Orleans participar da conferência mundial da Randolph Communications. E iria passar dez dias lá! Desculpara-se por abandonar a equipe numa época tão atribulada, mas Lisa ficou muito mais puta da vida com o fato de sua ausência quebrar o embalo do romance dos dois.

— Deem só uma olhada no convite da festa. — Lisa atirou um cartão prateado e liso diante de Ashling e Mercedes.

— Hum, lindo — disse Ashling.

— Umas palavrinhas cairiam bem. — Mercedes sorriu, com ar debochado.

Lisa suspirou, irritada:

— Estão aí.

— Então que tal torná-las visíveis a olho nu?

Ashling e Mercedes se inclinaram e viraram o cartão até a luz incidir sobre ele de um determinado ângulo, finalmente revelando as palavras — também prateadas, minúsculas e espremidas num canto.

— Isso vai deixar todo mundo intrigado — disse Lisa, séria.

Ashling ficou preocupada. Tinha a impressão de que o golpe tropeçava na própria esperteza. Se encontrasse aquele cartão na sua caixa de correio, não hesitaria em jogá-lo fora.

Lisa viajou para Londres, onde passaria o resto do dia discutindo os drinques da festa com um "mixologista".

— O que é um mixologista? — perguntou Ashling.

— Um barman — disse Mercedes, irônica. — Uma coisa que nunca falta nesse país.

Mercedes ouvira por alto um telefonema de Lisa, e suspeitava que fosse para marcar hora com um médico a fim de aplicar uma injeção de Botox enquanto estivesse em Londres, e que essa era a verdadeira razão pela qual viajara para lá. Com efeito, quando Lisa voltou, no dia seguinte, sua testa estava tão dura que parecia blindada. Mas também trazia uma lista de drinques Descolados-é-Apelido: os convidados seriam recebidos com um coquetel de champanhe, seguido por martínis de limão, após o que os garçons serviriam cosmopolitans, manhattans, go-gos de rum e, finalmente, expressos de vodca.

— Ah, sim, e também já escolhi os presentes — disse Lisa, em tom de acusação. Será que era a única por ali que trabalhava? — Quando cada convidado for embora, vamos presenteá-lo com um vidro de cocô.

— Um o *quê*? — Ashling fez um ar entre cansado e perplexo — se essa era a ideia que Lisa fazia de uma piada, era da mais extrema pobreza.

— Cocô. Um vidro de cocô.

— Você vai dar um vidro de cocô para mil bambambãs da imprensa irlandesa? — Não tinha forças para rir. — Mas é cocô que não acaba mais. Onde é que vai conseguir? Será que todos vamos ter que dar nossa contribuição?

Boquiaberta, Lisa encarava Ashling.

— Na Chanel, é claro.

Imediatamente Ashling projetou uma imagem mental de centenas de funcionários da Chanel evacuando ao mesmo tempo, especialmente para Lisa.

— É muita gentileza da parte deles. — Do que é que Lisa *estava falando*?

— É só o vidrinho de 50 ml — insistia Lisa, ainda falando de seu universo paralelo. — Mas acho que está de bom tamanho, não? — Levantou um vidrinho de *Coco*.

— Ah — suspirou Ashling, finalmente compreendendo. — Você quer dizer *Coco*!

— É, cocô. Ora, o que você pensou que eu tivesse dito?

Preciso de um tempo, compreendeu Ashling.

Ligou para Marcus, que saudou-a dizendo: “Oi, estranha.”

— Hum, tá certo, ha, ha, ha. Me encontra na hora do almoço?

— Vai dar para reservar um tempinho? Quanta honra.

— Meio-dia e meia no Neary’s. — Ela não podia suportar isso.

— Vem cá que eu quero te contar uma coisa hilária. — Ashling estava pronta para soltar sua história da confusão cocô/Coco, quando Marcus retorquiu:

— Olha, o engraçado aqui sou eu, tá legal?

Ashling ficou atônita. Olhou para ele, boquiaberta.

— Que é que há com você?

— Nada. — Marcus ficou subitamente humilde. — Poxa, foi mal.

— É porque eu estou trabalhando demais, não é? — Ashling resolveu pegar o touro pelos chifres. Andavam tendo algumas rusgas nos últimos tempos, pelo fato de ele se sentir abandonado. — Marcus, se isso te serve de consolo, você é a única pessoa que eu vejo. Não vejo Clodagh, Ted, Joy ou quem quer que seja, e não vou às aulas de salsa há séculos. Mas, daqui a duas semanas, essa revista vai ser lançada, e a vida vai voltar ao normal.

— Tudo bem — disse ele, em voz baixa.

— Vai lá em casa hoje à noite — pediu. — Por favor. Daqui a alguns dias você vai para Edimburgo e vou ficar uma semana sem te ver. Prometo não pegar no sono.

Ele se dignou brindá-la com um meio sorriso:

— Alguma hora você vai ter que dormir.

— Mas vou ficar acordada tempo o bastante para, hum... vou ficar acordada tempo o bastante — prometeu, em tom sugestivo.

Ela andara *mesmo* deixando Marcus em segundo plano. Não conseguia se lembrar da última vez que haviam feito amor. Provavelmente há apenas uma semana, mas era tempo demais. No entanto, não podia fazer nada; estava estressadíssima, caindo pelas tabelas. Na verdade, era um alívio que ele fosse viajar.

— Se você estiver se sentindo cansada demais, não quero te cansar mais ainda. — Ele lhe lançou um olhar preocupado.

— Não estou cansada demais. — Dava para aguentar as pontas por uma noite, não dava?

Como desejava que o dia trinta e um de agosto chegasse logo! Depois disso, tudo voltaria ao normal.

Agitada e com os olhos vermelhos, Clodagh inspecionou a mesa da cozinha. Não havia mais nada para passar a ferro. Passara tudo: as camisetas de Dylan, suas calças, suas cuecas, até mesmo suas meias.

A culpa, a culpa, a culpa horrível, corrosiva. Mal podia se suportar, tinha vontade de arrancar a própria pele, tamanho era o ódio que sentia de si mesma.

Pagaria a todos pelo que fizera. Seria a esposa e mãe mais devotada que jamais existira. Craig e Molly iriam comer tudo nos seus pratos. Gemeu baixinho: que tipo de mãe se tornara? Dando-lhes biscoitos assim que pediam, deixando-os ficarem acordados até a hora que queriam. Mas passaria a ser *muito* rigorosa. Quase perigosa, na verdade. E o coitado do Dylan. O coitado do Dylan, tão devotado e trabalhador, não merecia uma coisa dessas. A traição, a crueldade terrível, o frio corte de seu amor: não conseguira mais deixar que ele a tocasse desde que começara a ter aquele caso.

Caso. Ela estava *tendo um caso*. Cambaleou numa vertigem diante da magnitude de seu ato. E se fosse apanhada? E se Dylan descobrisse? A ideia quase fez seu coração parar de bater. Pois trataria de acabar logo com aquilo. Já!

Sentia ódio de si mesma e do que estava fazendo e, se acabasse com tudo antes que alguém descobrisse, poderia remediar a situação, quase como se nunca tivesse acontecido. Inflamada por essa determinação, tirou o fone do gancho.

— Sou eu.

— Oi, sou eu.

— Quero acabar com tudo.

Ele suspirou:

— De novo?

— Estou falando sério, não vou mais ver você. Não me telefone mais nem apareça na minha casa. Amo meus filhos e meu marido.

Depois de uma pausa cheia de chiados, ele disse:

— Tudo bem.

— Tudo bem?

— Tudo bem, eu entendo. Adeus.

— Adeus?

— Que mais eu posso dizer?

Ela tornou a repor o fone no gancho. De repente, sentiu-se ludibriada. Onde estava a doce recompensa por ter feito o que era certo? Em vez de recebê-la, sentiu-se insatisfeita, vazia... e profundamente ferida. Ele praticamente não protestara. Era assim que demonstrava o quanto era louco por ela. Filho da mãe.

Horas antes, chegara a acalentar a tresloucada ideia de cerzir os buracos nas meias de Dylan, em mais uma tentativa desesperada de demonstrar seu amor por ele. Mas, ao voltar para a cozinha, morta de desânimo, toda a sua determinação de amélia se esfacelou. Foda-se, pensou, apática. Dylan podia comprar meias novas.

Quase a contragosto, correu de volta para o vestíbulo, agarrou o fone e apertou a tecla “redial”.

— Alô? — disse ele.

— Vem para cá agora. — Sua voz de choro estava carregada de raiva. — As crianças não estão, temos até as quatro da tarde.

— Já estou indo.

Eram oito e meia da noite quando Ashling saiu do escritório. Nauseada de exaustão, não conseguiu encarar a caminhada de dez minutos até sua casa, de modo que tomou um táxi. Atirando-se no banco traseiro, verificou os recados em seu celular. Só havia um. De Marcus. Não iria aparecer aquela noite — qualquer coisa a ver com um show. Graças a Deus, Ashling suspirou. Agora poderia ligar para Clodagh, e depois ir direto para a cama. E, dentro de duas semanas, quando tudo isso terminasse, daria uma atenção especial a Marcus...

Ao sair do táxi encontrou Boo, que estava com um olho roxo.

— Que foi que aconteceu com você?!

— *Saturday night is all right for fighting** — citou. — Foi umas noites atrás. Um cara bêbado, a fim de encrenca. Ah, as alegrias da vida nas ruas!

— Que horror!

As palavras saíram antes que Ashling pudesse se conter.

— Você se importaria se eu perguntasse por que você é, hum, sem-teto?

— É interessante do ponto de vista profissional — tornou ele, impassível. — Faturo duzentos paus por dia mendigando, aliás, todos nós, sem-teto, faturamos, você não leu sobre isso nos jornais?

— É mesmo?

— Não — debochou ele, sarcástico. — Tenho sorte quando faturo dois paus. É a velha história: sem emprego você não arranja casa, sem casa você não arranja emprego.

Ashling conhecia esse conceito, mas nunca acreditara que de fato descrevesse uma realidade.

— Mas você não tem uma, bem, hum, família para te ajudar? Pais, por exemplo?

— Sim e não. — Com um leve riso, ele disse: — A coitada da minha mãe não tem uma saúde de ferro. Mentalmente falando. E meu pai fez uma imitação muito boa do Homem Invisível quando eu tinha cinco anos. Fui criado em lares adotivos.

— Ah, meu Deus. — Ashling estava arrependida de ter aberto a discussão.

— É, eu sou um clichê ambulante — lamentou-se Boo. — É muito constrangedor. E eu não conseguia me adaptar a nenhum dos lares adotivos porque queria ficar com minha mãe, daí consegui chegar até o último ano da escola pública sem passar numa única prova. Ou seja, mesmo que eu arranjasse uma casa, provavelmente não arranjaria um emprego.

— Por que o governo não abriga você?

— Mulheres e crianças primeiro. Se eu pudesse engravidar, teria mais chances. Mas os homens sem filhos têm que ser capazes de tomar conta de si mesmos, de modo que somos a última prioridade do governo.

* "Sábado à noite é bom para brigar". Título de um hit de Elton John.

— E os albergues? — Ashling ouvira falar na existência desses lugares.

— Não têm vaga. Sem-teto é o que não falta nesta cidade.

— Ah. Ah, isso é terrível. Tudo isso.

— Desculpe, Ashling. Estraguei seu dia, não estraguei?

— Não — ela suspirou. — Já não estava indo muito bem, mesmo.

— Ah, terminei de ler *Dias Sinistros* — disse ele, às suas costas. — Aqueles serial killers são mesmo mestres em mutilar os outros. E já estou na metade de *Entrando nos Eixos!*, e cheguei a contar a palavra "trepada" treze vezes numa só página.

— Imagina só. — Ela estava sem forças para as "resenhas literárias" de Boo.

Ashling subiu com grande esforço a escada, serviu-se um copo de vinho, apertou uma tecla na secretária-eletrônica e ficou à espera dos recados. Depois de uma longa ausência, os recados de Cormac estavam de volta. Pelo visto, os bulbos de jacinto seriam entregues no próximo fim de semana, mas as tulipas ainda demorariam mais um pouco.

Em seguida, encabulada, Ashling ligou para Clodagh. Fazia duas semanas que não falava com ela, desde o fim de semana que passara em Cork.

— Me desculpe, me desculpe mesmo — humilhou-se Ashling. — E provavelmente também não vou poder ver você até depois do lançamento dessa joça de revista. Fico na redação até as nove quase todos os dias, e estou tão cansada que já nem sei meu próprio nome.

— Tudo bem, eu vou viajar, mesmo...

— De férias?

— Vou viajar sozinha na semana que vem. Passar uns dias num spa em Wicklow... Porque estou estressada de tanto trabalhar — arrematou Clodagh, num tom subitamente feroz e defensivo.

De repente, Ashling se lembrou com chocante clareza da preocupação de Dylan em relação a Clodagh, da conversa que haviam tido alguns meses atrás, naquele verão. De súbito, foi assaltada por uma sensação muito, muito ruim. O pressentimento de uma desgraça. Clodagh estava em apuros, e sua situação se encontrava à beira de um grande desfecho.

O sentimento de culpa e o medo tomaram conta de Ashling.

— Clodagh, alguma coisa está acontecendo, não está? Eu lamento tanto, mas tanto, por não ter estado ao seu lado. Me deixa ajudar, por favor, me deixa ajudar, é bom falar sobre essas coisas.

Clodagh começou a chorar baixinho, e nesse momento o medo verdadeiramente se apoderou de Ashling. Algo inequivocamente estava errado.

— Me conta — insistiu Ashling.

Clodagh se limitou a soluçar.

— Não, não posso, sou uma pessoa horrível.

— Não é, não, você é fantástica!

— Você não sabe, sou tão má, você não faz ideia, e você é tão boa... — Chorava tanto que suas palavras se tornaram incoerentes.

— Vou dar um pulo aí — ofereceu-se Ashling, desarvorada.

— Não! Não, por favor, não faz isso! — Depois de soluçar mais um pouco, Clodagh fungou, anunciando: — Está tudo bem. Estou bem, agora. Juro.

— Eu sei que não está. — Ashling sentiu que ela estava lhe escapulindo.

— Estou, sim. — Sua voz saiu quase firme.

Assim que desligou o telefone, Ashling começou a tremer. Ted. O puto do Ted. Tinha um pressentimento... Com os dedos trêmulos, digitou seu número e disse, em tom acusador:

— Não tenho visto muito você ultimamente!

— E de quem é a culpa? — rebateu ele, magoado. Ou defensivo?

— Tem razão, desculpe, é o trabalho. Que tal a gente sair para tomar umas e outras?

— Maravilha! Hoje à noite?

— Hum, que tal semana que vem?

— Não, não posso.

— Por que não?

Não diz, não diz...

— Vou viajar uns dias.

Ah, meu Deus. Ela ficou sem fôlego como se tivesse levado um murro no estômago.

— Com quem?

— Com ninguém. Vou participar do Festival de Edimburgo.

— É mesmo?

— É, é mesmo. — A linha telefônica estava envenenada de hostilidade.

— Bom, boa sorte na sua viagem a *Edimburgo* com ninguém – disse Ashling, sarcástica, desligando em seguida. Pediria a Marcus para ficar de olho em Ted e lhe contar se visse Ted com Clodagh, ou — o que seria ainda mais sintomático — se não visse nem sinal de Ted.

CAPÍTULO 51

Numa sucessão vertiginosa de dias histéricos e noites insones, chegou o dia do lançamento da *Garota*, trinta e um de agosto. Cedo demais, cedo demais.

Ashling foi acordada por sua velha conhecida, a dor que lhe apunhalava o ouvido esquerdo seguidamente, como um alfinete de chapéu. Já devia saber. Com o senso de oportunidade que lhe era peculiar, seu ouvido infalivelmente escolhia as ocasiões mais inconvenientes para dar sinal de vida — a primeira prova do certificado de conclusão do Ensino Médio, o primeiro dia num novo emprego. Se a tivesse deixado na mão hoje — "O dia mais importante de sua vida profissional", segundo Lisa —, ela teria ficado quase decepcionada.

Quase, mas não totalmente, pensou, engolindo quatro comprimidos de paracetamol e enfiando uma bola de algodão na orelha. Isso estragaria tudo. Não poderia lavar o cabelo imundo porque correria o risco de respingar água no ouvido, teria que ir ao médico antes de ir trabalhar e ainda seria obrigada a encaixar no horário de almoço uma visita ao cabeleireiro que não estava no programa.

Teve de suplicar à recepcionista do Dr. McDevitt para que lhe arranjasse uma hora bem cedo, e depois *implorar* ao médico para que lhe receitasse um analgésico decente.

— Os antibióticos demoram alguns dias para fazer efeito — argumentou, em tom de súplica. — Não estou conseguindo nem pensar direito com essa dor.

— E nem deveria estar pensando — censurou ele. — Deveria estar em casa, de cama.

Enlouqueceste, meu bem?! Assim que ela passou a mão na receita, teve que comparecer à estreia de um filme, onde todo mundo que conheceu passou o tempo inteiro conversando com seu cabelo sujo.

O filme durou três infindáveis horas, que ela passou se remexendo, inquieta, pensando em todo o trabalho que poderia estar adiantando no escritório. E pensar que um dia achara esse tipo de trabalho glamouroso!

Assim que os créditos começaram a subir, agarrou o release da mão da moça que os distribuía e picou a mula. Dez minutos depois, um novo recorde, irrompeu na redação quase deserta da *Garota*, tropeçando em sandálias de festa e esbarrando em vestidos pendurados nas portas e arquivos. O telefone de Lisa estava tocando, mas, quando o atendeu, já haviam desligado. Avançou para seu próprio telefone, apenas para descobrir que não havia a menor esperança de arranjar uma hora numa terça-feira durante o horário de almoço. Nem mesmo quando tentou os salões que tinham uma eterna dívida de gratidão com a *Garota*.

— Uma emergência? — disse o primeiro. — É, estamos sabendo do lançamento hoje à noite. Lisa está aqui.

Bom, aquele era carta fora do baralho. Lisa ia receber um serviço de luxo, com isso gastando a quota inteira de favores devidos. Em seus telefonemas para outros salões, Ashling apurou que Mercedes, Trix, Dervla, até mesmo a Sra. Morley e Shauna Honey Monster haviam usado o nome da *Garota* para descolar uma hora.

Não é por nada não, mas que tipo de tolinha você é?

Mas não podia perder tempo se repreendendo — já começava a entrar em pânico. Seu cabelo estava *rançoso*. Teria que lavá-lo ali mesmo. Felizmente, a redação vivia atulhada de produtos de beleza para cabelos — a variedade era tamanha que podiam se encontrar até mesmo itens básicos, como xampu. Mas ela precisaria de ajuda, e a única pessoa presente na redação era Bernard, todo produzido com sua melhor camisa-de-meia estampada de losangos, em homenagem à ocasião.

— Bernard, você seria meu adorável assistente e me ajudaria a lavar o cabelo?

Ele fez uma expressão horrorizada.

— Estou com uma infecção no ouvido — explicou ela, com toda a paciência. — Preciso de ajuda, para a água não entrar no meu ouvido.

Ele se contorceu todo, aflito.

— Pede para uma das meninas te ajudar.

— Dá só uma olhada, não tem ninguém aqui. E eu tenho que entrevistar Niamh Cusack em menos de uma hora. Tem que ser agora.

— E quando você voltar?

— Tenho que ir direto para o hotel para ajudar a organizar tudo. Por favor, Bernard!

— Ah, não — ele se contorceu. — Não posso, não seria certo.

Pelo amor de Deus! Que dia dos infernos! Mas, também, o que ela podia esperar? Bernard tinha quarenta e cinco anos e ainda morava com a mãe.

— De mais a mais, tenho que ir ao banco — mentiu ele. E foi logo tratando de dar o fora.

Ashling sentou, descaindo o tronco sobre a mesa, as lágrimas já à beira de saírem para confortá-la. Seu ouvido doía, estava exausta, teria que ir à festa com o cabelo duro, imundo, oleoso, quando todas as outras pessoas estariam maravilhosas. Cobriu o ouvido latejante com a mão em concha e permitiu que algumas lágrimas arriscassem escorrer pelo rosto abaixo.

— Que foi que houve?

Ela levou um susto. Era Jack Devine, que a analisava com uma expressão quase preocupada.

— Nada — murmurou ela.

— Que foi que houve?

— A festa de hoje à noite — disse ela, ressentida. — Meu cabelo está sujo, não consigo arranjar uma hora no cabeleireiro por nada no mundo, não posso lavar a cabeça sozinha porque estou com uma infecção no ouvido e ninguém quer me ajudar a lavar aqui mesmo.

— Quem é ninguém? Bernard? Então foi por isso que ele deu no pé daquele jeito? Quase me derrubou quando saiu do elevador.

— Ele foi ao banco.

— Não foi, não. Ele só vai ao banco na sexta. Caramba, você deve ter dado um susto e tanto nele.

Jack riu gostosamente, sob o olhar mal-humorado de Ashling. Em seguida colocou em cima de uma mesa sua pilha de documentos e bruscamente entrou em ação.

— Muito bem, vamos lá!

— Lá aonde?

— Ao banheiro, lavar seu cabelo.

Ela voltou o rosto para ele.

— O senhor está ocupado — relembrou-o. Ele sempre estava ocupado.

— Não vai demorar muito lavar seu cabelo. Vamos lá!

— Qual banheiro? — perguntou ela, por fim.

— O dos hom... — ele começou, mas logo se interrompeu. Entreolharam-se, indecisos. — Mas...

— O dos homens não — disse ela, o mais categórica que pôde.

— Mas...

— Não. — Se já era bastante ruim deixar Jack Devine lavar seu cabelo, de quebra ter que encarar uma fileira de urinóis na parede era impensável.

— Tudo bem — suspirou ele, vencido.

— Não se parece nem um pouco com o nosso. — Jack se postava no umbral, olhando para o inócuo banheiro como se fosse uma coisa notável, quase apavorante.

— Entra aí — ordenou Ashling, ríspida, tentando disfarçar seu constrangimento. Sacou do chuveirinho de borracha que uma fábrica de xampus mandara de brinde para a redação e tentou prendê-lo à torneira várias vezes, mas ele sempre se enroscava de novo, como uma sanfona. — Merda imprestável — disse, trincando as mandíbulas. Será que esse dia ainda podia ficar pior?

— Dá aqui. — Ele se inclinou sobre ela, que tratou imediatamente de sair da sua frente. Com um único tranco vertical, prendeu o chuveirinho na torneira.

— Obrigada — resmungou ela.

— E agora? — Ele a observou molhar apressada as mãos sob os finos filetes d'água, ajustando a torneira até atingir a temperatura certa.

Abaixando a cabeça para a frente, inclinou-se sobre a pia de porcelana branca.

— Primeiro, molha o cabelo. E cuidado com o meu ouvido. — Meu Deus, ninguém merecia isso!

Meio sem jeito, ele apanhou o chuveirinho sibilante e, a título de experiência, arriscou passar um jato sobre a cabeça de Ashling. Seu cabelo castanho tornou-se no ato uma massa negra.

— Tem que molhar *todo* ele — disse ela, a voz abafada por estar de cabeça para baixo.

— Eu sei! — Ela sentiu quando ele se deteve assustado diante de seu ouvido esquerdo — o ouvido bom — e levantou o cabelo, separando-o sistematicamente em mechas e ensopando-o todo até a raiz, depois até o pescoço. Pinicava, e não era uma sensação desagradável.

Como ele se esticava para alcançar toda a cabeça, seu corpo se curvava sobre as costas maleáveis de Ashling, sua coxa encostando no quadril dela. Ao mesmo tempo que ela se dava conta de que podia sentir o calor dele, atingia-a a aguda consciência de que a porta estava fechada. Estavam a sós. Começou a suar.

Quando uma pinicante trilha de água começou a rastejar em direção ao seu ouvido direito, o medo a distraiu:

— Cuidado!

— Tá bem! — Jack ficou decepcionado. Achava que estava se saindo muito bem para um homem que nunca lavara o cabelo de mais ninguém além do próprio.

— Desculpe. — A voz dela saiu abafada. — É que se entrar água, o tímpano pode se perfurar. Já aconteceu duas vezes.

— Tudo bem, já entendi o drama. — Ele tornou os gestos mais lentos e, com os dedos, abriu sulcos suavemente para desviar a água da zona de perigo. Para sua surpresa, havia algo no arco de pele da parte de trás de sua orelha que o comoveu da maneira mais insólita. Aquela linhazinha de inocente maciez, anterior à parte de onde o cabelo brotava, pujante. Parecia tão patética, encantadora, inexplicavelmente corajosa. E aquelas bolas de algodão enormes, idiotas, brotando de cada uma das orelhas... Ele engoliu em seco.

— Xampu — ela o interrompeu. — Põe um pouco no cabelo, e depois esfrega até fazer espuma...

— Ashling, eu sei como xampu funciona.

— Ah. É claro.

Seus dedos lentamente se puseram a massagear o couro cabeludo dela em círculos, espalhando o xampu por toda a cabeça. Foi inesperadamente prazeroso. Ela fechou os olhos e se permitiu apenas fruir essa sensação, deixando para trás o exaustivo mês que passara, com sua enorme carga de trabalho.

— Como estou indo? — perguntou ele.

— Muito bem.

— Sempre quis ser jeitoso com as mãos — confessou ele, com um tom de voz que parecia melancólico.

— Cabeleireiro é que não poderia ser — murmurou ela, lamentando um pouco ter que falar, de tanto que estava gostando daquilo. — Não é fresco o bastante.

Seu couro cabeludo pinicava, em êxtase, ao que ele passava as mãos fortes e seguras por ele. Ela iria se atrasar horrores para a entrevista com Niamh Cusack, mas, francamente, estava cagando e andando. Pequenos calafrios percorriam a raiz de seus cabelos, a tensão abandonara o corpo superestressado e o único som na penumbra do aposento era o da respiração de Jack. Curvada sobre a pia, aninhava-se sonolenta no calor do corpo dele. Era o paraíso... Nesse momento, ao sentir uma dor abrindo caminho dentro de si rumo ao baixo-ventre, apavorou-se. Ele não estava lavando sua cabeça de maneira normal. Ela sabia disso. *Ele* também devia saber disso. Estava tudo íntimo demais.

E havia outra coisa. Uma presença. Uma rigidez vertical perto de seu rim, na altura da virilha de Jack. Ou seria sua imaginação?

— Pode enxaguar agora, por favor? — pediu, num fio de voz. — E passar um pouco de condicionador? Mas depressa, senão vou me atrasar.

Esse era Jack Devine. O chefe de sua chefe. Ela não sabia o que estava acontecendo, mas, fosse o que fosse, era para lá de esquisito.

No exato segundo em que ele terminou, ela espremeu o excesso de água, e então o viu se aproximando com a toalha.

— Pode deixar que eu mesma seco, obrigada — disse, sem fôlego.

Os olhos dos dois se encontraram no espelho. Na mesma hora ela desviou os seus dos dele, negros como azeviche. Sentia-se constrangida, confusa... enfim, da maneira como sempre se sentia perto dele, mas dez vezes mais.

— Obrigada — conseguiu dizer, bem-educada. — O senhor me ajudou muito.

— O Senhor está no céu. Pode me chamar de Jack. E não há de quê, estou sempre às ordens. — Então ele sorriu e o clima mudou totalmente, de tal maneira que mais tarde ela pensaria se não imaginara aquela vibração tácita entre os dois. — Não sou o bicho-papão que todos vocês pensam que sou.

— Não, nós não...

— Sou só um cara com um emprego difícil.

— Hum, claro!

— Quanto é que você quer apostar que Trix vai me apanhar saindo daqui?

Ashling demorou um segundo para responder:

— Uma libra.

CAPÍTULO 52

Quando Jack chegou ao Hotel Herbert Park, a festa já começara há bastante tempo. O local estava apinhado de gente, havia mesas com pilhas altas e lustrosas de exemplares da *Garota* e as mulheres da redação se organizavam numa esteira rolante humana altamente eficiente, para receber os bambambãs esperados.

A primeira parada era Lisa, que, laqueada, lustrosa e cintilante, provavelmente nunca estivera tão linda na vida. Em seguida Ashling, que, desengonçada em um vestido e um par de saltos agulha, conferia os convites com os nomes numa lista. Mercedes, parecendo magra como uma cobra em seu modelito negro de neoprene, prendia crachás nas roupas dos recém-chegados, e Trix, com um vestido praticamente simbólico, conduzia os convidados ao vestiário. Rapazes e moças bonitas circulavam com bandejas de coquetéis que, pelo visto, eram bebida de gente grande — nem um guarda-chuvinha à vista.

— Senhora diretora! — Jack parou diante de Lisa.

— Oi — ela sorriu. — Mas sou eu que estou recebendo as pessoas!

— Então me receba, ué.

Ela lhe deu um beijo no rosto e, numa paródia de diretora boçal, exclamou:

— Meu amor, que prazer inenarravelmente inenarrável ver você! Hum, você é quem, mesmo?

Jack riu e se dirigiu para Ashling, que levantou os olhos da lista.

— Ah, oi — exclamou ela, subitamente nervosa. — Devine, Jack. Não estou achando seu nome na lista. Você é o quê, um bam ou um bambã?

— Nem uma coisa nem a outra. — Ele apreciou seu vestido preto, solto. — Está bonita. — Mas o que realmente queria dizer é "Está diferente".

— Quase nunca uso vestidos — confidenciou Ashling. — E já desfie uma meia-calça.

— E que tal ficou o cabelo?

— Me diz você. — Sacudiu a cabeça, feliz.

Em outras mulheres, um meneio cheio de balanço faz o cabelo parecer felino e sofisticado; nela, tinha uma feiúra simpática que ele achou um tanto comovente.

— E seu ouvido?

— Que ouvido? — perguntou ela, alegre. E, levantando sua taça de coquetel de champanhe: — Tintim! Não está doendo. Agora, circulando, por favor.

Lisa passou a noite toda recebendo parabéns. A festa foi um sucesso: todos compareceram. Depois de uma busca completa, apuraram apenas seiscentos e quatorze bambambãs irlandeses, mas, pelo visto, todos eles haviam comparecido. Os elogios e a admiração circulavam pelo salão em altas e gratificantes doses. Era maravilhoso!

E, apesar das falhas, até mesmo de tipografia, a *Garota* era um feito deslumbrante. Sua modernidade só faltava saltar de dentro das páginas lustrosas. Lisa conseguira até mesmo, na última hora, arranjar um depoimento de uma celebridade. A nova banda de garotos, Laddz, acabava de despontar, e Shane Dockery, o vocalista, aquele jovem nervoso que ela conhecera tantos meses atrás na inauguração da Morocco, conseguira se transformar num verdadeiro ídolo, com direito a centenas de adolescentes subindo pelos muros de sua casa feito macacos. Shane se lembrou de Lisa. Como poderia se esquecer da única pessoa que o tratara bem durante os meses que passara à margem do cenário musical? Se conseguisse despejar as adolescentes da gaveta de sua escrivaninha onde guardava lápis e papel, escreveria o depoimento com o maior prazer. E todos concordaram que seu artigo tinha uma originalidade atraente e uma exuberância que os velhos dinossauros do rock não teriam conseguido simular.

Lisa não conseguia parar de sorrir — sorrisos autênticos, de orelha a orelha. Quem teria dito, quatro meses atrás, que ela chegaria lá? E que isso lhe proporcionaria tanta satisfação?

Até a situação da publicidade fora resolvida — impulsionada pelos sem-teto nas fotos da coleção de Frieda Kiely. Os assessores de imprensa de todas as grandes grifes compreenderam que a *Garota* não era nenhum jornaleco provinciano de distribuição gratuita, e sim uma força digna de respeito. Depois disso, não apenas puseram anúncios grandes e caros, como chegaram mesmo a pedir que suas coleções fossem incluídas nos próximos números.

— Oi, Lisa! — Lisa se virou e viu Kathy, sua vizinha, carregando uma bandeja de sushi.

— Ah, oi, Kathy.

— Obrigada por me conseguir esse bico.

— Imagina.

— Só que tem um pessoalzinho aí perguntando cadê os rolinhos de salsicha.

Lisa riu.

— Se é o que querem, não deveriam estar aqui.

— Eu dei uma provadinha nesse tal de sushi — confidenciou Kathy. — E, quer saber de uma coisa? Não é nada mau.

Nesse momento, Marcus Valentine, em quem já se faziam notar os sinais de uma camoeca dramática, passou, trocando as pernas. Automaticamente Lisa o brindou com um sorriso cegante. E Jasper Ffrench, em quem já se faziam notar os sinais de uma camoeca ainda mais dramática, seguiu atrás dele, trôpego. Pouco depois chegou Calvin Carter, que voara de Nova York especialmente para a ocasião.

Calvin distribuía a torto e a direito apertos de mão esmagadores e chamava todo mundo pelo primeiro nome.

— Fantástico, Lisa. — Passou os olhos pela multidão de gente bonita. — Fantástico. Muito bem, chegou a hora, Lisa, vamos discursar!

Trepou de um pulo num tabladinho e lascou um dito irlandês que fizera Ashling transcrever foneticamente para ele.

— Kade Meela Fall-che!* — berrou, e a citação pareceu cair muito bem, a julgar pelo escandaloso coro de gargalhadas que irrompeu. Embora, é claro, Calvin sempre tivesse dificuldade para distinguir quando riam *com ele* de quando riam *dele*.

---

* "Sejam cem mil vezes bem-vindos!"

Em seguida proferiu um discurso sobre Dublin, revistas e como a *Garota* era fabulosa.

— E a mulher que tornou tudo isso possível... — estendeu o braço para Lisa. — Senhoras e senhores, com vocês, a diretora das diretoras, Lisa Edwards!

Sob a salva de palmas bêbadas do salão, Lisa subiu no pódio.

— Bate palmas — ordenou Ashling entre os dentes para Mercedes —, se não quiser perder o emprego.

Mercedes soltou uma risada sinistra e continuou de braços cruzados. Ashling lhe deu um olhar ansioso, mas não pôde se deter por mais tempo: estava incumbida de carregar o buquê de flores. Também estava bêbada feito uma gambá — uma combinação de exaustão, analgésicos e álcool, é claro —, e torcia para conseguir se aguentar nas pernas pelo menos até a hora de subir o curto lance de escadas com o buquê.

Em algum momento de seu belo discurso, o olhar de Lisa recaiu sobre Jack — ou, para usar o apelido secreto que ela lhe dera, O Fecho de Ouro desta Noite. Estava recostado numa parede, de braços cruzados, seu sutil sorriso a envolvê-la numa aura de grande carinho e admiração.

Se Lisa já estava com o moral nas nuvens, com o sorriso de Jack ele foi às estrelas. Aquela era a grande noite. Desde que Jack voltara de New Orleans, os dois tinham estado ocupados demais para se divertir, e ela praticamente não tivera tempo para flertar com ele. Mas, depois dessa noite, ela poderia se deitar nos louros da vitória, e pretendia tê-lo como companheiro de horizontal. Esquadrinhou a plateia com um sorriso transcendental. Onde diabos se enfiara Ashling? Ah, lá estava ela. Lisa meneou a cabeça — era hora de entregar o buquê.

Depois dos discursos, a festa engrenou uma terceira, uma quarta e, logo, logo, já engrenava uma décima. Calvin parecia totalmente alarmado — não se bebia tanto assim em Nova York. E onde é que Jack se metera?

Jack, cansado de trocar apertos de mão, descobrira uma cadeira discreta dando sopa num canto e se arriara nela, aliviado. Sobre a mesa, alguns sushis abandonados — que, obviamente, alguém se sentira perplexo demais para comer.

Nesse momento, acabando com sua paz de espírito, as portas de vaivém perto dali se abriram violentamente, em perfeita sincronia com a música que tocavam, e Ashling entrou dançando, com um cigarro e um copo. Dançava surpreendentemente bem, cada parte de seu corpo requebrando como um saco semovente de filhotes de cachorro. Talvez porque estivesse muito, muito bêbada, percebeu Jack.

Ela avançou em direção a ele e atirou sua bolsa no chão com a força dos ébrios, para logo em seguida notar algo no próprio joelho.

— Alerta Fio Corrido! — anunciou. — Me passa minha bolsa. — Com o cigarro enfiado na boca, os olhos franzidos a se proteger da fumaça, ela pescou em seu interior uma lata de laquê e vaporizou a perna do meio da canela até a coxa, num jato curto e eficiente.

Jack a contemplava, hipnotizado.

— Por que você passou laquê na perna?

— Para o fio não correr mais. — Seus lábios franziam-se numa espécie de peristaltismo, mantendo a guimba firmemente presa num canto, enquanto ela falava e soltava a fumaça ao mesmo tempo.

Enquanto a observava recolocar a lata de laquê na bolsa, ele formou a convicção inabalável de que Ashling era alguém em cujas mãos podia-se pôr a própria vida.

Ela soltou uma exclamação estridente, como se tivesse acabado de lhe ocorrer algo fantástico. Ato contínuo, meteu a cara novamente em sua bolsa e, presa de um frouxo de riso, retirou um vidrinho de perfume. Em meio a um grande quiriquiqui, vaporizou-o no pulso, estendendo-o a Jack em seguida.

— Adivinha? Estou com cheiro de cocô.

E se dobrou em duas, indicando que achava a piada *engraçadérrima*. Jack se pegou rindo também, mesmo sem entender.

Ela exibiu o vidro de *Coco*.

— *Coco*, cocô, sacou? O brinde de hoje à noite. Que pena que não vão distribuir os vidros para o pessoal antes do fim da festa, porque a gente poderia sair por aí dizendo para todo mundo: "Você está com cheiro de cocô..." Ih, olha só! — exclamou, ao perceber algo. — Você rói as unhas! — Tomou a mão dele e a examinou.

— Hum, pois é — admitiu ele.

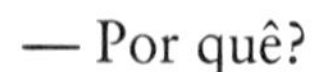

— Por quê?

— Sei lá. — Ele tentou encontrar uma razão, mas não lhe ocorreu nenhuma.

— Você se preocupa demais. — Com um ar abobalhado de comiseração, ela deu tapinhas nos sabugos macios de seus dedos estropiados. — Escuta... — Olhou para ele com súbito ar de urgência. — ... será que você tem um cigarro? Jasper Ffrench afanou os meus.

— Pensei que você sempre tivesse um maço sobressalente. — Tentou dar um tom de piada à constatação, mas sua boca parecia dormente, como se ele tivesse estado no dentista.

— E tinha, mas ele afanou o sobressalente também.

Jack notou Lisa do outro lado do salão, erguendo sua flûte para ele. Cada detalhe de sua linguagem corporal era um convite. Enquanto tateava os bolsos atrás do maço de cigarros, sentiu-se como se a cabeça estivesse cheia de algodão, e não conseguiu pensar direito. Lisa era linda, inteligente, arrojada, e ele sentia uma imensa admiração por seu talento e energia. Mais do que isso, gostava sinceramente dela. Devia gostar — afinal, não a beijara? Mesmo que ainda não estivesse cem por cento certo de como aquilo acontecera.

Lisa tinha planos para Jack aquela noite, mas, com uma súbita e fria convicção, ele soube que não desejava fazer parte deles. Por que não? Seria porque Lisa era casada? Porque trabalhavam juntos? Porque ele ainda não esquecera Mai? Ou talvez porque ainda não esquecera *Dee*? Mas não era por nenhum desses motivos. Era por causa de Ashling — a mulher antes conhecida como Senhorita Quebra-Galho.

O que diabos estava acontecendo com ele? Estaria confuso por causa da diferença de fuso horário?, perguntou-se, atordoado. Mas já fazia doze dias que voltara, não podia ser esse o problema.

Bem, só havia uma outra conclusão possível. Uma única e inevitável conclusão.

Estava tendo um colapso nervoso.

CAPÍTULO 53

Ashling acordou se sentindo como se tivesse sido atropelada por uma jamanta. Seus ouvidos latejavam, seus ossos doíam e a exaustão tomara conta de todo o seu corpo, mas que importância isso tinha? A noite passada fora maravilhosa. A festa não apenas fora um grande sucesso, como também extremamente divertida.

Durante um momento, ficou em dúvida se estava ou não sozinha na cama. Então lembrou que se desencontrara de Marcus em algum momento, e que voltara para casa sozinha. Não tinha problema. Agora que a revista estava indo de vento em popa, a vida poderia voltar ao normal.

Toda dolorida, arrastou-se para o sofá, onde assistiu à programação matinal da tevê, entre um cigarro e outro. Sua cabeça doía. Estava atrasadíssima para o trabalho, mas não se importava. O consenso tácito era o de que cada um aparecesse à hora que bem entendesse. Por fim, a contragosto, tomou um banho e se vestiu. Já eram onze horas quando pôs o pé na rua. Estava chovendo. As nuvens escuras e baixas de setembro pairavam sobre a cidade, dando-lhe uma luminosidade cinza-esverdeada. A poucos metros da portaria de Ashling estava Boo, sentado na calçada molhada. Todo encolhido, o cabelo colado no crânio, com filetes de chuva a escorrerem-lhe pelo rosto. Quando Ashling se aproximou, no entanto, percebeu, com uma pontada de dor, que não era a chuva que molhava seu rosto, mas suas lágrimas.

— Boo, que foi que houve? Aconteceu alguma coisa?

Ele ergueu o rosto para ela e escancarou a boca, avassalado por um urro silencioso.

— Olha só para mim. — Cobrindo os olhos com uma das mãos, usou a outra para indicar a si mesmo, suas roupas imundas e encharcadas

cadas, a falta de um teto sobre sua cabeça. — É tão degradante — disse, tremendo.

Ashling ficou petrificada. Boo era sempre tão alegre.

— Estou com fome, com frio, encharcado, imundo, entediado, sozinho e morto de medo! — Seu rosto se contorcia de choro. — Estou cansado de ser perseguido pela polícia, cansado de ser tratado como se fosse um cocô. Não me deixam nem entrar naquela lanchonete do outro lado da rua para comprar um café. E olha que é um *takeaway*!*

Ashling nunca chegara a pensar que Boo gostasse de ser um sem-teto, mas não se dera conta de o quanto ele odiava sua condição.

— Sofro todos os tipos de abusos. As pessoas dizem que sou um filho da mãe preguiçoso, que devia arranjar um emprego. Eu *adoraria* arranjar um emprego, porra. Odeio mendigar, é tão humilhante!

— Aconteceu alguma coisa? — perguntou Ashling. — Que deflagrou tudo isso?

— Não — disse ele, com a voz embargada. — Só estou tendo um dia ruim.

Enquanto ela pensava no que fazer, a chuva gotejava das varetas de seu guarda-chuva, pontilhando-lhe as costas do blazer com manchinhas frias e molhadas. Ashling sentiu um rompante de frustração. Boo não deveria ser responsabilidade sua. Ela pagava seus impostos; o governo é que devia tomar conta dessas pessoas. E se o deixasse se abrigar na portaria de seu prédio? Mas não podia: fizera isso durante uma tempestade violenta naquele mesmo verão, meses antes, e alguns dos moradores puseram a boca no trombone. Sendo assim, será que devia deixá-lo entrar em seu apartamento? Dever, devia, mas, apesar de seu carinho por ele, resistia à ideia. Por outro lado, ele estava tão infeliz...

Ela desistiu.

— Vem para o meu apartamento. Toma um banho e come alguma coisa. E pode pôr suas roupas para lavar na máquina.

Tinha a esperança de que ele recusasse a oferta e ela pudesse seguir caminho com a consciência tranquila, mas ele a fitou com triste gratidão:

---

*Lanchonete que vende exclusivamente comida para viagem.

— Obrigado — disse, engolindo em seco, para logo em seguida tornar a romper em lágrimas.

— Não vou fazer disso um hábito — prometeu, ao que ela o conduzia pelas escadas.

Assim que Ashling o viu em contraste com seu apartamento relativamente limpo, deu-se conta do quanto ele estava imundo. Suas calças jeans imundas eram largas demais para alguém com sua compleição patética e esquálida, seu pálido rostinho de criança endiabrada estava coberto de manchas de sujeira, e os nós de seus dedos, cheios de crostas.

— Estou fedendo — admitiu ele, envergonhado. — Me desculpe.

Algo rompeu no coração de Ashling. Uma tristeza, uma revolta.

— Toalhas. — Seus dentes estavam trincados quando pôs uma pilha macia nos braços de Boo. — Xampu, escova de dentes nova. Aqui ficam a máquina de lavar e o sabão em pó. Aqui, a chaleira, o chá e o café. Se encontrar alguma coisa para comer na geladeira, pode se servir à vontade. — Pôs uma nota de cinco libras na mão dele. — Tenho que ir trabalhar, Boo. Até mais tarde.

— Nunca vou me esquecer disso.

Ashling fechou a porta, deixando-o no vestíbulo, os joelhos de suas calças sujas de terra largos como os de Carlitos, a pilha fofa de toalhas ofuscantes de tão brancas e macias como marshmallow.

— Tem uma pessoa esperando por você — avisou Jack Devine, assim que Ashling chegou à redação. E indicou o homem bêbado feito uma gambá sentado diante de sua mesa.

No momento em que viu Dylan, ela soube que alguma coisa horrível acontecera. Alguma coisa verdadeiramente horrível. Suas feições estavam tão alteradas pelo choque que ela quase não o reconheceu, a esse homem que conhecia há onze anos. Parecia apagado, sua pele, cabelos e olhos totalmente sem vida. Ele fixou nela o olhar aturdido e magoado e anunciou, para quem quisesse ouvir:

— Clodagh está tendo um caso.

A consciência atingiu Ashling com força total. Acreditou nele. Uma ideia passou por sua cabeça: *Que coisas terríveis as pessoas fazem com aqueles a quem amam.*

A honra exigia que ela cumprisse as formalidades adequadas à circunstância. Não havia maneira humanamente possível de dizer a Dylan: "Bem que eu achei que ela era capaz de estar pulando a cerca." Em vez disso, tinha de fingir que havia uma possibilidade de ele estar enganado. Por esse motivo, perguntou:

— O que leva você a achar isso?

— Eu flagrei os dois.

— Quando? Onde?

— Cheguei em casa do trabalho às dez da manhã de hoje. Estava preocupado com ela — justificou-se.

Era mais provável que estivesse suspeitando dela. Mas Ashling o compreendeu.

— E peguei os dois na cama. — A voz de Dylan tornou-se fina como a de um soprano e, pela segunda vez aquela manhã, Ashling presenciou um marmanjo chorando como uma criança. — Eu conheço ele — confessou Dylan. — E você também.

O pavor e a consciência se intensificaram. Ashling sabia o nome que Dylan ia pronunciar.

— É aquele puto daquele humorista.

Eu sei.

— Aquele amigo seu.

Ted!

— Marcus babacão — disse Dylan, com um soluço. — Seja lá qual for a porra do nome dele. Valentine, ou coisa parecida... Marcus Valentine.

— Não, você está falando de Ted, o moreno baixinho, Ted.

— Não estou, não, estou falando daquele seu amigo de merda, Marcus Valentine.

O pesadelo de Ashling subitamente tomou uma direção inesperada.

— Ele não é meu amigo — disse sua voz, como se viesse de algum aposento muito longe dali. — Ele é meu namorado.

As poucas pessoas que estavam presentes — Jack, a Sra. Morley e Bernard — ficaram imóveis de estupefação. O único som que se ouvia eram os soluços de Dylan.

— Acho que não chega a ser tão surpreendente assim — disse ele, com a voz embargada. — Não é a primeira vez que ela rouba um namorado seu.

E olhou para ela longa e fixamente, antes de dizer:

— Eu devia ter ficado com você, Ashling... É melhor eu ir andando. — Apanhou uma sacola.

— O que é isso? — murmurou Ashling.

— Roupas, objetos de uso pessoal.

— Você *deixou* Clodagh?

— Pode crer que sim.

— Mas para onde você vai?

— Para a casa de minha mãe, por um tempo.

Embotada, ela o viu ir embora.

Sentiu um peso sobre os ombros. Um braço. Pertencente a Jack Devine.

— Vamos para o meu escritório.

Lisa acordou acometida pela sensação de vazio que se segue a uma grande alegria. Todo o brilho da noite anterior se perdera. Tudo bem, a revista era o máximo, tudo bem, a festa fora um sucesso, mas era só uma revista de uma cidade onde o vento faz a curva, com uma circulação de trinta mil exemplares. Onde é que estava a importância disso?

A esse anticlímax juntava-se outra decepção ainda maior. Era Jack. Estava crente que ele viria para casa com ela. Sentia que fizera por merecer isso, que seria sua recompensa por trabalhar tanto e fazer as coisas acontecerem.

Embora não tivessem mais saído juntos desde que ele voltara de New Orleans, presumira que havia um acordo tácito entre os dois, no sentido de que esperariam até a época do lançamento. Mas, na noite passada, quando ela fora reclamar seu prêmio, ele desaparecera.

Ao meio-dia, com o moral no chão, chegou para trabalhar. Encaminhou-se diretamente para o escritório de Jack, em parte para discutir com ele a repercussão do lançamento, em parte para se certificar do interesse dele. Abriu a porta...

E viu uma cena das mais estarrecedoras. Num instante, uma consciência primeva a atingiu e fez com que compreendesse exatamente o que acontecia.

Não era o fato de Jack e Ashling estarem sozinhos no escritório dele, nem de Jack aninhar Ashling nos braços como se fosse a mais preciosa boneca de porcelana do mundo. Era a fisionomia de Jack. Lisa jamais vira uma expressão de tamanha meiguice.

Recuou, sua incredulidade transformando a redação da revista num cenário onírico.

Trix se aproximou com um pedaço de papel:

— Ligou uma pessoa para você...

— Agora não.

Passados alguns minutos, Ashling saiu do escritório com cara de condenada, evitando olhar nos olhos de todos. Foi embora da redação.

Em seguida saiu Jack, parecendo exausto.

— Lisa! — exclamou. — Ashling sofreu um abalo horrível, mandei ela para casa.

Lisa teve que fazer um grande esforço para falar com ele.

— Que foi que houve com ela?

— Ela, hum, descobriu que o namorado está tendo um caso com sua melhor amiga.

— Quê? Marcus Valentine e a tal de Clodagh?

— Pois é.

Lisa sentiu uma vontade histérica de rir.

— Pode dar um pulo no meu escritório? — pediu Jack. — Preciso falar com você sobre uma coisa.

Será que ele iria se desculpar? Explicar que estava apenas confortando Ashling e que era de Lisa que realmente gostava? Mas ele só queria falar de trabalho.

— Em primeiro lugar, quero te dar os parabéns por ontem à noite e pela primeira edição. Você foi muito além do que nós esperávamos, e toda a diretoria manda seus parabéns.

Lisa assentiu, consciente de que começava a perdê-lo. Toda a intimidade dos dois fugia, sendo puxada de baixo de seus pés. Jack sentia-se claramente constrangido em sua presença.

— Me desculpe por dizer isso numa hora em que você deveria estar saboreando o seu sucesso — prosseguiu ele —, mas tenho uma má notícia.

Você está apaixonado por Ashling?

— Mercedes se demitiu hoje de manhã.

— Ah... Ah... Por quê?

— Ela vai embora da Irlanda.

Filha da puta, pensou Lisa, venenosa. Não tivera nem sequer a delicadeza de dizer que era porque Lisa era uma tirana com complexo de poder para quem ela não queria mais trabalhar.

— Ela arranjou um emprego em Nova York — prosseguiu Jack. — Consta que o marido dela foi transferido para lá.

— Nova York? — Lisa relembrou a viagem que Mercedes fizera em junho. E a pior ideia do mundo lhe ocorreu. — Esse emprego novo dela não é... não é... na *Manhattan*, é?

— Não sei em que revista é, ela não disse.

— Onde é que ela está? — rosnou Lisa, subitamente feroz.

— Foi embora. Ela tinha direito a uma semana de férias, que tirou, em vez de nos notificar.

Lisa escondeu o rosto nas mãos.

— Você se importa se eu for para casa?

Chamou um táxi e, ainda se sentindo como se estivesse sonhando, quando deu por si estava em casa, quinze minutos depois. Enfiou a chave na fechadura da porta e entrou. A correspondência chegara; havia um grande envelope manilhado no chão do vestíbulo. Apanhou-o, distraída e, enquanto descalçava os sapatos de qualquer jeito, rasgou-o. Desdobrou o papel grosso enquanto jogava a bolsa na bancada da cozinha. Por fim, concentrou sua atenção nas folhas que tinha em mão.

Bastou-lhe um olhar de um segundo. Arriou-se no chão, o corpo dobrado em dois de incredulidade.

Era um pedido de divórcio.

Clodagh abriu a porta e se encolheu com o grito de "Filha da puta!" soltado na sua cara.

— Ashling!

— Não estava me esperando?

Não, não estava. Só conseguia pensar em Dylan, no fato de ter descoberto tudo e a deixado. Em algum canto de seu inconsciente sabia que teria de falar com Ashling, mas ainda não conseguira parar para pensar nisso.

— E aí, minha melhor amiga? — começou Ashling, avançando pela cozinha adentro. — Pensou em mim quando estava trepando com o meu namorado?

Clodagh estava sofrendo muito. Como podia lhe explicar o sentimento de culpa, a tortura?

— Pensei em você, sim, Ashling — disse, humilde. — Pensei, e foi muito difícil. A gente acha que só os personagens de novela têm casos. Mas as pessoas de carne e osso também têm, essas coisas acontecem.

— Mas comigo? Como é que você pôde fazer isso comigo?

— Não sei. Mas você não estava com ele há muito tempo, não era como se fossem casados nem nada, e eu estava me sentindo tão infeliz, tão presa, como se estivesse enlouquecendo...

— Não tenta me fazer ficar com pena de você. Você tem tudo, porra! — disse Ashling, feroz. — Por que tinha que roubar ele de mim? Você tem tudo!

— Às vezes, tudo não é o bastante — foi só o que Clodagh conseguiu dizer.

— Quando foi que essa história com Marcus começou?

— Quando você estava em Cork — respondeu Clodagh, fria. — Ele me deu um bilhete com o número de telefone dele...

— "Bellez-moi". — Ashling exultou ao ver a expressão de surpresa estampada no rosto de Clodagh. — Você e quase todas as mulheres de Dublin ganharam um bilhete desses. Mas então por que ele foi me buscar na estação aquele fim de semana?

Clodagh deu de ombros, triste:

— Talvez estivesse se sentindo culpado.

— E depois?

— Ele apareceu aqui em casa na segunda-feira seguinte. Não aconteceu nada. Só tomou uma xícara de chá e, quando já estava de saída, lavou a xícara. Sei que é uma bobagem, mas...

— Ele disse: "Minha mãe me treinou bem" — Ashling a interrompeu. — Pois é, eu também fiquei encantada quando ouvi isso.

— Ele me ama — disse Clodagh, na defensiva.

É provável que ame, Ashling caiu em si, os cacos da dor furando o escudo protetor do ódio.

— E depois?

— Depois... apareceu aqui de novo no dia seguinte.

— E aí fez mais do que lavar a xícara. — *Não estamos tendo esta conversa. Estou alucinando.*

Clodagh assentiu, evitando olhá-la nos olhos.

— Eu nunca adivinharia que ele faz seu tipo — acusou Ashling, consciente de que seu rosto estava contraído e feio de dor. Como desejaria exibir uma máscara impassível e digna!

— Nem eu mesma teria adivinhado que ele faz meu tipo — admitiu Clodagh. — Mas desde a primeira noite, naquele show humorístico, gostei muito dele. Não queria, mas não pude evitar.

— E Dylan?

Clodagh abaixou a cabeça.

— Não sei, não sei mesmo... Olha, eu traí você, nossa amizade, e isso deve doer mais do que o fim do seu, hum, romance.

— Aí é que você se engana — Ashling a corrigiu, cruel: — Eu me importo muito mais de perder meu namorado.

Clodagh olhou para o rosto pálido e feroz de Ashling e disse, insegura:

— Nunca vi você desse jeito.

— De que jeito? Furiosa? Bom, já não era sem tempo.

— Como assim?

— Você já fez isso comigo antes — disse Ashling, em voz baixa. — Dylan foi meu namorado primeiro.

— Sim, mas... ele se apaixonou por mim.

— Você roubou ele de mim.

— E por que você nunca disse nada? — tornou Clodagh, subitamente feroz. — Sempre no papel de vítima!

— E a culpa é minha, por acaso? — rebateu Ashling, antipática. — Vamos deixar uma coisa bem clara. Eu te perdoei por Dylan. Mas nunca vou te perdoar por Marcus.

CAPÍTULO 54

— Droga — pensou ela, ao se dar conta. — Acho que estou tendo um colapso nervoso.

Correu o olhar pela cama onde estava jogada. Seu corpo há muito necessitado de um banho espalhava-se letargicamente sobre o lençol há muito necessitado de uma troca. Lenços de papel encharcados e amassados atulhavam o edredom. A poeira se acumulava sobre um arsenal intacto de chocolates em cima da cômoda. A televisão no canto bombardeava sua cama sem trégua com a programação da manhã. Opa, colapso nervoso, não tinha nem talvez.

Mas algo estava errado. O que seria?

— Sempre achei... — ela arriscou. — A verdade é que sempre esperei...

Do nada, ela soube.

— Sempre achei que seria melhor *do que isso...*

CAPÍTULO 55

Clodagh tinha a convicção de que estava a pique de desmoronar. Mas precisava se vestir e apanhar Molly no grupo de atividades. Assim que voltou, enfiou-se novamente na cama e tentou retomar seu sono do ponto em que o interrompera, mas Molly começou a gritar que queria porque queria macarrão instantâneo. Resignada, Clodagh tornou a se levantar.

Já não estava mesmo gostando de ficar prostrada — o que foi uma grande surpresa para ela. Em criança, observava a mãe de Ashling recolhendo-se ao leito e achava seu abandono glorioso. Na prática, porém, ficar deitada, sentindo-se incapaz de enfrentar a realidade, atormentada pelo ódio de si mesma e a confusão mental, não tinha a metade da graça que ela esperara.

Desde as dez daquela manhã — teria sido *mesmo* apenas naquela manhã? —, sua vida inteira se tornara uma experiência extracorpórea. Desde o momento em que ouvira a chave de Dylan na porta, ela *soubera*. O show estava prestes a começar.

Interrompera seus revoluteios frenéticos sob o corpo de Marcus e pusera a mão em concha à orelha, prestando atenção. "Ssshhh!" Num só gesto fluido, ele rolou para o lado, e os dois ficaram ouvindo, imóveis, de olhos arregalados, os passos de Dylan na escada.

Ela tivera todas as oportunidades de pular da cama, vestir um penhoar às pressas e empurrar Marcus para dentro do guarda-roupa. Com efeito, Marcus tentara se esgueirar da cama, mas ela o retivera, agarrando seu pulso com força. Em seguida ela se pôs à espera com uma calma horrível, o cenário pronto para mudar sua vida.

Durante as últimas cinco semanas amargara noites e noites de insônia, perguntando-se onde iria dar seu caso com Marcus. Vacilara entre a hipótese de romper com ele e a de retomar sua vida com

Dylan, por vezes fantasiando uma situação em que Dylan encontrava-se magicamente ausente, sem ela ser obrigada a lhe dizer que estava tudo acabado.

Porém, à medida que ouvia os passos de Dylan se aproximando cada vez mais, compreendeu que a decisão já fora tomada por ela. Subitamente, não teve tanta certeza assim de estar pronta.

A porta do quarto se abriu e, muito embora ela soubesse que era Dylan, sua presença a chocou de tal modo que ela foi vítima de uma espécie de estupor.

Seu rosto. A expressão em seu rosto era infinitamente pior do que ela imaginara que poderia ser. Estava quase surpresa com a intensidade do sofrimento ali estampado. E a voz, quando ele falou, não era a sua.Tinha um tom pungente e abafado de dor, como se tivesse levado um murro no estômago.

— Mesmo ao risco de parecer uma letra de música — ele se esforçou para recobrar o fôlego, com patética dignidade —, há quanto tempo isso vem acontecendo?*

— Dylan...

— Há quanto tempo?

— Um mês.

Dylan voltou-se para Marcus, que se agarrava ao lençol, cobrindo o peito.

— Será que você se importa de ir embora? Eu gostaria de dar uma palavra com a minha mulher.

Com as mãos em concha encobrindo pudicamente a genitália, Marcus esgueirou-se da cama de lado, como um caranguejo, recolheu algumas roupas e murmurou para Clodagh: "Te ligo mais tarde."

Dylan observou-o ir embora, logo em seguida voltando-se para Clodagh e perguntando em voz baixa:

— Por quê? — E havia centenas de milhares de perguntas contidas nessas únicas duas palavras.

Ela refletiu, buscando as palavras exatas.

— Sinceramente, não sei.

---

*Referência à canção "How long has this been going on?", do grupo Lipps Inc.

— Por favor, me diz por quê. Me diz o que está errado. Nós podemos resolver isso, eu faço qualquer coisa.

O que ela poderia dizer? Com súbita convicção, soube que não *queria* que ele resolvesse nada. Mas lhe devia honestidade.

— Acho que foi porque eu estava me sentindo sozinha...

— Sozinha? Como assim?

— Não sei, não consigo descrever a sensação. Mas o fato é que me sentia sozinha e entediada.

— Entediada? Comigo?

Ela hesitou. Não podia chegar a esse ponto de crueldade.

— Com tudo.

— Você quer resolver isso?

— Não sei.

Ele a estudou durante um longo e sofrido silêncio.

— Isso quer dizer que não. Você ama esse... cara?

Um meneio de cabeça infeliz:

— Acho que sim.

— Tudo bem.

— Tudo bem?

Mas Dylan não respondeu. Em vez disso, puxou uma sacola do alto do guarda-roupa, jogou-a em cima da cama e, abrindo e batendo gavetas com brutalidade, pôs-se a atirar cuecas e camisas no seu interior. Nada preparara Clodagh para o choque desse momento.

— Mas... — tentou, os olhos acompanhando sua movimentação, vendo gravatas, seu kit de barbear, e, por último, algumas meias serem enfiadas dentro da sacola. Tudo estava acontecendo muito depressa.

De repente, a sacola estava estufada de tão cheia. No momento seguinte, Dylan puxava o zíper com um silvo estridente.

— Volto para buscar o resto depois.

E saiu do quarto. Após um segundo de pânico, Clodagh vestiu às pressas um penhoar e desceu correndo a escada atrás dele.

— Dylan, eu ainda te amo — disse, em tom de súplica.

— Então, o que foi isso que aconteceu? — Ele inclinou a cabeça para ela, ainda na escada.

— Eu ainda te amo — repetiu ela, a voz mais apática —, mas...

— Mas não está mais *apaixonada* por mim? — Dylan concluiu a frase por ela, ríspido.

Ela hesitou. Mas tinha que ser honesta.

— Acho que não...

Ele fechou a cara.

— Volto hoje à noite para explicar as coisas aos meus filhos. Você pode ficar morando aqui, por enquanto.

— Por enquanto?

— A casa vai ter que ser vendida.

— *Vai?*

— Não tenho dinheiro para pagar as parcelas da hipoteca desta casa e de mais outra. E se você pensa que vai continuar morando aqui enquanto eu vivo em algum cochicholo fedorento em Rathmines, pode ir tirando o cavalinho da chuva.

Dito isso, foi embora.

Ela ainda estava desestabilizada do choque, da velocidade em que tudo acontecera. Tivera fantasias em que Dylan simplesmente se retirava de sua vida, mas, agora que de fato acontecera, fora medonho. Onze anos apagados em uma hora, e Dylan sofrendo tanto. E falando em vender a casa! Sim, ela estava louca por Marcus, mas as coisas não eram tão simples assim.

Atônita demais para chorar, apavorada demais para sofrer, ficou sentada na cozinha durante um bom tempo. A campainha da porta da frente tocou, trazendo-a de um tranco para o mundo real. Podia ser Marcus.

Não era. Era Ashling.

Clodagh não a esperava. E certamente não estava preparada para ela. A hostilidade incomum de Ashling terminou de compor o terrível desastre. Clodagh sempre vivera cercada de amor, mas, subitamente, todos a odiavam, inclusive ela mesma. Era uma pária, uma ordinária, infringira todas as regras do mundo e não seria perdoada.

Quando Ashling saiu, *então,* sim, ela chorou. Arrastou-se de volta para a cama, enfiando-se entre os lençóis, com seu cheiro de sexo abandonado. Nunca lavara tanta roupa de cama como nas últimas cinco semanas. Bem, hoje não seria preciso, não havia mais nada a esconder.

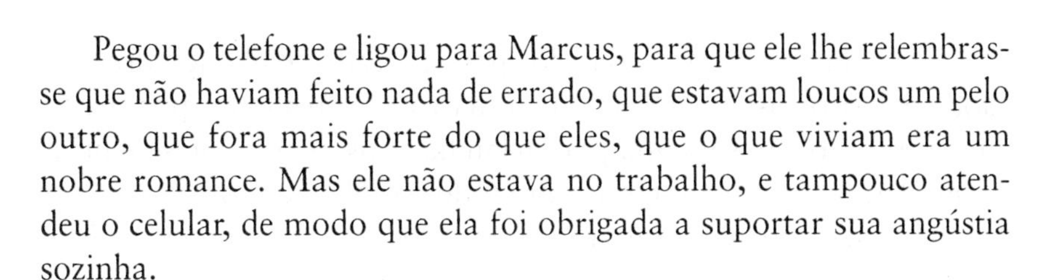

Pegou o telefone e ligou para Marcus, para que ele lhe relembrasse que não haviam feito nada de errado, que estavam loucos um pelo outro, que fora mais forte do que eles, que o que viviam era um nobre romance. Mas ele não estava no trabalho, e tampouco atendeu o celular, de modo que ela foi obrigada a suportar sua angústia sozinha.

A culpa não é minha, repetia à exaustão, como um mantra. *Foi mais forte do que eu.* Mas, como por uma fenda que se abrisse e revelasse o inferno, ela tinha vislumbres fugazes da atrocidade que perpetrara. O que fizera com Dylan era imperdoável. Inacreditável. Com a mão trêmula, apressou-se em apanhar a revista mais próxima e tentou se esquecer de si mesma, lendo um artigo sobre a arte de fazer gravuras com estêncil. Mas a fenda tornou a se abrir — e, dessa vez, foi maior. Não fora apenas com Dylan que ela se comportara como uma perfeita calhorda. Fora com seus filhos, também. E com Ashling.

Seu coração se acelerou e, com a mão escorregadia de suor, ela apertou algumas teclas do controle remoto até encontrar o programa de Jerry Springer. Mas não foi o suficiente para distraí-la de si mesma. Normalmente, as pessoas que o apresentador recebia pareciam personagens de histórias em quadrinhos, com suas vidas privadas ridiculamente rocambolescas, mas hoje ela não se sentia nem um pouco diferente delas.

Passou para o canal de *Emmerdale*, depois para o de *Home and Away*. Tremia do choque e da incredulidade que lhe inspiravam seus próprios atos, da devastação que provocara. Então se lembrou de que precisava buscar Molly no grupo de atividades, e foi acometida de uma crise de pânico paralisante. Não podia sair. Não podia, realmente. Era impossível.

Não podia ficar sozinha, mas também não podia ficar com mais ninguém. Por um momento horrível, imaginou se estaria tendo um colapso nervoso. A hipótese insuportável dominou-a durante um longo lapso de tempo, como um pesadelo. Em seguida, ela lutou por se desvencilhar do abraço da cama. Ter um colapso nervoso era ainda mais desagradável do que ter de encarar o mundo lá fora.

* * *

Marcus ligou à tarde e, apesar dos pesares, cada célula do corpo de Clodagh vibrou assim que ela ouviu sua voz. Estava louca por ele, de um jeito como não se sentia por Dylan há anos — se é que se sentira algum dia. O amor triunfaria sobre todos os obstáculos.

— Como vai? — perguntou ele, a voz cheia de preocupação e interesse.

— Uma merda! — respondeu ela, meio rindo, meio chorando. — Dylan foi embora, todo mundo está com ódio de mim, um desastre completo.

— Tudo vai ficar bem — ele a acalmou.

— Promete?

— Prometo.

— Ah, eu te liguei horas atrás e seu celular estava desligado.

— Estou tentando passar despercebido.

— Ashling sabe. Dylan contou para ela.

— Eu imaginei que ele podia ter feito isso.

— Você vai falar com ela?

— Nao vejo nenhum sentido em fazer isso — disse ele, tentando ocultar sua vergonha. — Quero ficar com você. O que posso dizer a Ashling que ela já não saiba?

Marcus passara as últimas cinco semanas usando o fato de Ashling o ter relegado ao segundo plano como argumento para justificar seu envolvimento com Clodagh. Mas, na realidade, seus sentimentos eram mais complexos do que isso. Não conseguira acreditar na sorte que tivera com Clodagh. Mesmo assim, tinha muito carinho por Ashling, e a calhordagem de seu ato o incomodava. A última coisa que queria fazer era enfrentar as consequências de seu imbróglio masculino, submetendo-se a um interrogatório de Ashling.

Era bem melhor se concentrar no lado positivo da coisa. Com a voz intensa de desejo, perguntou a Clodagh:

— Posso ver você?

— Dylan vem aqui hoje, depois do trabalho. Para falar com as crianças. Meu Deus, é difícil de acreditar...

— Mas e depois que ele for embora? Posso passar a noite com você. Afinal, não há mais nada de que ter medo agora, não é?

O ânimo de Clodagh foi às nuvens.

— Eu te ligo assim que ele sair.

— Tudo bem, liga aqui para casa. Deixa tocar três vezes, desliga e depois liga de novo. Assim, vou saber que é você.

Dylan chegou depois do trabalho. Estava diferente. Não mais sofrendo abertamente, e sim furioso.

— Você queria ser apanhada, não queria?

— Não!

Ou queria?

— Queria, sim. Há tempos que você vem se comportando de uma maneira muito estranha.

Talvez viesse, mesmo, ela reconheceu.

— Meus filhos viram você na cama com aquele merdinha?

— Não, é claro que não!

— É melhor que não tenham visto, mesmo, se você quiser ter acesso a eles.

— Como assim?

— Vou conseguir a custódia deles. Você não tem a menor chance. *Nessas circunstâncias* — acrescentou ele, antipático.

Suas palavras e fisionomia dura subitamente fizeram com que Clodagh se compenetrasse da extrema gravidade da situação. Era uma faceta de Dylan que ela não conhecia.

— Pelo amor de Deus, Dylan — explodiu —, por que você está sendo tão...! — Parou a um triz de chamá-lo de "sacana". Tudo considerado, por que ele não haveria de ser sacana com ela?

A frustração dela pareceu diverti-lo — se é que era possível alguém rir por graça e por escárnio ao mesmo tempo.

Lembrou-se de que Dylan era um homem de negócios. Um homem de negócios muito bem-sucedido. Um homem implacável. Que talvez não fosse rolar e se fingir de morto como um cachorrinho, só para fazer a vontade dela. Dylan sempre a tratara com carinho e amor, e ela estava achando muito difícil lidar com essa mudança abrupta, mesmo sendo responsável por ela.

— Vou conseguir a custódia deles — repetiu.

— Tudo bem — disse ela, humilde. Mas, embora exibisse uma expressão mansa, sua cabeça zumbia. *Aqui que ele vai ficar com os meus filhos!*

— Muito bem, vou falar com eles. Dylan entrou na sala onde Craig e Molly estavam vendo televisão. Era óbvio que intuíam algo de errado, pois haviam passado a tarde inteira numa quietude incomum.

Quando Dylan voltou, dirigiu-se a Clodagh friamente:

— Acabei de dizer a eles que vou passar uma temporada fora. Preciso de tempo para pensar na melhor maneira de lidar com essa situação a longo prazo. — Esfregou a boca e, de repente, pareceu *exausto*.

Mas a dolorosa compaixão de Clodagh por ele se evaporou no momento em que ele acrescentou:

— Eu *poderia* ter dito aos dois que a mãe deles é uma filha da puta adúltera que estragou tudo, mas dizem os entendidos que isso faz mais mal do que bem. Certo, já vou indo. Estou na casa de meus pais. Me liga...

— Ligo, sim...

— ...se houver algum problema com os meus filhos.

Ela o viu abraçá-los com força, os olhos bem fechados. Tudo isso era medonho. Nessa mesma hora, no dia anterior, as coisas não poderiam estar mais normais. Ela fizera um refogado para o jantar, Craig cuspira sua porção de volta no prato, ela assistira a *Coronation Street*, torrara a paciência de Dylan para trocar uma lâmpada, Molly lambuzara uma parede de seu quarto com manteiga de amendoim... Em comparação com o dia de hoje, parecia uma época áurea, intocada pela dor ou pela preocupação. Quem teria imaginado que de uma hora para a outra suas vidas seriam jogadas para o alto como um quebra-cabeça, e suas peças passariam a montar um desenho totalmente novo, na lama da amargura?

— Tchau. — Dylan fechou a porta da sala atrás de si. Clodagh o vira arrumar sua sacola, ele lhe dissera que estava indo embora, mas ela não fora capaz de imaginar sua partida até se apresentar a ela como um fato consumado.

Isso não está acontecendo, ela pensou, parada no vestíbulo. *Isso não está acontecendo.*

Virou-se para dentro de casa e se viu diante de Craig e Molly, que a encaravam, em silêncio. Envergonhada, deu as costas para seus olhares de interrogação e alcançou o telefone.

Ficou ouvindo o telefone de Marcus tocar e tocar, para em seguida, após um clique, cair na secretária-eletrônica. Onde ele estaria? Foi quando se lembrou de que ele lhe pedira para ligar, desligar e em seguida ligar de novo. E foi o que ela fez, a contragosto, sentindo-se como uma foragida da justiça.

Da segunda vez que ligou, Marcus atendeu e, no ato, o sofrimento de Clodagh se atenuou, sendo substituído por uma sensação de euforia e atordoamento.

— Dylan já foi embora?

— Já...

— Tá, estou indo para aí.

— Não, espera!

— Que foi? — A voz dele subitamente adquiriu um tom hostil.

— Eu adoraria ver você — explicou ela —, mas não hoje. Ainda é cedo demais. Não quero confundir a cabecinha das crianças. Dylan falou um monte de coisas horríveis, do tipo conseguir na justiça a custódia delas, entende?

Fez-se silêncio. Em seguida, Marcus perguntou, em voz baixa:

— Você não quer me ver?

— Marcus, eu daria tudo para te ver! Você sabe disso, mas acho melhor a gente esperar até amanhã. Acho que você deve estar arrependido por ter se envolvido nessa confusão! — Ela fungou, dando um risinho.

— Não seja louca — disse ele, categórico, como ela já sabia que faria.

— Vem aqui amanhã à tarde — convidou ela, tímida. — Tem duas pessoas que quero apresentar a você.

Na tarde do dia seguinte, Marcus chegou com uma Barbie para Molly e um grande caminhão vermelho para Craig. Apesar dos presentes, no entanto, as crianças o receberam com desconfiança. Ambas sentiam que seu mundo estava totalmente fora de prumo, e ficaram ainda mais desorientadas com a chegada do estranho. Tentando minar sua resistência, Marcus brincou pacientemente com os dois, escovando solenemente os cabelos da Barbie e deslizando o caminhão no tapete para a frente e para trás, para a frente e para trás.

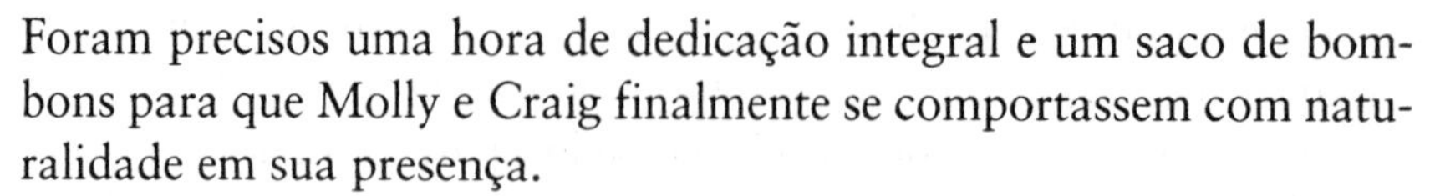

Foram precisos uma hora de dedicação integral e um saco de bombons para que Molly e Craig finalmente se comportassem com naturalidade em sua presença.

Louca de esperança, Clodagh contemplava o trio, mal se atrevendo a respirar. Talvez as coisas melhorassem. Talvez tudo desse certo. Sua cabeça deu uma guinada em direção ao futuro. Talvez Marcus pudesse se mudar para lá e pagar a hipoteca, talvez ela conseguisse a custódia das crianças, talvez Dylan fosse desmascarado como pedófilo ou traficante de drogas, e então todos o odiariam e a perdoariam...

Aproveitando um momento de distração de Craig e Molly, Marcus tocou suavemente em Clodagh.

— Como vai? — perguntou, baixinho. — Aguentando as pontas?

— Todo mundo está com ódio de nós. — Ela riu por entre as lágrimas. — Mas, pelo menos, temos um ao outro.

— É isso aí. Quando é que posso te levar para a cama? — murmurou ele, enfiando a mão furtivamente dentro de sua blusa e aninhando um seio na mão, longe da vista das crianças. Beliscou seu mamilo, e a boca de Clodagh ficou mole de desejo.

— Maaaanhêêê! — Craig armou um berreiro, pôs-se de pé e tentou empurrar Marcus para longe de sua mãe. Bracejando feito um louco com o caminhão vermelho novo, conseguiu acertar Marcus na zona sul de seu testículo esquerdo. Não foi perto o bastante para causar nenhum dano concreto, mas fez com que torvelinhos de náusea lhe subissem pelo abdômen.

— Querido, você vai ter que aprender a dividir o meu amor — disse Clodagh, branda.

— Não quero!

Após uma pausa constrangida, Clodagh disse:

— Marcus, eu estava falando com o Craig.

CAPÍTULO 56

Lisa continuava de cócoras no chão, segurando seu pedido de divórcio. A onda de depressão que avançara e recuara, avançara e recuara desde que chegara a Dublin, finalmente quebrava sobre sua cabeça.

Sou um fracasso, ela admitiu. *Sou um grande, um redondo fracasso. Meu casamento acabou.*

Tivera a insensatez de achar que jamais aconteceria. Era o que enxergava agora, com dolorosa clareza. Fora por essa razão que jamais chegara a contratar um advogado. Durante todo o processo de ruptura com Oliver, comportara-se de maneira atípica, sempre ativa e dinâmica. Resolvera todas as questões, e rápido. Mas, fosse qual fosse a razão, não esta.

Mas, se ela se recusara a tanto, o mesmo se poderia dizer de Oliver, teimava ela, louca para deixar de se sentir tão... tão... *idiota.* Ele a abandonara em janeiro e se mudara para um apartamento alugado, mas continuara a pagar sua parte na hipoteca. Não era assim que se comportava um homem que desejava romper laços.

Ela vislumbrou a si mesma de cócoras no chão, vivendo aquele momento patético. Sentindo-se tola, pôs-se de pé — e, no instante seguinte, perdeu toda a vitalidade. Só conseguiu chegar até o quarto, cair na cama e puxar o edredom por cima do corpo.

Qualquer coisa na maneira como o edredom ondulou no ar e a envolveu suavemente fez com que suas emoções exacerbadas rebentassem, e ela chorou lágrimas de perda, de fracasso e — sim! — de autopiedade. Tinha todo o direito de sentir pena de si mesma, que diabo. Bastava pensar nas coisas horríveis que haviam acontecido. Ser rejeitada por Jack — embora isso não chegasse aos pés da dor de perder Oliver — só contribuíra para esquentar seu inferno. *E se Mercedes tiver arranjado um emprego na* Manhattan, *eu vou... eu vou*... Bem, o que ela poderia fazer? Absolutamente nada. Nunca tivera uma consciência tão aguda de sua impotência. E, embora tivesse feito Trix dar mil telefonemas para a loja, sua persiana de madeira ainda não ficara pronta. E, pelo andar da carruagem, provavelmente *nunca* ficaria.

Esse era o vomitório de que estava precisando. O pranto de moça de fino trato foi num crescendo, até se transformar num berreiro de bebê.

...na saúde e na doença...

...Ashling sofreu um abalo horrível...

...pode beijar a noooooiva...

...ela arranjou um emprego em Nova York...

...a fábrica fecha durante as férias de verão...

Aos uivos, estendeu a mão para a mesa de cabeceira e derrubou em cima da cama uma caixa de lenços de papel.

À medida que as horas passavam, a luminosidade para além de seu quarto ia se enfraquecendo e adquirindo um tom rosado. O aposento estava envolto em sombras azul-petróleo, logo substituídas pelo negror da noite, matizado com o lilás da cidade. Ela ainda estava se permitindo mais uma enxurrada de lágrimas, quando o quarto foi sendo pouco a pouco invadido pelo baço cinza-perolado da madrugada. Que, por fim, se dispersou e converteu num céu de setembro intensamente azul. Os ruídos começavam lá fora, à medida que o dia avançava, mas Lisa preferiu ficar onde estava, muitíssimo obrigada.

Em algum ponto do dia, que pode ter sido à tarde, houve um episódio de intrusão em sua acolchoada realidade. Um barulho no vestíbulo, seguido por passos e, em seguida, ela deu um grito ao ver Kathy enfiar sua cabeleira de trigo debulhado pela porta do quarto.

— O que está fazendo aí? — Lisa a encarou com os olhos inchados e vermelhos.

— Hoje é sábado — disse Kathy. — Eu sempre venho arrumar a casa para você no sábado.

As bolinhas de lenços de papel espalhadas por todo o edredom, o inconfundível miasma de desalento e o fato de Lisa se encontrar na cama, parecendo ainda estar vestida, deixaram Kathy muito alarmada.

— Você está bem?

— Hum-hum.

Estava claro que Kathy não acreditava nela. Lisa, então, teve uma pequena inspiração, nascida do cansaço:

— Estou doente, peguei uma gripe.

Na mesma hora, Kathy foi toda simpatia: será que ela não gostaria de tomar um pouco de 7-Up choco, um Lemsip, um uísque quente?

Lisa sacudiu a cabeça, voltando a fixar os olhos no nada — uma ocupação em tempo integral.

Gripe?, duvidava Kathy. Não ouvira falar de mais ninguém ficando de cama com gripe. Mas será que era de espantar que Lisa pegasse alguma doença, vivendo nessa imundície? Começou a Operação Limpeza pela cozinha, esfregando superfícies meladas — como é que Lisa *fazia* isso? —, logo empurrando um documento para o lado. Naturalmente, deu uma olhadinha nele — era alguma santa, por acaso? —, e, num instante, tudo fez sentido. Gripe? Lisa não estava com gripe. Coitadinha, uma gripe seria mil vezes melhor.

Passado algum tempo, Kathy voltou ao quarto.

— Vou dar uma arrumadinha aqui.

— Não, por favor.

— Mas esses lençóis estão imundos, Lisa.

— Não tem problema.

Kathy se retirou e, pouco depois, Lisa ouviu a porta da frente sendo batida. Ótimo. Novamente sozinha.

Porém, poucos minutos depois, a porta da frente tornou a se abrir, e Kathy reapareceu com uma sacola plástica de loja:

— Cigarros, chocolates, uma raspadinha e o *RTE Guide*. Se quiser alguma coisa da rua, é só dar um berro. Se eu não estiver em casa, Francine vai no meu lugar, e diz ela que de graça.

Normalmente, Francine cobrava uma libra por hora toda vez que ia comprar alguma coisa para Lisa.

— Estou indo para o trabalho, agora — avisou Kathy. — Antes de eu sair, quer tomar uma xícara de chá?

Lisa sacudiu a cabeça. Kathy fez o chá, assim mesmo.

— Chá forte, doce — disse, em tom significativo, colocando a xícara na mesa de cabeceira.

Lisa se pegou olhando para os tênis de Kathy. Eram gastos, em plástico branco-acinzentado, cheios de rachaduras no peito do pé. Rapidamente arrancou da caixa outro punhado de lenços de papel e os comprimiu contra os olhos.

Depois de arrematar a cena jogando na cara de Clodagh que jamais a perdoaria, Ashling foi embora, ainda ardendo de ódio no fogo dos injustiçados. Próxima parada: Marcus.

Com uma expressão decidida, caminhava às pressas, quase tropeçando, em direção à cidade e ao escritório onde Marcus trabalhava. Passando como um bólido por entre a multidão de Leeson Street, um homem que seguia na direção contrária deu um encontrão em Ashling, seu ombro chocando-se com força contra o dela. Ele já se fora, mas, em câmera lenta, Ashling recuou, trôpega, sentindo o tranco vibrar incessantemente dentro de si. Subitamente fragmentado, todo o ódio se estilhaçou como um ornamento barato de vidro, insignificante e inútil. O burburinho da cidade a atingiu como um fragor. Carros buzinando; rostos ferozes, rosnantes. De súbito, nenhum lugar era seguro.

Com o corpo tremendo no ritmo do medo, esqueceu o confronto com Marcus. Não podia confrontar ninguém de dentro de um marshmallow.

E, afinal, por que estava com ódio? Sentir ódio nunca fora do seu feitio. Só fazia vinte minutos que confrontara Clodagh, e, nesse exato momento, era-lhe impossível acreditar que fora mesmo ela quem o fizera.

Apressou-se de volta para casa, acalentando sua fragilidade. O mundo se convertera numa pintura de Hieronymus Bosch: crianças sujas transitando, cantando canções cujas letras não sabiam; casais trocando rosnados, por serem incapazes de preencher o vazio um do outro; uma mulher alcoólatra desdentada imprecando contra inimigos invisíveis; homens sem-teto diante de portarias, suas bocas como fauces de desespero.

Homens sem-teto.

Por favor, façai com que Boo tenha ido embora. E, por favor, não deixeis que ele tenha feito uma limpa no meu apartamento.

Não chegava a acreditar que fosse o caso, mas, depois do dia que tivera, estava preparada para tudo.

Mas ele não fizera isso. O lugar estava exatamente como Ashling o deixara, salvo por um bilhete de agradecimento em cima da mesa. Ela subiu na cama, a fim de descansar um pouco para se recuperar do choque.

E ainda estava lá quando, em algum ponto da noite de sexta, Joy entrou no apartamento com a cópia de sua chave. Irrompeu quarto adentro, o rosto tomado de preocupação.

— Liguei para o seu trabalho e falei com Jack Divino. Ele me contou o que aconteceu. Lamento de todo o coração.

Joy tomou-a nos braços, mas Ashling se manteve inerte como um tapete enrolado.

Meia hora depois, Ted apareceu, de pé atrás. Ele e Ashling não se falavam há mais de três semanas, desde que Ashling o interpelara sobre sua viagem a Edimburgo.

— Ted, me perdoe — disse Ashling, cansada. — Pensei que você estivesse tendo um caso com Clodagh.

— Pensou? — Seu rosto fino e moreno se iluminou de encanto. Encanto esse que ele logo se apressou em apagar, assumindo uma expressão de gravidade. — Trouxe uns lenços de papel para você — ofertou-os. — Tem escrito "Brotinho Bacana" neles.

— Deixa ali. Ao lado dos que Joy trouxe.

Ao ouvir o som da chave na porta, Lisa saiu um pouco de seu torpor. Kathy outra vez. Mas não era Kathy, era Francine.

— Oi. — Francine enfiou seu corpo gorducho pela porta. — Mamãe disse que é pra eu te fazer companhia.

— Não quero companhia. — Lisa mal conseguia levantar a cabeça do travesseiro.

— Posso experimentar? — Francine pusera o olho num boá de plumas rosa-shocking.

— Não.

Ela enrolou o boá nos ombros assim mesmo, admirando-se ao espelho de corpo inteiro, uma figurinha gorducha de leggings floridas e camiseta amarela.

— Você não deveria estar na escola? — perguntou Lisa, cansada.

— Que nada. — Francine tentou um tom fanfarrão. — Hoje é domingo.

Caramba, pensou Lisa, assombrada. *Perdi a conta dos dias.*

— Mas, mesmo que não fosse domingo, se eu não quisesse ir à escola, não iria — gabou-se Francine.

— Mas assim você não vai se formar e não vai conseguir um bom emprego. — Lisa não se importava se Francine iria se formar ou não, mas queria chateá-la, para que fosse embora.

— Não preciso me formar. Vou entrar numa banda de garotas, e papai diz que todas elas têm QI de ameba. Ouve só, posso te mostrar meu número de dança?

— Não. Cai fora e me deixa em paz.

— Você tem um som? — Francine ignorou completamente a hostilidade de Lisa. — Não? Tudo bem, eu cantarolo. Certo, você tem que imaginar que eu estou no meio e que tem duas garotas aqui deste lado e mais duas deste. Espera só um segundo. — Enrolou a camiseta, improvisando um top que deixava à mostra sua rotunda barriga de criança.

— O que é essa marca dourada na sua barriga? — perguntou Lisa, interessada, apesar de tudo.

— Meu piercing de umbigo — disse Francine, defensiva.

— Não é, não.

— Olha, eu tive que *desenhar* ele — explicou. — Mamãe diz que posso pôr um de verdade quando tiver treze anos. Só que, até lá, já vou ter morrido — acrescentou, sombria.

Em seguida, se recompôs. Bateu o pé no chão, marcando sua entrada — dois, três, quatro! —, e deu início à apresentação do número. Cotovelo direito batido nas costelas duas vezes, como a asa de uma galinha, em seguida, cotovelo esquerdo. Dois pinotes com o pé direito, mais dois pinotes com o esquerdo, então uma palmada forte no traseiro rechonchudo e os quadris bamboleando, ao que abaixava o corpo até o chão. Nem uma stripper teria sido mais explícita. Ondulou o corpo até ficar de pé outra vez e virou-se de frente com um salto desajeitado, seu rosto contraído numa expressão de séria concentração.

— Agora vem a melhor parte — garantiu. — *Shimmmmmeeee!*

Esticando ambos os braços ao seu limite, agitou os ombros, brindando Lisa com um *shimmy*, embora não tivesse peitos para exibir.

— Tchan-tchan! — concluiu, tentando fazer um *spaccata* que não chegou nem perto do chão.

— Incrível — disse Lisa. E fora, sem a menor sombra de dúvida.

— Obrigada. — Francine estava ofegante e corada de prazer. — É claro que eu também vou cantar. Vou ser a vocalista da banda. A gente ganha mais dinheiro por isso. E também vou escrever as canções. A gente ganha ainda mais dinheiro por isso.

Lisa assentiu, aprovando seu espírito empreendedor.

— E também vou me encarregar da publicidade — garantiu Francine. — É isso que dá uma nota preta. — Lançou um olhar penetrante para Lisa. — Como é que tá a sua gripe agora? Melhorou?

— Não. Vai embora.

— Você vai comer aquele chocolate?

— Não.

— Posso ficar com ele?

Foi só quando Lisa não conseguiu sair da cama para ir trabalhar na segunda-feira que subitamente se deu conta de que estava perdendo a sanidade. Com exceção da sexta, quando saíra mais cedo do trabalho, não conseguia se lembrar da última vez que faltara ao trabalho. Será que alguma vez chegara a faltar? Fora trabalhar com cólicas menstruais, resfriados, ressacas, até mesmo em dias em que seu cabelo estava hediondo. Fora trabalhar nas suas férias. Fora trabalhar quando seu marido a deixara. Então, o que estava acontecendo com ela agora?

E por que não era bom?

Seu complexo de poder sempre fora tão portentoso, que jamais conseguira compreender as pessoas que entregam os pontos e ficam soluçando sentadas diante de suas mesas até serem levadas embora por alguém, para nunca mais voltar. Mas sempre acalentara uma curiosidade perversa sobre a hipótese de perder a sanidade, desconfiando que proporcionasse alguma espécie de conforto. Não seria um alívio poder ficar totalmente incapacitada, sem nenhuma escolha, a não ser permitir que os outros assumissem o comando?

Bem, pelo visto, não. Sentia-se incapaz de funcionar e estava achando isso odioso.

Devia ir trabalhar. Era necessária lá. A equipe da *Garota* era pequena demais para comportar quaisquer episódios de absenteísmo, principalmente agora que Mercedes fora embora e Ashling estava fora de circulação. Mas Lisa não se importava. Não *podia* se importar. Seu corpo estava pesado demais, sua mente cansada demais.

Por fim, sentiu vontade de fazer xixi. Resistiu ao máximo, fingindo que não estava acontecendo, mas, finalmente, o desconforto se tornou tamanho que ela foi obrigada a ir ao banheiro. Ao passar pela cozinha, na volta, notou o pedido de divórcio jogado em cima da bancada. Não punha os olhos nele desde a noite de sexta e nem queria voltar a pô-los, mas sabia que não tinha escolha.

Levou-o consigo para a cama e se obrigou a estudá-lo. Devia odiar Oliver. O puta atrevimento dele, divorciando-se dela! Mas o que podia esperar? Seu casamento estava acabado, "irreversivelmente desfeito", para quem preferisse o termo legal — e, sejamos realistas, Oliver preferia.

A linguagem da petição era pomposa e impenetrável. Novamente se deu conta do quão desesperadamente precisava de um advogado, do quão terrível era sua ignorância sobre o assunto. Folheou as páginas de papel grosso, tentando compreendê-las, e a primeira coisa que realmente fez sentido foi que Oliver pedia o divórcio baseado no "comportamento desarrazoado" de Lisa. As palavras saltaram da folha, enfurecendo-a. O fracasso do casamento não fora culpa sua, fumegou. Os dois queriam coisas diferentes, só isso. Que grandessíssimo filho da puta. Ela também podia fazer acusações de comportamento desarrazoado da parte dele, se pensasse um pouco. Querer vê-la descalça, grávida e algemada à pia da cozinha — isso era para lá de desarrazoado.

Mas a raiva amainou, quando ela se lembrou de que a acusação de comportamento desarrazoado era uma mera formalidade. Ele lhe explicara tudo isso quando viera a Dublin: os dois precisavam apresentar uma razão ao tribunal, e poderia igualmente ter sido ela a processá-lo.

Mais adiante, ela encontrou os cinco exemplos, exatamente como ele lhe dissera que teria de haver. Trabalhar nove fins de semana seguidos. Faltar ao trigésimo aniversário de casamento dos pais dele devido a um compromisso profissional. Cancelar suas férias em Santa Lucia na última hora por ter que trabalhar. Fingir que queria engravidar. Ter roupas demais. Cada instância a varava como uma facada. Com exceção da acusação de ter roupas demais. Ela presu miu que, ao chegar ao quinto exemplo, ele já esgotara todas as suas queixas autênticas. As custas seriam divididas, e nenhum dos dois pleiteava pensão.

Pelo que compreendeu, ela teria que assinar um documento denominado Aviso de Citação e devolvê-lo para o advogado de Oliver. Mas não iria assinar coisa alguma. E não apenas porque não tinha forças para apanhar uma caneta. Seu instinto de autoproteção estava muito exacerbado.

Alguém bateu à porta. Ela deu uma risada silenciosa. A ideia de sair da cama para atender era tão absurda que chegava a ser engraçada. Outra batida. Ela não se incomodou nem um pouco. Não havia a mais remota possibilidade de atender. Vozes do lado de fora Outra batida — mais exatamente um murro, dessa vez. Em seguida, um rangido, ao que abriam a tampa da caixa de correio.

— Lisa? — chamou uma voz.

Ela mal se deu conta.

— Lisa — a voz tornou a chamar.

Era tão *fácil* ignorá-la.

— LEEEEEESSSSAAAA! — a voz urrou. Ela percebeu que a reconhecia. Era de Beck. Bem, esse não era seu verdadeiro nome, mas ele era um dos garotinhos apaixonados pelo Manchester United que moravam na rua. — Eu SEI que você tá aí. Também tô MATANDO AULA. Tem um buquê ENORME aqui, você quer?

— Não — respondeu ela, fracamente.

— O QUÊ?

— Não.

— Não tô te ouvindo. Você disse que sim?

Furiosa, Lisa se arrastou da cama. Puta que pariu! Fora tão forte a vida inteira. Nunca cedera à TPM, a mal-estares sortidos, a *nada*. E, justamente na única ocasião em que resolvera ter um colapso nervoso, as pessoas não paravam de interrompê-lo. Escancarou a porta da frente e berrou na cara de Beck:

— EU DISSE QUE NÃO!

— Você é quem manda. — Ele enfiou um imenso buquê de celofane em seus braços e passou por ela, em direção ao vestíbulo. — Depressa, antes que alguém me veja. Eu deveria estar na escola.

Lisa contemplou as flores com um olhar mortiço. Eram flores caras. Não cravos ou qualquer uma dessas mixarias sem a menor criatividade que os pães-duros compram, mas uma grande braçada de flores exóticas — cardos roxos e orquídeas que pareciam vindos de outro planeta. De quem eram? Subitamente, com mãos trêmulas, ela estava rasgando o envelope. Seriam de Oliver?

Eram de Jack.

Tudo que o bilhete dizia era: "Achamos você fantástica. Por favor, volte ao trabalho." Mas, num clarão de lucidez, Lisa identificou nessas palavras um pedido de desculpas. Jack sabia que ela estava interessada nele, mas ele não estava. Ele sabia que ela sabia. E ela sabia que ele sabia que ela sabia e, de repente, nada tinha a menor importância. Embora bonito de rosto e de corpo, Jack a teria deixado louca. Ele não dava muita bola para as coisas que eram vitais para ela. Ela apenas se distraíra tendo fantasias com ele; Oliver, sim, era o homem por quem realmente estava sofrendo.

Beck tentava de todos os modos chamar sua atenção.

Quero te pedir uma coisa!

— Que é? — A palavra lhe foi arrancada dos dedos dos pés.

— Me ajuda a passar isso no CABELO? — Tirou uma caixa do bolso das calças de ginástica. Era um spray clareador.

— Deixa eu adivinhar: você quer entrar para uma banda de garotos.

O rosto de Beck era digno de uma fotografia, enquanto ele procurava as palavras certas.

Por fim, localizou-as.

— Ora, vai à MERDA! — exclamou. — Eu vou ser lateral do Man U.

— E para isso precisa de reflexos louros?

— Dãããã! — fez ele, debochando de sua burrice. — É claro que preciso!

— Agora não, Beck, estou gripada.

— Não está, não. — Já a caminho do banheiro, voltou-se para lhe dar uma piscadela conivente, de um gazeteiro para outro. — Mas, se você não me dedurar, eu também não deduro você.

Ela se recostou na parede, acalentando a ideia de gritar, mas logo em seguida se rendeu ao destino.

Uma hora depois, Beck ia embora, seu cabelo listrado de mechas louras.

— Valeu, Lisa, você é uma garota LEGAL.

Depois de sua saída, ela se sentou à mesa da cozinha, fumando. Sentia frio e passava o tempo todo na intenção de apanhar uma blusa, mas, toda vez que terminava um cigarro, acendia outro.

O telefone tocou no aposento silencioso, e seu coração deu um pulo tal que quase saiu do peito — seus terminais nervosos estavam simplesmente esfrangalhados! A secretária-eletrônica atendeu — ela a deixava ligada o tempo todo, mais para fugir dos telefonemas do que para selecioná-los. Mas cada célula de seu corpo entrou em estado de alerta vermelho quando a voz de Oliver encheu o aposento.

— Paixão, sou eu. Hum, quer dizer, Oliver. Pensei em te dar uma ligada para falar sobre o...

Ela agarrou o fone:

— Sou eu. Estou aqui.

— Oi — disse ele, carinhoso. — Achei que talvez estivesse. Liguei para você na redação e me disseram que você estava em casa. Recebeu o, hum...?

— Recebi.

— Tentei falar com você na redação quinta e sexta, para avisar que devia estar estourando por aí, mas não consegui. Deixei um recado com a sua AP, pedindo para você me ligar, você não recebeu?

— Não. — Ou talvez tivesse recebido. Tinha uma vaga lembrança de Trix tentando enfiar na sua mão um papel com um recado, na manhã de sexta.

— E eu queria ter ligado no fim de semana, mas estava trabalhando. Uma sessão em Glasgow com modelos psicóticas, coisa de louco. Jornadas de vinte horas.

— Não tem problema.

— Enfim, hum... embora nós soubéssemos que isso ia acontecer, a sensação não é das mais agradáveis, não é mesmo?

— Não. — Ela engoliu em seco.

— Mas um de nós tinha que fazer isso. — Ele parecia muito constrangido. — Para ser honesto, paixão, pensei que fosse ser você. Estava imaginando por que você estava demorando tanto a responder.

— Andei ocupada. — Ela tornou a engolir em seco. — Revista nova, sabe como é.

— Tudo bem! Mas, presta atenção, eu me senti a última das criaturas quando dei aqueles cinco exemplos. Não tive a menor intenção de te esculhambar, você sabe disso, não sabe? Quer dizer, na hora eu estava puto da vida, mas agora não estou mais, entende o que quero dizer? Mas lei é lei. Como ainda não estamos separados há dois anos e o adultério não foi a razão pela qual nos separamos, tínhamos que apresentar algum outro motivo para o tribunal.

Lisa ainda não se sentia pronta para falar. Estava à espera de que a tempestade de lágrimas trancada em algum recesso dentro de si passasse. Se abrisse a boca agora, sairia toda.

— Lees — ele a instigou, parecendo preocupado.

— Eu... — ela conseguiu dizer.

— Paixããão...! — fez ele, carinhoso.

— É tudo muito triste — disse ela, trêmula.

— Eu sei. Eu sei. E como sei! — Depois de uma pausa, Oliver disse, como se pensasse em voz alta: — Que tal se eu te fizesse uma visita? A gente pode destrinchar a coisa toda.

— Você está doido.

— Não estou, não. Pensa nisso: nós dois podemos economizar uma nota em custas de advogados, se resolvermos por nossa conta questões como a do apartamento. Tem alguma ideia do quanto vai pesar no nosso bolso cada vez que o meu advogado escrever uma carta para o seu? Uma fortuna, Lees, estou te dizendo. Ah, vamos lá, paixão — bajulou-a. — Podemos fazer isso de modo totalmente, digamos, amigável. Cara a cara. *Mano a mano.* — Como ela não respondesse, ele a chaleirou mais: — *Hombre a hombre.*

Com o mais débil dos risos, ela conseguiu dizer:

— Tá.

— Tá mesmo? No duro? Quando?

— Que tal este fim de semana?

— Você não vai trabalhar?

— Não.

— Ora, ora — disse ele, num tom que a deixou insegura. Mas ele logo voltou a se animar: — Vou tentar arranjar um voo no sábado e levar a papelada para você.

— Eu te apanho no aeroporto.

Só uma noite, ela prometeu a si mesma. Uma noite colada ao corpo dele, e em seguida o esqueceria.

Desligou o telefone, indecisa quanto ao que fazer em seguida. Podia voltar para a cama, mas, em vez disso, num capricho inesperado, decidiu ligar para Jack.

— Obrigada pelas flores.

— Imagina. Eram só para dizer que nós... que eu... tenho o maior respeito por você, e que...

— Jack, desculpas aceitas — ela o atalhou.

— Rã-rã, do que você está falan... — Jack se interrompeu e suspirou. — Tudo bem, obrigado.

— E aí, o que está acontecendo? — Ela quase conseguiu parecer interessada.

O tom de Jack se animou:

— Um monte de coisas boas. A revista foi para a segunda tiragem. Não sei se você viu, mas as fotos da festa apareceram em cinco jornais no fim de semana, e recebemos pedidos para você falar na rádio em cadeia nacional durante a semana. Mesmo sem pormos anúncios nos jornais, recebemos quatro currículos de pretendentes ao cargo de Mercedes. Dublin é uma cidade muito pequena. E descobri para qual revista ela foi. Não é a *Manhattan*, é uma revista para adolescentes chamada *Lero*.

Pode ter sido porque Oliver vinha aí, pode ter sido por causa das boas notícias sobre a *Garota*, certamente pode ter sido por causa da novidade sobre Mercedes, mas o fato é que algo em Lisa mudou, pois, quando Jack perguntou: "Tem alguma hipótese de você voltar a trabalhar?", ela conseguiu responder: "Acho que sim."

— Que bom — disse ele. — Isso quer dizer que posso parar de escrever o artigo sobre produtos masculinos para a pele.

— ???

— Trix me obrigou. Com você e Ashling ausentes e a demissão de Mercedes, ela é o membro mais velho da equipe da *Garota* que está trabalhando. O poder lhe subiu à cabeça. Está falando em mandar Bernard fazer uma limpeza de pele, para ver se consegue fazê-lo chorar.

— Em uma hora estou aí.

A caminho do banheiro para tomar um banho de que há muito estava precisada, Lisa passou por seu quarto e ficou chocada ao ver o estado em que se encontrava. No que estava pensando? Simplesmente não era do tipo de pessoa que perdia a sanidade. Os outros, sim, e boa sorte para eles. Mas não Lisa. Gostasse disso ou não, era uma sobrevivente. Não que estivesse se sentindo magoada e infeliz. Mas os colapsos nervosos eram como as lentes de contato coloridas: podiam ficar muito bem nos outros, mas não combinavam em nada com *ela*.

CAPÍTULO 57

Ashling trocou de posição na cama e retirou o telefone de sob o corpo. Fazia quatro dias que dormia com ele. Pela milionésima vez, digitou o número da casa de Marcus. Secretária eletrônica. Em seguida, o número de seu trabalho. Caixa postal. Por fim, seu celular.

— Nada ainda? — perguntou Joy, compreensiva, acampada com Ted em sua cama fedorenta.

— Não. Ah, meu Deus, eu queria tanto que ele atendesse. Gostaria de ter algumas respostas.

— Ele é um mau-caráter covarde. Vai até o trabalho dele. Inferniza ele nos shows. Taí, isso seria ótimo, sabia? — disse Joy, feroz. — A pretexto de fazer um aparte, você poderia deixar ele doido. Gritando para ele que ele é o fim da picada na cama e que o pinto dele...

— ...é minúsculo — completou Ashling para Joy, em tom cansado.

— ...cheio de sardas, é o que eu ia dizer. Mas aceito "minúsculo".

— Não. Nem pensar. Nem uma coisa nem a outra.

— Tá, esquece os apartes. Mas por que você não vai atrás dele? Se quer o cara de volta, tem que lutar por ele.

— Não sei se quero Marcus de volta. De mais a mais, não tenho a menor chance. Não contra Clodagh.

— Ela não é tão linda assim — disse Joy, feroz.

Automaticamente as duas olharam para Ted, que corou.

— Não é mesmo — mentiu descaradamente.

— Viu só? — Ashling jogou na cara de Joy. — Ele acha que é.

Durante o silêncio constrangido que baixou entre eles, Ashling lançou um olhar desapaixonado ao seu redor. Estava nesse quarto desde a tarde de sexta. Já era noite de segunda, e ela só saíra da cama para breves visitas ao banheiro. Sua intenção inicial fora dormir para superar o choque e, então, encontrar Marcus para ver o que se podia salvar da situação. No entanto, por algum motivo, não conseguira mais sair da cama. Estava gostando de ficar ali, e achava que poderia continuar.

Seu olhar vazio pousou sobre uma pilha de lenços de papel. Todos intactos. Por que não estava chorando? Com o peso da tristeza que carregava, achava que deveria estar dando vazão a um dilúvio de lágrimas ininterrupto. No entanto, seus olhos permaneciam resolutamente secos. Não havia sequer o mais sutil indício de choro — nenhum tremor na voz, nenhum inchaço doloroso na garganta.

Não que estivesse embotada. Ah, quem lhe dera...

Falou lentamente, mais para si mesma do que para os dois:

— Não paro de me perguntar o que fiz de errado, e não acho que a culpa seja minha. Eu deixava que ele testasse suas piadas novas comigo o tempo todo. Ia a todos os seus shows. Bom, quase todos. — Bastava ver o que acontecera da única vez em que não fora: ele traçara a sua melhor amiga. — Concordava com ele dez vezes por dia que ele era o melhor e que todos os outros humoristas eram umas merdas.

— Até eu? — perguntou Ted, inseguro. — Ele me achava uma merda?

— Não — mentiu Ashling. Na noite em que conhecera Marcus, ele elogiara Ted até dizer chega, mas apenas — e só agora ela se dava conta disso — porque não o levava a sério. Quando ficou claro que Ted granjeara um fã-clube pequeno porém fiel, Marcus começou sutilmente a alfinetá-lo. Como era inteligente o bastante para saber que Ashling não permitiria insultos explícitos, contentava-se em soltar comentários do tipo: "Ted Mullins é ótimo. O mundo do humor precisa mesmo de um ou outro peso-leve." Quando Ashling finalmente percebeu que, na realidade, ele estava depreciando Ted, já estava acomodada demais no papel de esposa abnegada para fazer qualquer objeção.

— O problema era exclusivamente Marcus Valentine — observou Joy. — Ele tem toda a pinta de ser um filho da puta egoísta.

— Não era assim. Eu me divertia ajudando Marcus. Éramos íntimos, éramos amigos. — Era isso que doía muito. Mas ele conhecera alguém de quem gostara mais e ponto final, acontece nas melhores famílias.

Era doloroso pensar no passado recente à luz de suas descobertas, mas Ashling foi obrigada a admitir:

— Nessas últimas semanas, enquanto estive muito ocupada, ele ficou todo espetado. E eu pensando que era só porque sentia minha falta. Imagina!

— E ele continuou... hum... — Joy fez uma tentativa chocha de abordar a questão com delicadeza, mas percebeu que não conseguiria. — ...ele continuou a te comer normalmente?

Ted pôs as mãos nos ouvidos.

— Não — confessou Ashling, com um suspiro. — A frequência caiu muito. Mais uma vez, achei que a culpa era minha. Mas nós transamos, sim, depois que estive em Cork. Ou seja, durante algum tempo, ele enganou a nós duas.

— Por que será que Clodagh tolerou isso? — perguntou-se, como se estivesse se referindo a uma personagem de novela.

— Talvez não soubesse — especulou Joy. — Ele pode ter mentido para ela. Ou talvez estivesse usando você para fazer com que ela deixasse Dylan. — Tarde demais, Joy se deu conta do quanto isso soava cruel. — Desculpe — pediu, humilde. — Falei sem pensar... Mas e a Clodagh, hein? Se eu pudesse escolher entre Marcus e Dylan, sei muito bem quem escolheria! Ah, meu Deus. Desculpe de novo. E aí, quer umas batatinhas?

Ashling sacudiu a cabeça.

— Não quer comer nada? Chocolate? Pipoca? Alguma outra coisa? — Joy exibiu o vasto sortimento de petiscos sobre a cômoda de Ashling.

— Não, e nem me traz mais nada.

— Você pretende sair da cama algum dia?

— Não — disse Ashling. — Estou me sentindo tão... humilhada.

— Não dê essa satisfação a eles — disse Joy, enfática.

— Eu sinto que todo mundo me odeia.

— Por quê? Você não fez nada de errado!

— Sinto que o mundo inteiro está contra mim, que nenhum lugar é seguro. E estou muito triste — acrescentou.

— É natural.

— Não, estou triste pelos motivos errados. Não consigo parar de pensar em Boo e no quanto sua condição é triste. E em todos os outros sem-teto, passando frio e fome. A perda de dignidade... É tudo tão degradante...

Interrompeu-se ao perceber o olhar de *Ela-pirou-de-vez* trocado por Joy e Ted. Achavam que o choque tirara algum parafuso seu do lugar. Como podia se importar com os sem-teto, gente que nem sequer conhecia, quando estava vivendo um drama pessoal, palpável, real? Eles não compreendiam. Mas havia uma pessoa que compreenderia.

Se não estivesse tão catatônica, estremeceria de horror. *Era assim que minha mãe se sentia.* E foi então que a chocante ficha caiu: *Droga, acho que estou tendo um colapso nervoso.*

Com flores ou sem flores, quando Lisa chegou à redação e viu Jack, não pôde conter um ímpeto de ódio por ele a ter rejeitado.

— Como você está? — Ele a observou, cauteloso.

— Ótima — disse ela, à flor da pele.

— Sentimos sua falta. — O olhar dele era bondoso, sem ser de pena, e sua ira se evaporou. Ela estava apenas sendo infantil.

— Quer ver minha matéria sobre os produtos para a pele? — Apresentou-lhe uma cópia, que declarava que os produtos da Aveda eram "legais", os produtos da Kiehl's eram "legais" e os produtos de Issey Miyake eram "legais".

Lisa atirou a página de volta à sua mesa, com uma piscadela de entendida:

— Não desista.

Eles deviam realmente ter entrado em pânico em relação à equipe da *Garota*, para um chefão como Jack ter se aventurado a escrever uma matéria.

— E Ashling, ainda não voltou? — Não conseguiu conter a vaidade. Afinal, estava *se divorciando*, e mesmo assim fora trabalhar.

E só agora, ao voltar, tomou conhecimento do auê que estavam fazendo em torno da revista, e de como todos os seus esforços para torná-la famosa haviam dado frutos. Enquanto ficara deitada na cama, convencida de que era o maior fracasso de todos os tempos, tornara-se, guardadas as devidas proporções, uma estrela — apenas na Irlanda, é claro, mas e daí?

Já houvera uma oferta de emprego de uma revista irlandesa rival, e vários jornalistas telefonaram, alguns interessados em fazer um sério perfil seu, outros — a maioria — em usá-la para calhaus,* do tipo "Minhas Férias Favoritas" e "Meu Encontro Ideal".

Permitiu-se sentir um certo prazer, porém, mais importante do que o sucesso da revista era o próximo fim de semana com Oliver. Tinha que estar simplesmente espetacular — precisava arranjar uma batelada de roupas fabulosas e fazer o cabelo. E as unhas. E depilar as pernas. Não comeria nada, é claro, para poder comer normalmente quando estivesse com ele...

— É o *Sunday Times* — Trix acenou com o telefone para ela. — Querem saber qual é a cor da calcinha que você está usando.

— Branca — respondeu ela, distraída, e Kelvin quase gozou.

— Eu estava brincando — queixou-se Trix. — Eles só querem perguntar sobre os produtos que você usa no cabelo...

Mas Lisa não estava escutando. Estava ao telefone, falando com a assessoria de imprensa londrina da DKNY.

— Queremos fazer uma matéria para nossa edição de Natal, mas precisamos das roupas *até sexta*.

— Lisa, podemos conversar sobre a substituta de Mercedes? — perguntou Jack.

O fato de Mercedes tê-los abandonado com o pepino na mão provocou outro arroubo de ódio em Lisa, que ela teve de se esforçar muito para dissipar.

— Trix, liga para a Ghost, a Fendi, a Prada, a Paul Smith e a Gucci. Diz a eles que vamos fazer algumas páginas com eles para a edição de dezembro, mas só se nos mandarem as peças até sexta. Vamos lá.

Chegou ao escritório de Jack antes dele.

— Ela está tramando alguma — observou Trix... para as paredes. Sentia falta de Ashling e Mercedes. Era chato não ter ninguém com quem brincar.

---

*Gíria jornalística referente a anúncios ou, no caso, textos curtos usados para se preencherem espaços que estejam sobrando no jornal ou na revista.

Jack e Lisa olharam para os quatro currículos não solicitados das candidatas ao cargo de Mercedes e decidiram entrevistar todas elas.

— E se forem uó, pomos um anúncio — disse Lisa. — Posso te perguntar uma coisa? Como é que eu arranjo um advogado?

Jack pensou por um momento.

— Temos uma firma que nos presta assessoria jurídica. Por que não vai lá e fala com eles? Se não puderem tratar do seu, hum, assunto, vão recomendar alguém que possa.

— Obrigada.

— E eu vou fazer tudo que puder para ajudá-la — prometeu Jack.

Lisa o encarou, desconfiada. Não havia como negar, gostava dele. Ele continuava a tratá-la com o mesmo carinho e apoio que vinha lhe dispensando desde o dia em que chorara no seu escritório por não ir aos desfiles. Se ela resolvera enxergar nessa atitude mais do que havia, a culpa não era dele.

Na tarde de terça, o telefone de Ashling tocou. Ela o agarrou. *Que seja Marcus,* rezou. *Que seja Marcus.*

Sentiu um desânimo mortal ao ouvir uma voz de mulher. Sua mãe.

— Ashling, querida, estávamos curiosos para saber como foi o lançamento de sua revista, então liguei para a redação. Disseram que você não estava trabalhando. Qual é o problema, está doente?

— Não.

— Então o que é?

— Estou... — Ashling hesitou quanto a pronunciar a palavra-tabu, mas terminou por ceder, e sentiu um misto de medo e alívio ao fazê-lo: — Estou deprimida.

Monica soube imediatamente que esse não era simplesmente um caso de "Estou deprimida porque esqueci de gravar o episódio de *Friends* de ontem à noite". Ashling sempre tivera o cuidado de nunca, *jamais*, usar a palavra "depressão" em relação a si mesma. A coisa devia ser séria. A história se repetindo.

— Meu namorado se envolveu com Clodagh — explicou Ashling, fraca.

— Clodagh *Nugent*? — Monica pareceu furiosa.

— Há dez anos que ela é Clodagh Kelly. Mas não é só por isso.

Monica refletiu, ansiosa.

— O quanto você está mal?

— Não saio da cama há cinco dias. Nem tenho planos de sair em breve.

— Está se alimentando?

— Não.

— Tomando banho?

— Não.

— Tem tido fantasias suicidas?

— Ainda não. — Oba, ainda restava alguma coisa por que esperar ansiosamente!

— Vou tomar o trem amanhã de manhã, querida, e cuidar de você durante um tempo.

Monica esperou que Ashling a mandasse à merda, como de costume. Mas, em vez disso, a única coisa que ouviu foi um indiferente "Tudo bem". Sentiu seu coração se apertar de medo. Ashling devia estar mesmo muito mal.

— Não se preocupe, querida, vamos conseguir ajuda para você. Não vou deixar que você passe pelo que passei — prometeu Monica, veemente. — Hoje em dia as coisas são diferentes.

— Já não é mais tanto um estigma — disse Ashling, apática.

— Os medicamentos são melhores — retorquiu Monica.

Joy e Ted tentavam seduzir Ashling com uma nova remessa de chocolates e revistas na noite de terça, quando a campainha tocou. Os três ficaram petrificados.

Pela primeira vez em dias, o rosto apático de Ashling se iluminou.

— Pode ser Marcus!

— Vou lá mandar ele à merda. — Joy já se encaminhava para a porta.

— Não! — disse Ashling, firme. — Não. Quero falar com ele.

Segundos depois, Joy voltou.

— Não é Marcus... — sibilou.

Ashling imediatamente tornou a despencar no fundo do poço.

— ...é Jack Divino.

Essa insólita visita fez com que Ashling saísse um pouco de seu torpor. O que ele queria? Despedi-la por faltar ao trabalho?

— Vai se lavar, pelo amor de Deus! — exortou-a Joy. — Você está fedendo.

— Não posso — disse Ashling, sem forças. Tão sem forças que Joy compreendeu que era perda de tempo. Em respeito ao seu estado, insistiu apenas para que vestisse um pijama limpo, penteasse o cabelo e escovasse os dentes. Em seguida, hesitou entre dois vidros de perfume.

— Happy ou Coco? Happy — decidiu. — Vamos experimentar o poder da sugestão.

Encharcou Ashling numa nuvem de Happy e a empurrou como se fosse um brinquedo de corda em direção à sala:

— Vai lá!

Jack estava sentado no sofá azul, suas mãos pendendo entre os joelhos. Era a cena mais estranha do mundo. Embora deprimida, a constatação conseguiu penetrar seu estupor: ele pertencia ao mundo do trabalho, mas, mesmo assim, lá estava, fazendo com que seu apartamento parecesse ainda menor do que já era.

Seu terno escuro, cabelo desgrenhado e gravata torta davam-lhe o aspecto de um homem transtornado, cheio de preocupações. Ela se postou no umbral da porta, observando-o trocar pensamentos com suas tábuas corridas em madeira de bordo sintecada. Nesse momento ele inclinou a cabeça, viu-a e sorriu.

A luz no aposento mudou quando ele se levantou.

— Oi — disse Ashling. — Desculpe por ter faltado ontem e hoje.

— Só vim para ver como você está, não para te apressar a voltar para o trabalho.

Foi quando Ashling se lembrou de que Jack passara a tratá-la com inesperada gentileza e brandura desde que Dylan lhe dera a terrível notícia.

— Vou ver se dou um jeito de ir amanhã — disse ela. As probabilidades eram as mesmas de vir a escalar o Kilimanjaro.

— Por que não tira a semana toda de folga? — ele sugeriu. — E tenta voltar na segunda?

— Tudo bem. Obrigada. — O alívio por não ser obrigada a tentar enfrentar o mundo foi tão grande que ela nem protestou. — Minha mãe vem passar alguns dias comigo. Se há alguma coisa no mundo que possa me fazer voltar a trabalhar, é isso, tenho certeza.

— Ah, é? — Jack sorriu, compreensivo. — Qualquer hora dessas você tem que me contar tudo a respeito.

— Tá. — Ela não conseguia se imaginar com forças sequer para dar as horas a alguém.

— E como você está agora? — perguntou ele.

Ela hesitou. Não era exatamente o tipo de coisa que uma pessoa discuta com o próprio chefe, mas foda-se, que importância tinha? Que importância qualquer coisa tinha?

— Estou me sentindo muito triste.

— Já era de esperar. O fim de um relacionamento, a perda de uma amizade...

— Mas não é só isso. — Ela se esforçava por compreender sua dor avassaladora. — Eu me sinto triste em relação ao mundo inteiro.

Observou Jack. Será que ele a achava uma doida varrida?

— Continua — incitou ele, brando.

— Só consigo enxergar as coisas tristes. E estão em toda parte. Somos como os sobreviventes de uma guerra, nós, a raça humana inteira.

— *Weltschmerz* — disse ele.

— Saúde — disse ela, distraída.

— Não — ele riu baixinho. — *Weltschmerz.* Significa "tristeza do mundo" em alemão.

— Existe uma palavra para isso?

Ela sabia que não era a única pessoa a se sentir assim. Sabia que sua mãe também se sentira. Mas, se haviam chegado a criar uma palavra para descrever esse sentimento, muitas outras pessoas deviam tê-lo conhecido. Era um consolo saber disso.

Em seguida, Jack lhe entregou uma sacola branca de papel.

— Eu, hum, trouxe uma coisa para você.

— O que é? Lenços de papel? Eu poderia abrir uma loja. Uvas? Não estou doente. Só, só... me sentindo humilhada.

— Não, é... Bom, para ser franco, é sushi.

Ela se calou por alguns momentos, irritada.

— Você está brincando comigo?

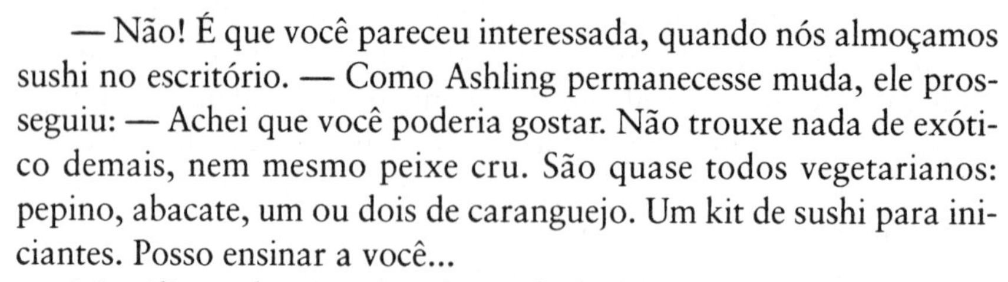

— Não! É que você pareceu interessada, quando nós almoçamos sushi no escritório. — Como Ashling permanecesse muda, ele prosseguiu: — Achei que você poderia gostar. Não trouxe nada de exótico demais, nem mesmo peixe cru. São quase todos vegetarianos: pepino, abacate, um ou dois de caranguejo. Um kit de sushi para iniciantes. Posso ensinar a você...

Mas, diante da expressão desconfiada de Ashling, ele voltou atrás.

— Hum, tudo bem, já vou indo, então. Espero que se sinta melhor. Até segunda.

Assim que ele saiu, Ted e Joy apareceram na sala.

— Que é que tem nessa sacola?

— Sushi.

— Sushi! Que coisa mais esquisita para se trazer.

Rodearam a sacola branca de papel, ressabiados, como se fosse radioativa.

— Vamos dar uma olhada? — perguntou Ted, por fim.

Quando Ashling respondeu "Se quiser", ele retirou da sacola uma caixa preta laqueada e fitou, fascinado, os rolinhos de arroz dispostos em belas fileiras.

— Não pensei que tivesse essa aparência — comentou Joy.

— E o que são essas outras coisas? — Ted cutucou um sachê prateado.

— Molho de soja — disse Ashling, desinteressada.

— E isso? — Ted descolou a tampa de uma pequena embalagem de isopor.

— Gengibre em conserva.

— E isso? — Apontou um montinho de massa de modelar verde.

— Esqueci o nome — confessou Ashling, mal-humorada —, mas é picante.

Depois de mais algum tempo de cautelosa exploração, Ted resolveu pegar o touro pelos chifres:

— Vou experimentar.

Ashling deu de ombros.

— Esse aqui tem cara de ser de pepino. — Enfiou-o na boca. — Agora vou limpar meu palato com uma fatia de gengibre, depois vou...

— Não é assim que se faz — disse Ashling, irritada.

— Bom, então me mostra como é.

CAPÍTULO 58

A batida discreta na janela fez com que Clodagh pulasse de pé. Sentiu-se louca de felicidade. Lá estava ele. Voou para a porta da frente e a abriu sem fazer barulho.

— O galo canta ao amanhecer — disse ele, com forte sotaque russo.

— Sssshhh. — Ela pôs o dedo sobre os lábios num gesto exagerado, mas ambos estavam transbordando de alegria e encanto.

— Eles estão dormindo? — cochichou Marcus.

— Estão.

— Aleluia! — Ele quase se esqueceu da necessidade de silêncio. — Agora posso pintar o sete com você. — Entrou no vestíbulo, tomou-a nos braços e, enquanto os dois riam por esbarrar no porta-casacos, ele começou a despir as roupas dela.

— Vem para a sala — convidou ela.

— Quero transar aqui — disse ele, com ar safado. — Em cima das galochas e das mochilas escolares.

— Aí não pode, sinto muito! — Ela teve um quiriquiqui quando ele fez uma carinha contrariada. — Você está igual ao Craig.

Ele esticou ainda mais o lábio inferior e ela chorou de rir.

— Mas, falando sério — ela sussurrou —, e se um deles se levantar para ir ao banheiro e vir a gente numa boa no chão do vestíbulo? Passa para a sala, já!

Obediente, ele apanhou sua camisa e a seguiu.

— Essa clandestinidade toda me lembra meus tempos de adolescente. Não deixa de ser sexy.

Como Dylan aterrorizara Clodagh com ameaças de lhe tirar a custódia das crianças, ela estava determinada a evitar que Molly e Craig a vissem transando com Marcus. Mas, aquela semana, Marcus estivera muito ocupado no escritório, de modo que a hipótese de sexo à luz do dia fora descartada. A única ocasião em que podiam ter esperanças de transar era enquanto Molly e Craig dormiam — um período diário de aproximadamente vinte minutos.

No sofá, arrancaram as roupas um do outro e, durante uma breve pausa para se olharem nos olhos, Clodagh disse, suspirando:

— Estou tão feliz de ver você.

Aqueles últimos cinco dias que se seguiram à partida de Dylan foram marcados pelo clima de estranheza de um pesadelo. O sentimento de culpa a dilacerava, principalmente porque as crianças não paravam de perguntar quando o papai iria voltar para casa. Seu isolamento se tornava cada vez maior: até mesmo sua própria mãe estava furiosa com ela. E ela experimentava a sensação apavorante de ter perdido o controle da situação — o horror de constatar a onda de destruição que deflagrara.

A única hora em que o horror lhe dava uma trégua era quando estava com Marcus. Ele era um diamante no lixão da sua vida. Ela lera essa frase em algum lugar — no romance em que a heroína abre um brechó de roupas de grife —, e acabara de relembrá-la.

— Não tão feliz quanto eu de ver você. — Marcus contemplou seu corpo nu, em seguida passou as mãos por baixo dela e a virou, deitando-a de bruços. Antes de penetrá-la, sempre esperava um momento, quase reverente. Já fazia quase uma semana que eles não faziam sexo. Não houvera a menor possibilidade na tarde de sábado. Depois que Craig atingira Marcus com o caminhão vermelho, não o deixara mais chegar a um metro de Clodagh.

— Vem — implorou Clodagh, a voz abafada.

Marcus se preparou uma, duas vezes com a mão, em seguida se posicionou com precisão diante da entrada de Clodagh. Nada se igualava à primeira estocada dentro dela. Como o tempo que passavam juntos era sempre curto, havia uma violência redobrada no seu sexo: ele gostava de penetrá-la inteiramente, até o fundo, de primeira, avançando por aquela abertura semiflexível, direto ao cerne do êxtase enlouquecedor. E, quando conseguia arrancar de Clodagh um grito abafado que ficava em algum ponto entre o prazer e a dor, isso o excitava ainda mais.

Mas, dessa vez, seu golpe comprido e perfeito foi interrompido na metade quando Clodagh se retesou, recostou-se e sussurrou: "Ssshh." Inclinou a cabeça para o teto e ficou imóvel.

— Achei que tinha ouvido... Não — tornou a relaxar. — Deve ter sido minha imaginação.

Ele a penetrou até o fundo da segunda vez, mas não conseguiu evitar a sensação de ter perdido alguma coisa. Depois de uma transa afoita e furiosa, partiram para outra, um pouco menos frenética, com Clodagh por cima.

Pingando de suor, deitada em cima dele, ela murmurou:

— Você me faz feliz.

— Você também — tornou ele. — Mas sabe o que me faria mais feliz ainda? Ir para o seu quarto. Este sofá está acabando com as minhas costas.

— Não, não devemos. E se eles virem você?

— Você pode trancar a porta do quarto. Vamos lá — disse ele, abrindo um sorriso. — Ainda não acabei com você por hoje.

— Sim, mas... Ah, tá bem, mas não pode ficar a noite toda! Combinado?

— Combinado.

O Dr. McDevitt ficou alarmado ao ver uma mulher marchando pelo seu consultório adentro e exigindo Prozac com ameaças:

— ... e não vamos sair daqui sem ele!

— Sra. ... — Ele consultou sua lista de pacientes. — ...ah, Kennedy. Não posso sair por aí distribuindo receitas...

— Pode me chamar de Monica, e não é para mim, é para minha filha. — Monica gesticulou em direção a Ashling.

— Ah, Ashling. Não tinha visto você aí. Que é que está havendo? — Ele gostava de Ashling.

Ela se remexeu, com ar impotente e, incentivada pelo cotovelo materno, terminou por responder:

— Estou me sentindo péssima.

— O namorado dela a trocou por sua melhor amiga — completou Monica, quando ficou claro que Ashling não o faria.

O Dr. McDevitt suspirou. Levar um fora do namorado, ora, são coisas da vida, não são? Mas as pessoas queriam Prozac para *tudo* — quando perdiam um brinco, quando se ajoelhavam numa peça de Lego.

— Não é só o namorado — Monica insistiu com veemência. — Ela tem problemas familiares.

O Dr. McDevitt não duvidava nada disso. Uma mãe dominadora, talvez?

— Sofri de depressão durante quinze anos. Fui hospitalizada várias vezes...

— Não precisa se gabar — murmurou ele.

— ...e Ashling está se comportando como eu me comportava. Fica jogada na cama e se recusa a comer, obcecada com os sem-teto.

O Dr. McDevitt se empertigou. Agora, sim, a coisa começava a ficar interessante.

— O que é que tem os sem-teto?

Outro cutucão e um *Conta pra ele!* entre os dentes de Monica antes de Ashling erguer o rosto pálido e hirto e murmurar:

— Conheço um rapaz sem-teto. Sempre me preocupava com ele, mas agora me sinto triste em relação a todos os outros sem-teto. Até os que não conheço.

Isso bastou para convencer o Dr. McDevitt.

— Por que me sinto assim? — perguntou Ashling. — Será que estou enlouquecendo?

— Não, não está, mas, rã-rã!, a depressão é um problema *sui generis* — enrolou ele. Em outras palavras: não fazia a menor ideia. — Mas, se eu fosse arriscar um palpite, diria, pelo, hum, testemunho da sua mãe, que você pode ter herdado uma tendência à depressão, e que o trauma de ter perdido o seu brin... digo, namorado, deflagrou este surto.

E lhe prescreveu a dose mínima.

— Sob uma condição — disse, anotando algo num bloco: — Que você também faça terapia.

Ele aprovava a psicoterapia. Se as pessoas queriam ser felizes, que suassem um pouquinho a camisa neste sentido.

* * *

Ao sair do consultório, Ashling perguntou:

— Posso ir para casa agora?

Monica só conseguira arrancá-la de casa para ir ao médico porque chamara um táxi.

— Vamos só até a farmácia, depois voltamos para casa.

Desconsolada, Ashling permitiu que Monica passasse seu braço pelo dela. Vivia sendo obrigada a fazer coisas que não queria, e estava apática demais para resistir. O problema era que Monica fizera da felicidade de Ashling um projeto pessoal, pois estava eufórica pela oportunidade de compensá-la pelos anos de inevitável abandono.

Era uma tarde de começo de outono e, enquanto caminhavam lentamente sob o sol ameno, Ashling apoiou-se no cotovelo da mãe, grosso e macio das várias camadas de roupas.

Depois da farmácia, Ashling foi levada a passear por Stephen's Green, onde Monica a obrigou a se sentar num banco e contemplar as aves chapinhando no lago à luz dos raios de sol oblíquos. Ashling se perguntou quando poderia ir para casa.

— Logo — prometeu Monica.

— Logo? Que bom. — E voltaram a contemplar as aves. — Patos — observou ela, como uma autômata.

— Isso mesmo! Patos! — Monica ficou tão animada como se Ashling tivesse dois anos e meio. — Se preparando para voar para o sul no inverno... rumo ao clima quente — acrescentou.

— Eu sei.

— Pondo na mala os biquínis e a loção bronzeadora.

Voltaram a ficar em silêncio.

— Providenciando os seus traveller's cheques — prosseguiu Monica.

Ashling continuou a olhar para a frente.

— Pintando as unhas dos pés — sugeriu Monica. — Comprando óculos escuros e chapéus de palha.

Os óculos escuros foram a gota d'água. A imagem de um pato usando óculos escuros como um mafioso foi cômica o bastante para arrancar um meio sorriso de Ashling. Só então Monica permitiu que fosse para casa.

* * *

Na manhã de sábado, quando Liam apanhou Lisa em seu táxi para levá-la ao aeroporto, sua admiração foi escancarada.

— Santo Deus, Lisa — exclamou, em tom paternal —, você está espetacular!

O termo certo era *esperta*cular.

— Tenho que estar, Liam. Comecei a me arrumar às sete.

Ela era obrigada a reconhecer que se superara. Tudo estava perfeito: seus cabelos, pele, sobrancelhas, unhas. E roupas. Na quarta e quinta, couriers haviam entregue na redação algumas das peças de vestuário mais magníficas do planeta, ela escolhera a dedo *la crème de la crème* e era essa nata que agora estava vestindo.

Durante o trajeto, Lisa explicou a Liam em linhas gerais o que estava acontecendo, e ele ficou consternado.

— Se divorciando — murmurou ele. — Seu marido deve ser louco. E cego.

Para se aproximar da porta, Liam estacionou o carro num local não apenas proibido, como também perigoso.

— Vou ficar aqui esperando você.

Lisa já estava sem fôlego mesmo antes de atravessar correndo o setor de desembarque. Embora o monitor informasse que o voo de Oliver já aterrissara, não havia nenhum sinal dele, de modo que ela se postou no ponto de encontro, fixou os olhos nas portas duplas de vidro e esperou. Seu coração palpitava e sua língua não parava de se colar ao céu da boca. Ela esperou mais um pouco. As pessoas apareciam em levas regulares, passando com aquela expressão de quem sabe que é observado por entre os que esperavam, mas nem sinal de Oliver. Depois de algum tempo, ela ligou para casa, nervosa, para verificar se ele não lhe deixara algum recado avisando que estava atrasado, mas não havia nenhum.

Estava quase convencida de que ele não vinha mais, quando finalmente o viu atravessar as portas de vidro com a graça que lhe era peculiar. Sua cabeça ficou leve e o chão oscilou levemente. Ele estava todo de preto. Uma jaqueta de couro preta por cima de uma camisa pólo preta e calças pretas justas. Nesse momento, ele a viu e abriu seu sorriso quilométrico. A única coisa feita pelo homem que podia ser vista do espaço, ela costumava dizer, num remoto passado.

Ela se apressou em sua direção.

— Já estava quase desistindo de te esperar.

— Desculpe, paixão — seus lábios se curvaram ao redor dos dentes chocantemente brancos —, mas é que fui detido pelo pessoal da Imigração. A única pessoa no avião inteiro com quem isso aconteceu. — Pôs a mão no quadril e disse, com curiosidade exagerada: — Por que será, hein?

— Filhos da mãe!

— Pois é, eu não conseguia convencê-los de que sou um cidadão britânico. Embora tenha um passaporte britânico.

— Tsc-tsc — fez ela, compreensiva. — Ficou chateado?

— Que nada, estou acostumado. Aconteceu a mesma coisa da última vez que vim aqui. Você está linda, paixão.

— Você também.

Kathy acabara de encerrar uma portentosa faxina quando Liam os deixou em casa. Ela ainda tentou sair de fininho, mas Lisa a deteve.

— Oliver, esta é Kathy, ela mora aqui em frente. E, Kathy, este é Oliver, meu mari... amigo.

— Como vai? — cumprimentou-o Kathy, perguntando-se o que seria um mariamigo. Talvez fosse o mesmo que uma amiga mulher.

Quando Kathy saiu, os dois puseram-se a trocar amabilidades, num clima constrangido, de excessiva gentileza e jovialidade. Embora estivessem de bem um com o outro, não restava dúvida de que essa era uma situação muito estranha, sem um código de comportamento definido. Oliver admirou sua casa com entusiasmo exagerado e Lisa esboçou seus planos com grandiloquência, fazendo uma menção específica à persiana de madeira.

Por fim, os dois se acalmaram e passaram a se comportar com mais naturalidade.

— É melhor a gente pôr mãos à obra, paixão — disse Oliver, retirando de sua mala algo que, por um segundo, Lisa supôs tratar-se de um presente para ela, até compreender que era uma caixa cheia de documentos — extratos bancários, extratos de cartão de crédito, papelada de hipoteca. Ele pôs um par de óculos de armação de prata e, embora com isso adquirisse um ar deliciosamente profissional, toda a expectativa nervosa e infantil de Lisa bruscamente desapareceu. O que estava pensando? Isso não era um encontro, era uma reunião para discutirem seu divórcio.

Subitamente, seu moral despencou. Sentou-se pesadamente à mesa da cozinha e pôs-se a trabalhar na cisão de suas vidas financeiras, para revertê-las, saudáveis e íntegras, à sua individualidade original. Era um processo tão delicado quanto o da separação de gêmeos siameses.

Como se brincassem de *paperchase** com extratos bancários de até cinco anos atrás, tentaram organizar uma lista de todas as diversas despesas que haviam tido com o apartamento. Em meio ao caos de depósitos, hipotecas e honorários de advogados, as duas vertentes distintas se confundiam o tempo todo.

Volta e meia os ânimos se exaltavam, como sempre acontece quando o assunto é dinheiro. Lisa insistia com a máxima veemência que pagara o valor integral dos honorários do advogado, mas Oliver estava convicto de que também contribuíra.

— Olha aqui — ele remexeu os papéis até localizar a fatura do advogado dos dois, um documento impresso em papel grosso —, uma conta de quinhentas e doze libras e dezesseis *pence*. E aqui — bateu com o dedo num extrato bancário seu —, um *cheque* de quinhentas e doze libras e dezesseis *pence*, emitido três semanas depois. Coincidência? Acho que não!

— Me mostra! — Ela examinou ambos os papéis e, por fim, murmurou: — Desculpe.

Nesse momento, a campainha tocou e Francine entrou, sem a menor cerimônia.

— Oi, Leeeeesa. Hum, oi — cumprimentou Oliver com um aceno de cabeça, a timidez eclipsando sua autoconfiança. Voltou-se para Lisa: — A gente vai dar uma *slumber party*** hoje à noite, eu, Chloe, Trudie e Phoebe. Quer vir?

— Obrigada, mas já tenho um compromisso.

— Tá. Hum, será que você não tem umas máscaras de beleza sobrando que a gente possa usar?

---

*Corrida em que os participantes devem seguir os papéis deixados ao longo do caminho pelos demais participantes.

** Festa de meninas em que as convidadas passam a noite na casa da anfitriã.

Lisa conteve a irritação.

— Desculpe, Oliver, só um segundo. Dá um pulo aqui no meu quarto, Francine.

— Graças a Deus! — exclamou Oliver, quando Francine foi embora com um sacola plástica cheia de máscaras faciais, vidros de esmalte de unha, esfoliantes e demais itens que compõem a parafernália de uma *slumber party*.

Lisa se remexeu, agitada:

— Ela só veio aqui para dar uma olhada em você.

Voltaram à *paperchase*, o tempo todo tropeçando em lembranças.

— Que diabo nós compramos na Aero que custou tanto?

— Nossa cama — desfechou Oliver, curto e rasteiro.

Fez-se um silêncio carregado de sentimentos reprimidos.

— Um cheque para a Discovery Travel? — perguntou Lisa, algum tempo depois.

— Chipre.

Aquela única palavra detonou uma bomba de emoções dentro dela. Um calor maravilhoso, os corpos entrelaçados enquanto os raios de sol oblíquos do fim de tarde estampavam os lençóis de sombras. Estava perdidamente apaixonada, vivendo suas primeiras férias de "casada", sentindo-se incapaz de imaginar um só dia de sua vida sem Oliver.

E haviam de topar com esse cheque justamente agora, quando se preparavam para se divorciar. A vida não era estranha?

Algumas horas depois, a campainha tocou de novo. Dessa vez, era Beck.

— Lisa, quer BRINCAR? A gente tá batendo uma BOLA.

— Estou ocupada, Beck.

— Oi. — Beck arriscou um aceno de cabeça para Oliver, de homem para homem, mas não conseguiu ocultar seu assombro. — E você?

— Ele também está ocupado. — Lisa estava ficando cada vez mais irritada. Estavam tratando Oliver como se fosse uma aberração de circo.

— Para ser franco — Oliver depôs a caneta e tirou os óculos —, bem que estou precisando dar um tempo. Essa papelada está fundindo a minha cuca. Meia hora? — Desdobrou-se com fluidez e Lisa observou sua graça musculosa.

— Você vem, LISA?

— De repente.

— No começo, ela catimbava à beça — confidenciou Beck para Oliver —, mas agora parou.

— Ela joga futebol com vocês? — Oliver ficou atônito.

— É claro que joga. — Foi a vez de Beck ficar atônito. — Até que ela não é má. Pra uma mulher.

Boquiaberto, Oliver disse, quase em tom de acusação:

— Você mudou.

— Não mudei — disse Lisa, sem alterar a voz.

A meia hora passada às carreiras e escorregões atrás da bola no beco sem saída se revelou uma boa ideia. Estavam ofegantes e eufóricos quando voltaram para a mesa da cozinha, coberta de documentos.

— Ai, ai, ai — Oliver estremeceu ao vê-la. — Eu tinha me esquecido.

— Ah, vamos deixar isso para hoje à noite...

— É melhor não, paixão. Ainda falta muita coisa.

Sem dar quaisquer mostras de sua exaustão, Lisa pediu duas pizzas por telefone e retomaram o trabalho. Já passava da meia-noite quando terminaram.

— Quanto tempo vai levar o processo todo? — perguntou Lisa.

— Assim que chegarmos a um acordo sobre as finanças, nós o apresentamos à corte e a sentença provisória sai num prazo de dois a três meses. A sentença definitiva sai um mês e meio depois disso.

— Ah. Rápido assim. — E Lisa não conseguiu pensar em mais nada para dizer.

O dia a deixara exausta, ferida, infeliz. Seu pescoço estava dolorido, seu coração cheio de mágoa, era hora de dormir e ela não tinha a menor vontade de fazer sexo.

Nem ele. Ambos estavam muito tristes.

Ele se despiu maquinalmente, cansado, deixando as roupas onde caíam, para em seguida subir na cama de Lisa como se já tivesse estado ali um milhão de vezes. Abriu os braços para ela, que se chegou até ele. Pele contra pele, ficaram nas posições em que sempre dormiam — enroscados um no outro, as costas dela apertadas com força contra o peito de Oliver, os pés entre as coxas dele. Mais íntimo e mais terno do que sexo. No escuro, ela chorou. Ele a ouviu, mas não conseguiu encontrar nada para dizer que pudesse confortá-la.

No dia seguinte, retomaram seus lugares à mesa mais uma vez e trabalharam até as três da tarde, quando foi hora de Oliver ir embora. Ela tomou um táxi com ele para o aeroporto e, ao voltar para sua casa vazia, ampla e escura, a cama acenou para ela, tentadora. Lisa estava profundamente deprimida. Mas resistiu à tentação de voltar para lá e fugir da realidade novamente. A vida precisava continuar.

CAPÍTULO 59

Na manhã de segunda-feira, Monica acompanhou Ashling em sua caminhada até o trabalho. "Boa menina, vai lá!" Foi como seu primeiro dia na escola. Ashling atravessou as portas de vidro e fez menção de se virar, mas Monica gesticulou do outro lado do vidro: "Vai!" A contragosto, ela se dirigiu para o elevador.

Quando ocupou seu lugar à mesa na redação, todos lhe lançaram um olhar estranho, e subitamente passaram a tratá-la com uma gentileza excessiva, humilhante.

— Quer uma xícara de café? — ofereceu-lhe Trix, sem graça.

— Trix, você está me assustando — respondeu Ashling, tentando dar uma olhada nas coisas sobre sua mesa. Quando, um segundo depois, ergueu os olhos, Trix estava sacudindo a cabeça e informando à Sra. Morley por mímica labial: *Ela não quer café.*

Jack chegou ventando, com um calhamaço de documentos debaixo do braço. Parecia estressado e irritado, mas, quando percebeu Ashling, afrouxou o passo e sua expressão se iluminou.

— Como vai? — perguntou, com brandura.

— Bom, saí da cama — disse ela. Mas seu rosto rígido como se fosse de gesso era um indício de que não chegava a estar tudo azul. — Olha, aquele dia em que você foi ao meu apartamento... eu estava um pouco, hum, sensível. Obrigada pelo sushi.

— Imagine. Como vai a *Weltschmerz*?

— Forte e saudável.

Ele assentiu num silêncio encorajador, mas impotente.

— É melhor eu tratar de trabalhar um pouco — disse ela.

— Essa tristeza que você sente — disse Jack, lentamente — é indefinida ou assume alguma forma particular?

Ashling refletiu e, pouco depois, respondeu:

— Acho que assume uma forma particular. Conheço um rapaz sem-teto, Boo, o das fotos, lembra? Ele tornou o drama dos sem-teto real para mim, e isso me mata de tristeza.

Após alguns segundos em silêncio, Jack disse, pensativo:

— Sabe de uma coisa? Nós poderíamos dar um emprego para ele. Alguma função simples, para começar, como, por exemplo, de courier na emissora de televisão.

— Mas você não pode oferecer um emprego para alguém que nem conhece.

— Eu conheço Boo.

— Como?

— Topei com ele na rua um dia desses. Reconheci seu rosto das fotos, e batemos um papo. Eu queria agradecer a ele, porque, afinal, essas fotos contribuíram imensamente para definir o perfil da *Garota*. Achei Boo muito inteligente, muito atilado.

— Ah, é, sim, e se interessa por tud... Espera aí, você está falando sério?

— É claro. Por que não estaria? Deus sabe o quanto devemos a ele. Basta pensar no volume de publicidade que aquelas fotos renderam.

Ashling se animou por um momento, mas logo em seguida voltou para o fundo do poço.

— Mas e os outros sem-teto? Os que não apareceram nas fotos?

Jack riu, triste:

— Não posso arranjar emprego para todos eles.

Com uma pancada forte, a porta se abriu e um jovenzinho garboso correu um sorriso radiante pela redação:

— Bom-dia, bicharada!

Quem será?, perguntou-se Ashling, analisando as mechas em seu cabelo, as calças magenta estruturadas, a camiseta transparente e a minúscula jaqueta de couro, que ele já despia com dedos cuidadosos.

— Robbie, nosso novo funcionário, substituto de Mercedes — disse Jack. — Ele começou na quinta-feira. Robbie! Dá um pulo aqui para conhecer a Ashling.

Robbie levou a munheca ao peito quase nu com um gesto delicado, afetando surpresa:

— Quem, *moi*?

— Acho que ele é gay — cochichou Kelvin.

— Não brinca, Sherlock — disse Trix, transbordando de sarcasmo.

Robbie trocou um solene aperto de mão com Ashling e, em seguida, com uma exclamação, tomou-se de amores por sua bolsa:

— Muito Gucci! Acho que estou vivendo um momento fashion.

Ashling conseguiu, de fato, trabalhar — o que muito a surpreendeu. Na verdade, não lhe deram nenhuma tarefa minimamente cansativa. E, se houve uma única coisa que não deu as caras em sua mesa para ela editar, revisar ou digitar, foi o artigo mensal de Marcus Valentine.

No fim do dia, sua mãe foi apanhá-la no trabalho e permitiu que ela fosse direto para a cama, assim que chegou em casa.

Na manhã de terça, com uma profusão de cutucões, empurrões e incentivos maternos, ela conseguiu se levantar e ir trabalhar novamente. E o mesmo aconteceu na manhã de quarta. E na de quinta.

Na sexta, Monica voltou para Cork.

— É melhor eu ir. Seu pai provavelmente tocou fogo na casa durante minha ausência. Agora, continue tomando os comprimidos — não ligue se causarem tonteiras ou ânsias de vômito —, procure um terapeuta e tudo vai ficar azul de novo.

— Está certo. — Ashling foi trabalhar e sentiu que estava indo bem — até o meio-dia, quando Dylan entrou na redação. Imediatamente, a náusea, até então branda, se intensificou. Ele tinha notícias. Notícias que ela estava louca para saber, mas que inevitavelmente a fariam sofrer.

— Está livre na hora do almoço? — perguntou ele.

Sua chegada deixou a redação em polvorosa. Excitados, os que nunca haviam visto Marcus Valentine perguntaram aos que já haviam, por mímica labial: *Esse é ele?* Será que iriam testemunhar uma reunião romântica apaixonada? E ficaram muito decepcionados quando os que estavam por dentro responderam, também por mímica labial: *Não, esse é o marido da amiga.*

Enquanto Ashling apanhava sua bolsa, os olhos de Dylan e Lisa se encontraram e trocaram aquela fagulha de interesse típica das pessoas bonitas quando se veem.

Dylan parecia diferente. Sempre fora bonito, embora um pouco apagado. Mas, da noite para o dia, adquirira uma dureza carismática, um magnetismo dissipado. Com a mão na cintura de Ashling, conduziu-a para fora, os olhos da redação inteira queimando as costas dos dois cornos.

Foram para o bar ao lado e encontraram uma mesa num canto. Embora Ashling só quisesse uma Coca Diet, Dylan pediu uma garrafa de cerveja.

— Para rebater — explicou ele, com um suspiro. — Como diz o outro: "Dentada de cão, pelo do dito." Tomei um porre federal ontem à noite.

— Ainda está morando na casa de sua mãe? — perguntou Ashling.

— Ainda. — Um risinho amargurado.

O que significava que Clodagh e Marcus ainda estavam juntos. A coisa não acabara, revelando-se apenas uma loucura breve. Ela sentiu uma vontade autêntica e visceral de vomitar.

— Quais são as novidades?

— Não muitas, ainda, salvo pelo fato de termos combinado que vou ver as crianças nos fins de semana e ficar com a casa nas noites de sábado. — Com uma expressão envergonhada, confessou: — Eu disse a Clodagh que vou esperar por ela, de modo que, se Deus quiser, ela vai romper com ele. Embora tenha me dito que ama aquele babaca. Deus sabe por quê. — Uma pausa em que caiu em si. — Desculpe.

— Tudo bem.

— E *você*, como vai? — Ele voltou sua atenção para ela e, por um momento, voltou a ser o velho Dylan.

Ela hesitou. O que iria dizer? *Odeio o mundo, odeio estar viva, estou tomando antidepressivos, minha mãe tem que pôr pasta de dentes na minha escova todos os dias de manhã e, agora que voltou para Cork, não sei como é que vou fazer para escovar os dentes.*

— Muito bem — disse, por fim.

Como ele não parecesse totalmente convencido, ela lhe garantiu:

— Estou, sim. Vai, me conta mais.

Dylan soltou um suspiro, infeliz.

— É com as crianças que estou realmente preocupado. Estão tão confusas, é horrível. Mas são pequenas demais para compreender o caso todo. E não devo jogá-las contra a mãe, mesmo que tenha ódio dela.

— Você não tem ódio dela.

— Ah, pode crer, Ashling, tenho, sim.

Ashling achou a sua ferocidade patética. Ele só tinha ódio de Clodagh porque a amava muito.

— A coisa ainda pode acabar — disse Ashling, tão esperançosa por si quanto por Dylan.

— É. Vamos dar tempo ao tempo. Você falou com algum dos dois?

— Hoje faz duas semanas que vi Clodagh no... naquela sexta. Mas não consegui encontrar... — Hesitou. Pronunciar seu nome era doloroso. — ...Marcus. Tentei ligar para ele, mas ele não atende mais o telefone.

— Você poderia ir até a casa dele.

— Não.

— É isso aí. Preserve a sua dignidade.

Ashling se remexeu, triste. Não se tratava disso. Simplesmente não tinha coragem.

Quando Oliver voltou para Londres, não ligou para Lisa, nem ela para ele. Não havia nada a dizer. Ambos iriam obter a aprovação de seus advogados sobre suas respectivas situações financeiras e, depois disso, a sentença provisória sairia em questão de meses.

Lisa conseguiu trabalhar até o fim da semana, mas, embora estivesse segurando as pontas, não chegava nem perto de se sentir bem. Conseguira finalizar a edição de outubro, mas fora como empurrar um caminhão quebrado montanha acima. Ainda mais com Ashling se comportando como um zumbi.

No entanto, Robbie era ótimo. Cheio de ideias para as futuras edições. Muitas delas extravagantes *demais*, mas pelo menos uma — para uma matéria de moda caracterizada como uma sessão de sadomasoquismo — era simplesmente genial.

Quando todo o material já fora para a gráfica no fim da tarde de sexta, vários colegas a convidaram para tomar um drinque depois do expediente: Trix, Robbie e até *Jack* sugeriram que fossem a algum lugar para comemorar o "fechamento de outubro". Mas ela já estava cansada de todos eles, e foi direto para casa.

Mal acabara de chegar, Kathy apareceu à porta. Kathy agora dava as caras toda hora. E, quando não era Kathy, era Francine. Ou alguma outra das inúmeras mulheres da rua.

— Vai jantar lá em casa hoje à noite — convidou-a Kathy.

Lisa quase riu da ideia, mas, quando Kathy disse "Vai ter frango assado", do nada concordou. Por que não?, pensou, tentando justificar a aceitação. Podia começar a Dieta Scarsdale, não a fazia há séculos, e frango assado se encaixava perfeitamente.

Dez minutos depois ela entrava na cozinha de Kathy e era atingida pela fumaceira das panelas, o barulho da televisão e a gritaria das crianças brigando. Kathy parecia estar caindo pelas tabelas.

— Está quase pronto. Mexe o molho na panela, seu idiota imprestável! — A ordem foi dirigida a John, o tumor benigno com quem era casada. — Quer beber alguma coisa, Lisa?

Lisa estava a pique de lhe pedir um copo de vinho branco seco, quando Kathy prosseguiu:

— Ribena? Chá? Leite?

— Hum, ah, acho que leite.

— Pega um pouco de leite para a Lisa. — Kathy deu um pontapé em Jessica, que rolava no chão com Francine. — Num copo bom. Todo mundo para a mesa!

Lisa notou que Kathy lhe serviu três vezes mais comida do que aos outros. E chapara pelo menos quatro batatas assadas no seu prato, antes que ela pudesse protestar que não as comia. Tentou fingir que não estavam ali, mas tinham uma cara e um cheiro tão deliciosos... Relutou mais um pouco, mas terminou por ceder e, pela primeira vez em dez anos, um pedaço de batata assada teve acesso à sua boca. *Amanhã eu começo a dieta.*

— Para de chutar a perna da mesa! — Kathy gritou com Lauren, a caçula. Lauren fez uma careta, parou e recomeçou três segundos depois.

— Seu cotovelo tá esbarrando em mim — reclamou Francine com Lisa.

— Desculpe.

— Não pede desculpas. — Francine no ato fez um ar contrito. — Você deve dizer que pelo menos não faz barulho quando come.

— Tá, entendi.

— Ou que não é você que é uma baleia glutona — sugeriu Jessica, solícita.

— Ou que não sou eu que vivo peidando — disse Lisa.

— Isso mesmo!

Apinhados em volta da pequena mesa da cozinha, com a tevê aos berros, todos com bigodes de leite, provavelmente até ela própria, Lisa teve um lampejo de *déjà vu*. De quê? De que essa cena a lembrava? E uma consciência terrível a atingiu. Era exatamente como sua própria casa em Hemel Hempstead. A promiscuidade, o barulho, o bate-boca bem-humorado, o *clima* era exatamente o mesmo. *Como foi que eu vim parar aqui?*

— Você está bem, Lisa? — perguntou Kathy.

Lisa fez que sim. Mas estava lutando contra o desejo de dar um salto vertical digno de uma catapulta e correr para casa. Era uma mulher da classe trabalhadora que passara a vida inteira tentando ser outra pessoa. E, apesar dos anos dedicados à extenuante rotina de fazer mil e um contatos, puxar sacos sortidos, depreciar gente a esmo, viver sempre atenta, sem nunca relaxar, fora inexoravelmente levada de volta ao ponto de partida.

Isso a deixou completamente muda.

Nunca refletira seriamente sobre o que estava sacrificando ao subir como um foguete, deixando suas raízes para trás. As recompensas sempre haviam valido a pena. Mas ali, sentada na cozinha de Kathy, não viu nenhum indício da vida glamourosa que construíra para si mesma. Pelo contrário, levara uma surra daqueles que sacrificara — seus amigos, sua família, Oliver (a perda que mais lhe doera), e tudo isso por nada.

CAPÍTULO 60

Era meia-noite e Jack Devine estava exausto e desanimado. Passara duas horas andando pelas ruas de Dublin à procura de Boo, sem sucesso. Sentia-se um detetive particular de quinta categoria. Além das portarias nas ruas adjacentes à de Ashling, não tinha nenhuma outra ideia de onde procurá-lo. Onde ficariam os redutos dos sem-teto?

Aqueles a quem perguntara negaram ter qualquer conhecimento de Boo. Talvez não o conhecessem, mesmo, mas Jack desconfiava que, mais provavelmente, estavam tentando protegê-lo. Será que devia ter lhes passado uma nota de dez libras, soprando fumaça nos seus olhos e dizendo "Talvez isto refresque a sua memória"? Não era o que acontecia nos livros de Raymond Chandler?

Amaldiçoando sua ignorância da vida nas ruas, continuou caminhando. Desviou-se das ruas principais, seguiu por becos escuros, foi dar com os costados nas docas... Talvez fosse aquele! Um feixe de membros descarnados que se enroscava sob um casacão, deitado num caixote de papelão desmontado.

— Com licença. — Jack se pôs de cócoras ao seu lado, e um rostinho magro e *muito* jovem se ergueu em sua direção. Defensivo e assustado. Não era Boo. — Desculpe. — Jack recuou. — Desculpe o incômodo.

Voltou para a rua principal, totalmente desanimado. Já bastava por uma noite, tentaria de novo no dia seguinte. Ao se encaminhar para seu carro, subitamente ouviu alguém chamá-lo:

— Jack! Aqui!

Sentado no degrau da porta de um salão de beleza, lendo um livro, estava ninguém mais, ninguém menos do que Boo.

— Voltando da farra? — indagou Boo, com seu sorriso banguela.

— Hum, não. — Jack estava atônito por ter sido Boo quem o encontrara. — Estou há duas horas à sua procura.

— Então era *você*. — JohnJohn o avisara que havia um sujeito perguntando por ele. Desconfiara que se tratasse de um civil — afinal, o que mais poderia ser? —, mas não tinha certeza absoluta.

— É, era eu. — Jack pôs-se de cócoras ao lado de Boo e, de repente, como se transpusesse uma linha divisória invisível, a inhaca o atingiu como uma martelada. Com enorme força de vontade, proibiu seu rosto de manifestar qualquer reação.

— E aí, o que aconteceu? — Boo estava de pé atrás. Tinha gostado de Jack naquela vez em que parara e conversara com ele sobre as fotos de moda. Mas, em geral, as pessoas não o procuravam, a menos que ele estivesse metido em alguma encrenca.

Ignorando a inhaca, Jack procurava as palavras certas, pois não queria parecer condescendente. Queria que Boo saísse dessa situação com um mínimo de dignidade.

— Estou com um problema — começou Jack.

Músculo por músculo, a expressão de Boo começou a se fechar.

— Há uma vaga na emissora de tevê em que trabalho e estou procurando a pessoa certa para preenchê-la. Seu nome me foi sugerido por uma colega.

— Como assim? — Os olhos de Boo se estreitaram de desconfiança.

— Estou te oferecendo um emprego. Se você quiser — apressou-se em acrescentar.

O rosto de Boo era o retrato da incompreensão. Um convite daqueles estava fora da sua esfera de experiência.

— Por quê? — finalmente conseguiu perguntar. Pessoas tratando-o bem eram uma raridade, e ele não estava inclinado a confiar em Jack.

— Ashling achou que você seria o indicado e eu respeito a opinião dela.

— Ashling... — Se ela tinha algo a ver com isso, talvez não fosse uma encenação. Mas o que mais poderia ser? Ríspido, perguntou: — Você está tirando um sarro com a minha cara?

— Não, longe disso. Por que não vem nos ver na emissora? Talvez assim você acredite em mim.

— Vocês me deixariam entrar?

Ao ouvir isso, Jack sentiu que não conseguiria mais conter a emoção.

— É claro que deixaríamos. De que outra maneira você poderia trabalhar lá?

Foi então que Boo, contrariando todos os seus instintos, começou a acreditar em Jack.

— Mas por quê...? — Seus olhos brilhavam e ele parecia mais jovem do que nunca, quase uma criança. Jack sentiu a emoção se estampar em seu próprio rosto. — Nunca tive um emprego antes. — Boo engoliu em seco.

— Bom, já está na hora de ter, não?

— Não posso ser um vagabundo a vida inteira!

— Hum, pois é. — Jack ficou em dúvida se ria ou não.

— Ah, levanta esse astral! — Boo lhe deu uma cotovelada, sorrindo por entre as lágrimas. — E vão ser só resenhas que eu vou fazer, ou vocês vão precisar que eu faça outras coisas também?

— Hum... — Jack fora totalmente pego de surpresa. — Eu diria que outras coisas também.

Na manhã seguinte, na redação, Jack ofereceu a novidade a Ashling como se fosse um presente:

— Encontrei Boo e falei com ele sobre o emprego na emissora. Ele pareceu interessado.

— Que ótimo! — Seu tom de voz entusiasmado não combinava em nada com a palidez do rosto.

— Como ele não tem roupas, eu lhe disse para vir aqui falar com o Kelvin. Tem um monte de roupas masculinas no "departamento de moda" que ninguém quer, dá e sobra para ele se vestir.

Ashling ficou imóvel. Ainda não derramara uma só lágrima, mas isso quase bastou para derrubá-la.

— É muita bondade sua — disse, com a cara enfiada no peito.

— A questão — Jack parecia confuso — é que, no começo, Boo pareceu pensar que queríamos que ele fizesse resenhas literárias para a *Garota*. Por que será?

Ela levantou e soltou os ombros:

— Agora você me pegou.

De súbito, desejou não ter dito aquilo. As palavras fizeram com que algo passasse como um raio pelo rosto de Jack, e ela se petrificou em meio ao seu dar de ombros. O que quer que fosse, fez com que se sentisse viva. E com medo.

— Resenhas? — Tentou se concentrar e, por fim, se lembrou. — Eu andei dando a ele exemplares para a imprensa de romances. Romances que ninguém quis — apressou-se em acrescentar. — E ele sempre me dava a sua opinião.

— Ah, sim. Bom, ele começa segunda-feira como courier na emissora. As resenhas literárias da *Garota* são departamento da Lisa. Mas sempre podemos pedir a ela — concluiu, animado.

Debulhando-se em lágrimas, Clodagh abriu a porta da rua.

— Que foi que houve? — Marcus prendeu o fôlego.

— É Dylan. Aquele filho da mãe.

— Que foi que ele fez? — indagou Marcus, seguindo-a até a cozinha, a fúria estampada no rosto.

— Ah, eu mereço! — Clodagh sentou-se à mesa e secou os olhos que pingavam. — Não estou dizendo que não. Mas é tão difícil. Sempre que me encontro com ele, ele tem mais uma má notícia e me faz sentir horrível.

— Mas, afinal, o que ele fez? — tornou a perguntar Marcus.

— Me obrigou a devolver todos os cartões de crédito e fechou nossa conta conjunta. Em vez disso, vai passar a me dar uma mesada. Adivinha de quanto?

Voltando a soluçar, citou uma cifra tão mesquinha, que Marcus exclamou:

— Mesada? Isso é uma cadeirada!

Ela recompensou o gracejo com um sorriso trêmulo.

— Bom, fui uma má menina, que é que podia esperar?

— Mas ele tem o dever de cuidar de você, você é a mulher dele! — A veemência de Marcus não correspondia aos seus atos. Estava procurando alguma coisa nos recipientes enfileirados no peitoril da janela.

— Mas acho que ele não se sente na obrigação de cuidar de mim... — Ela se calou por um momento. — O que você está fazendo?

— Procurando um lápis.

— Toma aqui. — Encontrou um no estojo de lápis de Craig. — O que você está fazendo?

— Só... — Anotou algo num pedaço de papel. — ...uma coisa. Vamos namorar — murmurou, o rosto enfiado em seu pescoço.

— Pensei que você nunca fosse pedir. — Conseguiu abrir um sorriso menos triste, e o levou para a sala. Mas Marcus hesitou, sem fazer menção de entrar. A novidade do sexo adolescente no sofá começara a perder a graça.

— Vamos lá para cima.

— Não dá.

— Quanto tempo a gente vai continuar nesse filme de capa e espada? Ah, vamos lá, Clodagh — bajulou-a. — Eles são muito pequenos, não entendem nada.

— Seu pirralho — ela soltou uma risadinha. — Mas acho bom você *não* fazer barulho.

— Nesse caso, acho bom você *não* ser tão sexy.

— Vou tentar — disse ela, com um largo sorriso.

O sexo foi fantástico, como sempre. Ela conseguiu se soltar totalmente, perdendo todo o pudor e esquecendo seu recém-estado de penúria com cada golpe que Marcus desferia dentro dela. Até sentir seu ritmo diminuir.

— Mais depressa! — sussurrou.

Mas ele foi indo cada vez mais devagar, até parar de uma vez.

— Que foi?

— Cloooodaaaagh. — Seu tom era de grave advertência e seus olhos estavam fixos em outra parte. Ela já se apressava em sair de baixo dele. *Esqueci de trancar a porta.*

Foi e não foi um choque ver Craig emoldurado pelo umbral da porta, encarando Marcus.

— Papai? — perguntou, trêmulo e confuso.

— Mãe, é Lisa.

— Oi, querida — disse Pauline, carinhosa. — Que bom ouvir sua voz.

— Também é bom ouvir a sua voz. — A garganta de Lisa doía do amor que sentia na voz de sua mãe. — Escuta, eu estava pensando em ir visitar você e papai no fim de semana. Se for conveniente para vocês — apressou-se em acrescentar.

— Sabe de uma coisa? — Pauline refletiu. — Não existe absolutamente nada no mundo que nos deixe mais felizes. Adoraríamos ver você.

Ao sair da casa de Kathy na noite de sexta, Lisa se sentira em carne viva, nua e exposta, como se houvesse sido despojada de tudo aquilo que a fazia ser quem era. E, do nada, sentira necessidade de ver sua mãe.

Era uma reação inesperada, como também o que ocorreu em seguida — depois que o primeiro choque de conscientização passou, já não parecia mais tão medonho assim. *Pode-se tirar a garota da casa popular, mas não se pode tirar a casa popular da garota*, ela pensou, esboçando um sorriso. Se a descoberta não chegou a deixá-la exatamente feliz, também não a deixou infeliz.

Imediatamente depois, foi engolfada pela vontade de fugir. Mas a vontade a abandonara, dando lugar ao desejo de voltar às suas origens.

— Estou tão ansiosa para ver você, Lisa. Só de saber que você vem, já fiquei animada. — O encanto e o carinho de Pauline eram tamanhos, que Lisa se perguntava até que ponto não imaginara a reverência constrangida que inspirava em seus pais. Teria sido apenas uma projeção sua?

Ashling tinha a sensação de que os dias se empilhavam. O mundo continuava sendo uma paisagem desolada e, toda manhã, ao acordar, ela se sentia como se tivesse bebido muito na noite anterior. Mesmo nas noites em que não tinha. Mas, depois de algumas semanas, deu-se conta de que as tarefas prosaicas, como escovar os dentes e tomar banho, já não pareciam mais ridiculamente trabalhosas.

— Deve ser o antidepressivo fazendo efeito — disse Monica, em um de seus muitos telefonemas. — Esses Inibidores Seletivos da Reabsorção da Serotonina são uma verdadeira bênção. Muito melhores do que aqueles sei-lá-o-quê tricíclicos, totalmente ultrapassados.

Ashling estava surpresa. Não esperara que o antidepressivo surtisse efeito, e se deu conta de que não levara fé em nada. Afinal das contas, sua mãe não ficara curada. Pelo menos, não durante muito tempo.

Além de cuidar de sua higiene pessoal, conseguia trabalhar, desde que não se tratasse de nada muito difícil. A aplicação com que desempenhava cada tarefa não deixara um segundo de constrangê-la, mas agora ela reconhecia vagamente que, provavelmente, fora sua salvação.

— Chegou o horóscopo de novembro! — Trix acenou com as folhas. — Vem cá, todo mundo, que eu leio em voz alta.

No ato, a redação inteira parou de trabalhar. Qualquer desculpa servia. Até mesmo Jack foi, embora consciente de que deveria lhes dar uma bronca. E era exatamente o que pretendia fazer, assim que Trix lesse o horóscopo de Libra.

— Lê o de Escorpião — Ashling pediu a Trix.

— Mas você é de Peixes.

— Anda. Escorpião. Depois, Capricórnio.

Clodagh era de Escorpião e Marcus de Capricórnio, e Ashling queria saber como seria o mês de novembro para eles. Jack Devine chamou sua atenção e lhe lançou um olhar astuto — um misto de censura e tristeza. Sabia o que ela estava fazendo. Altiva, ela virou a cabeça. Podia ler o horóscopo de quem bem entendesse. De mais a mais, havia coisas infinitamente piores que poderia estar fazendo nesse momento. Afinal, Joy sugerira que ela rogasse uma praga para Marcus e Clodagh.

De acordo com o horóscopo, o mês de Clodagh e Marcus seria de altos e baixos. Ashling não duvidava nada disso.

— Qual é o seu, JD? — perguntou Trix.

— Sr. Devine para você...

— Libra — desistiu, com um suspiro, quando ficou claro que ela ainda estava esperando. — Mas não acredito em nada desse negócio de estrelas. Os librianos nunca acreditam.

Ashling achou isso um tanto engraçado. Espiou-o por trás dos cabelos. Ele já estava olhando para ela. Trocaram um sorrisinho. Em seguida, ela enfiou depressa o tronco embaixo da mesa. Tornou a aparecer, já com sua bolsa, mas, confusa, não teve certeza se precisava de alguma coisa dela. Será que só a apanhara com o intuito de parar de olhar para Jack Devine? Foi então que se deu conta de que já estava quase na hora do almoço e de sua consulta com o Dr. McDevitt.

Ashling fez a caminhada de dez minutos até o consultório como se estivesse sob os disparos de um franco-atirador. Tinha medo de estar na rua e ver algo que pudesse fazê-la sofrer. Mantinha os olhos baixos o máximo possível, e não via quase nada das pessoas acima dos joelhos. Isso lhe garantiu uma trajetória segura, até um refugiado bósnio tentar lhe vender um exemplar antigo da *Big Issues*. Imediatamente ela foi tomada por uma avassaladora sensação de desamparo.

E havia coisa ainda pior à sua espera — do próprio Dr. McDevitt.

— Como está reagindo ao Prozac? — perguntou ele.

— Muito bem. — Com um sorriso débil, pediu: — Por favor, doutor, pode me receitar mais?

— Efeitos colaterais?

— Só um pouco de enjoo e tremor.

— Perda de apetite?

— Eu já estava sem apetite antes.

— E você sabe que não deve misturar esse medicamento com álcool?

— Hum, sei. — Pedir a ela para não beber já era ir longe demais.

— Como vai indo a terapia?

— Hum, eu não fui.

— Mas eu lhe dei um número de telefone para ligar.

— Eu sei, mas não posso fazer isso. Estou deprimida demais.

— Ora, pílulas! — Parecendo aborrecido, ele tirou o fone do gancho, fez uma ligação e, em seguida, outra. Tapou com a mão o bocal e perguntou: — A que horas você sai do trabalho na terça?

— Depende...

— Às cinco? — tornou ele, irritado. — Às seis?

— Às seis. — Quando estava com sorte.

Ele desligou e lhe entregou uma folha.

— Todas as terças, às seis. Se não for, não tem mais Prozac.

Cachorro!

* * *

Voltando para casa por Temple Bar, apática, ouviu um grito de "Ei, Ashling!". Um rapaz *fashion-vitimado* calçando um par de sapatos absolutamente grotescos avançava desajeitado em sua direção, e ela demorou um segundo até reconhecê-lo como sendo Boo. Seu cabelo estava brilhante, seu rosto, corado e, inesperadamente, ela riu.

— Olha só para você! — disse, encantada.

— Estou indo para o trabalho, meu turno é o das duas às dez. — Imediatamente, caiu na gargalhada. — Dá para acreditar que eu disse isso?!

Em seguida, encetou um agradecimento sem fôlego, de tão efusivo.

— Está tudo indo às mil maravilhas na emissora de tevê. Até me deram um adiantamento, para eu poder me hospedar num albergue!

— E o trabalho não é muito difícil? — Ashling tinha a vaga preocupação de que, após toda uma vida sem limites, Boo não fosse capaz de se adaptar ao trabalho, com sua disciplina e responsabilidades.

Boo riu:

— Trabalhar como courier? Mamão com açúcar! Mesmo com estes sapatos.

— Roupas transadas — comentou Ashling, analisando o paletó excessivamente estruturado, a camisa frenética e os sapatos *para lá* de esquisitos. Pareciam duas miniaturas da nave *Enterprise*, de *Jornada nas Estrelas*.

— Estou uma figuraça. — Boo se pôs a rir novamente. — O pior de tudo são os sapatos. Kelvin, lá da sua redação, me deu todas as roupas doidas que não queria, mas pelo menos são limpas, e posso comprar roupas normais quando receber o meu salário. Um momento! Vou repetir essas palavras. — Lambeu os lábios e repetiu com prazer: — Quando receber o meu salário.

Sua alegria era contagiante.

— Estou muito feliz por estar tudo dando certo com você — disse Ashling, sincera.

— E a quem eu devo agradecer por isso? Só a você. — Boo abriu seu sorriso banguela. Pelo visto, Kelvin não conseguira convencê-lo a produzir a boca também. — E não deixa de agradecer ao Jack. Ele é gente finíssima!

O rosto de Boo ficou aceso de expectativa, à espera de que Ashling concordasse.

— Finíssima. — Mas ela estava confusa. Quando, exatamente, Jack Devine se tornara um cara tão legal?

— Ele te contou que eu pensei que ia resenhar livros para ele? — perguntou Boo.

— Bom...

— Eu não tinha entendido bulhufas. Mas também não quero mais resenhar livros, mesmo...

— Hum...

— Quero ser cameraman. Ou técnico de som. Ou apresentador de telejornal!

Ao voltar para a redação, Ashling teve que se preparar para enfrentar Lisa com o pedido para sair mais cedo nas tardes de terça.

— O médico não vai mais me receitar Prozac, a menos que eu faça terapia.

Lisa não escondeu seu desagrado.

— Vou ter que pedir permissão ao Jack, e acho bom você passar a chegar mais cedo para compensar as horas de trabalho perdidas — disse, irritada.

Mas a irritação logo passou. Ashling era uma ótima moça.

E Lisa podia se dar ao luxo de ser caridosa. *Pelo menos, não tenho que fazer terapia,* pensou, vaidosa. *Nem tomar Prozac.*

CAPÍTULO 61

Numa noite de sábado, aproximadamente um mês após o dramático desfecho do triângulo amoroso, Ted deu um show. Marcus também estava em cartaz.

— Espero que você não se importe — disse Ashling, com excessiva jovialidade —, mas não vou acompanhar você.

— Não tem problema, não esquenta, quem poderia esperar que você fosse?

— Mas você vai ter que voltar a sair qualquer hora dessas — disse Joy.

Ashling estremeceu à simples ideia.

— Não existem estranhos — bajulou-a Ted —, apenas amigos que você ainda não conheceu.

— Melhor ainda — aproveitou Joy. — Não existem estranhos, apenas namorados que você ainda não conheceu.

Sem mais nem menos, Ashling soltou:

— Não existem estranhos, apenas *ex*-namorados que ainda não conheci.

E continuou em estado de alta-tensão até tornar a se encontrar com Ted na tarde de domingo. Esforçou-se ao máximo para não perguntar, mas terminou cedendo:

— Desculpe, Ted, mas ele estava lá?

Quando Ted assentiu, Ashling perguntou, com uma voz ainda mais apática:

— Ele perguntou por mim?

— Eu não falei com ele — disse Ted, depressa. Por que se sentia como se estivesse pisando num campo minado?

Ashling ficou aborrecida. Ted *devia* ter falado com ele, para que Marcus pudesse perguntar por ela. Só que, se *tivesse* falado com ele, ela teria se sentido traída.

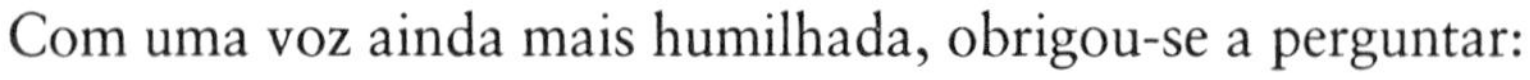

Com uma voz ainda mais humilhada, obrigou-se a perguntar:

— E ela estava lá?

Sentindo um inexplicável sentimento de culpa, Ted fez que sim.

Ashling caiu num mutismo taciturno. Embora tivesse esperanças de que Clodagh não estivesse no show, sabia que estaria, pois Dylan passava as noites de sábado com as crianças, de modo que Clodagh contava com uma babá fixa. Ashling maldisse sua memória, que conseguira guardar nos mínimos detalhes tudo que Dylan lhe contara sobre os pombinhos. Teria sido muito melhor se não tivesse tomado conhecimento de nada. Mas fora irresistível, como puxar a casca de uma ferida.

Calada e triste, imaginou Clodagh olhando com ar de adoração para Marcus e Marcus olhando com ar de adoração para Clodagh. O silêncio se prolongou por tanto tempo, que Ted achou que estava liberado e não haveria mais perguntas. Pouco a pouco, permitiu-se relaxar... cedo demais! Com voz embargada, Ashling perguntou:

— Eles pareciam loucos um pelo outro?

— Ah, nem um pouco — disse Ted, em tom desdenhoso, preferindo não mencionar que, no começo do show, Marcus dissera: “Dedico este número a Clodagh.”

Depois de terem sido pegos na cama por Craig, Marcus convencera Clodagh de que não fazia mais sentido se esconderem. Agora passava quase todas as noites lá, e as coisas saíram melhor do que o esperado: as crianças pareciam tê-lo aceito, e havia momentos, como agora, em que Clodagh sentia que tudo estava em paz.

Os quatro estavam reunidos ao redor da mesa da cozinha, Molly desenhando flores (*na* mesa), Craig fazendo o dever de casa, assistido por Clodagh, e Marcus trabalhando em algumas piadas.

A atmosfera era de união e empenho conjunto.

— Clodagh, posso te mostrar uma piada? — perguntou Marcus.

— Me dá dez minutos. Deixa eu só terminar de ajudar o Craig.

Passado algum tempo, Marcus interrompeu Clodagh, que, pela enésima vez, demonstrava a Craig como fazer um Q maiúsculo:

— Posso te mostrar agora, Clodagh?

— Mais dez minutinhos, querido, e aí vou poder te dar toda a atenção.

Seguiu-se o estrondo da porta da cozinha sendo batida. Clodagh ergueu a cabeça de um golpe. O que acontecera?

Uma rápida vistoria nos que haviam permanecido na cozinha indicava que Marcus saíra pela porta afora!

Eram sete e meia de uma noite de quinta, em fins de outubro, e Ashling e Jack eram as únicas pessoas que haviam permanecido na redação. Jack apagou a luz de seu escritório, fechou a porta e se deteve diante da mesa de Ashling.

— Como vão indo as coisas? — arriscou.

— Muito bem. Estou acabando o artigo sobre as prostitutas.

— Não, eu quis dizer... de um modo geral. Como vai indo a terapia? Está ajudando?

— Não sei. Talvez.

— Como diz minha mae, o tempo e o melhor remédio — ele procurou tranquilizá-la. — Lembro que, quando estive na fossa, achei que nunca iria sair...

— Você já esteve na fossa? — atalhou-o Ashling.

— E você que pensava que eu não tinha sentimentos...!

— Não, mas...

— Confessa, vai. Pensava, sim.

— Não pensava, não. — Mas foi obrigada a desviar o rosto afogueado, ao que um sorriso curvou seus lábios. — Foi por causa da Mai? — perguntou, curiosa.

— Da mulher antes da Mai. Dee. Ficamos muito tempo juntos e ela me deixou, mas acabei superando. Você vai superar, também.

— Sim, mas Jennifer — é a minha terapeuta — diz que não é só por causa da ruptura que estou na fossa.

— Então é por causa de quê? — Ele fez a pergunta com tanta brandura e meiguice que, quando Ashling viu, estava lhe contando tudo sobre a depressão de sua mãe e os mecanismos que desenvolvera para tentar enfrentar a situação.

— ...Senhorita Quebra-Galho — arrematou ela.

Jack fez um ar mortalmente arrependido.

— Me perdoe — apressou-se em dizer. — Me perdoe por ter apelidado você...

— Não se perdoe. É a mais pura verdade.

— É? A razão pela qual você carrega todas essas coisas na bolsa e é sempre tão prestativa?

— Jennifer parece achar que sim.

— E você, o que acha?

— Acho que concordo — disse, com um suspiro.

O que não disse foi que Jennifer sugerira ser essa também a razão pela qual Ashling sempre escolhera homens cujas vidas pudesse organizar. E que, depois do rompante inicial de raiva e negação, Ashling concordara com ela: fora útil à maioria de seus namorados, desde os anteriores a Phelim, o doce pateta, até Marcus, o humorista carente, e gostara disso.

— E o que a tal de Jennifer diz sobre a sua *Weltschmerz*?

— Que está melhor do que estava, mesmo que eu não consiga enxergar isso. E que talvez eu venha a ter outros surtos no futuro, mas que posso tomar algumas providências para mantê-la sob controle. Como, por exemplo, fazer trabalho voluntário para ajudar todos os outros Boos... Os que não tiveram a sorte de encontrar um Jack Devine! — acrescentou, brincalhona.

— Imagina. — Jack bancou o tímido, arriscando um olhar para Ashling por baixo das pestanas. Em seguida, os dois trocaram um longo olhar.

O clima de euforia se esvaiu bruscamente, deixando risos defasados em suas bocas confusas.

Jack se recompôs primeiro.

— Caramba, Ashling — declarou, com excessiva jovialidade —, estou tão comovido! Boo está indo muito bem na emissora, sabia?

— Foi muita bondade sua fazer o que fez por ele. — Ela se deu conta de que andara tão embotada nos últimos dois meses, que não lhe agradecera como devia.

— Não há de quê! — Estavam correndo o risco de trocar outro olhar íntimo. Na dúvida, fale sobre o tempo. — Está caindo um pé-d'água daqueles. Quer uma carona para casa? — Ele pousou as palmas das mãos na mesa de Ashling e, de súbito, ela se lembrou da tarde em que lavara seu cabelo. O toque das mãos dele na sua pele, as sensações deliciosas administradas por aquelas mãos, o calor daquele corpo musculoso comprimido contra o seu... Hummmmm.

— Hum, não — apressou-se em se recompor. — É melhor eu terminar o artigo.

Para sua surpresa, ele perguntou:

— Você ainda vai às aulas de salsa?

Ela sacudiu a cabeça. Não sentia a menor disposição.

— Talvez volte a ir, quando as coisas estiverem... entende?

— Será que poderia me ensinar o bê-á-bá, qualquer dia desses?

Com toda a honestidade, ela não conseguia imaginar nada menos provável.

— Vamos ter uma noite Salsa & Sushi — ela brincou.

— Vou cobrar, hein?

Quando Jack já ia saindo, Ashling perguntou:

— Como vai indo a Mai?

— Ótima. Nós nos vemos de vez em quando.

— Diz a ela que mandei um beijo. Acho Mai uma graça de pessoa

— Pode deixar. Ela agora está namorando um paisagista.

— Chamado Cormac? — perguntou Ashling, em cima do laço.

A expressão de Jack se encheu de assombro e horror:

— Como é que você sabe?!

Nas altas da madrugada, o telefone de Lisa tocou. Ela acordou com um sobressalto, o coração disparando. Será que acontecera alguma coisa com seu pai ou sua mãe? Antes que chegasse ao telefone, a secretária-eletrônica já atendera e alguém começara a deixar um recado.

Oliver. E falando ainda mais alto do que de costume.

— Sinto muito, Lisa Edwards — disse, insolente —, mas você *mudou*, sim.

Ela apanhou o fone:

— *O quê?*

— E, a propósito, olá. Aquele dia, em Dublin, quando você ia jogar futebol com os garotos, eu disse que você tinha mudado e você disse que não. Você mentiu para mim, paixão.

— Oliver, são vinte para as cinco. *Da manhã.*

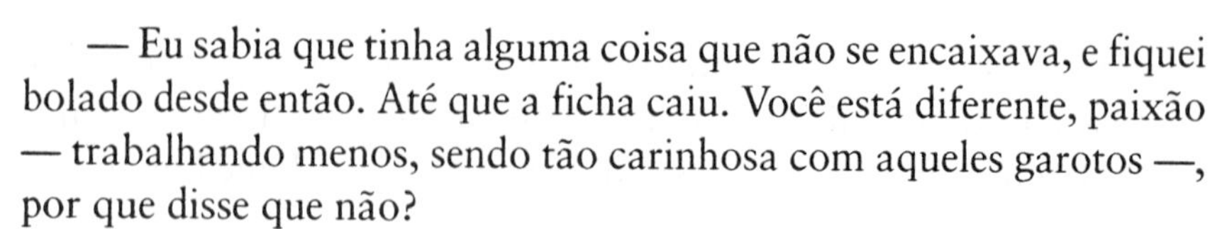

— Eu sabia que tinha alguma coisa que não se encaixava, e fiquei bolado desde então. Até que a ficha caiu. Você está diferente, paixão — trabalhando menos, sendo tão carinhosa com aqueles garotos —, por que disse que não?

Ela sabia por quê, soubera desde o dia em que acontecera, mas será que devia contar a ele? Ah, por que não, que diferença poderia fazer?

— Porque é tarde demais. — Como Oliver continuasse calado, ela completou: — Para nós. Digamos que ainda sofro do mesmo complexo de poder. Sempre sofri, não é mesmo?

Oliver tentou assimilar essa estranha lógica.

— É a sua última palavra?

— É.

— Tudo bem, paixão. Você é quem sabe.

Ted e Joy estavam na videolocadora.

— *De Caso com o Acaso?* — sugeriu Ted.

— Não, olha só o título!

— E que tal *O Casamento do meu Melhor Amigo*?

— Só o nome já é procurar encrenca — observou Joy.

Finalmente optaram por *Pulp Fiction*.

— Boa escolha — aprovou Joy. — Não! Má escolha. *Péssima* escolha. Alguém é infiel! Uma Thurman?

— Tem toda razão — disse Ted, assustado. Fora por pouco. — Talvez a gente devesse pegar *O Melhor dos Teletubbies* e acabar logo com isso de uma vez.

— Não, esse aqui é o ideal! — Joy deu um gritinho de prazer, pegando a caixa de *O Exorcista*. — Esse não vai aborrecer *ninguém*.

— Acho bom — disse Ted. — Eu não aguentaria uma reprise daquele último episódio.

Joy era obrigada a admitir que fora um erro fazer Ashling assistir a *Perdas e Danos*. Embora já tivessem se passado dois meses desde que ela descobrira que Marcus a estava traindo com Clodagh, personagens tendo casos ainda não eram exatamente a sua praia.

De volta ao apartamento de Ashling, os três se reuniram diante da tevê, cercados por garrafas de vinho, saca-rolhas, sacos de pipocas e barras de chocolate quilométricas. Para alívio geral, Ashling pareceu ficar totalmente absorta no filme — até a campainha tocar. Imediatamente seu rosto se acendeu de expectativa involuntária: ainda tinha a esperança de que Marcus desse o ar de sua tardia graça.

— Deixa que eu vou. — Pôs-se de pé e foi abrir a porta.

Para sua surpresa, a pessoa que entrou foi Dylan. Ela almoçara com ele uma vez por semana nos últimos dois meses, mas era a primeira vez que ele aparecia em sua casa.

— Espero que você não se importe por eu aparecer sem avisar. — Ele sorriu, mas algo no volume de sua voz e na sonolência de seu olhar fez com que ela compreendesse que estava bêbado. — Olha só para você, garota maravilhosa. — Passou a mão pelo cabelo de Ashling, deixando uma trilha de calor que ia do cocuruto ao cangote. — Bonito — disse, com voz arrastada.

— Obrigada. Entra, Joy e Ted estão aqui.

Ele se serviu um copo de vinho e Ashling observou o fascínio que exercia sobre Joy, sem fazer o menor esforço. Sua aura de dissipação e abandono não o tornava menos atraente, apenas diferente.

Quando o vídeo terminou, Dylan zapeou os canais até encontrar algo de seu agrado.

— Que espetáculo! *Casablanca.*

— Não vou assistir a essa merda romântica — disse Ashling, firme, e Dylan riu.

— Ela não é uma graça? — disse, carinhoso.

— Tá, mas não adianta, não vou assistir.

— Uma graça — repetiu ele. Sempre fora pródigo nos elogios, mas Ashling tinha consciência de que a atmosfera dessa noite estava levemente carregada.

— Não adianta, não vou assistir.

— A questão é que o controle remoto está comigo!

— Essa sopa vai acabar, meu amigo.

Na breve escaramuça que se seguiu pela posse do controle remoto, terminaram por entornar uma garrafa de vinho tinto.

— Desculpe. Vou pegar um pano — disse Dylan. Mas, pouco depois, veio sua voz da cozinha: — Não estou vendo nenhum.

— Tem umas toalhas velhas no banheiro. — Ashling saiu da sala e já estava vasculhando o armário do banheiro, quando a voz de Dylan bem atrás dela lhe deu um susto. Sobressaltada, ela se virou.

— Ashling — chamou ele.

— O que é? — Mas já sabia que vinha coisa por aí. O olhar dele, o tom de voz, a extrema proximidade, tudo estava carregado de tensão sexual.

— Doce Ashling — disse ele, quase num sussurro. — Eu devia ter ficado com você. — Suas palavras não tinham o menor vestígio do jeito paternal com que ele a tratara nos últimos onze anos. Ele encostou o indicador na sua bochecha.

Eu poderia ter Dylan agora, ela compreendeu. Onze anos depois, ele poderia ser meu.

E por que não? Ele a fazia sentir-se linda. Sempre fizera, mesmo enquanto era casado com sua então melhor amiga. E ela o achava maravilhoso. Sentia uma enorme curiosidade por ele, sobre como seria dormir com ele. Um apetite que fora aberto muito tempo atrás e nunca satisfeito.

Fez algumas ponderações. Depilara as pernas. Estava magra de infelicidade. Adoraria ter um pouco de carinho. E um sexozinho amigo também seria bem-vindo.

De repente, sem mais nem menos, perdeu o interesse.

— Vai lá secar o chão — disse, enfiando uma toalha nas mãos dele.

Os olhos por trás dos macios cabelos louros se encheram de surpresa, mas ele fez o que lhe era ordenado. Depois sentou-se ao lado de Joy e passou o tempo todo lhe dizendo o que iria acontecer em seguida no filme.

— Cala essa boca — dizia ela, aos risos. Quando o filme acabou, voltou-se para ele e disse: — Estou indo para casa me deitar. Se quiser me acompanhar, é muito bem-vindo.

Os olhos cor de mel dele relancearam Joy e, com um sorriso um pouco cerimonioso, ele se levantou:

— Com todo o prazer.

Ted e Ashling assistiram à cena, incrédulos. Ashling quase chegou a pensar que fosse alguma piada. Mas, como eles não tornaram a aparecer à porta depois de alguns minutos, compreendeu que não era.

* * *

Na manhã seguinte, Ashling ligou para Joy no seu trabalho.

— Você dormiu com Dylan? — Achou que fizera a pergunta em voz baixa, mas todas as cabeças na redação imediatamente se levantaram.

— Pode crer!

— O que eu quero saber é se você transou com ele.

— É claro que transei!

Ashling engoliu com força.

— E que tal foi?

— Genial. Ele é *maravilhoso*. Azedo feito um limão em relação às mulheres, e não vai me ligar nem em mil anos... — Joy bruscamente mudou de discurso. Parecia horrorizada. — Meu Deus do Céu, você não *liga*, não é? Não pensei nem por um segundo... Achei que você estava louca por Marcus, e, como odeio Clodagh de morte...

— Não me importo — afirmou Ashling.

Ou me importo?

Ou se importa?, perguntou-se a maior parte da redação.

Para ser franca, acho que não.

No começo de dezembro, Lisa e Oliver encontraram um comprador para seu apartamento em Londres. Como a mobília estava incluída na venda, Lisa só teve que retirar seus objetos de uso pessoal.

Oliver estava viajando a trabalho no fim de semana que ela escolheu para se desincumbir da tarefa. Poderia ter esperado até que ele voltasse, mas decidira não fazê-lo. Precisava tirá-lo da cabeça.

Fazer uma triagem dos restos de toda uma vida em comum foi um processo doloroso. Mas seus pais vieram de Hemel Hempstead para ajudá-la. Na realidade, isso não lhe valeu de grande coisa, mas a atmosfera de carinho e atabalhoamento em que a envolveram fez com que ela se sentisse melhor. Quando terminaram, puseram Lisa e seus pertences na Rover de vinte e um anos e tocaram para Hemel. Aquela noite, como luxo especial, reservaram uma mesa no Harvester local. Metade de Lisa teria preferido morrer a ir lá, mas a outra metade não se importou nem um pouco.

* * *

Quando Ashling chegou ao bar, Ted já estava lá.

— Oi, Ashling. Ele estava lá. Ela estava lá. Não pareciam loucos um pelo outro. — Ted estivera num show humorístico na noite anterior e, como Ashling sempre perguntava por Marcus e Clodagh, resolvera poupar sua dignidade fornecendo-lhe um boletim de notícias.

— Ele contou umas piadas novas sobre crianças. Acho que está de caso com Clodagh só para conseguir material — mentiu. E a mentira era tão deslavada, que Ashling ficou profundamente comovida.

— E, pelo visto — Ted se entusiasmou com o assunto, pois Ashling parecia estar gostando do que ouvia —, acho que Dylan quase não está dando dinheiro para Clodagh, porque Marcus contou uma piada sobre o fato de o ex-marido da namorada... desculpe. — Calou-se, esperando que Ashling estremecesse primeiro. — ... sobre o fato de o ex-marido da namorada estar dando a ela uma mesada que é uma verdadeira cadeirada.

Joy chegou.

— Do que é que estamos falando?

— Do show de Marcus ontem à noite.

— Que babaca. — Joy esticou o lábio inferior e fez uma vozinha boba: — "Quero dedicar este número a Craig e Molly." Pode ser mais boçal do que isso?

O rosto de Ashling adquiriu uma tonalidade verde-clara.

— Ele agora está dedicando números aos *filhos dela*?

Confusa, Joy olhou para Ted.

— Pensei que você estivesse contando... ah, que merda! Não dou uma dentro.

Ashling voltou a se sentir tão humilhada quanto antes.

— Famílias felizes — comentou, tentando parecer irônica.

— Isso não pode durar — disse Joy, categórica.

— Não, eles vão ficar juntos — afirmou Ashling. — Os homens sempre ficam com Clodagh.

Então, Joy lhe fez uma pergunta inusitada:

— Você sente falta de Marcus?

Ashling refletiu. Sentia várias emoções, todas desagradáveis, mas, entre elas, não mais se encontrava a ânsia de estar com Marcus. Raiva, sim. Tristeza, humilhação, o vazio causado pela perda. Mas não sentia *falta* dele, na acepção da palavra, de sua companhia, de sua presença física, como sentira no passado.

— É claro que eu gosto dos seus filhos! — insistia Marcus. — Não dediquei meu número aos dois ontem à noite?

— Bom, então por que não lê uma historinha para a Molly pegar no sono?

— Porque sou um homem *ocupado*. Tenho dois empregos em tempo integral.

— Mas eu estou exausta. É impossível dar conta de duas crianças totalmente sozinha.

— Mas você dizia que Dylan nunca estava aqui, que estava sempre trabalhando...

— Ele não estava sempre trabalhando — disse Clodagh, azeda. — Ele estava quase sempre aqui.

Entregou a Marcus um exemplar ilustrado de *Chapeuzinho Vermelho*, que ele se recusou a pegar.

— Desculpe, mas tenho que dedicar uma hora de trabalho ao meu romance.

Ela lhe lançou um olhar sério:

— Meu casamento acabou por sua causa.

— E meu namoro com Ashling acabou por *sua* causa. Estamos quites.

Clodagh ficou furiosa. Nem mesmo acreditava que Marcus tivesse gostado de Ashling tanto assim, mas, se ele insistia que sim, o que ela podia fazer?

CAPÍTULO 62

E então, pegando todo mundo de surpresa, como fazia todos os anos, o Natal chegou. Todos, sem exceção, passaram a maior parte do mês molhando o bico e, no dia vinte e três de dezembro, a redação da *Garota* fechou por onze dias. "Licença de misericórdia", como Kelvin chamou o intervalo.

Phelim veio da Austrália e manifestou uma certa surpresa quando Ashling se recusou a dormir com ele. Não obstante, aceitou sua negativa sem ressentimentos, e ainda lhe deu a flauta de bambu aborígine que comprara para ela. Ashling foi passar o Natal com seus pais — um acontecimento digno de registro, já que o passara em Dublin nos últimos cinco anos, com a família de Phelim. O irmão de Ashling, Owen, veio da bacia Amazônica e deu à sua mãe o melhor presente de Natal que ela poderia desejar: não estava usando um prato no lábio inferior. A irmã de Ashling, Janet, veio da Califórnia. Era mais alta, mais magra e mais loura do que Ashling se lembrava. Consumia frutas frescas em quantidade e se recusava a ir a pé aonde quer que fosse.

Clodagh passou o dia de Natal sozinha. Dylan levou as crianças para a casa de seus pais, e ela boicotou os dela, pois disseram que Marcus não poderia acompanhá-la. Mas, na última hora, Marcus decidiu passar o dia com os pais *dele*.

Lisa foi para Hemel e ficou encantada com a euforia de seus pais ao vê-la. Assinara e pusera no correio os documentos finais de seu divórcio algumas semanas antes do Natal, e ainda se sentia ridiculamente frágil. A próxima parte do processo seria a sentença provisória.

Na noite em que Ashling voltara de Cork, descobrira que tinha um novo vizinho — um rapaz louro, magro mas musculoso, encolhido diante de sua portaria, atacando um sanduíche e uma lata de Budweiser.

— Oi — disse ela. — Meu nome é Ashling.

— O meu é George. — Ele notou que ela olhava para a lata de cerveja. — É véspera de Ano-Novo — defendeu-se. — Estou tomando um traguinho como todo mundo.

— Tudo bem — disse ela, mansa.

— Só porque moro na rua, isso não quer dizer que seja um pé de cana — explicou ele, um pouco mais brando. — Só bebo socialmente.

Ela lhe deu uma libra e entrou no prédio, onde o desespero ameaçou subjugá-la. O problema dos sem-teto era um monstro de muitas cabeças — corta-se uma e nascem duas no seu lugar. Boo fora salvo, tinha um emprego, um apartamento e até mesmo uma namorada, mas fazia parte de uma minoria de sorte: era inteligente, apresentável e ainda jovem o bastante para se adaptar à vida em sociedade. Havia muitos outros que nada tinham, e nunca viriam a ter — massacrados pela vida que os atirara às ruas, e ainda mais massacrados pela fome, o desespero, o medo, o tédio e o ódio dos outros.

Sua campainha tocou. Era Ted, exibindo com orgulho uma moça baixinha e bem-arrumada.

— Você voltou! — disse ele, virando-se em seguida para indicar a moça ao seu lado: — Esta é Sinéad.

Sinéad estendeu a mão pequena e delicada para Ashling.

— Muito prazer — cumprimentou-a, em tom cerimonioso e seguro de si.

— Entrem. — Ashling estava surpresa. Sinéad não parecia uma típica frequentadora de camas de humoristas.

Ted entrou, todo prosa, logo tratando de alisar as almofadas do sofá antes de convidar galantemente Sinéad a sentar-se.

Ela se acomodou com toda a fineza no sofá, os joelhos e tornozelos alinhados, e aceitou o copo de vinho que Ashling lhe ofereceu. Ted não tirava os olhos dela um segundo, com ar embevecido.

— Você, hum, conheceu Ted num show? — Ashling tentou puxar conversa, enquanto vasculhava o chão atrás do saca-rolhas. Tinha certeza de que fora ali que o deixara, na véspera de sua viagem a Cork...

— Num show? — Ela parecia nunca ter ouvido a palavra na vida.

— Num show humorístico.

— Ah, não! — Sinéad piscou os olhos.

Ashling ficou sabendo que os dois eram colegas de trabalho, mourejavam ombro a ombro no Ministério da Agricultura. Na festa de Natal da repartição, quando dançavam, bêbados, ao som de "Rock Around the Clock", seus olhos se encontraram e foi amor à primeira vista.

Ashling nutria a estranha suspeita de que o advento de Sinéad assinalava o fim da carreira humorística de Ted. Mas, como ele só se tornara humorista para arranjar uma namorada, talvez não estivesse se importando. Chateado é que não parecia *mesmo*.

— Você quer sair de novo hoje à noite? — perguntou Clodagh. — Mas você saiu ontem, anteontem e na quarta!

Marcus explicou com toda a paciência:

— Tenho que ficar de olho nos novos humoristas que aparecem. É a minha carreira. Preciso ir.

— O que é mais importante para você? Eu ou a sua carreira?

— Os dois são importantes.

Resposta errada.

— Bom, não vou ter como arranjar uma babá assim, em cima da hora.

— Tudo bem.

E com essa Clodagh pensou que a questão estivesse encerrada. Até às nove da noite, quando Marcus se levantou e disse:

— Já vou indo. O show vai acabar tarde, de modo que vou para casa, em vez de voltar para cá.

Clodagh ficou atônita.

— Você *vai*?

— Eu disse que ia.

— Não. Quando eu disse que não tinha como arranjar uma babá, você disse "Tudo bem". Achei que você queria dizer que não iria sem mim.

— Não, eu quis dizer que *iria* sem você.

* * *

— Ashling, tenho uma coisa para te contar — disse Ted.

— O que é? — Era uma noite gelada de janeiro e Ted e Joy haviam aparecido em caráter de delegação, com gelo nas lapelas dos sobretudos.

— É melhor se sentar — avisou Joy.

— Eu *estou* sentada. — Ashling levantou a bunda e soltou-a com força no sofá.

— Acho bom. Não sei se você vai ficar mal com a notícia — disse Ted.

— O *que foi?*

— Conhece Marcus Valentine?

— Talvez já tenha ouvido falar nele. Dããããã, Ted! *Por favor.*

— Tá, desculpe. Bom, eu vi Marcus. Num bar. Com uma garota. Que não era Clodagh.

Ficaram em silêncio e, por fim, Ashling disse:

— E daí? Ele tem todo o direito de ser visto na companhia de outra mulher.

— Não discordo. Não discordo. Mas será que também tem todo o direito de enfiar a língua na garganta dela?

Uma estranha expressão iluminou o rosto de Ashling. Choque — e alguma outra emoção. Joy a relanceou, ansiosa.

— Você conhece a garota — prosseguiu Ted. — É Suzie. Eu estava conversando com ela naquela festa em Rathmines, e depois vim embora com você, lembra?

Ashling assentiu. Lembrava-se da ruivinha bonita, bem-arrumada. Ted dissera que ela dormia com todos os humoristas.

— Então, eu, hum, resolvi fazer umas perguntas por aí — continuou ele.

— E...?

— E descobri que ele anda enfiando nela mais do que a língua, se é que você me entende.

— Ah, meu bom Deus.

— Para um filho da mãe sardento, ele faz mesmo um baita sucesso com as garotas — observou Joy, cáustica.

— Ah, meu bom Deus — repetiu Ashling.

— Não vai ficar de coração mole e começar a ter peninha da Clodagh — implorou Joy. — Por favor, não vai sair correndo para a casa da princesa e passar a mão na cabeça dela!

— Deixa de ser burra, Joy — disse Ashling. — Eu estou de alma lavada!

— Estou indo aí para apanhar minhas coisas — disse Marcus.

— Vão estar à sua espera — confirmou Clodagh, esquentada.

Fumegando, saiu às cegas pela casa afora, jogando com estrépito seus objetos de uso pessoal num saco preto de lixo. Não conseguia acreditar em como tudo desmoronara tão depressa. Haviam passado da obsessão mútua para o quase-ódio em questão de semanas, rolando ladeira abaixo desde o momento em que o relacionamento saíra da esfera do sexo para entrar na da vida real.

Ela pensara que o amava, mas se enganara. Ele era um filho da mãe chato. O mais chato de todos os filhos da mãe chatos. Só queria falar de seus números, de como nenhum outro humorista chegava aos seus pés.

E precisava de tanta atenção. Ela achava ridícula a maneira como ele se ressentia toda vez que ela dava atenção a Craig e Molly. Às vezes, era como se tivesse três filhos.

Para não falar na porcaria de romance que começara a escrever. Um lixo. *Incrivelmente* deprimente. Ele levava a mal qualquer crítica, até mesmo as sugestões construtivas. Bastara ela dizer que talvez a heroína devesse abrir seu próprio negócio, fazendo doces ou cerâmica, para ele ficar *louco da vida.*

E, nos últimos tempos, dera para querer sair toda noite. Simplesmente se recusava a compreender que ela não podia deixar os filhos toda hora. Era difícil arranjar uma babá. Era ainda mais difícil *pagar* uma babá, com o que Dylan lhe dava. E, principalmente, ela *não queria* sair toda noite. Sentia falta de Craig e Molly, quando se afastava deles.

Era gostoso ficar em casa. Não havia nenhuma vergonha em assistir a *Coronation Street*, tomando um copo de vinho.

E o sexo. Ela não queria mais transar três vezes por noite. Nem ele devia esperar que quisesse. *Ninguém* quer, depois de passada a loucura inicial da paixão. Mas ele continuava muito a fim, e era exaustivo.

Mas tudo isso era café pequeno perto da bomba que ele acabara de soltar — a de que "conhecera outra pessoa".

Ela estava se sentindo furiosa e profundamente humilhada. Ainda mais porque, em algum canto remoto de seu inconsciente, sempre suspeitara que estava prestando um favor a Marcus, que ele tirara a sorte grande no dia em que ela saíra de um casamento sufocante direto para seus braços. Estava desesperada por ter levado um fora. Era algo que não acontecia desde que Greg, o americano, perdera todo o interesse por ela apenas um mês antes de voltar para os Estados Unidos.

Estava enfiando a última cueca no saco quando a campainha tocou. Dirigiu-se com passos decididos para fora, abriu a porta e enfiou o saco nas mãos de Marcus:

— Toma.

— Meu romance está aí?

— Ah, sim, *Urubu em dia de chuva* está aí, sim, pode crer. Um saco de lixo é o lugar certo para ele — disse, numa voz baixa que de baixa não tinha nada.

A expressão furibunda dele indicou que ouvira o comentário, e já se preparava para retaliar.

— Ah, a propósito — disse por sobre o ombro, ao se virar para ir embora —, ela tem vinte e dois anos e nunca teve filhos. — A informação foi acompanhada de uma piscadela. Ele sabia que Clodagh era complexada em relação a suas estrias.

Escaldada, ela entrou em casa pisando duro. Quando o primeiro jato de ódio finalmente passou, ela tentou se convencer a olhar para o lado positivo da questão. Pelo menos estava livre de Marcus, de suas piadas, de seu romance e de seus pitis — já era alguma coisa.

E foi então que se deu conta de que sua situação estava longe de ser das melhores. Não tinha marido, não tinha namorado...

Que merda

O fã-clube de Jack Devine estava a toda. Robbie, Shauna Griffin e a Sra. Morley se aglomeravam, competindo para ver quem enchia mais sua bola.

Jack atravessara a redação há pouco, mais bem-arrumado do que de costume. Coisa que, segundo Trix, não era nada difícil.

— Será — sempre se perguntava — que alguém já chegou para ele na rua e lhe deu dez *pence*, dizendo para ele ir tomar uma xícara de chá?

Mas, nessa manhã, ele estava todo bonitinho, o terno escuro passado a ferro, a camisa de algodão branca como a neve. Até o cabelo desgrenhado não estava nos seus piores dias — às vezes ele vinha trabalhar só com os lados do cabelo penteados, enquanto a parte de trás continuava um verdadeiro ninho de ratos.

Ele se produzira ao máximo, não restava a menor dúvida. Mas, quando se deteve para apanhar seus recados com a Sra. Morley, a camisa se escancarou no meio do peito, onde faltava um botão.

Isso inflamou ainda mais o fã-clube.

— Um homem atormentado que pode salvar o mundo, mas precisa de uma boa mulher para tomar conta dele — declarou Shauna Honey Monster. Pelo visto, andara se excedendo de novo nos romances água com açúcar.

— É, ele tem um charme Boêmio Chic — concluiu Robbie.

— Ah, sim, com certeza — concordou a Sra. Morley, que não saberia dizer a diferença entre "boêmio chic" e "bolchevique".

— Você não preferiria transar com ele a olhar para ele, Ashling? — perguntou Robbie.

Seguiu-se uma sessão frenética de mímica labial: *Não pergunta isso para ela.*

Mas era tarde demais. A obediente Ashling já se imaginava transando com Jack Devine, e diversas emoções atravessaram seu rosto a galope, nenhuma das quais serviu para tranquilizar seus ansiosos colegas.

— Ela teve uma desilusão amorosa terrível — cochichou a Sra. Morley. — Eu diria que perdeu o interesse pelos homens.

— Pra que fui abrir minha boquinha! — exclamou Robbie. — Sinto um momento Valium a caminho. — A qualquer pretexto, Robbie tomava um Valium, um Librium ou um betabloqueador — para seus "nervos".

— Quer um? — perguntou à Sra. Morley. — Já tomei três hoje.

Os olhos dela brilharam.

— Acho que mal não pode fazer.

E passou o resto do dia trocando as pernas de um lado para o outro feito um zumbi, esbarrando nas mesas e prendendo os dedos no teclado do computador. Já, Robbie, desenvolvera tal tolerância aos ingredientes de seu coquetel, que estava acima de todo e qualquer efeito colateral.

Ashling estava quase tão aparvalhada quanto a Sra. Morley. A pergunta de Robbie a deixara fora do ar, e ela não conseguia parar de pensar em Jack Devine. Seu coração se inflava como um balão, ao que ela pensava em seu gênio forte e sua bondade, suas camisas amassadas e sua inteligência rápida, seus acordos intransigentes e seu coração de manteiga, o alto cargo que ocupava e o botão faltando em sua camisa.

Ele lavara seu cabelo mesmo estando sem tempo. Tratara Boo, um detrito humano, como a pessoa que era. Recusara-se a despedir Shauna Griffin, quando ela, por engano, acrescentara um zero a uma receita da *Tricô Gaélico*, levando as leitoras a tricotarem xales de batizado de sete metros de comprimento, em vez de três.

Robbie tem razão, deu-se conta. *Prefiro transar com Jack Devine a olhar para ele.*

— Ashling! — Lisa interrompeu seu devaneio, irritada. — Pela quinta vez, essa introdução está comprida demais! Que é que há com você? Agora deu para tomar Valium também?

Ambas automaticamente olharam para a Sra. Morley, que se escarrapachava numa cadeira, sonhadora, pintando a unha do polegar com líquido corretivo.

— Não

Lisa suspirou. Deveria ser mais branda. Ashling já não se comportava assim há séculos, desde as primeiras semanas depois que Marcus a deixara. Talvez tivesse apenas descoberto alguma coisa desagradável — que Clodagh estava grávida, por exemplo.

— Aconteceu alguma coisa com Marcus e a amiguinha?

Ashling se obrigou a tirar Jack Devine da cabeça e pensar em outra coisa.

— Para dizer a verdade, aconteceu. Ele agora está de caso com outra mulher.

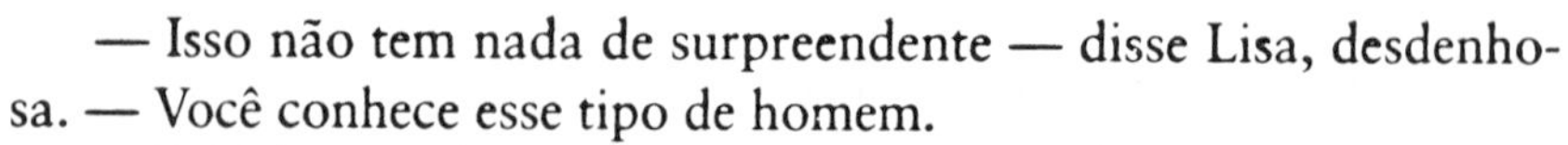

— Isso não tem nada de surpreendente — disse Lisa, desdenhosa. — Você conhece esse tipo de homem.

Lisa tinha o dom de fazer com que Ashling se sentisse muito gauche.

— Que tipo de homem?

— Você sabe... nenhum mau-caráter, mas inseguro. Viciado em ser amado, mas apenas medianamente bonito. — Nossa, isso é que era ser gentil! — De uma hora para a outra, as mulheres passam a gostar dele porque ficou famoso, e aí ele se comporta como uma criança solta numa loja de doces.

Mas essas sábias palavras de pouco valeram para deixar Ashling esperta. Se alguma propriedade tiveram, foi a de surtir o efeito oposto. Parecendo se alienar ainda mais do mundo, ela murmurou "Ah, meu bom Deus", com ar sobressaltado. Então, seu rosto se desanuviou.

— As revelações são como os ônibus, não são? — perguntou, maravilhada. — Não passa nenhuma durante horas e, de repente, passam três de uma vez.

Lisa abafou uma gargalhada e se afastou.

Ashling continuou em sua cadeira, remexendo-se sem parar até a hora de sair do trabalho para se encontrar com Joy. Queria dividir com alguém suas descobertas alucinantes. Bem, pelo menos uma delas. A outra teria de esperar até que ela a decifrasse.

No minuto em que Joy chegou ao bar do Hotel Morrison, foi metralhada por uma rajada de palavras de Ashling:

— ...mesmo que Marcus não tivesse conhecido Clodagh, ainda assim teria dado o fora, mais cedo ou mais tarde. Ele é inseguro e carente demais, eu devia ter enxergado os sinais.

— Ah. E quais foram? — Joy retirava seu casaco, esforçando-se ao máximo por se concentrar no que Ashling dizia.

— Eu sabia que ele tinha dado um bilhete Bellez-moi para outra mulher. Me diz, que tipo de homem sai por aí distribuindo seu número de telefone? Se ele está interessado em você, ele pede o seu número, não é mesmo? Em vez de ficar esperando uma... uma... como direi? Uma reação positiva, dando seu número para ver quem morde a isca.

— Mais alguma coisa?

— Hum-hum. Dei a ele meu número duas vezes e ele não ligou da primeira. Agora está claro que ele estava jogando, tentando descobrir se eu gostava dele o bastante para lhe dar meu número. Ele não estava realmente interessado em mim — estava interessado no que eu pensava dele. Foi só quando fui ao seu show que ele se dignou de me telefonar.

"E quando eu não quis dormir com ele na primeira noite? Armou uma tromba! Parecia um garotinho mimado. E todo aquele papo de 'Eu sou o melhor? Quem é o mais engraçado de todos?'. E quer saber de uma coisa, Joy? Eu também não sou completamente inocente nessa história. Até certo ponto, a razão pela qual saí com ele foi o fato de ele ser famoso. Ou seja, se o tiro saiu pela culatra, a culpa é toda minha.

— Mas você fala como se tivesse sido um desastre total — objetou Joy. — Vocês dois se davam muito bem. Sei que você gostava dele, e dava para ver o quanto ele gostava de você.

— Ele gostava de mim, sim — admitiu Ashling. — Sei disso. Mas gostava mais de si mesmo. E eu gostava dele, mas, em parte, pelas razões erradas. — Em voz baixa, confessou: — Clodagh disse que eu era uma vítima.

— Filha da puta!

— Não, eu sou, sim. Ou melhor, *era* — corrigiu-se. — Não sou mais.

— Mas só porque a culpa foi da insegurança de Marcus, isso não quer dizer que você vai voltar a ser amiga dela, quer? — perguntou Joy, ansiosa. — Você ainda odeia ela, não odeia?

Ashling teve de permitir que uma curta e intensa pontada de mágoa pela perda da amizade atingisse seu paroxismo e passasse, antes de conseguir dar de ombros e dizer:

— É claro.

CAPÍTULO 63

No Dia dos Namorados, um envelope grande e vistoso deslizou pela abertura da caixa de correio e foi cair no chão do vestíbulo de Lisa. Um cartão? De quem? Com o pulso disparado de excitação, ela rasgou o envelope, hesitou... Ah.

Era a notificação da sentença provisória.

Sentiu vontade de rir, mas não conseguiu. A velocidade com que fora despachada pelo tribunal para seu advogado apanhou-a totalmente de surpresa. Só demorara dois meses e, em seu inconsciente, ela estava convicta de que seriam pelo menos três.

Em pânico, percebeu com toda a clareza que ela e Oliver estavam na reta final. O caminho estava desimpedido e, do fundo da pista, avistou o fim de seu casamento galopando em sua direção.

Só faltavam seis curtas semanas para a sentença definitiva sair.

Só então se sentiria melhor. Uma pedra seria posta de uma vez por todas sobre o passado.

Naquela noite, saiu com Dylan. Fazia dois meses que ele a vinha convidando para sair — toda vez que passava na redação para ver Ashling —, e ela achou que isso poderia animá-la. Ainda mais porque não ouvira uma sílaba sequer de Oliver.

Dylan a apanhou após o expediente e a levou de carro até um bar nas montanhas de Dublin, de onde se viam as luzes da cidade abaixo, cintilando como joias. Ela lhe deu nota máxima pela locação. Deu-lhe sete pelo cabelo bem cortado e oito pela beleza. E, tecnicamente falando, ele era encantador e pródigo em elogios observadores, de modo que, nesse quesito, ela achou que ele merecia um sete ou um oito. Mas não conseguiu se entusiasmar por ele, achou-o insincero e frio e, por baixo de seu discurso galante, detectou um cinismo que dava de dez no dela.

Ou talvez o problema fosse com ela. Não conseguia se livrar dos restos da sensação de perda que a envolvera durante todo o dia.

Ela bebeu muito, mas não conseguiu se embriagar, e o encontro, longe de levantar seu moral, só serviu para deprimi-la. E, quando Dylan deixou bastante claro o quanto queria dormir com ela, isso a deprimiu mais ainda.

Ela murmurou algo sobre não ser "esse tipo de mulher".

— Ah, é mesmo? — Dylan curvou os lábios, a um tempo lamentando e desprezando seu argumento, e, de repente, ela desejou estar em casa.

Em silêncio, Dylan a levou de volta para a cidade, seu carro em alta velocidade cantando pneu pelas estradas estreitas da montanha.

Diante de casa, ela lhe agradeceu educadamente, mas não conseguiu sair do carro em tempo de evitar uma prensa. Já no refúgio de sua cozinha, comendo um saco de jujubas (estava fazendo a Dieta do J e encontrara uma brecha), perguntou-se onde o mundo iria parar, quando até uma noitada já não exercia o menor poder de atração sobre ela.

Clodagh cruzou as pernas e se pôs a bater com o pé no chão, agitada. Dylan fora passar a tarde fora com as crianças, estava para chegar a qualquer momento e, embora ainda não soubesse disso, ele e Clodagh iriam *conversar*.

Toda vez que se encontravam, tratavam-se com civilidade, mas antipatia — ele se mostrava amargo e ela, defensiva. Mas tudo isso estava prestes a mudar.

Como ela pudera ter chegado a achar que daria certo com Marcus? Dylan, sim, era *maravilhoso*: paciente, amável, generoso, dedicado, trabalhador, *muito* mais bonito. Ela queria sua antiga vida de volta. Mas esperava uma certa dose de rancor e resistência da parte de Dylan, e não estava muito animada ante a perspectiva de ter que se humilhar para reconquistá-lo.

Uma algaravia de vozes infantis na porta da frente indicou que eles estavam de volta. Ela se apressou para abrir a porta, e deu a Dylan um sorriso afetuoso, que teve a mais gélida acolhida possível.

— Posso ter uma conversa rápida com você? — Ela forçou sua voz a permanecer jovial.

Quando ele deu de ombros, soltando um "Tudo bem" frio como uma pedra de gelo, ela pôs Craig e Molly para assistirem a um vídeo, fechou a porta e foi para a cozinha, onde Dylan a estava esperando.

Engoliu em seco.

— Dylan, nesses últimos meses... eu estava errada, me perdoe de coração. Ainda te amo e quero que você... — Com a voz entrecortada, concluiu: — ...volte para mim.

Observou seu rosto, à espera de que a luz dourada da felicidade o iluminasse, apagando todo e qualquer vestígio da dureza que ali fizera morada desde que tudo começara. Mas ele se limitou a fitá-la, incrédulo.

— Sei que vai demorar algum tempo até as coisas voltarem ao normal e você confiar em mim outra vez, mas podemos fazer sessões de aconselhamento conjugal e o que mais for necessário — prometeu ela. — Eu estava fora de mim quando fiz o que fiz, mas podemos salvar nosso casamento... — Como ele não dissesse nada, ela acrescentou: — ...não podemos?

Por fim, ele falou, e disse uma única palavra:

— Não.

— Não... o quê?

— Não, não vou voltar.

Ela não previra isso. Em nenhuma de suas fantasias.

— Mas por quê? — Não acreditava nele.

— Porque não quero e ponto final.

— Mas você ficou arrasado com o que eu... hum... fiz.

— É, pensei que fosse morrer — concordou, pensativo. — Mas acho que já devo ter superado, porque, agora que paro para pensar no assunto, percebo que não quero continuar casado com você.

Ela começou a tremer. Isso não estava acontecendo.

— E as crianças?

A menção a elas o tocou.

— Eu amo meus filhos.

Ótimo.

— Mas não vou voltar para você por causa deles. Não posso.

Ela estava perdendo. Todo o poder que pensara possuir, revelava-se uma mera ilusão. Foi quando lhe ocorreu uma ideia tão absurda que chegava a ser ridícula.

— Você... você não... conheceu outra pessoa, conheceu?

Ele soltou uma gargalhada antipática. *Fui eu,* pensou ela, subitamente envergonhada. *Fui eu que fiz Dylan ficar assim.*

— Conheci várias pessoas — disse ele.

— Então... você está dizendo... que *dormiu* com outras mulheres?

— Bom, dormir, propriamente, não.

Ela levou um choque brutal. Sentiu-se traída, enciumada, enganada. E o tom de voz dele, malicioso e provocante, dava margem a uma suspeita horrível.

— Eu conheço alguma delas?

Ele deu um sorriso cruel:

— Conhece.

Ela levou outro choque.

— Quem?

— Que pergunta para se fazer a um cavalheiro — debochou ele.

— Você disse que esperaria por mim — disse ela, em voz baixa.

— Disse? Bom, então eu menti.

Quando Lisa recebeu ofertas de emprego das maiores rivais da Randolph Media, começou a pensar em seu futuro. Durante seus dez meses na *Garota*, conseguira fazer com que ela alcançasse a posição pretendida no mercado. Era hora de ir embora.

Já sabia que voltaria para Londres — era seu lugar, e ela queria ficar perto dos pais. Mas, quando estudou suas opções, deu-se conta de que não estava bem certa se tinha estômago para continuar dirigindo uma revista mensal de alto nível. Viver subindo num pau de sebo, humilhando os outros e recebendo o crédito por seu trabalho não mais a atraía como no passado. Nem a impiedosa rivalidade entre as revistas. Ou as encarniçadas disputas intestinas entre os vários escalões de uma mesma publicação. No passado, um ambiente competitivo era algo que a excitava, até mesmo estimulava. Mas não agora, e, ao tomar consciência disso, experimentou uma sensação de pânico — será que se tornara alguma débil, alguma incapaz, alguma perdedora? Mas não se sentia fraca. Só porque não desejava mais fazer algumas coisas, isso não significava que houvesse se tornado uma fraca, apenas uma pessoa diferente.

Não muito diferente, obviamente, ela reconheceu, irônica: ainda *adorava* a frivolidade das revistas. As roupas, a maquiagem, os conselhos sobre a vida amorosa. Assim sendo, a decisão profissional óbvia a tomar era procurar um emprego de consultora.

Ashling percebeu que alguma coisa estranha estava acontecendo. No começo não se dera conta, limitando-se a supor que se tratasse de um episódio isolado. Seguido por outro episódio isolado. E mais outro. Mas em que momento um conjunto de episódios isolados deixa de ser um conjunto de episódios isolados para se transformar numa *série*?

Tivera medo de dar excessiva importância ao que vinha acontecendo, pois desejava desesperadamente que significasse alguma coisa. Era Jack Devine. Ele a levara para tomar um drinque, a fim de comemorar sua "alta" do Prozac. Em seguida, uma semana depois, quando ficou claro que ela não iria enlouquecer de novo, ele a levara para tomar um drinque *seguido de uma pizza* para comemorar sua volta às aulas de salsa. Depois, levara-a para jantar no Cookes, e o motivo da comemoração foi a mudança de Boo para seu primeiro apartamento. Mas, quando Ashling sugeriu que o certo seria que Boo se juntasse a eles, Jack não pareceu nem um pouco entusiasmado com a ideia.

— Vou sair para tomar umas cervejas com ele e os outros rapazes da emissora amanhã à noite — explicou.

E agora se chegava até a mesa dela e sugeria que saíssem de novo.

— O que a gente vai comemorar dessa vez? — perguntou ela, desconfiada.

Ele hesitou.

— Bom... o fato de ser quinta-feira?

— Tá — disse ela. Porque era *realmente* uma quinta-feira. Mas estava confusa. Por que ele a estava tratando tão bem? Será que ainda sentia pena dela, por causa de todo o drama que vivera? Mas isso já era passado. E todos os outros motivos que poderiam justificar suas atenções eram grotescos.

Foi Lisa quem abriu seus olhos.

— Quer dizer então que você e Jack finalmente se acertaram? — perguntou, com o ar mais distraído que conseguiu fazer. Ainda não se sentia inteiramente zen em relação ao fato de ter sido rejeitada — era algo que não fazia seu gênero e, provavelmente, jamais faria.

— Como disse?

— Você e Jack. Você gosta dele, não gosta? — provocou-a. — Quero dizer, Gosta com G maiúsculo.

O rubor ardente que se espalhou pelo rosto de Ashling foi sua resposta.

— E ele gosta de você — observou Lisa.

— Não gosta, não.

— Gosta, sim.

— Não gosta, não.

— Ah, deixa de ser ingênua, Ashling! — soltou Lisa, brusca.

Ashling a encarou, alarmada, e, após alguns momentos em silêncio, disse, num fio de voz:

— Tá, vou deixar.

Aquela noite, no restaurante, Ashling tentou encarar a situação. Não sentia a menor vontade de fazê-lo, mas achava que era preciso. Para criar coragem, acendeu um cigarro, que Jack a observou fumar como se ela estivesse fazendo alguma coisa notável.

Para de me olhar assim. Não consigo pensar direito.

— Jack, posso te perguntar uma coisa? Nós estamos aqui, jantando fora... Isto é um... — Calou-se. Talvez não devesse perguntar — e se estivesse errada?

— Isto é um...? — ele incentivou, ansioso por lhe agradar.

Ela soltou uma baforada com força. Foda-se, ou vai ou racha.

— Isto é um encontro?

Ele a analisou com toda a atenção.

— Você quer que seja?

Ela fingiu refletir um pouco.

— Quero.

— Então, é um encontro.

Os olhos dos dois puseram-se a vagar pelo restaurante.

— Quer ter outro? — perguntou Jack, com excessiva casualidade.

— Quero.

— Sábado à noite?

Opa. Primeira saída num fim de semana. Progresso à vista.

— Hum-hum.

Novamente seus olhares se puseram a passear pelo salão, fixando-se em tudo, menos um no outro.

Ashling ouviu sua própria voz mais uma vez:

— Jack, posso te perguntar por que você quer ter um... você sabe... comigo?

Ela levantou os olhos para ele no mesmo momento em que os dele voltavam para ela, e os dois olhares se chocaram com força. Ela ficou sem fôlego e sentiu uma onda de excitação, como se minúsculos peixinhos subcutâneos mordiscassem sua pele.

— Porque, Ashling — disse ele, suave —, você está interferindo nos meus planos de dominar o mundo.

Mas o que *isso* queria dizer?

— Não consigo pensar em mais nada além de você — disse ele, com a máxima naturalidade. — Está afetando tudo.

A cabeça dela foi se enchendo, enchendo, enchendo de ar até ela não conseguir mais falar. Não foi capaz de encontrar uma única sílaba adequada. Já suspeitava que ele gostasse dela, mas agora que ele dizia com todas as letras...

— Diz alguma coisa — pediu ele, ansioso.

Ela murmurou:

— Há quanto tempo você sente isso? — *Pareço até o Dr. McDevitt falando.*

— Há séculos — ele suspirou. — Desde a noite do lançamento.

— Tanto tempo assim?

— Pois é. — Outro suspiro.

— Mas faz meses!

— Seis, para ser mais exato.

— Todo esse tempo... — Sua memória retrocedeu seis meses, e a versão de Ashling para sua própria vida sofreu uma reavaliação radical. Será que ele estava falando sério? Bem, ele se *declarara*, mas ela estava com medo de acreditar nele. Ainda.

— Não admira que você estivesse me tratando tão bem — ela conseguiu dizer.

— Eu teria te tratado bem de um jeito ou de outro.

— Teria?

— Claro — ele sorriu, sem graça. — Bom, talvez. Provavelmente... E você?

— Eu?

— O que você, hum, sente?

Nem então as palavras saíram, e o máximo que ela conseguiu dizer foi:

— Vontade de me encontrar com você no sábado à noite.

— Tudo bem — ele assentiu, lendo nas entrelinhas. — Que tal ir à minha casa? Você disse que me ensinaria a dançar.

Ela nunca dissera tal coisa, mas deixou passar.

— E eu ainda acho que você gostaria de sushi, se me desse um voto de confiança — acrescentou ele, melancólico.

— Todos os votos de confiança que você quiser.

No dia seguinte, quando Lisa entregou seu aviso de demissão e anunciou sua intenção de voltar a Londres dentro de um mês, Jack teve a educação de dizer: "Tivemos sorte de ter você durante todo esse tempo." Mas Lisa foi perspicaz o bastante para perceber que ele não lhe prestara muita atenção.

— E você poderia pôr Trix no meu lugar — sugeriu, com ar inocente.

— Ah, sim, sem dúvida, vamos pensar no assun... Ah, ah, ah, ah, essa é boa! — riu, nervoso.

CAPÍTULO 64

Numa casa situada em uma zona deserta de Ringsend, de frente para o mar, um homem e uma mulher se cumprimentaram nervosamente. Pelas janelas sem cortinas, o mar imóvel e negro viu-o conduzi-la até um aposento que ele passara horas a fio arrumando, naquele mesmo dia. O mar conhecia Jack Devine há muito tempo, e nunca vira frenesi igual. Ele bem que poderia ter aproveitado o embalo para passar a ferro a camisa de flanela e vestir um par de jeans que não estivesse rasgado.

A mulher sentou-se num sofá que horas antes levara uma surra do aspirador de pó e deu um toque nos cabelos, em que fizera uma escova especialmente para a ocasião. Mudou ligeiramente de posição, sentindo a renda e o algodão novinhos em folha de sua lingerie a relembrá-la de sua presença.

— Está com fome? — Jack perguntou, entregando-lhe um copo de vinho.

— Muita — mentiu ela.

Sobre uma pequena mesa, ele dispusera os pauzinhos, o molho de soja, o gengibre e os demais apetrechos e ingredientes, e então, com um capricho exasperante, pôs-se a preparar os rolinhos de arroz para Ashling.

— Não é nada exótico demais — assegurou ele. — É sushi para...

— ...iniciantes, já sei. — E ela se sentiu profundamente comovida, de uma maneira que teria sido impossível seis meses antes, quando sua alma estava com defeito.

— E se eu não comesse raiz-forte com o primeiro? Para me iniciar mais devagar? — sugeriu ela.

— Tudo bem. — Mas ela viu um raio de decepção cruzar o rosto dele, e se entristeceu. Ele estava se esforçando tanto

— Vou arriscar — emendou ela. — É melhor provar tudo junto, não é mesmo? Os sabores diferentes se complementam.

— Só se tiver certeza — disse ele. — Não quero assustar você.

Com toda a delicadeza, depositou uma fatia minúscula e transparente de gengibre no centro exato de um rolinho de arroz. Com os pauzinhos, corrigiu caprichosamente os cantos irregulares, e ela se maravilhou por ver que ele estava tendo todo esse trabalho só por causa dela.

— Está pronta? — perguntou ele, erguendo o sushi em sua direção.

Por um momento, ela se sentiu em pânico. Não tinha certeza se estava pronta ou não. Sentindo-se como se abrisse mais do que a boca, permitiu que ele depositasse a trouxinha sobre sua língua.

Ansioso, ele observou sua reação.

— Gostoso — disse ela, por fim, com um sorriso. — Assustador, nas gostoso. — *Como você.*

Experimentou um de pepino, um de tofu, um de caranguejo e um de abacate. Em seguida, resolveu jogar tudo para o alto e experimentar um de salmão.

— Você é fantástica — elogiou-a Jack, como se ela tivesse acabado de fazer algo digno de nota, como passar no teste de direção. — Você é simplesmente maravilhosa. E, quando estiver pronta para a salsa...

Ah, não.

— Bom, vai ser meio difícil mostrar a você — ela se apressou a dizer —, porque é o homem quem guia.

— Tenta assim mesmo — pediu ele.

— Mas...

— Só uma ideia por alto. — Ele abriu um sorriso.

— Mas nós não temos a música certa.

— Do que precisamos? Música cubana?

— Éééééé... — disse ela lentamente, dando-se conta do erro que cometera. Achara que não haveria a menor possibilidade de ele ter em casa um tipo de música tão pouco conhecido, mas se esquecera de que ele era homem.

Agora iria ter que aguentar o rojão.

— Tudo bem, esquece a música. O que está tocando no radio serve. Muito bem, nós dois nos levantamos.

Imediatamente ele se pôs de pé e ela se sentiu ameaçada por sua alta figura diante dela.

— E ficamos de frente um para o outro.

Voltaram-se um para o outro. Embora estivessem a três metros de distância.

— Quem sabe um pouquinho mais perto — sugeriu Ashling.

Ele deu um passo à frente, ela também. Por fim, ela chegou até ele, relutando em se aproximar demais. Mas estava perto o bastante para sentir seu cheiro.

— Você passa o seu braço por mim. Se quiser — ela se apressou em acrescentar.

Ele passou o braço pelas costas dela e, por um breve momento, a mão dela pairou sobre o ombro dele, para finalmente abaixá-la. Podia sentir o calor do corpo dele varando a camisa.

— E essa mão? — Ele exibiu a mão livre.

— Segura a minha.

— Tá. — Ele se comportava com tanta naturalidade que, quando sua mão grande e seca tomou a dela, ela decidiu relaxar. Estava lhe ensinando a dançar, era perfeitamente aceitável que encostassem um no outro.

— Quando minha perna for para trás, a sua segue, entendeu?

— Me mostra.

— Tá. — Ela deslizou a perna para trás e a dele avançou em seguida.

— Agora, ao contrário — disse Ashling. — Você recua a perna e eu sigo. E depois, de novo.

Praticaram várias vezes, com velocidade e graça crescentes, até que, em meio à sequência, Jack se deteve, Ashling foi em frente e, de súbito, viu-se comprimindo a coxa com força contra a dele. De um tranco, parou, mas sem se afastar. Estavam perfeitamente imóveis, petrificados em meio à dança. Com os olhos na altura do queixo dele, ela pensou, distraída: *Ele precisa fazer a barba.* Era importante pensar em coisas normais num momento desses. Porque, em outro canto de sua consciência, rolava outro tipo de pensamento.

— Ashling, quer por favor olhar para mim? — A voz de Jack em seus cabelos era cheia de angústia.

Não posso.

Então, subitamente, pôde. Levantou o rosto, os olhos dele negros como o azeviche se abaixaram ardentes até os dela e suas bocas se encontraram num beijo sôfrego. Muitos meses de espera estavam contidos naquele beijo. Os primeiros acordes do desejo se fizeram ouvir dentro de Ashling. A excitação costumava crescer gradualmente dentro dela, mas, dessa vez, chegara como uma onda abrupta de desejo.

Ele segurou o rosto dela entre as mãos, e os dois se beijaram até se machucarem. Ávidos, desesperados, insaciáveis.

— Desculpe — sussurrou Jack.

— Tudo bem — ela murmurou.

Pouco a pouco os beijos foram se acalmando, tornando-se mais sonhadores e suaves, até que por fim os lábios dele eram como plumas colando-se à boca tenra dela. A música ainda tocava no rádio e eles pareciam circular lentamente.

O mar olhou e pensou com seus botões: *Dançando agarradinho na sala, essa é inédita.*

Ashling deslizou as mãos por baixo da camisa de Jack e percorreu a deliciosa pele desconhecida de suas costas. Seus corpos estavam apertados com força, as palmas das mãos dele na bunda dela trazendo-a para ainda mais perto, e ela se sentia lânguida, flutuante, extática. Não saberia dizer quanto tempo ficaram assim. Podem ter sido dez minutos ou duas horas, mas, subitamente, Ashling tinha tirado a camisa de Jack. Bem, só precisou abrir um botão.

— Sua abusada — disse ele. — Sua camisa e mais o par de botas.

— Tá. — O coração dela palpitava. — O que isso quer dizer, exatamente? Que eu tiro minhas botas?

— E a camisa. Já vi que você não joga pôquer. Vou ter que te ensinar as regras. Tira a camisa. — Ele já a ajudava a fazer isso. — Agora você diz: "Seu par de jeans."

— Seu par de jeans. — Ela engoliu em seco de nervosismo e excitação, enquanto Jack lentamente abria os botões da braguilha. Com as mãos trêmulas, ela esperou por um momento torturante antes de puxar o zíper de suas calças pretas e se contorcer para tirá-las.

— Meias! — ordenou ele, mas os olhos não espelhavam o tom brincalhão de sua voz. Ela sentia um bolo na garganta e doía de desejo, ao que os dois se postavam um diante do outro, Jack de cueca branca, Ashling em seu novo body cavado (com efeito cintura).

— Aprendeu as regras? — perguntou ele, com a voz embargada.

Ela assentiu lentamente, fitando as pernas perfeitas dele, os braços esculturais, a área plana de pelos negros em seu peito, que serpenteavam em direção ao estômago.

— Acho que sim. E qual vai ser o cacife?

— Que tal você?

Ela se surpreendeu rindo. Com ou sem cintura, sentia-se mais confiante do que jamais se sentira sem roupas.

Ela estendeu a mão, tocando a grossa coluna de pelos que se comprimia dentro da camisa de algodão branco, e foi recompensada com um frêmito dele. Então enfiou um dedo no cós de sua calça e o puxou. Suas intenções eram perfeitamente claras.

Ele pôs a mão dentro da calça e libertou o pênis. Desfez-se da cueca, revelando os pelos pubianos negros, enquanto segurava a ereção. Ashling ficou transfixada pela carga erótica do gesto.

Já no andar de cima, sobre os lençóis recém-lavados da cama, ele despiu sua lingerie em câmera lenta. Puxava-a para baixo milímetro por milímetro e a retirava com gestos tão ínfimos e lânguidos, que ela teve vontade de gritar. Por fim, não restou mais nenhum obstáculo.

— Tem certeza de que quer fazer isso? — perguntou Jack, ansioso.

— O que você acha? — Ela deu um sorriso mole para ele.

— Você poderia estar agindo por despeito.

— Não estou agindo por despeito — disse ela, suave. — Honestamente.

De repente, ele teve uma ideia.

— Você não fez nenhuma aposta, fez?

Ela soltou uma gargalhada, sinceramente divertida.

— Não? Tive uma visão de Trix passando um livro com nossos nomes.

Deslizaram lado a lado pelos lençóis, e cada toque, cada gesto era cheio de curiosidade e delicadeza. O fôlego dos dois foi ficando mais curto e, com velocidade e desejo crescentes, deixaram a gentileza de lado e se tornaram intensos, despudorados, violentos. Ela cravou as unhas na bunda dele e ele mordeu seu seio. Rolaram juntos, encaixados, ao que ele a penetrava, e então ela deslizou por baixo dele, colada ao seu corpo.

Quando tudo terminou, ficaram deitados, os corpos entrelaçados, unidos em sua paz. Mas, de repente, Ashling foi tomada pela insegurança. E se ele mudasse de ideia? E se agora, que dormira com ela, perdesse todo o interesse?

Foi quando ele disse, carinhoso: "Ashling, você é a melhor coisa que já aconteceu comigo", e todas as suas dúvidas se dissiparam.

— Minha única dúvida — falou Jack, na escuridão — é se você vai me respeitar amanhã de manhã.

Sonolenta, ela respondeu:

— Não precisa se preocupar. Eu nunca te respeitei, mesmo.

Ele lhe deu um beliscão.

— *É claro* que vou te respeitar amanhã de manhã — garantiu ela. — Talvez te despreze um pouco à tarde — acrescentou. — Mas posso te garantir meu respeito incondicional na parte da manhã.

CAPÍTULO 65

Na primeira segunda-feira de abril, uma semana antes de voltar para Londres, Lisa recebeu em sua correspondência a notificação da sentença definitiva. Antes mesmo de abrir o envelope, soube o que continha — por mais insensato que isso fosse, teve a convicção de que emanava um ar ligeiramente desagradável.

Seu instinto foi fugir, enfiá-lo embaixo do telefone, fingindo que jamais chegara. Então, com um suspiro, abriu-o rapidamente. Já fora obrigada a fazer muitas coisas desagradáveis na vida. Se não as enfrentasse com a cara e com a coragem, jamais realizaria nada. Mas era preciso agir *depressa*, como quando se puxa um Band-Aid.

Sentia-se incrivelmente lúcida. Notou como seus dedos tremiam ao puxar as folhas. Viu as frases impressas avançarem como os créditos de um filme, rápidas demais para serem lidas. Quando as palavras diminuíram de velocidade e pararam, ela se obrigou a estudar as duras letras pretas impressas na folha branca. Uma de cada vez, até que a mensagem que já conhecia de antemão finalmente se revelou — estava tudo acabado. Não viveria mais com um pé dentro e outro fora do casamento; tudo fora arrumado e posto em ordem. *The end. Fin.* Fim.

Em seu momentâneo clarão de lucidez, observou que não saíra pelo vestíbulo dando pulinhos, na euforia da libertação. Pelo contrário, notou que sua temperatura disparara — não é que estava *suando*? —, e que não se sentia livre e feliz.

Durante todo o processo do divórcio, esperara que a parte seguinte seria aquela que a faria sentir-se magicamente curada. Mas agora haviam chegado ao fim da linha, e ela ainda não recuperara sua antiga felicidade. Na verdade, sentia-se *pior*.

Talvez a tristeza causada por um divórcio não desapareça, deu-se conta. Em vez disso, a pessoa precisa assimilá-la, aprender a conviver com ela — o que se lhe afigurou como um sacrifício tamanho, que ela teve vontade de voltar para a cama.

Fifi dera uma festa quando seu divórcio se consumara. Por que Lisa não sentia vontade de fazer o mesmo? A diferença, admitiu, a contragosto, era que ela não odiava Oliver. Que pena, debochou de si mesma. A acrimônia tinha lá suas vantagens.

Dobrou o documento e se obrigou a sentir esperança. Tudo ficaria bem. Algum dia. Londres era o lugar certo. Ela conheceria outro homem lá. Mesmo que às vezes a deprimisse profundamente constatar o lixo que eram os outros homens. *Por comparação,* reconheceu. Talvez ajudasse se parasse de usar Oliver como parâmetro.

Quando voltasse a Londres, faria o possível para evitá-lo. Seus caminhos poderiam se cruzar ocasionalmente, no desempenho de suas profissões, e eles trocariam um sorriso civilizado. Até que, um belo dia, poderiam se encontrar e trabalhar, sem pensar no que poderia ter sido e não fora, na outra vida que poderiam ter levado. O tempo passaria e, um dia, algum dia, não faria mais diferença.

Mas eu falhei, ela admitiu, num rompante de honestidade autoincriminatória. Falhei e a culpa é minha. Não posso solucionar as coisas, não posso fazer com que passem e vou ter que viver com isso pelo resto da minha vida.

Ela sempre fora o somatório de seus triunfos. Um sucesso empilhado em cima do outro, era o que havia feito de Lisa quem ela era. Sendo assim, onde esse fracasso se encaixava? Teria que se encaixar em algum lugar, pois ela agora compreendia que nossas vidas são uma sucessão de experiências, e que as frustradas contam tanto quanto as bem-sucedidas.

Essa dor me mudou, admitiu ela. Essa dor que não vai passar durante muito tempo me tornou uma pessoa melhor. Mesmo que eu não queira, reconheceu, irônica. Mesmo que considere essa mudança pior do que a morte, estou mais mansa, mais generosa, melhor.

E me sinto *feliz* por ter sido casada com Oliver, pensou, desafiadora. Estou arrependida, triste e *puta da vida* por ter ferrado com tudo, mas aprendi a lição e não vou deixar que aconteça novamente.

Era o máximo que podia fazer.

Soltou um suspiro profundo, apanhou sua bolsa e saiu para trabalhar, como a sobrevivente que era.

Quando chegou, a redação estava a mil por hora — com os preparativos para o seu bota-fora na sexta-feira. A operação era quase tão complexa quanto fora a da festa de lançamento. Lisa pretendia sair de Dublin por cima. Já dissera a Trix que a considerava pessoalmente responsável pela escolha do presente de despedida e que, se lhe desse um vale da Next, ela a mutilaria.

— Lisa — Trix estendeu-lhe o telefone. — É o Tomsey, do departamento de cortinas da Hensards. Sua persiana de madeira finalmente ficou pronta!

Aquele dia, no fim do expediente, Lisa abordou Ashling, ao tomarem o elevador para a portaria. Estava ansiosa para esclarecer uma questão com ela.

— Quero que você saiba — disse, enfática — que propus seu nome como diretora, e que entoei loas ao seu trabalho para a diretoria. Lamento que você não tenha ganho o cargo.

— Não tem problema. Eu detestaria ser diretora — disse Ashling. — Nasci para ser o braço direito de alguém, e os braços direitos são tão importantes quanto os líderes.

Lisa riu da serenidade de Ashling.

— A mulher que escolheram parece legal. Poderia ter sido pior, poderia ter sido Trix!

Lisa não tinha nenhuma dúvida de que algum dia Trix dirigiria uma revista — e tão implacavelmente, que faria Lisa parecer Madre Teresa de Calcutá. Mas, no momento, Trix tinha outras preocupações. O Arraia-Miúda fora chutado para escanteio, dando lugar a Kelvin, e um apaixonado romance estava a caminho. Ainda era um "segredo".

Quando as portas do elevador se abriram, Lisa deu uma cotovelada forte em Ashling, soltando um riso debochado:

— Ih, olha só quem está aí.

Era ninguém mais, ninguém menos do que Clodagh.

— O que ela quer? — perguntou Lisa, agressiva. — Tentar roubar Jack de você? Vaca! Quer que eu diga a ela que o marido dela tentou me passar na cara?

— É uma oferta maravilhosa — Ashling ouviu sua voz vir de muito longe —, mas não precisa, obrigada.

— Tem certeza? Até amanhã, então.

Quando Lisa foi embora, Clodagh se aproximou.

— Pode me mandar para o inferno, se quiser, mas será que a gente poderia conversar?

Impotente devido ao choque, Ashling demorou algum tempo para encontrar as palavras.

— Vamos para o bar aqui do lado.

Lá chegando, arranjaram uma mesa e pediram as bebidas. Ashling não conseguia parar de encarar Clodagh um segundo. Estava bem de aparência, cortara o cabelo muito mais curto, um corte que ficava bem nela.

— Vim pedir perdão — disse Clodagh, constrangida. — Cresci muito, muito mesmo, nesses últimos meses. Estou diferente agora.

Ashling assentiu, cerimoniosa.

— E enxergo o quanto fui egoísta e cruel — desabafou Clodagh. — Meu castigo é ser obrigada a conviver com todos os estragos que causei. Você está com ódio de mim e não sei se tem visto Dylan ultimamente, mas ele está destroçado. Tão feroz e... insensível.

Ashling concordou. Não se sentia mais à vontade na companhia de Dylan.

— Sabia que eu pedi a ele para voltar para casa e ele não quis?

Ashling assentiu. Dylan quase pusera um comercial em todas as emissoras de televisão, anunciando o fato.

— Foi bem feito para mim, não foi? — Clodagh conseguiu dar um débil sorriso.

Ashling não respondeu.

— Nós vendemos a casa em Donnybrook, e agora estou vivendo com as crianças em Greystones. É onde o vento faz a curva, mas foi só o que pude pagar. Virei mãe solteira, desde que Dylan chegou à conclusão de que não tinha condições de arcar com a custódia das crianças.

— Por que você fez o que fez? — Ashling a interrompeu, ríspida. Clodagh se remexeu, ansiosa com a raiva na voz de Ashling.

— É uma coisa que tenho me perguntado muito.

— E aí? Chegou a alguma conclusão? Seu casamento estava atravessando uma fase difícil? Acontece com todos os casamentos, sabia?

Clodagh engoliu em seco, nervosa.

— Não acho que tenha sido só isso. Eu nunca deveria ter me casado com Dylan. Deve ser difícil de acreditar, mas não acho que algum dia eu tenha chegado realmente a me sentir atraída por ele. Apenas achava que era do tipo de homem com quem a gente se casa — tão bonito, simpático, bem empregado, responsável... — Ansiosa, relanceou Ashling, cuja expressão fechada e imutável não era propriamente encorajadora. — Eu tinha vinte anos, era egoísta, não sabia nada de nada da vida. — Clodagh desejava ardentemente ser compreendida.

— E Marcus?

— Eu estava desesperada por um pouco de diversão, de excitação.

— Podia ter começado a praticar bungee-jumping.

Clodagh assentiu, infeliz.

— Ou canoagem em águas rápidas. — Mas Ashling não riu. Ela honestamente achara que riria. — Eu me sentia entediada e frustrada — tentou ainda. — Às vezes, me sentia como se estivesse sufocando...

— Muitas mães se sentem entediadas e frustradas — soltou Ashling, brusca. — Muitas *pessoas*, na verdade. Mas nem por isso têm casos. Muito menos com o namorado da melhor amiga.

— Eu sei, eu sei, eu sei! Agora enxergo isso, mas, na época, não tinha noção. Me perdoe, apenas achei que deveria ter qualquer coisa que quisesse, porque estava me sentindo profundamente infeliz.

— Mas por que Marcus? Por que *meu* namorado?

Clodagh corou, abaixando os olhos para o próprio colo. Corria um grande risco ao admitir o que estava prestes a admitir.

— Provavelmente, qualquer homem serviria.

— Mas foi o *meu* namorado que você escolheu. Porque não tinha o menor respeito por mim — desfechou Ashling, indo ao cerne da questão.

Morta de vergonha, Clodagh admitiu:

— Não muito. E sinto ódio de mim mesma por isso. Passei os últimos meses me sentindo culpada e infeliz pelo que fiz. Daria meu seio esquerdo para você me perdoar.

Depois de uma longa e tensa pausa, Ashling soltou um suspiro profundo.

— Eu perdoo você. Quer dizer, quem sou eu para julgar? Estou longe de ter levado uma vida perfeita. Como você bem observou, eu era uma vítima completa.

— Ah, me perdoe!

— Não, não se perdoe, você tinha razão.

A expressão de Clodagh se iluminou:

— Quer dizer então que podemos voltar a ser amigas?

Outra longa pausa, enquanto Ashling refletia. Ela e Clodagh haviam sido amigas desde os cinco anos de idade. A *melhor* amiga uma da outra. Haviam atravessado juntas a infância, a adolescência e os primeiros anos de sua vida adulta. Tinham uma história em comum, e ninguém jamais conheceria Ashling como Clodagh a conhecia. Esse tipo de amizade é raro. Mas...

— Não. — Ashling rompeu o silêncio tenso. — Eu perdoo você, mas não confio em você. Perder um namorado para uma amiga é falta de sorte, perder dois é falta de cuidado.

— Mas eu mudei, mudei de verdade.

— Mesmo assim — disse Ashling, triste.

— Mas... — objetou Clodagh.

— Não!

Clodagh compreendeu que era inútil.

— Tudo bem — sussurrou. — Já vou indo. Lamento muito, só queria que você soubesse disso... Até mais.

Ao sair, percebeu que estava tremendo. A coisa não saíra conforme o esperado. Os últimos meses haviam sido sumamente desagradáveis para Clodagh. Estava chocada e muito *surpresa* com o quanto achava sua vida dolorosa. Não apenas sua nova e triste condição de mãe solteira, mas a lucidez que adquirira em relação a seu próprio egocentrismo.

O remorso era uma emoção nova para ela, e esperara que, explicando a compreensão que adquirira de seu egoísmo e enfatizando o quanto estava arrependida, seria perdoada. E que, no mesmo instante, tudo voltaria a ser perfeito. Mas subestimara Ashling, com isso aprendendo outra lição: só porque estava arrependida, isso não queria dizer que os outros estavam prontos para perdoá-la, e, só por a perdoarem, isso não significava que ela se sentiria melhor.

Infeliz, solitária e massacrada sob o peso das consequências de seus atos, perguntou-se se algum dia seria capaz de consertar tudo que destruíra. Será que algum dia as coisas ainda voltariam ao normal?

Ao passar pela Hogan's, uma multidão de garotos a notou e se pôs a brindá-la com assobios, gritos e galanteios. No começo ela os ignorou, mas, então, num capricho, jogou os cabelos para trás e lhes deu um sorriso ofuscante por sobre o ombro, arrancando de sua plateia vivas histéricos de apreciação. De repente, ela criou novo ânimo.

A vida continua, ora.

Depois que Lisa deixou Ashling e Clodagh na portaria, obrigou-se a voltar a pé para casa. Era algo que passara a fazer regularmente, para contrabalançar todos os jantares que Kathy a obrigava a comer. Enquanto caminhava, obrigou-se a manter a tristeza a distância. *Sou fabulosa. Tenho pais fabulosos. Tenho um novo emprego fabuloso como consultora de mídia. Tenho sapatos fabulosos.*

Quando dobrou a esquina de sua rua, viu que alguém da vizinhança se sentava no degrau da porta, à sua espera. O que a surpreendia era que não pegassem as chaves com Kathy e entrassem sem a menor cerimônia, pensou, irônica.

Sentiria falta de todos eles quando voltasse para Londres. Embora Francine vivesse lhe dizendo que não era o caso, pois Lisa receberia tantas visitas, que seria quase como se não tivesse chegado a ir embora.

Mas, afinal, quem estava no seu degrau? Francine? Beck? Mas a pessoa era do sexo errado para ser Francine, alta demais para ser Beck, e... Lisa sustou o passo, ao perceber que era da cor errada para ser qualquer um dos dois. Era Oliver.

— O que você está fazendo aqui? — perguntou, atônita.

— Vim ver você — respondeu ele.

Ela alcançou a porta e ele se levantou com um largo sorriso branco.

— Vim reconquistar você, paixão.

— Por quê? — Ela enfiou a chave na fechadura e ele entrou atrás dela no vestíbulo. Sentia-se confusa — e estranhamente ressentida. Passara o dia inteiro se esforçando para "tocar a bola para a frente", e ele lhe dera uma rasteira.

— Porque você é a melhor — disse ele, com toda a simplicidade E outro sorriso ofuscante.

Ela atirou as chaves na mesa da cozinha.

— Pois chegou um pouquinho atrasado — tornou ela, irritada. — Nós acabamos de nos divorciar.

— Sabe — disse ele, pensativo —, eu me sinto uma merda com esse divórcio. Deu um nó na minha cabeça que você não faz uma ideia! Mas, enfim, não há nada que impeça a gente de se casar de novo — disse, sorrindo. E, quando ela lhe deu um olhar cuja legenda era "Seu filho da mãe maluco", ele insistiu: — Estou falando sério!

Ela lhe lançou outro olhar da mesma família do primeiro, mas, de repente, seus pensamentos ficaram um pouco irrequietos e difíceis de dominar. A ideia de se casar com Oliver de novo era ridícula, mas tentadora. Extremamente tentadora — durante mais ou menos um nanossegundo. Em seguida, ela caiu na real.

E perguntou, brusca:

— Não se lembra de como era horrível? No fim, a gente discutia o tempo todo, era *um inferno*. Você tinha ódio de mim e do meu emprego.

— Tem razão — admitiu ele. — Mas, em parte, a culpa foi minha. Quando você desistiu de ter um bebê, eu devia ter te dado atenção. Sei que você tentou me contar, paixão, mas eu *não* queria saber. Foi por isso que fiquei louco da vida quando descobri que você ainda estava tomando a pílula. Mas, se tivesse te dado atenção... Enfim... E você está *tão* diferente, não é mais tão dura quanto era. Sinto muito, paixão — disse ele, ao ver que ela se encrespara —, mas é a verdade.

— E isso é bom?

— *Claro*.

Diante de sua expressão cética, ele disse, com brandura:

— Lisa, nós estamos separados há mais de um ano, e a barra ainda não aliviou para mim. Não conheci ninguém que chegasse aos seus pés.

Sua expressão era ansiosa, como que à espera do encorajamento ou aquiescência dela, mas ela não lhe deu nenhum dos dois. Toda a despreocupação que ele sentia ao chegar se esvaíra, e estava subitamente ansioso.

— A menos que você tenha conhecido alguém. Se for o caso, eu tiro meu time de campo — disse, gentil. — E desisto de tentar reconquistar você.

Com uma fisionomia inescrutável, Lisa o encarava, considerando a hipótese de lhe dar um sorrisinho maroto, do tipo talvez-sim-talvez-não. Isso daria um basta naquela situação absurda, perigosa. Do nada, porém, mudou de ideia. Jamais jogara com Oliver, por que haveria de começar agora?

— Não, Oliver, não conheci ninguém.

— Tudo bem — ele assentiu lenta e cautelosamente. — Bom, já posso parar de me roer por dentro. — Após uma pausa nervosa, continuou: — Ainda te amo. Agora que estamos mais velhos e mais maduros — deu um risinho inseguro —, acho que tem tudo para dar certo.

— Acha? — A pergunta foi feita com toda a calma.

— Acho — afirmou ele, categórico. — E, se você estiver interessada, posso me mudar para Dublin.

— Não seria necessário, vou voltar para Londres no fim da semana — murmurou ela.

— Então, Lisa — disse Oliver, com uma expressão extremamente séria —, só resta saber se você *está* interessada.

Seguiu-se um longo e tenso silêncio. Por fim, Lisa disse:

— Acho que sim. — De repente, sentia-se encabulada.

— Tem certeza?

— Tenho. — Deixou escapar um risinho nervoso.

— Paixão! — exclamou ele, fingindo-se indignado: — Se é assim, por que é que você está me torturando desse jeito?!

Ainda encabulada, ela confessou:

— Eu estava com medo. Eu *estou* com medo.

— De quê?

— De ter esperança, acho — disse ela, dando de ombros. — Não queria ter nenhuma, porque havia a hipótese de você estar agindo por impulso. Eu tinha que ter certeza da sua certeza antes mesmo de poder pensar no assunto. Porque — confessou, tímida — eu te amo.

— Então não precisa ter medo — prometeu ele.

— Quando foi que você ficou tão ajuizado? — resmungou ela.

Ele soltou uma gargalhada forte e alta, uma gargalhada tipicamente sua, e, de repente, os pensamentos de Lisa simplesmente dispararam, como cães soltos de suas coleiras.

Quanta sorte ela tinha de ganhar outra chance? A extensão integral de sua suprema boa fortuna revelou-se para ela, e ela se sentia no sétimo céu, quase imponderável de felicidade. Nem todo mundo tem uma chance dessas, compreendeu, degustando, pela primeira vez na vida, o valor do momento presente.

Vou fazer tudo diferente dessa vez, jurou de pés juntos. Os dois fariam. E, mais uma coisa, o fecho de ouro, por assim dizer: se dois casamentos entre as mesmas pessoas eram bons o bastante para Burton e Taylor, então também eram bons o bastante para ela. Incapaz de frear sua cabeça eufórica, já planejava um segundo casamento, um festival de plumas e paetês, pompa e circunstância. Nada de fugir para Las Vegas dessa vez — não, fariam tudo como mandava o figurino. Sua mãe ficaria *deslumbrada*. E eles chamariam a revista *Hello!* para fotografar a cerimônia...

Como se pudesse ler os pensamentos de Lisa, Oliver exclamou, ansioso:

— Calma, tigresa!

EPÍLOGO

Jack e Ashling passeavam pelo píer. Era uma tardinha de maio, e o dia ainda estava claro. De braços dados, caminhavam sem pressa.

— Quer um caramelo? — ofereceu-lhe Ashling.

— E eu que pensava que as coisas não podiam ficar melhores — disse Jack.

Ashling tateou às cegas o interior da bolsa.

— Onde é que eles estão? — Retirou uma cartela de Anadin e o vidro de seu elixir de emergência antes de encontrar os caramelos.

— Você ainda carrega todas essas tralhas aí dentro? — Jack pareceu triste. — Os Band-Aids e tudo o mais?

— Acho que é a força do hábito. — Mas, pela primeira vez, sentiu-se um pouco boba por carregar toda aquela parafernália profilática.

— Que tal considerar a hipótese de jogar tudo fora? Agora você não precisa mais de nada disso. As coisas mudaram.

Ashling o contemplou longamente. Ele tinha razão, as coisas tinham mudado.

— Tá, vou jogar tudo fora quando chegar em casa.

— Por que não agora? Vai nessa, joga sua bolsa no mar.

— Jogar minha bolsa no mar? Tá certo...

— Estou falando sério. Se livra de tudo isso.

— Você ficou louco? E os meus cartões de crédito? E a bolsa propriamente dita?

— Tira os cartões de crédito. E eu compro uma bolsa nova para você. Prometo.

— Ah, meu Deus, você está falando sério. — Ashling lhe deu um olhar que mesclava medo e excitação. Sentia-se estranhamente tentada pela ideia, ainda que lhe desse náuseas.

— Se livra de tudo isso — repetiu ele, com uma expressão animada.

— Não posso.

— Pode, sim.

Será que posso?

— Se fosse minha bolsa de couro de píton, eu nem levaria a hipótese em consideração.

— Mas essa está velha e imunda — Jack voltou à carga. — E a alça está se soltando. Eu compro outra para você. Ah, manda ver!

O simbolismo do gesto era atraente. Mas, por outro lado, como poderia jogar fora uma bolsa cheia de coisas de que precisava? Mas será que precisava *mesmo* de alguma daquelas coisas...? Talvez não... A imagem se intensificou, tornando-se possível, provável, exequível.

— Tudo bem. Vou jogar! Vou jogar! Segura aqui. — Passou-lhe a carteira, o celular, o maço de cigarros e o tubo de caramelos. — Não consigo acreditar que vou fazer isso.

Com um grito de euforia, rodou a bolsa acima da cabeça uma vez. Duas vezes. Em seguida, entre o terror e a exultação, simplesmente a lançou. A bolsa descreveu um arco radiante no céu do anoitecer, aquele pequeno e compacto carregamento de alfinetes de segurança, Band-Aids e esferográficas, para então encetar sua graciosa trajetória descendente, e por fim, com o menor dos impactos, ser recebida pelo mar.

Impresso no Brasil pelo
Sistema Cameron da Divisão Gráfica da
DISTRIBUIDORA RECORD DE SERVIÇOS DE IMPRENSA S.A.
Rua Argentina 171 – Rio de Janeiro, RJ – 20921-380 – Tel.: 2585-2000